ORCHÉRON

PIERRE BORDAGE

ORCHÉRON

CHAPITRE PREMIER

UMBRES

Combien de temps ai-je passé à lire le journal du moncle Artien ? Des semaines, des mois ? Je n'ai parlé à personne de ma découverte, pas même à mon cher Elleo. Sans doute y a-t-il une part de lâcheté dans mon mutisme. Peut-être craignais-je que l'exhumation de ce document, qui nous raccroche à un passé à la fois si lointain et si proche, ne fasse que précipiter une transformation que je pressens douloureuse ? Notre monde, notre toujours « nouveau monde », repose sur un foisonnement de légendes d'où nous avons dégagé les sept sentiers de l'évolution. Or la révélation de la vérité historique – d'une simple facette de cette vérité, car le témoin privilégié de l'odyssée de l'Estérion n'avait des événements qu'une vision subjective, parcellaire – risquait à mon sens de saper nos fondations encore fragiles et de déchaîner la violence que je vois frémir dans le cœur de chacun.

J'ai parfois ri aux éclats lorsque j'ai comparé les descriptions du moncle Artien à notre propre vision de l'odyssée des maudits d'Ester. Le grand Ab n'est donc pas ce demi-dieu terrible qui vainquit les légions infernales et dompta le Qval ; Lœllo, le fumé de Xart (X-art, selon Artien), n'est donc pas cet ange visionnaire qui se jeta dans la fosse aux serpensecs pour sauver la population du vaisseau ; les lakchas ne sont donc pas ces enfants génies qui, touchés par la grâce, firent jaillir la manne du néant... Le gouffre se creuse sans cesse entre la réalité et la fiction. Seule Ellula, la jeune vierge qui défia l'ordre millénaire des Kroptes et apprivoisa le monstre Abzalon, semble à peu près conforme à sa légende. Elle n'a usurpé ni sa beauté ni sa bonté, et le sentier qu'elle a défriché, le deuxième, le sentier de l'amour vrai, me paraît magnifiquement assorti à son nom.

Je me suis longtemps demandé ce qu'il convenait de faire de ce journal. Devais-je aller de mathelle en mathelle afin de délivrer mes « frères » et « sœurs » de la chaîne d'erreurs qu'ils maillent depuis maintenant cinq siècles ? (Je ne sais pas, et je ne saurai sans doute jamais, si cinq siècles d'ici équivalent à cinq siècles d'Ester.) Devais-je brandir les écrits du moncle Artien comme un flambeau afin d'écarter les ténèbres dans lesquelles s'égarent les descendants de l'Estérion ? J'ai finalement décidé d'attendre le moment propice : la lumière risquait de blesser cruellement ceux qui sont restés dans la nuit trop longtemps.

Est-ce là la vraie raison, Lahiva filia Sgen ? Ne te faudrait-il pas ici confesser qu'être la seule détentrice du secret de nos origines te donne un sentiment de supériorité, un vertige, une ivresse que tu refuses de dissiper par le partage ? Ton lecteur (ta lectrice) aura tôt fait de s'apercevoir que tu n'es guère partageuse...

Le témoignage du moncle Artien m'a en tout cas poussée à rédiger mon propre journal, à relater notre histoire à ma façon. Autant j'ai maudit les djemales de nous avoir, mes condisciples et moi, enfermés durant des heures pour nous enseigner les rigueurs de la lecture et de l'écriture, autant je bénis aujourd'hui leur intransigeance : grâce à ces femmes engagées sur le sentier de Qval Djema, le quatrième, la voie de la connaissance ou le chemin de l'eau bouillante, je suis en mesure de poursuivre, avec mes modestes moyens, l'œuvre de ce religieux légendaire qui a lui-même donné son nom à un sentier, le sixième, le chemin de l'humanité reconquise.

Ayant choisi cet « enfant de l'éprouvette » pour maître, je m'efforcerai d'être sa digne disciple, d'avoir comme lui « des événements une vision pénétrante, filtrée par ces tamis très fins que sont la mémoire cellulaire et le subconscient... » Je n'accéderai sans doute jamais à la qualité de son style, à la caresse ensorcelante de sa « danse de la plume sur le papier », je marcherai seulement sur ses traces en espérant recueillir un peu de sa grâce, un peu de sa manne, comme ces yonkins tout juste sevrés qui se tiennent entre les pattes de leur mère, dans l'attente des offrandes d'une herbe qu'elles recrachent à leur intention après l'avoir prémâchée.

Le moncle Artien ne se doutait sûrement pas que son « lecteur imaginaire » se matérialiserait un jour dans le corps d'une jeune fille de vingt-neuf ans. Je ne suis pas encore femme : sur le nouveau monde, la vie se déroule plus lentement que sur l'ancien. Je ne suis pas une spécialiste, mais, après avoir interrogé des djemales séculières, j'en suis arrivée à la conclusion que cette lenteur a une relation de cause à effet avec la révolution de notre planète autour de notre étoile, Jael. Ou bien sont-ce les gouttes génétiques de l'eau d'immortalité de l'Église monclale partagée par nos ancêtres ? Ici, l'espérance moyenne de vie approche les deux siècles, et nous n'entrons dans l'âge adulte qu'à partir de quarante ans. Quand je pense que sur Ester les Kroptes bannissaient de leurs maisons leurs filles qui n'avaient pas trouvé de mari avant leurs dix-huit ans ! Les patriarches des temps reculés doivent se retourner dans l'anonymat de leurs fosses communes (la description d'Artien des charniers kroptes m'a, je l'avoue, davantage fascinée qu'horrifiée). Je tiens enfin la racine de ce mot étrange, « ventresec », désignant les hommes et les femmes qui ont choisi de s'engager sur le septième sentier, celui de l'errance et du partage.

Je n'écris pas sur du papier, ce même papier odorant, bruissant et agréable au toucher qui a veillé avec fidélité sur la mémoire du moncle Artien, mais sur des rouleaux de peau de yonk aussi souples et soyeux que les étoffes de laine végétale. Nous n'utilisons pas seulement les peaux de yonk pour la confection des vêtements et des chaussures, elles servent également de support aux dessins et peintures qui ornent les habitations et qui racontent, avec une naïveté touchante – et invraisemblable mais, après tout, et c'est un leitmotiv chez le moncle Artien, le centre de la vérité est insaisissable –, les péripéties du voyage de l'Estérion. Pour encre, nous utilisons les pigments sombres d'une plante appelée nagrale dilués dans une huile végétale ; pour plumes, des pennes de nanzier, un oiseau gigantesque qui vit sur les plaines d'herbe jaune du Triangle et change de livrée deux fois l'an. J'ai choisi et taillé la mienne avec le plus grand soin avant d'entamer ce journal. Il conviendrait d'admettre que c'est elle qui m'a choisie : elle m'attendait tout près de l'amas de terre, de pierres et de ronces qui recouvre le vaisseau des origines, comme posée là à mon intention par un lakcha du sentier de l'abondance, le cinquième. De la longueur d'un bras, parsemée d'ocelles noir et blanc, elle possède un tuyau épais, rassurant, d'une teinte indéfinissable, entre ocre et rose, et des barbes d'un bleu éclatant, céleste, qui tire sur le vert à son extrémité. Elle fait désormais partie de moi-même au même titre que mes membres, ma langue, mes yeux, mes seins, mon sexe, ma chevelure – oserai-je préciser, au risque d'écorner ma toute nouvelle modestie de disciple, que les regards des garçons, de ces crétins de garçons, renvoient des reflets plutôt flatteurs de ma... peu modeste personne ?

Munie de mon nécessaire, je me suis installée dans mon refuge, imitant encore le moncle Artien lorsqu'il se retirait dans sa cabine pour écrire. Je suppose que nous autres, gens de plume, éprouvons le besoin de nous entourer de solitude et de calme afin de mieux « établir cette relation de soi à soi, sans interférences parasites ». Je n'ai jamais perdu de sang – hormis le sang douloureux de mes règles –, je n'ai jamais versé de larmes – je ne considère pas les caprices d'enfant comme de véritables larmes –, je ne présente pas d'autre plaie que les égratignures des ronces, mais, comme mon maître, j'ai l'impression que l'encre est le seul liquide qui puisse encore s'écouler de mes veines.

Nous sommes en plein cœur de la saison sèche, et Jael, notre étoile, notre lakcha de lumière, dépose une chaleur écrasante sur la plaine. La terre et les herbes craquent autour de moi, les grattements et les cris familiers des bêtes sauvages se sont tus, la brise a cessé de souffler, vaincue par la canicule. J'ai trempé ma robe dans l'eau d'une source qui trouve encore la force de fredonner, puis je l'ai enfilée avec un frisson de plaisir, je me suis assise sur un rocher en forme de siège et j'ai déroulé la peau de yonk avec solennité (avec puérilité ?) avant de la fixer sur son cadre de bois.

Puisqu'il faut un début à tout, il me paraît approprié de commencer par la découverte du journal du moncle Artien. Du squelette du moncle Artien lui-même, par conséquent. Il avait pourtant demandé au grand Ab de l'enfermer dans une combinaison spatiale et de l'expulser dans l'espace après sa mort, mais le hasard – l'ordre cosmique d'Ellula ? – a voulu que son cadavre reste coincé dans le réseau des

9

tubes d'évacuation et atterrisse avec le vaisseau sur le nouveau monde. Personne n'en aurait jamais rien su si, saisie par les « mille démons de l'egon », je n'avais pas entrepris de fouiller de fond en comble l'épave de l'Estérion qu'un interdit tacite mais dissuasif a préservé de la curiosité des autres pendant plus de six siècles.

J'y étais poussée, je crois, par cette insatisfaction qui m'entraîne sans cesse à me glisser dans les mécanismes cachés et qui caractérise également Elleo, mon frère, mon double masculin, mon unique amour. L'interdit m'attire comme les explosions de pollen les insectes, comme l'eau bouillante les Qvals des légendes. Mes camarades des deux sexes se fichent éperdument de ce ventre rouillé qui abrita leurs ascendants pendant plus d'un siècle estérien. Ils ne cherchent pas à relier les fils, à reconstituer la trame, trop affairés à jouir des bienfaits prodigués par le nouveau monde, trop pressés de s'engager sur les sentiers de l'illusion. Peut-être auraient-ils changé d'avis s'ils n'avaient ressenti ne serait-ce qu'un dixième de l'émotion indescriptible qui m'a transie à l'intérieur de cet enchevêtrement de métal, de terre, de racines et de ronces. Je me demande encore comment j'ai réussi à me frayer un passage au milieu de ce dédale minéral et végétal, moi si frêle d'apparence et armée de mon seul couteau de corne. Ai-je été soulevée, comme je suis encline à le croire, par le souffle du moncle Artien ? Ou, mieux encore, par l'esprit du grand Ab et de son épouse Ellula, les deux colonnes de notre temple, les défricheurs des sentiers de la rédemption et de l'amour ? (J'ai, quand cela m'arrange, tendance à m'agripper à la légende. Moi l'accapareuse, moi la marginale, moi l'incestueuse, je ne suis pas aussi différente des autres que je me complais à le croire.) Sans leur soutien, sans leur lumière, je n'aurais sans doute jamais trouvé la sortie du labyrinthe, j'aurais succombé de faim et de soif dans ces galeries étouffantes creusées par les furves, une population d'animaux – de créatures vivantes serait un terme plus approprié – dont nous ignorons à peu près tout.

Le silence qui régnait dans la pénombre de la carcasse du vaisseau m'a pétrifiée, m'a coupé le souffle. J'ai eu l'impression de voir s'agiter des ombres du passé dans les salles que j'explorais, dans les coursives que je parcourais. Même absorbé par la terre, le métal renferme à jamais les larmes, les cris et les rires des quatre ou cinq générations d'Estériens qui se sont affrontés, haïs, aimés dans ses flancs. La gorge nouée, les jambes flageolantes, j'ai erré dans l'Estérion comme dans les vestiges d'une mémoire agonisante. Quelques ossements entreposés dans une cabine exiguë, sans doute des passagers vaincus par la maladie juste avant l'atterrissage, m'ont valu la plus grande frayeur de ma courte vie ! Sur le nouveau monde, le temps nous dévore avec la lenteur exquise des gourmets, et j'ai détesté me contempler dans le miroir avide que me tendaient ces squelettes.

Je suis tombée sur les ossements du moncle Artien en m'aventurant dans les intestins du vaisseau, au milieu de matières décomposées et puantes formées sans doute de déjections et de résidus. Il a échappé à la dissolution totale grâce à l'étrange matériau de sa combinaison spatiale. Je t'épargnerai, cher lecteur (lectrice), les détails sordides de l'extraction de ses restes. Il te suffira de savoir que j'ai vomi tripes et boyaux et que, même après m'être plongée dans une source claire jusqu'au crépuscule, l'odeur m'a harcelée toute la nuit ainsi que le jour suivant. C'était le prix à payer pour mettre la main sur le trésor, sur ce précieux texte que m'a confié le destin. Même si certaines pages sont difficiles à déchiffrer et d'autres franchement illisibles, la fresque s'est révélée dans toute son ampleur et, depuis, elle a bercé chacun de mes rêves, chacun de mes actes. Grâce à mon maître, j'ai côtoyé le grand Ab et la douce Ellula, Lœllo le futé et Clairia la chanteuse, les ventresecs aux yeux morts, les petits lakchas, Djema et Maran, Laed et Chara, tous les autres. J'ai partagé leurs souffrances, leurs peurs, leurs espoirs, j'ai renoué le lien que six misérables siècles avaient suffi à trancher, je les ai trouvés bien plus grands que tout ce qu'en disent les légendes, j'ai rencontré de véritables... êtres humains.

La hâte avec laquelle nous en avons fait des divinités, ou des principes, me conduit à penser que notre parenthèse d'insouciance se refermera dans un avenir très proche. Notre rage de liberté, notre phobie des contraintes n'auront duré que le temps de notre traumatisme. De notre patrimoine estérionique nous avons conservé la hantise de l'enfermement ; de notre patrimoine dek le rejet de la discipline et des lois ; de notre patrimoine kropte le refus du patriarcat et des dogmes. Les femmes sont les axes fertiles et autonomes autour desquels s'articule notre organisation sociale. Elles enfantent avec une belle constance six ou sept enfants en moyenne dont elles ne connaissent pas toujours les pères. Certains hommes s'attachent à une seule femme et acceptent de la partager avec les « volages » ou d'autres « constants », les autres continuent de papillonner jusqu'à la vieillesse et de répandre leur semence au gré des ventres, comme les bulles de fécondation qui, trois ou quatre fois l'an, montent de l'herbe jaune des plaines et se désagrègent pour confier leur pollen aux vents. Les femmes sont des terres labourées par plusieurs socs, des ventres communs, des « mathelles », du nom de ces femmes âgées ou stériles qui se proposèrent de soulager la misère morale et sexuelle des deks célibataires de l'Estérion.

J'explique ce... foutoir génétique par une volonté inconsciente d'exogamie, de croisement des gènes, de renforcement de l'espèce : les pionniers du nouveau monde n'auraient probablement pas survécu à la monogamie ou à une polygamie de type kropte. Et d'ailleurs, hormis quelques individus faibles ou mentalement déficients, nous avons plutôt à nous féliciter de ce grand désordre : notre population compte actuellement une soixantaine de milliers de membres, presque tous en bonne santé, une croissance qui enflera de manière vertigineuse et nous conduira rapidement à déborder de nos frontières, à conquérir de nouveaux territoires.

Les mathelles ont donné leur nom aux clans maternels, ces immenses domaines qui sont les piliers de notre développement. Disséminés sur les plaines du continent du Triangle, les domaines – ou mathelles, donc – se terrent au milieu de ceintures de ressources qui, en principe, leur assurent une certaine autonomie. Chacun dispose d'une ou plusieurs sources d'eau potable, de champs de « manne », une céréale aux épis géants, aux grains ronds et blancs qui, récoltée deux fois par an, constitue la base de notre alimentation, d'une plantation de laine végétale, d'un verger et d'un jardin. En revanche, la viande de yonk, ces mammifères herbivores qui sont apparus deux siècles après l'atterrissage de l'Estérion et errent en gigantesques troupeaux au nord du Triangle, est fournie à l'ensemble des domaines par le corps des chasseurs, surnommés les lakchas en référence aux enfants qui permirent aux deks de ne pas mourir de faim pendant leur interminable traversée.

Jusqu'à présent, nous n'avions jamais ressenti la nécessité de recourir à une quelconque forme d'autorité, de déléguer notre pouvoir à une poignée de représentants comme cela se pratiquait dans l'ancien monde, mais ces temps bénis de liberté individuelle, de chaos fécond, de bonheur vagabond semblent toucher à leur fin. Oh, ne va pas croire, cher lecteur (lectrice), que des groupes d'hommes se sont un beau jour dressés, le poing ou l'arme levés, pour nous dicter leur volonté ! Non, non, le changement est insidieux, d'autant plus redoutable qu'il se produit à l'insu des uns et des autres, comme une eau amère qui rejaillirait de nappes très anciennes et contaminerait peu à peu nos sources pures. Des murmures s'élèvent pour réclamer un contrôle dans la répartition des ressources et dans le choix des sentiers. Les chasseurs, qui fournissent non seulement la viande mais également les matières premières aussi importantes que la peau, les boyaux et la corne de yonk, s'estiment lésés par les échanges. Certains constants ont de plus en plus de mal à accepter la présence de volages dans les chambres des reines des domaines. Des disputes ont éclaté qui, sans l'intervention énergique des femmes, auraient dégénéré en batailles rangées. Nous n'avons pas encore recensé un seul meurtre depuis notre arrivée sur le nouveau monde, ni même un seul acte de violence ou un simple larcin, mais mon intuition me dit que cela ne durera pas. Je n'aime pas, par exemple, la façon dont les passants nous dévisagent, Elleo et moi, lorsque nous nous promenons la main dans la main sur les pistes de terre qui relient les mathelles entre eux. Un ordre point, qu'on pourrait appeler social ou moral et qui, tôt ou tard, aura besoin de boucs émissaires pour se cristalliser. C'est peut-être la raison pour laquelle je n'ai jamais révélé aux autres l'existence du journal du moncle Artien : sans doute auraient-ils exploité le flottement engendré par la proclamation de la vérité pour sortir du bois et vomir leurs larves de haine sur mon frère et moi. Or, *je l'avoue, je n'ai que peu de disposition pour être la première victime expiatoire du nouveau monde.*

Et si les Qvals, qui ont bel et bien existé quoi qu'en disent certains (mon maître confirme leur présence dans l'Estérion), détenaient les réponses à nos interrogations, les solutions aux problèmes posés par notre croissance ? Et si nous abandonnions aux umbres (« umbres » sans doute parce qu'ils sont plus silencieux que des ombres), ces mystérieuses créatures volantes dont les incursions se font de plus en plus fréquentes et meurtrières, la tâche de la régulation de ce monde ?

Extrait du journal de Lahiva filia Sgen.

L_A BRISE peinait déjà à remuer un air qui, dans quelques instants, serait plus brûlant que l'intérieur du four. Lobzal oublia sa propre douleur pour tourner la tête vers sa mère. Les bras et les jambes écartés, vêtue d'une robe tachée, déchirée, elle donnait de temps à autre des coups de boutoir pour se libérer des attaches de corde tressée qui, fixées sur des piquets profondément enfoncés dans la terre sèche, lui plaquaient les poignets et les chevilles au sol.

À la première sonnerie, le groupe d'hommes chargé d'exécuter la sentence avait déserté le sommet de la colline de l'Ellab. Drapés dans de longues robes brunes, le visage enfoui sous un masque d'écorce qui symbolisait les chanes, les démons grinçants de l'au-delà, ils s'étaient éloignés en silence, de la même façon qu'ils avaient effectué leurs gestes successifs sans prononcer le moindre mot, sans trahir le son de leur voix. L'anonymat était la règle absolue des protecteurs des sentiers.

C'était la première fois que Lobzal mettait les pieds sur la colline de l'Ellab, là où, selon la légende, le grand Ab avait réveillé son ami Lœllo de chez les morts afin de lui montrer le nouveau monde. Étant donné son jeune âge, les exécuteurs n'avaient pas jugé nécessaire de le plaquer au sol comme sa mère. Ils l'avaient seulement attaché par le cou et les mains au tronc du seul arbuste qui avait daigné pousser sur le sommet arrondi et tapissé d'une mousse sombre, comme noircie par les passages répétés des umbres. Il évita de regarder les cadavres qui gisaient autour d'eux, des anciens le plus souvent, morts de vieillesse les jours précédents, une jeune fille retrouvée noyée dans le lit de la rivière Abondance, un garçon de trois ou quatre ans dont le ventre distendu indiquait qu'il avait succombé à la fièvre des tempêtes de pollen.

En contrebas, la plaine guettait l'apparition de Jael pour amorcer l'une de ses métamorphoses quotidiennes qui faisaient sa beauté et son mystère. Elle passerait en quelques minutes d'un brun terne à un jaune éclatant, d'une immobilité totale à un friselis persistant traversé d'ondulations aux couleurs changeantes. Même lors de la saison sèche où la chaleur écrasante interdisait aux vents de souffler, les herbes sauvages continuaient d'être agitées par ces vagues à l'écume bleue, verte ou mauve qui soulevaient des nuées de bulles irisées, se brisaient au pied des collines et se retiraient en abandonnant des effluves capiteux, enivrants.

Lobzal distinguait dans le lointain les carrés minuscules et ocre des toits des domaines enfouis sous les ramures rouille des bosquets et distants les uns des autres d'un quart de journée de marche, les damiers vert et jaune des jardins, le ruban paresseux et bleuté de la rivière Abondance, le réseau des pistes poussiéreuses qui coupaient par les champs immaculés de manne et se ramifiaient plus loin comme des veines d'un grand corps. Les lueurs de l'aube paraient le ciel de stries argentines et fermaient l'œil terne de Maran, le dernier satellite nocturne du nouveau monde. À l'est, les neiges éternelles de l'Agauer, la chaîne montagneuse, n'étaient encore que des songes blêmes suspendus entre ciel et terre.

Le son grave de la corne de yonk retentit à nouveau et plana un long moment au-dessus de l'Ellab. Lobzal aperçut, sur l'une des pistes qui rayonnaient à partir de la colline, les silhouettes des protecteurs des sentiers qui couraient vers le mathelle le plus proche afin de s'y réfugier avant le passage des umbres. Fou de terreur, il essaya encore une fois de se dégager de ses liens, puis, quand il eut constaté que ses mouvements désespérés ne réussissaient qu'à raviver la morsure des cordelettes à son cou et ses poignets, il cessa de se débattre et, les larmes aux yeux, scruta l'horizon.

On ne savait pratiquement rien des umbres, ces monstres volants qui surgissaient tous les quatre ou cinq jours au-dessus de la plaine, seuls ou en bande, et emportaient les individus isolés, imprudents, sans distinction d'âge ou de sexe. Les premières générations des descendants de l'*Estérion* avaient eu l'idée d'exposer les corps des défunts au sommet de l'Ellab, estimant que cette offrande suffirait à contenter l'appétit des prédateurs volants – établissant par la même occasion le rituel funéraire du nouveau monde –, mais les umbres, s'ils ne dédaignaient pas les dépouilles abandonnées à leur intention, ressentaient également le besoin de se nourrir de proies vivantes.

Un torrent de haine se déversa dans l'esprit et le corps de Lobzal. Une écume tourbillonnante, sale, emplie d'étincelles brûlantes et noires l'enveloppa, lui piqueta les yeux. Haine à l'encontre des autres, de tous les autres, des protecteurs des sentiers, des mathelles qui n'avaient pas daigné prendre la défense de sa mère, des volages à qui elle avait offert son lit et qui n'avaient pas eu le courage d'intervenir, des djemales, ces femmes engagées sur la voie de la connaissance et claquemurées pour l'occasion dans un mutisme odieux, de ses camarades de jeux qui s'étaient éclipsés comme des furves... S'ils se disputaient sans cesse pour quelques sacs de manne, quelques livres de viande, quelques litres d'eau, quelques fragments de légendes, tous semblaient s'être accordés sur le sort qu'il convenait de réserver à Lilea filia Vorja et à son fils, Lobzal fili Lilea.

« Lobzi... »

Il lui fallut un peu de temps pour retrouver le visage de sa mère au milieu de ses brumes de colère. Elle n'avait plus de visage d'ailleurs, elle l'avait remplacé par un masque de souffrance qu'il ne lui connaissait pas, aussi sinistre que la mousse, un ensemble de traits creusés, comme évidés par une lame de corne, qui la faisaient paraître trente ou quarante ans plus vieille et dure que son âge. Les déchirures de sa robe dévoilaient pourtant un corps jeune, plein, hâlé. Bien que courtisée par un grand nombre de volages, elle n'avait eu qu'un seul enfant et n'avait jamais pu prétendre à fonder son propre mathelle. Les cordelettes avaient imprimé des cercles violacés sur ses poignets et ses chevilles.

« Je ne t'ai jamais dit... »

Elle s'interrompit pour prendre une longue inspiration. Les protecteurs des sentiers l'avaient frappée avant de la traîner sur l'Ellab. Les pointes des bottes et des bâtons avaient imprimé des marques rougeâtres sur ses épaules, son ventre et ses jambes.

« Nous sommes les derniers descendants d'une lignée maudite, reprit-elle d'une voix hachée par la souffrance. Elle aurait dû s'éteindre bien avant, mais les chanes n'ont pas voulu de mon père, ton grand-père... Il avait tout juste deux mois... Il a survécu, personne ne sait comment... Pour son malheur... Pour notre malheur... »

Secouée par une crise de larmes, elle heurta à plusieurs reprises le sol de l'arrière du crâne et souleva un petit nuage de brindilles et de poussière qui estompa en partie ses traits et renforça, par contraste, l'éclat tragique de ses yeux. Lobzal aurait voulu voler à son secours, mais les liens le mainte-naient prisonnier du tronc de l'arbuste. Les protec-teurs des sentiers s'y entendaient pour faire des nœuds solides.

Ils s'y entendaient, d'ailleurs, pour ligoter tous les aspects de la vie. Dans le secteur de Cent-Sources, un adolescent ne pouvait s'engager sur l'un des sept sentiers d'évolution sans recevoir leur agrément, une jeune mère ne pouvait fonder son mathelle sans obtenir leur aval, ils arbitraient la plupart des conflits liés aux ressources, les controverses portant sur les légendes de l'*Estérion*, ils se proclamaient les gar-diens de l'ordre, de la loi, ils exécutaient les senten-ces qu'ils ne laissaient à personne d'autre le soin de prononcer. Le tout à l'abri d'un anonymat conforta-ble. Dissimulés sous d'amples capuchons et des masques d'écorce, ils employaient un langage ges-tuel qu'ils étaient les seuls à comprendre. Lorsqu'il leur fallait s'adresser aux autres, rendre leur verdict par exemple ou promulguer une loi, ils utilisaient un système qui déformait leur voix et rendait toute iden-tification impossible. On savait seulement, à leur sta-ture, à leur silhouette, qu'ils ne comptaient que des hommes dans leurs rangs. Le vieillard croisé le matin sur une piste, le constant transi d'amour pour une mathelle, le volage qui butinait de femme en femme, le chasseur livrant les quartiers et les peaux de yonk,

le potier, le tanneur, l'écorneur, le tisserand, le céréa-
lier, le cueilleur, ils pouvaient tous appartenir au
corps secret des protecteurs des sentiers.

Ils s'étaient introduits en pleine nuit dans la pièce
où Lobzal dormait en compagnie des autres enfants
du domaine. Le fracas de la porte l'avait réveillé en
sursaut. Il avait vu fondre sur lui une nuée de masques à demi éclairés par les flammes dansantes des
torches. Une impression tellement saisissante qu'il
s'était cru pendant quelques instants entraîné dans
un nouveau cauchemar. Ils l'avaient transporté, suspendu par les bras et les jambes comme un yonk
dépecé, dans le silo où ils avaient enfermé sa mère.
Ils l'avaient jeté sans ménagement sur des sacs de
grain de manne puis, après avoir tiré le lourd portail
de bois, ils s'étaient lancés dans d'interminables
palabres gestuelles. Deux solarines, des pierres
transparentes qui accumulaient la lumière du jour
pour la restituer pendant une partie de la nuit,
avaient enflammé des tisons de mépris et de haine
dans les fentes oculaires de leurs masques.

Lobzal n'avait pas compris pourquoi ils les avaient
condamnés, sa mère et lui, à être livrés aux umbres.
Ils n'avaient commis aucun délit ni contrevenu à
l'intérêt des domaines. En tant qu'intendante du
mathelle de Jasa, sa mère avait fourni sa part de
travail sans jamais rechigner ni se plaindre. Aucun
litige ne l'avait opposée aux volages admis dans sa
chambre : ils ne manquaient jamais de revenir la
solliciter, preuve qu'elle leur donnait tout l'amour
qu'ils attendaient, preuve qu'elle était mûre pour
prendre ses responsabilités de mathelle, recevoir
son propre domaine, s'attacher un ou deux
constants. Lobzal s'était demandé si la faute ne
venait pas de lui mais, il avait eu beau s'examiner
avec toute l'honnêteté dont il était capable, il n'avait
pas déterré dans ses souvenirs un forfait susceptible

de motiver une telle sentence – on ne pouvait pas considérer les larcins de fruits et autres bêtises de gosse comme des fautes graves.

« Une lignée maudite... » répéta sa mère.

Des larmes coulaient en silence de ses yeux mi-clos, creusaient des sillons rectilignes sur ses tempes poussiéreuses avant de se perdre dans la masse de ses cheveux.

Des points sombres se détachaient à présent de la mosaïque étincelante du ciel : les umbres, une dizaine, flottant avec la légèreté de bulles de pollen au-dessus de la plaine teintée de rose par les rayons rasants de Jael. Ils ne battaient pas des ailes comme les autres volants du nouveau monde, tout simplement parce qu'ils n'en avaient pas. Bien que trois ou quatre fois plus volumineux que les yonks, ils se maintenaient en l'air sans effort apparent, sans autre mouvement qu'une faible oscillation de leur court appendice caudal qui ne ressemblait ni à un cartilage ni à une queue. On ne leur distinguait pas d'yeux, ni de museau ni de gueule, seulement une sorte d'avancée triangulaire qui, parce qu'elle était placée à l'avant comme la pointe d'une lance ou d'une flèche, faisait office de tête. Le gris anthracite de leur robe lisse n'accrochait aucun reflet, comme s'il absorbait la lumière. Ils exerçaient sur les habitants des mathelles une fascination qui avait condamné un certain nombre d'entre eux à finir dans leur estomac – on pouvait raisonnablement supposer que, s'ils éprouvaient ainsi le besoin de s'alimenter, ils étaient équipés d'un système digestif, donc d'un estomac. Malheur à l'imprudent hypnotisé par leurs arabesques paresseuses et abusé par leur lenteur apparente : une masse sombre fondait sur lui à une vitesse effarante, ne lui laissait pas le temps de gagner un refuge, le recouvrait tout entier comme un nuage d'encre de nagrale puis le happait on ne savait de quelle façon ni par quel orifice.

« Je regrette, Lobzi... Je regrette tellement... »

Qu'est-ce que tu regrettes, mam' ? demanda Lobzal. De m'avoir mis au monde ? Et d'abord, une lignée maudite, qu'est-ce que ça veut dire ?

Il s'aperçut quelques instants plus tard qu'elle ne pouvait pas lui fournir de réponse parce que lui-même n'avait pas trouvé la force de formuler les questions. Il n'entendait plus le fredonnement de la brise, ni les friselis des herbes sur les pentes de la colline, ni les grattements familiers des petits animaux qui hantaient la plaine – de vrais fantômes d'animaux, qu'on ne voyait jamais mais dont on ressentait la présence. Aucun autre bruit que les sanglots étouffés de sa mère.

Les umbres approchaient, portés par des courants aériens qu'ils étaient les seuls à capter. Lobzal discernait leur « tête » triangulaire, leur « queue » courte et ondulante, leur « corps » légèrement renflé en son milieu. Les plus grands atteignaient sans doute une longueur de cinq hommes pour une largeur de deux. Ils survolaient des collines lointaines dont les courbes fuyantes et mordorées brisaient la monotonie de la plaine. Ils s'entouraient d'un silence qui semblait provenir d'un au-delà de vide et de froid.

« Lobzi... »

Sa mère ne pleurait pas sur elle-même mais sur lui, sur le fruit de son ventre, sur la chair de sa chair, sur cet enfant de huit ans qu'elle n'avait pas su conduire à l'âge d'homme.

« Ne t'inquiète pas, maman, dit-il d'une voix aussi ferme que possible. Je n'ai pas peur d'aller avec toi sur le chemin des chanes. »

C'était faux, bien entendu : les histoires horribles qui couraient sur les chanes, les démons, les amayas l'avaient suffoqué de terreur. Jamais il ne se serait couché sans jeter un coup d'œil sous son lit, jamais il ne se serait aventuré seul dans une pièce sombre ou dans un bosquet. Son univers se peuplait d'êtres invisibles et malveillants qui guettaient le moindre de ses faux pas pour se saisir de lui et le précipiter dans une désespérance éternelle. Il n'avait pas commis de faux pas pourtant, ou il n'en avait pas l'impression, mais les protecteurs des sentiers en avaient décidé autrement, comme si, quoi qu'il fasse, son existence était programmée pour s'arrêter à l'aube de ses huit ans. Il tira une dernière fois sur ses liens, conscient de l'inutilité de ses efforts. Les branches ployèrent, craquèrent, les feuilles jaunes ou brunes frissonnèrent, mais l'arbuste resta solidement planté sur son tronc.

Lobzal avait essayé de desserrer ses liens quelques instants plus tôt. Ses doigts engourdis s'étaient écorchés sur la corde végétale enroulée plusieurs fois sur elle-même. Il n'avait récolté qu'une douleur cuisante au cou et aux poignets. Il envia les cadavres, leur visage paisible, leur corps détendu. Eux étaient délivrés de la peur, de cette terrible, de cette stupide envie de vivre qui le consumait de la tête aux pieds. Il s'en irait sans connaître autre chose de son monde que la plaine du Triangle, les tempêtes de bulles de pollen, les champs et les jardins des mathelles, les cueillettes des fruits, les moissons de manne, les grillades de yonk, les murmures des sources, les baignades dans la rivière Abondance, les longues soirées d'hiver devant l'âtre central, les chœurs nostalgiques des djemales, le crissement des cristaux de glace sur les toits, les hurlements des vents descendus de l'Agauer, les journées torrides de la saison sèche comme celle qui s'annonçait et qui, pourtant, ne réussissait pas à lui réchauffer le sang.

Il entendait ou croyait entendre le chant de ce monde sous son écorce généreuse, du moins c'est ainsi qu'il interprétait ce besoin de découverte qui le taraudait depuis sa naissance et qui, en cet instant, se faisait pressant. Un chant grave et bouleversant de beauté. Les autres n'écoutaient pas leur planète d'adoption, ils en prenaient possession avec l'impudence des jouisseurs, des propriétaires. Ils essayaient de tromper le temps en se consacrant à l'instant présent, selon les saints préceptes de Qval Djema, mais ils bâtissaient des maisons faites pour durer, ils répartissaient les terres, l'eau et les tâches, ils préparaient un avenir à leurs descendants.

Lobzal leva la tête, alarmé par une sensation persistante d'obscurité et de froid. Les umbres étaient là, au-dessus de l'Ellab, immobiles, comme s'ils évaluaient le festin préparé à leur intention. Il en dénombrait neuf, neuf formes allongées et sombres qui ouvraient des blessures de ténèbres sur le ciel matinal. Jamais il ne les avait vus de si près – ceux qui avaient eu le malheur de les contempler de près n'étaient pas revenus témoigner. Il croyait distinguer des excroissances souples et transparentes de chaque côté de la partie renflée de leur ventre, un peu comme les nageoires des créatures phosphorescentes de la rivière Abondance. Ils donnaient d'ailleurs l'impression, plutôt que de voler, de nager dans l'air, d'évoluer dans un élément à la fois fluide et dense. Lobzal eut la certitude qu'ils n'appartenaient pas au règne animal ni à aucun autre règne connu, qu'ils ne chantaient pas dans le chœur de son monde.

Sa mère avait fermé les yeux, incapable de surmonter sa frayeur, sa douleur et son chagrin. Tandis que ses membres claquaient sur le tapis de mousse, son visage blême avait déjà pris la rigidité d'un masque mortuaire.

« Après l'offense vient le pardon, après la mort la renaissance », murmura Lobzal.

Les paroles de la prière des morts, qui avaient spontanément glissé de ses lèvres, se désagrégèrent sur le silence comme des bulles de pollen sur les branches basses d'un arbre. Il croyait dans la vie éternelle, comme tous les descendants des fils et filles de l'*Estérion*, mais il doutait à présent d'être admis dans le cercle des méritants, de ceux qui se voyaient offrir une nouvelle chance. Même s'il ne connaissait pas la signification exacte de l'expression « lignée maudite », il se doutait qu'elle n'était pas synonyme de bonheur éternel. Une formidable envie de vivre le secoua à nouveau et lui donna la nausée.

Un mouvement sur sa gauche attira son attention. Il ne discerna qu'une trace sombre, un trait évanescent sur le fond embrasé du ciel, puis il s'aperçut que le cadavre de la fille noyée avait disparu. Les neuf umbres ne semblaient pas avoir bougé d'un pouce, là-haut, et pourtant l'un deux venait de piquer vers le sommet de l'Ellab pour s'emparer d'un corps. Leur vitesse d'exécution dépassait, et de loin, tout ce que pouvaient en dire les lakchas de chasse, pourtant connus pour leur vantardise. Lobzal se demanda comment les monstres volants s'y prendraient pour trancher ses entraves et celles de sa mère, puis il perçut une succession de déplacements, une averse de stries verticales fugaces. Le petit garçon victime de la fièvre des pollens ainsi que trois anciens avaient à leur tour disparu. À la place qu'ils avaient occupée, la mousse légèrement tassée par leur poids s'était noircie, pétrifiée, comme brûlée par le gel.

Lobzal eut un hoquet d'épouvante qui le rejeta en arrière et accentua la pression de la corde sur son cou. Des gouttes d'urine s'écoulèrent dans son pagne de peau, brûlantes, irritantes, humiliantes. Autour de lui, les corps s'évanouissaient l'un après l'autre, comme aspirés par d'invisibles bouches. Seuls les courants d'air froid et les brusques changements de luminosité trahissaient le passage des umbres.

La dernière image qu'il eut de sa mère fut celle d'une femme échevelée, à demi dénudée, guettée par la folie. Un voile ténébreux s'abattit sur elle et la recouvrit pendant un temps très bref, de l'ordre d'un clignement de cils. Elle s'effaça du sommet de l'Ellab à la vitesse d'un rêve. D'elle il ne resta rien, pas même les piquets et les cordelettes qui l'avaient clouée au sol.

À peine la forme de son corps sur la mousse pétrifiée.

À peine un souvenir.

Lobzal poussa un hurlement et s'affaissa sur le dos. Ballotté par les sanglots, étranglé par les cordes, il était désormais seul sur la colline des morts.

CHAPITRE II

DJEMALES

Vénérée Qval Frana,

J'ai choisi de vous transmettre mon rapport sur le mode écrit, bien que l'écrit, selon les saintes paroles de Qval Djema, soit une tentative misérable d'emprisonner le temps. Sans doute n'ai-je pas trouvé le courage de vous affronter en face, de soutenir votre regard, le plus impitoyable des miroirs.

J'ai en effet décidé de quitter notre ordre pour fonder un domaine, un mathelle. J'y suis poussée par l'amour d'un homme qui s'est mis en tête de devenir mon premier constant. Je n'ai pas su résister à son regard, à son sourire, à son enthousiasme, à sa vigueur, à ses baisers, à ses caresses... Je n'en retire aucune culpabilité, seulement le sentiment que je me suis rendue à l'invitation du moment. Après tout, il existe mille manières d'affronter le temps, et vous ne pouvez me condamner, sinon par un jugement porteur d'une référence, d'un passé. Ou nous aurions bien mal assimilé les enseignements de notre fondatrice. Si j'ai déployé le paravent de l'écrit entre nous, c'est que j'avais peur de déceler de la réprobation dans vos yeux. Et, par conséquent, de mesurer l'inutilité, l'absurdité de toutes ces années consacrées à l'étude de l'instant, à la recherche de la vacuité. Le flot éternel ne se manifeste-t-il pas également par les désirs ? Que voulez-vous, vénérée Qval, mon corps réagit avec une grande, une exquise violence pour peu qu'on sache le réveiller, l'apprivoiser, l'affoler. Ni les privations que je me suis infligées ni l'épreuve de l'eau bouillante, que j'ai pourtant passée avec le succès que vous connaissez (que nous nous arrangeons toutes pour vous faire connaître), n'ont apaisé mes appétits sensuels, n'ont éteint mon feu passionnel. J'ai à présent des années de disette à rattraper, et, bien que vigoureux, Andemeur, mon constant, ne suffit pas à la tâche. D'ailleurs, pour me prouver son attachement, il cède volontiers sa place sur ma couche aux volages sur lesquels mon regard s'est posé. Un retard dans mes règles, des vertiges et des nausées matinales me donnent à penser que je suis enceinte. Bien qu'il n'ait aucune certitude sur sa paternité, Andemeur a accueilli la nouvelle avec une joie sincère bouleversante. Cette grossesse m'exalte et m'effraie en même temps, contraste entre l'ancienne et la nouvelle vie, je suppose.

J'entends d'ici votre argumentation, Qval Frana : « Les désirs ne peuvent pas être les fruits du présent puisqu'ils naissent d'un instinct, d'un conditionnement, donc du passé. La vacuité est la seule parole de l'instant, le seul commandement de l'ordre invisible éternel... » À cela je répondrai que l'enseignement, comme un gardien trop zélé, nous empêche parfois de percevoir d'autres chants et finit par nous égarer, nous éloigner du but. D'ailleurs, fixer et poursuivre un but me paraît déjà une aberration, une injure faite au présent.

Je ne cherche pas à vous provoquer en vous entretenant de mes tribulations de femme – tribulations femelles serait un terme plus approprié –, vénérée Qval, mais mon histoire va tôt ou tard se confondre avec le sujet qui nous intéresse : les protecteurs des sentiers. Votre initiative de m'envoyer dans le monde pour essayer d'en savoir davantage sur leur compte était vouée à l'échec. D'abord parce que je n'étais qu'une créature désemparée, vulnérable hors de l'enceinte protectrice du conventuel, ensuite parce que le secret dont ils s'entourent ne m'a pas permis d'en apprendre davantage que ce qu'en connaissent déjà les permanents des domaines, les errants et nos sœurs séculières.

La rumeur veut que les protecteurs des sentiers aient été fondés pour traquer et éliminer les lignées maudites. Eux seuls, d'ailleurs, semblent savoir ce que recouvre la notion de « lignée maudite », car, ayant interrogé un grand nombre d'hommes et de femmes à ce sujet, j'ai reçu des réponses variées, confuses, parfois diamétralement opposées. L'influence des protecteurs des sentiers s'exerce sur les domaines de Cent-Sources, les plus anciens. Ils ont fondé un culte exclusif, fanatique, au lakcha Maran qui obscurcit peu à peu les autres chemins. Ils se mêlent de tout, y compris (surtout) de ce qui ne les regarde pas. À Cent-Sources, il est difficile à une femme de créer son mathelle sans leur approbation. Certes ils ne s'y opposent pas officiellement, pas encore, mais ils s'ingénient à rendre la tâche impossible à celles qui ont eu l'audace de dédaigner leur consentement : fournies irrégulièrement en viande et en peaux, elles rencontrent les pires difficultés à recruter des journaliers pour les travaux saisonniers, moissons et cueillettes principalement, il n'est pas rare que des incendies détruisent leurs bâtiments et leurs récoltes, que leurs sources soient détournées, bref, elles sont isolées et harcelées jusqu'à ce qu'elles n'aient plus d'autre choix que d'abandonner leur mathelle, devenu improductif, et de grossir les rangs des ventresecs.

Andemeur me conseille justement de consulter les protecteurs des sentiers avant de fonder mon *domaine. Il s'agit, selon lui, d'une formalité qui me simplifiera considérablement la tâche. Une formalité, vraiment ? Je n'en sais rien, mais je vais me ranger à l'opinion de mon futur constant. Face à ces « couilles-à-masques » (joli surnom dont les affublent les reines des domaines), je pourrai peut-être me forger une opinion plus précise. Et j'en appellerai à toutes ces années consacrées à l'enseignement, vénérée Qval, je m'efforcerai de m'immerger tout entière dans la vigilance du présent, de capter l'indicible dans leurs voix, dans leurs gestes, dans leurs silences. Si de cette rencontre se dégagent des éléments susceptibles d'étoffer ce rapport, soyez certaine que je vous les communiquerai, en souvenir – que Qval Djema veuille bien me pardonner... – de notre vieille complicité de djemales. Car, quoi qu'il arrive, je vous garde une très bonne place dans mon cœur.*

Adore l'instant, il n'est pas d'autre dieu.

Votre ancienne disciple Merilliam.

Alma fixa les volutes de vapeur qui montaient entrelacées du grand bassin et estompaient les parois et la voûte de la grotte. L'eau jaillissait des entrailles de la terre à une température proche de l'ébullition. Frémissements, bulles, geysers agitaient la surface dans un grondement sourd et permanent. L'âpre odeur de soufre évoquait la puanteur des œufs que certaines sœurs négligentes laissaient pourrir dans l'enclos des nanziers.

Une émotion profonde s'empara d'Alma, puis se retira en abandonnant sur sa peau le frissonnement las de la déception : c'était donc dans cette grotte que, six ou sept siècles plus tôt, avait disparu Qval

Djema, la fondatrice de l'ordre, la fille du grand Ab et de la divine Ellula, la première à plonger dans l'eau bouillante de la cuve, la première à se fondre dans l'éternité du Qval. Alma avait imaginé un décor autrement prestigieux pour le départ de celle qui avait défriché le chemin de la connaissance, le quatrième dans l'ordre des croyances populaires, le seul digne d'être parcouru dans l'esprit des djemales. L'endroit était sombre, voire sinistre avec ses stalactites tronquées, son haleine brûlante, nauséabonde, ses rochers déchiquetés, luisants, dressés tout autour du bassin comme des crocs menaçants. Il avait même quelque chose de l'antre des chanes, les démons de l'au-delà, d'un creuset infernal, d'une purulence planétaire.

« L'imagination n'est qu'une fenêtre ouverte sur le temps, elle est comme ces fleurs somptueuses dont le parfum vous enivre pour mieux vous empoisonner, une séductrice qui vous égare dans la forêt des illusions. »

Alma n'avait jamais tenu compte de ce précepte pourtant martelé dix fois par jour par ses instructrices durant ses deux années de noviciat. Elle avait trompé l'ennui et la souffrance des interminables séances d'éveil par des rêveries qui s'organisaient en histoires palpitantes, se peuplaient de personnages et de décors fabuleux. Elle n'avait pas trouvé de meilleure méthode pour oublier les crampes, les douleurs aiguës des muscles, des tendons et des os soumis pendant des heures à l'inconfort de la porte-du-présent, la posture de base des djemales – accroupie, le dos droit, les coudes collés aux flancs, les mains posées à plat sur les cuisses écartées, les fesses frôlant les talons, le poids du corps reposant entièrement sur la plante des pieds et les orteils. Sans ces tricheries répétées, elle se serait maintes fois écroulée sur la terre battue de la salle d'éveil et ne serait jamais allée au terme de son noviciat. Or son orgueil lui interdisait de retourner au domaine familial, d'affronter le mépris et le courroux de sa mère, Zmera, qui, sans lui demander son avis, l'avait expédiée un beau matin à Chaudeterre, le conventuel des djemales.

Alma était consciente du double intérêt qui avait sous-tendu la décision de sa mère : reine de l'un des mathelles les plus importants de Cent-Sources, Zmera pensait ainsi s'attirer les faveurs des recluses de Chaudeterre qui, bénéficiant d'un soutien populaire toujours aussi fervent, seraient bientôt – étaient déjà... – le seul contrepoids à l'influence grandissante des protecteurs de sentiers ; elle profitait de l'occasion pour se débarrasser de sa cinquième fille, aussi blonde, chétive et mal fichue que les quatre autres étaient brunes, robustes et bien bâties. Alma ne tenait pas non plus à croiser les regards ironiques ou apitoyés de ses frères, des deux constants de sa mère et de tous les autres permanents du domaine. C'étaient de bien mauvaises raisons, des remous dérisoires dans le flot infini du présent, mais elles seules l'avaient aidée à supporter la solitude brûlante ou glaciale de sa cellule du conventuel. Puisque sa mère l'avait reniée, puisque sa famille l'avait rejetée, puisque les garçons l'avaient négligée, elle devait au moins leur prouver, se prouver à elle-même, qu'elle pouvait se ménager une place importante dans l'ordre des djemales, non pas chez les séculières, ces sœurs qui allaient de domaine en domaine afin d'y semer des graines d'un savoir estompé, mais chez les recluses, ces créatures mystérieuses que les saisonniers et les errants ventresecs paraient de toutes les vertus, de tous les pouvoirs.

Elle n'avait rencontré ni pouvoir extraordinaire ni vertu particulière dans les bâtisses austères du conventuel, seulement des femmes qui se consacraient de leur mieux à l'enseignement séculaire – et souvent déroutant – de Qval Djema. Des femmes harcelées par les doutes, marquées par les échecs, endurcies par l'effort et les privations, révoltées quelquefois par l'inanité de leur sacrifice.

Alma raffermit sa résolution. À la fin de leur probation, les recluses de Chaudeterre se devaient d'affronter l'épreuve de l'eau bouillante afin d'accéder au statut de djemale, et certaines de ses compagnes arrivées au conventuel en même temps qu'elle avaient déjà été admises dans la grotte souterraine de Qval Djema d'où elles étaient ressorties avec des lueurs de triomphe – le triomphe modeste, le pire de tous... – dans les yeux.

Elle avait encore attendu trois jours avant de se rendre à la cellule de Qval Frana, la responsable de Chaudeterre, pour lui demander d'être à son tour soumise au jugement du Qval. La vieille femme l'avait enveloppée d'un regard à la fois interrogateur et sévère :

« Rien ne t'oblige à précipiter les choses. Tu ne peux caler ton évolution sur le pas des autres, Alma. »

Mais Alma avait persisté dans sa décision, assurant qu'elle se sentait prête, estimant qu'elle compenserait par la volonté, par la rage, ses insuffisances de novice. Qval Frana s'était inclinée et, le jour même, avait entraîné sa jeune sœur dans le dédale des galeries qui partaient des sous-sols du bâtiment principal et débouchaient sur la grotte de Djema. Après une marche interminable dans une obscurité presque palpable, la responsable du conventuel s'était arrêtée au milieu d'un espace circulaire criblé de traits lumineux qui dessinaient des cercles dorés sur le sol et les parois, et, du bras, avait désigné une bouche étroite d'où montait un grondement persistant inquiétant.

« Je te laisse maintenant seule, Alma. Même si cette démarche est importante, ne sois pas trop sévère avec toi-même. Accepte les choses telles qu'elles viennent, sans idée préconçue ni artifice. On n'a jamais jugé les âmes dans l'enceinte de Chaudeterre. »

Alma retira sa robe et s'avança vers le bord du bassin. La vapeur brûlante lui lécha le ventre, la poitrine et la face, lui enflamma les oreilles et les ongles, se faufila entre ses cuisses, dans ses narines, dans sa bouche, lui embrasa la gorge et les poumons. Elle essaya d'en appeler au présent, de considérer sa douleur et sa peur avec le détachement nécessaire, mais la sensation de brûlure se fit tellement vive, tellement dévorante, qu'elle recula de cinq pas avant de se laisser tomber sur le sol rugueux, en quête d'un peu de fraîcheur. Elle resta un long moment étendue sur la roche, désemparée, en colère contre elle-même. Elle avait perdu son temps pendant ces deux années. Ses rêveries lui avaient permis de donner le change, mais elles ne l'avaient pas préparée à cette rencontre capitale avec le feu et l'eau, avec le Qval. Confrontée au présent, ce miroir qui lui renvoyait des images si peu reluisantes d'elle-même, elle s'était réfugiée dans un monde où la pensée magicienne métamorphosait les faiblesses en vertus héroïques, les défaites en revanches éclatantes.

Elle se redressa avec précaution. Inhala l'air brûlant à petites inspirations prudentes. Elle ne transpirait pas. Elle faisait partie de ces hommes et de ces femmes qu'en souvenir de Lœllo, le compagnon du grand Ab, l'homme sacrifié, on surnommait les « secs » ou les « fumés ». Une particularité qui lui venait certainement de son père, un volage, sa mère le lui rappelait à la moindre occasion, sans doute pour évacuer sa propre responsabilité génétique dans la conception de cette fille qui ne lui ressemblait pas. De même, Alma ne pleurait qu'avec une extrême parcimonie, comme si son corps répugnait à perdre son eau de quelque manière que ce fût.

Elle fixa à nouveau la surface agitée du bassin, les volutes vaporeuses qui, éclairées par les rayons lumineux tombant d'invisibles bouches, s'entrelaçaient entre les stalactites. Elle se ressaisit et s'installa en posture de porte-du-présent. Il lui fallut un peu de temps pour s'habituer à la sensation de vulnérabilité que lui valait sa nudité. Elle avait l'impression que le feu s'engouffrait entre ses cuisses grandes ouvertes pour la dévorer de l'intérieur. Elle se remémora les principes de base de la recherche d'éveil et, avec le zèle féroce des disciples repenties, les appliqua avec méthode, point par point : d'abord le contrôle de la position, le tronc bien droit, le bassin légèrement basculé vers l'avant, les fesses effleurant les talons, le poids du corps parfaitement réparti sur la plante des pieds et les orteils ; puis la maîtrise du souffle, un temps de silence entre l'inspiration, ample, profonde, et l'expiration, mesurée, prolongée ; puis l'assèchement progressif du torrent de pensées qui jaillissaient, tumultueuses, insaisissables, de cette faille permanente entre l'être et la représentation de l'être, entre le temps réel et le temps subjectif...

L'Alma des jours précédents aurait dérivé pendant des heures sur le courant, immergée dans ses chimères, se berçant de passés illusoires, s'inventant des avenirs glorieux. Mais, en la circonstance, elle resta vigilante, attentive aux manœuvres sournoises de son mental, elle refusa d'entrer dans la ronde familière, elle laissa s'évanouir les sensations, les émotions qui prenaient l'apparence d'un visage, d'une voix, d'une odeur, d'une saveur, elle se concentra sur les gargouillements, les frémissements, les sifflements de l'eau, sur les craquements et les grondements de la terre... Elle corrigea à plusieurs reprises sa porte-du-présent qui, c'était chez elle une habitude, avait tendance à s'affaisser sur le côté gauche, se surprit à trouver du confort à cette posture tant haïe au début de son noviciat. Elle fut immédiatement assaillie par les souvenirs pénibles des premiers mois dans l'enceinte de Chaudeterre : raideurs dans les membres, dans les os, faim, soif, froid, chaud, désespoir, colère, envie de suicide... Son mental utilisait à la perfection cette tendance à la complaisance, à l'apitoiement sur soi-même. Elle se reprit, repoussa énergiquement la tentation de retrouver ses univers familiers, revint aux principes de base de la recherche d'éveil : posture, inspiration, silence, expiration, silence, inspiration, silence...

Alma sut, lorsqu'elle émergea de sa séance d'éveil au présent, qu'elle n'était pas prête à subir l'épreuve du Qval. Ulcérée, elle refusa d'admettre son échec. Elle se releva, se dirigea d'une allure résolue vers le bassin, se glissa entre les rochers aux arêtes tranchantes, dévala un escalier naturel, pénétra dans l'eau jusqu'aux chevilles.

Elle eut l'impression que l'eau lui dénudait les pieds jusqu'aux tendons, jusqu'aux os. Elle poussa un hurlement, recula, s'affaissa lourdement sur le rebord du bassin. Des gouttes brûlantes lui cinglèrent le ventre, la poitrine et le visage. Un feu dévorant montait de ses pieds ébouillantés, se ramifiait dans ses jambes, dans son bassin, dans sa poitrine. Elle voulut s'éloigner de l'eau, de ce bain de vapeur qui jetait encore du feu sur ses brûlures, elle en fut incapable, terrassée par la souffrance, vidée de ses forces. Alors elle songea que l'orgueil de sa mère... que *son* orgueil l'avait condamnée à mourir. Elle n'eut même pas envie de pleurer. Un océan de médiocrité ne valait pas une larme. Elle eut vaguement conscience que l'un de ses pieds trempait encore dans l'impitoyable bassin du Qval, mais l'idée ne l'effleura pas de l'en retirer.

Cette couleur indéfinissable, entre ocre et gris, lui rappelait quelque chose. Son œil entrouvert la fixait depuis un bon moment déjà, mais elle restait incapable de l'associer à une idée ou à un souvenir précis. De même, elle ne parvenait pas encore à déterminer si la douleur qui venait d'en bas – du moins c'est ainsi qu'elle la localisait, en bas par rapport à son œil, par rapport à la tache ocre gris – lui appartenait ou concernait quelqu'un d'autre. Elle devina qu'on bougeait au-dessus d'elle, sensation de déplacement, de frôlement, et des bruits lui parvenaient qui évoquaient le murmure d'une source.

L'eau...

Sa mémoire lui revint avec une telle brutalité qu'elle eut le réflexe de lancer sa jambe en l'air pour sortir enfin son pied du bassin bouillant. Elle vit le drap du dessus se soulever comme une voile gonflée par le vent et deux formes sombres se reculer avec précipitation. La situation lui apparut en une fraction de seconde, comme dans un rêve : les murs ocre et la lumière grise de sa cellule ; la présence des deux djemales, Qval Frana, la responsable de l'ordre, Qval Anzell, la belladore ; ses brûlures, les preuves accablantes de son échec.

Le choc de sa jambe retombant sur le matelas lui enflamma le pied et lui arracha un cri. Qval Anzell la saisit par les bras et pesa sur elle de tout son poids pour l'empêcher de gigoter.

« Calme-toi, petite sotte ! gronda la guérisseuse, une femme dont la corpulence – épaules larges, tronc massif, cou épais, bras puissants – lui donnait l'allure d'un homme, voire d'un yonk selon des sœurs moins indulgentes.

— Doucement, intervint Qval Frana. Vous allez l'achever si vous continuez à la rudoyer de la sorte... »

Qval Anzell tourna la tête vers sa supérieure avec la vivacité d'un furve. Ses cheveux noirs et soyeux, sa seule concession à la féminité, masquèrent un instant ses yeux noirs furibonds et ses traits forts, taillés au couteau de corne.

« Depuis combien de temps n'était-ce pas arrivé ? Trente, quarante ans ? Il faut au contraire la réveiller, cette idiote, la ramener à coups de pied aux fesses dans le monde réel ! »

Qval Frana haussa les épaules, s'assit sur le bord du lit et se pencha à son tour sur Alma. L'odeur aigre de sa robe de laine végétale masqua en partie les relents de terre humide qui imprégnaient l'air confiné de la cellule. Un sourire éclaira le foisonnement de rides qui craquelaient son visage. Sa peau cuivrée, comme recuite par Jael – alors qu'elle ne sortait pratiquement jamais des bâtiments de Chaudeterre –, jurait avec ses cheveux blancs coupés court et ses yeux d'un bleu dilué, presque enfui. Elle avait sans doute, et depuis longtemps, dépassé les deux cents ans. De la main, elle ordonna à Qval Anzell de s'éloigner et posa sur Alma un regard bienveillant.

« Est-ce que tu te sens mieux ? »

La novice répondit d'un clignement de cils.

« Le plus dur est passé, reprit la vieille femme. Nous avons bien cru te perdre. Cela fait cinq jours que Qval Anzell se bat pour te ramener à la vie. »

Alma leva les yeux sur la guérisseuse qui se tenait près de la tenture de l'entrée, les bras croisés, l'air renfrogné, la robe chiffonnée, constellée de taches. Qval Anzell enseignait ses secrets aux djemales qui souhaitaient se consacrer au sacerdoce des belladores, à l'art de la guérison. Il était rare qu'elle s'occupât personnellement d'une malade, et Alma, même si elle répugnait à se frotter à son caractère épineux, lui en fut reconnaissante.

« Ton pied droit, celui que tu es parvenue à retirer de l'eau, ne gardera aucune séquelle de ton séjour dans la grotte. Ton pied gauche, en revanche... »

Qval Frana marqua un temps de pause pendant lequel, du dos de la main, elle caressa tendrement la joue d'Alma. Un geste inattendu de sa part, un geste de mère, elle qui avait cheminé toute son existence sur le sentier que les djemales, selon leur humeur du moment, appelaient « stérile », « aride », « ardent », « pur », « neutre » ou « vrai ».

« Nous ne sommes pas contraintes de l'amputer, rassure-toi, ajouta la vieille femme. Cependant, il ne récupérera ni sa forme initiale ni sa souplesse. Qval Anzell pense que tu pourras remarcher normalement mais que tu te fatigueras vite. De toute façon, nous ne sommes pas des marcheuses, à Chaude-terre. La plus longue distance que nous sommes amenées à parcourir, c'est celle qui mène de la cellule au jardin, au verger et aux salles communes ! »

Les paroles de Qval Frana cessèrent tout à coup d'être des sons vides de sens dans l'esprit d'Alma.

« Je ne pense pas que tu souhaites grossir les rangs de nos sœurs séculières, n'est-ce pas ? »

Alma secoua lentement la tête dans un froissement d'oreiller qui résonna à l'intérieur de son crâne avec la force d'une averse de cristaux de glace. C'est alors seulement qu'elle remarqua la présence des multiples petits pansements collés sur ses cuisses, son ventre, sa poitrine et son visage.

« Ton handicap n'aura donc que des conséquences mineures sur ton existence. Et pour cela, tu dois être reconnaissante au présent, à l'éternel, à l'ordre invisible d'Ellula. Et à Qval Anzell, bien entendu...

« — Je n'attends aucune gratitude de qui que ce soit ! protesta la belladore. Est-ce que le présent s'embarrasse de ce genre de considération ?

— Si vous n'avez pas besoin de recevoir de la reconnaissance, Qval Anzell, admettez que les autres, celles que vous avez soignées ou formées, puissent ressentir le besoin de vous la signifier.

— Qu'elles la signifient en ce cas, mais pas devant moi ! Je ne suis ni meilleure ni pire qu'elles, je ne fais que suivre mon chemin. Accomplir mon temps. Et parfois le chemin est dur et le temps long ! »

Les deux femmes gardèrent pendant quelques instants un silence maussade, comme renvoyées à leurs blessures intimes. Alma exploita ce moment de répit pour recouvrer son intégrité, pour renouer avec cette expérience à la fois si simple et si complexe d'être un esprit localisé dans un corps. Elle ressentit non seulement les brûlures profondes à ses pieds mais celles, plus bénignes, semées par les gouttes bouillantes sur sa peau. Il y avait une part d'elle qui se réjouissait de revenir à la vie et l'autre qui regrettait de ne pas être morte. Elle attendit que Qval Frana pose à nouveau les yeux sur elle pour entrouvrir la bouche et poser la question qui la tracassait. La vieille femme l'encouragea du regard et, le front plissé, essaya de saisir quelques mots dans le gargouillement inaudible qui sortit de sa gorge.

Alma recommença en s'appliquant à détacher ses syllabes.

« J'ai é-chou-é... é-chou-é... Je suis... je suis ren-vo-yée de l'or-dre, n'est-ce pas ? »

Elle éprouva la même déception qu'au sortir de sa séance d'éveil dans la grotte, la même colère, la même détresse, la même humiliation, le même dégoût d'elle-même... Qval Frana eut un hochement de tête qui exprimait à la fois la compassion et la réprobation.

« Je n'ai plus rien à faire ici, dit Qval Anzell en écartant la tenture. Mes assistantes viendront deux fois par jour étaler les onguents et renouveler les pansements. Je dois retourner à mes élèves. Je les ai négligées depuis trop longtemps. »

Elle s'éclipsa sans attendre la réponse de sa supérieure. Qval Frana se leva et s'approcha de la petite lucarne de la pièce, qui, donnant sur un autre couloir, ne captait qu'une lumière morne, sale.

« L'épreuve du Qval est symbolique, pas réelle, dit-elle d'une voix sourde. Quel intérêt, sainte Djema, oui, quel intérêt aurions-nous à nous plonger dans ce bassin ? À mesurer notre éveil, notre conscience du présent ? Est-il vraiment besoin de risquer sa vie pour évaluer un état qui, par définition, n'est pas quantifiable ? Qval Djema elle-même s'est-elle réellement immergée dans le Qval, dans l'eau bouillante de la cuve du vaisseau ? Ou a-t-elle seulement ouvert une porte spirituelle qui nous permette de la rejoindre par la prière, par l'esprit ? »

La vieille femme se retourna et dévisagea Alma avec froideur, avec sévérité. Elle n'était plus l'aînée inquiète désormais, la mère de substitution, mais la responsable du conventuel, de l'enseignement, l'héritière de Qval Djema.

« Ce que je cherche à te dire, jeune présomptueuse, c'est que tu as pris à la lettre ce qui n'était qu'un rituel symbolique.

— Mais les au-tres... les au-tres...

— Tes compagnes de noviciat ? Pas une d'entre elles n'aurait eu l'idée saugrenue de tremper ne serait-ce qu'un doigt dans ce bassin ! Elles se sont simplement retirées dans la solennité de la grotte pour abandonner leur robe de novice et revêtir l'habit de djemale. Pour rejoindre Qval Djema de l'autre côté de la porte symbolique. Et j'étais persuadée que tu en ferais autant. J'étais à mille lieues de supposer que...

— Mais... mais Qval Dje-ma, elle a un jour dis-pa-ru dans le bas-sin... »

Qval Frana revint s'asseoir sur le bord du lit et prit les mains d'Alma dans les siennes. À nouveau, l'odeur aigre qui s'échappait de la robe sombre de la vieille femme frappa la novice.

« Tes instructrices ne t'ont donc rien enseigné ? Elles ne t'ont pas appris à reconnaître le langage des signes, des symboles ? »

Si, bien sûr, et certaines d'entre elles avaient insisté sur l'aspect allégorique de l'histoire de Djema, de l'aventure des passagers de l'*Estérion*, mais Alma s'était emparée des images et des mythes comme d'autant de réalités, comme d'autant de bornes sur son chemin de reconquête.

« Elles ne sont pas res-pon-sa-bles... Je ne les ai pas... é-cou-tées... »

Qval Frana se leva, se dirigea vers la sortie de la cellule et écarta la tenture.

« Tu as besoin de repos. Quand tu seras remise, je t'emmènerai à nouveau dans la grotte. Et là, tu diras adieu à tes rêves de novice, Alma, tu deviendras une djemale, une femme engagée sur le chemin de la connaissance. Je te crois faite pour la vie de recluse. Pour le quatrième sentier. Le plus exigeant, le plus exaltant de tous. »

Longtemps après que Qval Frana eut quitté la cellule, Alma eut l'impression de flotter entre les éclats de son rêve brisé. Elle ne pourrait jamais prendre sa revanche sur son passé. En l'expédiant à Chaude-terre, sa mère s'était arrangée pour la dépouiller de tout, même de ses rêves. Elle qui avait toujours répugné à verser des larmes, elle pleura silencieusement, longuement. Elle en ressentit du soulagement, du bien-être même, et finit par s'endormir.

CHAPITRE III

LE VISITEUR

L'hiver a frappé comme chaque année avec une brutalité inouïe. Les températures ont chuté de cinq ou six dizaines de grades en moins de sept jours. Nous sommes entrés dans ce que nous avons pris l'habitude d'appeler l'amaya de glace ou l'hivernage, une période de trois mois pendant laquelle nous restons cloîtrés dans nos habitations, dans la douce chaleur du foyer central que nous alimentons avec du bois, de la paille compressée et de la bouse séchée de yonk. Deux mois où règne un froid si glacial, si méchant que toute vie semble déserter le continent du Triangle.

À propos de Triangle, il me faut ici préciser que notre continent tire probablement son nom de sa forme observée depuis l'espace, depuis le vaisseau de nos ancêtres. Ni les survivants de l'Estérion ni les générations qui leur ont succédé n'ont un jour entrepris d'établir une cartographie globale et fiable de leur planète d'adoption. Hormis les lakchas de chasse, que les troupeaux de yonks entraînent parfois dans de longues errances, aucun d'entre nous n'a encore trouvé le vrai courage de quitter les ventres rassurants et féconds des mathelles, d'explorer le Triangle, encore moins de découvrir de nouveaux continents. Des groupes de reconnaissance expédiés au début de l'été sont déjà rentrés au bercail comme des bêtes domestiques effrayées par les grands horizons et pressées de regagner leur étable, leur litière, leur mangeoire, leur joug... Nous sommes issus d'un peuple enfermé pendant cent vingt ans dans une prison de métal. Sans doute plusieurs générations seront-elles nécessaires aux descendants de l'Estérion pour se défaire de leurs inhibitions, pour lever la tête, pour se risquer sur les grands espaces. De l'expédition de ces groupes, il ressort que les terres du sud et de l'est présentent les mêmes caractéristiques que les plaines où nous avons élu domicile. On y trouve des sources en abondance, tantôt froides, tantôt chaudes, une autre variété de céréale d'un goût légèrement amer, des fruits insipides mais comestibles, d'immenses troupeaux de yonks sauvages... Nous aurons donc la possibilité d'y fonder de nouveaux mathelles, de nous étendre, de prendre nos aises.

Je n'aime pas l'hivernage. Je ne lui conteste pas un certain charme, surtout pour qui aime jouir de la chaleur des clans maternels rassemblés devant le feu, mais il m'empêche de quitter la maison familiale et de m'isoler dans mon caveau secret lorsque j'en ressens le besoin. Et mes besoins en solitude vont sans cesse croissant depuis que j'ai entamé la rédaction de ce journal. Je me suis fixé une ligne de conduite qui est de ne jamais donner d'explication sur mes absences prolongées. Pas même à Elleo, que mon mutisme rend fou autant, peut-être même davantage que mes disparitions elles-mêmes. Ni mes baisers ni mes caresses ne suffisent à le rassurer, à estomper le tourment dans ses yeux. Lorsque je me couche contre lui, il me respire et me lèche de la tête aux pieds, il m'étreint avec une telle force, une telle rage que mes os semblent sur le point d'éclater. À maintes reprises, j'ai failli lui ouvrir ma porte intime, accueillir en moi son sexe vibrant, à la fois si viril et fragile, mais à chaque fois je me suis ressaisie, estimant que je le perdrais à jamais si je cédais à la tentation. Non que je juge amorale ou répugnante l'union physique entre un frère et une sœur – je crois avoir déjà précisé que l'interdit, exprimé ou tacite, me fascine... –, mais je reste convaincue que, pour ne pas épuiser notre amour, nous devons maintenir coûte que coûte le désir inassouvi, chérir l'élan sublime qui nous pousse à nous rechercher en toutes circonstances comme deux moitiés d'un même corps et d'une même âme qui aspirent sans cesse et sans succès à s'emboîter. C'est la force de l'attraction qui m'anime et non l'accomplissement des désirs ; la vigilance sur le chemin et non la jouissance de la terre promise. À la question de Sgen, ma mère, qui me demande souvent pourquoi on ne me voit jamais avec un garçon d'une autre famille, je réponds que je suis encore trop jeune pour fonder un foyer.

« Cela ne t'empêche pas d'éveiller ta sexualité, me répond-elle invariablement, avec sous les mèches grises quelques rides qui expriment à la fois la bienveillance et l'anxiété. Les meilleures mères de Cent-Sources sont aussi les meilleures amantes. Le vrai pouvoir que nous a confié la nature, c'est celui de tenir les hommes par les... enfin, tu vois ce que je veux dire... »

Je vois très bien, mère. Je crois en réalité qu'elle s'inquiète de la véritable nature de ma relation avec Elleo. Mon demi-frère et moi nous efforçons de lui donner le change, d'adopter le comportement public qu'on attend généralement de deux êtres issus du même ventre, mais c'est une mère, notre mère, elle voit au-delà de nos apparences, elle nous flaire avec le cœur et les tripes, elle brûle en son sein du feu qui nous consume. Si elle ne m'a jamais surprise dans le lit d'Elleo, c'est parce qu'elle se garde bien de toute

*initiative qui pourrait lui valoir une surprise amère.
Au fond d'elle, elle sait que ses deux enfants se sont
fourvoyés sur un sentier de perdition, mais, tant
qu'elle n'en aura pas eu la confirmation formelle,
elle se réfugiera dans l'illusion de son doute pour
continuer d'espérer.*

Elleo a forcé la porte de mon refuge hier.

*Puisque je n'ai plus la possibilité pour l'instant de
me retirer dans mon cher caveau d'écriture, je
m'enferme régulièrement dans ma chambre dont je
bloque la porte avec la barre de bois. Je soulève
d'abord la tenture de laine qui occulte l'unique fenêtre de la pièce et contemple les arbres et les toits des
maisons voisines, vêtus de leurs dentelles de glace.
Le vent exploite les moindres failles pour me cracher
son haleine à la face. Le ciel se tend d'un voile gris
sombre d'où tombent les cristaux qui crissent et bles-
sent. La plupart des canalisations reliées aux sources
ont éclaté et mêlé leur poussière rougeâtre au tapis
de pointes acérées qui habille les venelles. Sans
l'ingéniosité de nos ancêtres qui ont installé un
réseau souterrain d'appoint, nous serions morts de
soif et de crasse depuis bien longtemps. Bien que
s'écoulant avec une parcimonie sans doute assortie
au climat, l'eau d'hivernage couvre l'essentiel de nos
besoins. Elle s'invite dans les habitations par un système basé sur le principe des vases communicants.
Dans la maison de ma mère, une immense vasque
la recueille au pied d'un mur de la pièce principale
et se remplit aussitôt que nous la vidons à l'aide de
récipients de corne ou d'argile. L'eau d'hiver a un
goût prononcé de terre, d'humus (alors que l'eau
d'été a une saveur de fruit, la saveur acide et sucrée
de la bouche d'Elleo), mais elle est potable et, chauf-
fée dans les grands bacs en pierre disposés de chaque côté du foyer, elle nous permet de temps à autre
de renouer avec les joies du bain.*

46

Si faible est la lumière de Jael que le jour paraît incapable de se défaire de l'empire de la nuit, que notre monde semble à la dérive sur un océan de néant. Je rabats la tenture, dégage mon nécessaire d'écriture dissimulé derrière deux pierres descellées, puis je m'assois sur mon lit, tends une peau sur son cadre, la pose sur mes genoux et, à la lueur incertaine d'une solarine, m'adonne avec délice à la danse des mots sous ma plume. J'ai beau resserrer les lettres, les intervalles, les lignes, ne pas gaspiller un ongle carré de mes rouleaux de yonk, je crains de manquer bientôt de matière première. Par chance, un jeune tanneur de ma connaissance, du nom de Lézel, récupère des chutes de peaux à l'atelier de son maître et passe la plus grande partie de son temps libre à les assouplir à mon intention. Je le récompense d'un sourire et parfois, lorsqu'il me rapporte plusieurs rouleaux d'un coup, d'un baiser sur la joue. À la manière dont il rougit, dont il se dandine sur ses jambes maigres et interminables, je devine qu'il n'a jamais approché de femme. Je devine également le reproche dans tes yeux, cher lecteur (lectrice), car tu as compris que Lézel me regarde avec les yeux de l'amour (les yeux de l'amour, en l'occurrence, évoquent irrésistiblement le regard éteint d'un yonk domestique) et tu me blâmes d'exploiter sans vergogne des sentiments que tu perçois purs et sincères. Je te répète pour la dernière fois que seule m'intéresse l'insatisfaction qui entraîne le mouvement, et non l'assouvissement qui embourbe dans la certitude.

Elleo, lui, éprouve des difficultés grandissantes à se contenter de promesses. Doté d'une force effrayante, il a démoli la porte de ma chambre, s'est jeté sur moi et, fou de désir, a commencé à déchirer mes vêtements. Je ne sais toujours pas comment je suis parvenue à le calmer avant qu'il ne commette l'irréparable. Sans doute ai-je trouvé les mots et les caresses appropriés, sans doute a-t-il pris conscience, dans un éclair de lucidité, qu'il risquait de ruiner à jamais notre relation, toujours est-il qu'il s'est soudain effondré sur le lit et qu'il a pleuré à chaudes larmes dans mes bras, le pantalon baissé sur les genoux, comme un enfant fautif s'offrant à la fessée. Il a au passage renversé mon pot d'encre de nagrale et souillé l'un de mes précieux rouleaux. Comment pourrais-je lui en vouloir ? Je l'ai entraîné sur un chemin inconnu, périlleux, qui soumet émotions et volonté à rude épreuve. Moi-même je me contemple parfois dans les miroirs tendus par les surfaces gelées et je cherche à comprendre d'où me pousse cette fleur noire et vénéneuse qui me ronge. Une tare génétique ? Possible : tout le monde ici-bas prétend descendre en ligne directe du grand Ab et de la douce Ellula. Ils ont occulté de leur mémoire qu'Abzalon était d'abord un dek, un criminel, un tueur de femmes.

Extrait du journal de Lahiva filia Sgen.

À la façon dont ses yeux inquisiteurs se posaient sur les permanents du mathelle regroupés autour de l'aire de battage, Orchale devina que son interlocuteur n'était pas venu lui rendre visite dans le seul but d'évoquer le problème de la fourniture de viande.

L'air brûlant vibrait des coups de fléau qui fouettaient sans relâche les épis de manne étalés sur la grande bâche de laine végétale. Les glumes voletaient dans la brise, s'accrochaient dans les cheveux, s'agglutinaient sur les torses et les jambes nus. Les enfants couraient d'un coin à l'autre de la cour intérieure pour remplir les cruches d'eau fraîche aux fontaines des grands Ab et les porter aux adultes. La chaleur écrasante de cette fin de saison sèche rendait le battage particulièrement pénible, mais nul ne rechignait à accomplir sa part de travail, et les rires étaient aussi nombreux que les ahanements ou les chamailleries.

Orchale avait dû poser son fléau et enfiler une robe lorsque Maïch, la responsable de l'accueil, l'avait avertie qu'un visiteur l'attendait. Elle regrettait d'avoir été placée dans l'obligation d'abandonner ses troupes, de sortir du cercle laborieux et joyeux des batteurs, mais, en tant que mathelle, elle se devait d'honorer la tradition d'hospitalité des domaines. Elle avait invité le visiteur à s'asseoir sur la terrasse ombragée qui dominait la cour intérieure et lui avait elle-même servi un gobelet d'eau qu'il avait avalé d'une traite. Arléan fili Gej, c'est ainsi qu'il s'était présenté, était un ancien chasseur qui avait endossé, à la suite d'une vilaine blessure à la jambe, le rôle encore mal défini de répartiteur.

« Les mathelles se sont fichtrement étendus ces dernières années, m'elle, et nous devons repenser de fond en comble le système de distribution de viande, surtout lors de la saison sèche, fit Arléan fili Gej après s'être essuyé les lèvres d'un revers de manche.

— Il vaudrait sans doute mieux laisser aux domaines le soin de pourvoir eux-mêmes à leurs besoins en viande, en corne et en peaux », rétorqua Orchale avec une pointe d'agressivité qu'elle regretta aussitôt.

Elle n'aimait pas la mine sournoise de son interlocuteur, sa voix de fausset, ses traits anguleux, ses yeux de charognard, ses cheveux longs et gras, ses vêtements de cuir grossier, son ceinturon à l'énorme boucle de pierre noire, son poignard glissé dans un fourreau le long de sa cuisse, sa façon de reluquer les femmes à demi nues qui battaient la manne. Il transpirait une fourberie, une ambition et une frustration qui suscitaient d'emblée la méfiance, voire la répulsion, mais Orchale lui présentait un visage bienveillant afin de lui soutirer toutes les informations qui seraient utiles aux mathelles lors de leur prochaine assemblée. Les protecteurs des sentiers sauteraient sur la moindre offense, le moindre manquement pour consolider l'ordre qu'ils cherchaient à imposer depuis maintenant un peu plus d'un siècle.

Arléan eut un sourire vénéneux qui retroussa sa lèvre supérieure sur ses longues dents acérées. Des crocs de prédateur, songea Orchale.

« La solution que vous préconisez est source d'em... brouilles, m'elle, et vous le savez bien. Les lakchas doivent rester unis, solidaires, ou c'est l'intérêt général qui en pâtira. Tôt ou tard, des groupes de chasseurs indépendants attachés aux domaines se... se tireraient la bourre, faites excuse pour l'expression.

— Si chaque mathelle se contentait de ses besoins, si chaque mathelle trouvait le moyen d'augmenter son cheptel de yonks domestiques, le problème de la répartition ne se poserait pas. »

Il hocha la tête d'un air courroucé puis laissa errer son regard pendant quelques instants sur la cour intérieure blanchie par les balles de manne. Les jaules, les arbres aux branches tombantes et aux feuilles jaunes, étendaient leur ombre apaisante sur les toits des bâtiments semi-enterrés. L'eau se déversait des quatre grands Ab de pierre et s'écoulait avec régularité dans les canalisations qui longeaient les murs avant de se disperser dans les vergers et les potagers. Les massifs de buissons et de fleurs éclaboussaient d'indigo, d'or et d'écarlate l'ocre de la terre battue. Des femmes remplissaient de grains de manne des sacs de laine végétale que des hommes hissaient par des escaliers de bois dans les greniers des silos.

« Combien de fichus yonks avez-vous donc domestiqués depuis la fondation de votre mathelle, m'elle ? demanda Arléan.

— Huit.

— Combien de yonkins nés en captivité, m'elle ? »

Orchale se mordit la lèvre. Elle détestait la façon dont il lui donnait du « m'elle » à chaque phrase : dans sa bouche, la contraction du mot mathelle tenait du bêlement de mépris.

« Aucun. »

Le rictus de triomphe qui flotta sur les lèvres craquelées du visiteur finit d'horripiler Orchale. Il venait de lui rappeler, en deux questions tranchantes, le rôle essentiel des chasseurs dans l'approvisionnement en matières premières aussi vitales que la viande, la corne et les peaux. Si les yonks s'étaient reproduits en captivité, les domaines n'auraient pas eu à subir l'arrogance de ces lakchas qui se prétendaient les descendants des enfants-dieux de l'arche des origines, mais, à de très rares exceptions près, les grands herbivores, si prolifiques à l'état sauvage, se retrouvaient frappés de stérilité aussitôt qu'on les enfermait dans des enclos ou dans des étables.

« J'aimerais maintenant savoir, m'elle, combien de permanents compte votre domaine », reprit Arléan.

Orchale hésita, à nouveau sur ses gardes.

« Une centaine...

— Combien d'enfants avez-vous eus ?

— Dix... onze. »

Le visiteur la dévisagea avec une expression de surprise démentie par l'éclat maléfique de son regard.

« Dix *ou* onze ? En général, les femmes connaissent le nombre exact d'enfants sortis de leur ventre. »

Orchale pinça sa robe entre ses seins pour décoller la laine végétale de sa peau moite puis rassembla ses cheveux blonds en un chignon qu'elle noua sommairement à l'arrière de son crâne. Des glumes de manne s'envolèrent autour de sa tête. Elle aurait donné n'importe quoi pour se plonger dans un bassin rempli d'eau fraîche.

« J'ai l'impression d'être soumise à un interrogatoire, dit-elle d'un ton faussement désinvolte.

— Un simple recensement, m'elle. Les lakchas de chasse ont besoin de savoir combien de yonks sauvages il leur faudra abattre pour nourrir les permanents des domaines.

— Quel rapport avec le nombre d'enfants que...

— L'avenir, tiens ! Combien de filles sur ces dix *ou* onze enfants ? »

L'ironie appuyée d'Arléan vrilla les nerfs d'Orchale avec la même virulence qu'une poussée d'allergie au pollen. Puis, à nouveau, elle songea qu'elle devait tout mettre en œuvre pour préserver les intérêts des mathelles et expulsa son agressivité naissante d'une longue expiration.

« Six.

— En âge de féconder ?

— Une d'elles est déjà mère, deux sont enceintes.

— Trois qui bientôt demanderont à fonder leur propre domaine, m'elle. Qui s'installeront au sud ou au nord, qui s'éloigneront davantage du centre de l'Ellab, qui empiéteront sur les pâturages des yonks sauvages.

— Que peut-on faire contre l'expansion à part égorger les nouveau-nés ? »

Malgré ses résolutions, elle n'avait pas pu s'empêcher de cracher ces mots avec colère. De temps à autre, Aïron, Jol et Œrdwen, ses trois constants, s'interrompaient dans leur tâche pour lancer un coup d'œil inquiet en direction de la terrasse. Elle n'avait jamais ressenti la nécessité d'ouvrir sa chambre aux volages. Ces trois-là, avec leurs différences, se complétaient à merveille et lui suffisaient amplement. Elle épanchait avec Aïron ses élans de tendresse, elle assouvissait avec Jol ses pulsions animales, elle brûlait avec Œrdwen son caractère passionné. La cohabitation engendrait parfois des tensions, des éclats de voix, mais, le statut de constant impliquant la notion de partage, ils avaient appris à placer l'intérêt commun au-dessus des querelles, au-dessus des désirs individuels. Deux seulement étaient les pères de ses dix enfants biologiques, le troisième, Aïron, avait vaincu la malédiction de sa stérilité en proposant l'adoption du onzième.

« Vous voulez sans doute causer des actions récentes menées par les protecteurs des sentiers, m'elle, dit Arléan. Rien à voir avec les problèmes d'expansion : il s'agissait seulement d'extirper les fichus germes d'infection du nouveau monde, d'éteindre une bonne fois pour toutes les lignées maudites.

— Qu'est-ce que vous appelez une lignée maudite ?

— Faites donc pas semblant de l'ignorer, m'elle. Il y a des choses qui se font et d'autres qui ne se font pas, un point c'est tout.

— Êtes-vous vous-même un protecteur des sentiers ? »

Le visiteur changea de position pour dissimuler son trouble. Un rai de lumière tombant du grand jaule se coula comme un furve entre les veines saillantes de son cou.

« Hé, à mon tour d'être soumis à l'interrogatoire, hein ?

— C'est que... vous connaissez si bien les intentions des protecteurs des sentiers qu'on pourrait croire que vous en faites partie, se justifia Orchale.

— Tout le monde les connaît, m'elle ! Du moins dans le secteur de Cent-Sources. Votre domaine est un des plus éloignés de l'Ellab. L'isolement, ça ne rend pas toujours les choses faciles... »

Orchale s'abstint de lui répliquer qu'elle considérait au contraire l'isolement comme un avantage. Lors de la dernière assemblée des mathelles, bon nombre de mères des domaines s'étaient plaintes, justement, des inconvénients que représentaient la proximité, la promiscuité.

« Le onzième enfant, il n'est pas de vous, pas vrai ? » demanda le visiteur.

Bien que posée sur le mode anodin, la question figea les sangs d'Orchale. Comme elle l'avait pressenti, la répartition des ressources n'était qu'un prétexte. Arléan fili Gej avait en cet instant le regard aiguisé d'un prédateur, d'un... chasseur flairant une piste. Incapable de contenir son inquiétude, elle se leva et se rapprocha du garde-corps de bois qui entourait la terrasse. Les plis de sa robe de laine végétale empesée de sueur lui entravaient les jambes.

De la porte ouverte de la maison principale jaillissaient les cris et les rires des permanents chargés de préparer le repas du soir. Montaient également les odeurs des gâteaux de manne parfumés à l'eau d'onis, une fleur violette et riche en arôme.

Orchale chercha des yeux la silhouette d'Orchéron parmi les batteurs, puis, ne le voyant pas, elle inspecta du regard les escaliers qui menaient aux greniers des silos. Elle finit par distinguer sa chevelure bouclée et son torse massif devant le portail grand ouvert de l'étable. Le fléau posé sur l'épaule, il conversait avec Mael, la plus jeune et la plus jolie de ses filles. Il paraissait, sinon heureux – qui pouvait se vanter d'être heureux en ce bas monde ? –, du moins apaisé, content de partager la fraternité laborieuse des battages. Il lui arrivait de rester prostré pendant des jours, les traits crispés, les yeux mi-clos, les joues baignées de larmes, comme prisonnier d'une souffrance dont personne ne semblait en mesure de le délivrer. Elle n'avait pas réussi à percer son mystère, raison pour laquelle sans doute, bien qu'ils ne fussent pas liés par le sang, elle veillait sur lui avec autant voire davantage d'attention que sur ses dix autres enfants.

« Quelle importance ? murmura-t-elle sans se retourner. Que savez-vous de l'amour maternel ? »

Arléan se leva à son tour et, précédé par l'odeur de ses vêtements de cuir, vint la rejoindre de sa démarche boitillante.

« J'ai choisi le chemin des volages, m'elle, déclara-t-il avec une emphase grotesque. J'ai semé quelques enfants à droite, à gauche, pour sûr, mais c'est pas pour autant que je prétends connaître quelque chose à l'amour... euh, paternel.

— Et vous ne le regrettez pas ?

— Il m'arrive bien de me demander quelle fichue tête peuvent avoir mes gosses, mais à quoi me servirait de revenir sur ma décision ? Les enseignements du grand Ab...

— On leur fait dire ce qu'on veut ! coupa Orchale.

— C'est valable pour tout le monde, m'elle. »

Elle s'aperçut que l'attention d'Arléan s'était à son tour portée sur Orchéron et se tourna vers lui pour le contraindre à la fixer dans les yeux.

« Vous avez obtenu les renseignements que vous souhaitiez, lakcha. En partant maintenant, vous avez le temps de regagner Cent-Sources avant la tombée de la nuit.

— Ma bête traîne la patte, tout comme moi. Il me paraît plus sage de passer la nuit dans votre mathelle et de repartir à l'aube. Nous en profiterons pour parler des nouvelles règles de répartition de la viande et des peaux. »

Bien que consciente de la crispation de ses lèvres et de ses muscles faciaux, elle s'efforça de ne rien laisser paraître de sa contrariété. Elle ne commencerait à se détendre que lorsqu'il aurait enfourché son yonk domestique et se serait évanoui dans l'herbe jaune de la plaine. Elle jugea déplacée sa façon de l'examiner, de l'évaluer comme une proie à portée de lame. Se figurait-il, en plus, qu'elle allait lui ouvrir la porte de sa chambre ?

« À votre aise. Vous coucherez dans le silo. Ma maison est déjà trop petite pour... »

Le son lointain mais puissant de la corne déchira la rumeur sourde du mathelle. Un silence tendu descendit sur la cour intérieure soudain peuplée de statues.

« Une alerte aux umbres, marmonna Arléan, les yeux levés sur un ciel d'un mauve profond annonciateur du crépuscule.

— En fin d'après-midi ? s'étonna Orchale. Ils ne se montrent d'habitude que le matin.

— Il en va de ces salopards comme des dégénérés, m'elle, on ne peut jamais prévoir ce qui leur passe par la tête. »

« Reviens, Orchéron ! Ils vont t'emporter s'ils te voient. »

Orchéron ne tint pas compte de la supplique de Mael. Restés à l'intérieur du silo tandis que les autres, à la deuxième sonnerie, refluaient en désordre vers l'entrée principale de la maison, ils étaient montés dans l'un des greniers, avaient étalé leurs vêtements sur la paille de manne et, vêtus de leurs seuls sous-vêtements de laine, ils s'étaient allongés côte à côte, baignant dans leur souffle, leur sueur et leurs odeurs. Malgré la chaleur étouffante qui régnait sous le toit du bâtiment, Mael avait commencé à trembler de peur et de froid, et Orchéron l'avait prise dans ses bras pour la réconforter. Ils étaient à peu près du même âge, vingt-neuf ans pour elle, une trentaine pour lui – on lui avait attribué d'autorité l'âge de onze ans lorsque Aïron, son père adoptif, l'avait recueilli et emmené au mathelle.

En équilibre sur le rebord de la lucarne, il se retourna sans pour autant rentrer la tête et les épaules à l'intérieur du grenier et enveloppa Mael d'un regard à la fois tendre, moqueur et brûlant. La lumière du crépuscule naissant teintait de mauve la peau hâlée et luisante de sa sœur dont la chevelure dorée se déployait sur la paille blanche comme les filaments scintillants d'une éclipte, une créature énigmatique qui flottait de temps à autre à la surface de la rivière Abondance. Le sourire qu'elle lui adressa ne masquait pas sa frayeur. Il eut d'elle un désir brutal qui lui asséchait la bouche.

« Je t'attends, Orché. »

Les bras tendus, les yeux implorants, Mael ne l'invitait pas seulement à venir s'allonger à ses côtés sur la paille. Ils en avaient fini avec les jeux de l'enfance. À chaque baiser, à chaque caresse, à chaque frôlement, ils risquaient désormais de rompre les amarres, de voguer sur des courants violents qui, Orchéron en était convaincu, les précipiteraient dans un puits d'amertume. Même s'ils n'étaient pas frère et sœur de sang, personne dans le domaine n'accepterait leur liaison, parce que personne, à Cent-Sources et dans les autres mathelles, ne tolérerait l'union d'un homme et d'une femme portant le nom de la même mère. La présence de ce chasseur à la mine sinistre qu'il avait aperçu en grande discussion avec Orchale sur la terrasse avait déclenché en lui une sonnerie d'alarme.

« Je veux d'abord voir les umbres », murmura-t-il, la gorge nouée.

Elle se redressa sur un coude et retira délicatement les balles de manne collées à ses seins. Bien qu'à trois ou quatre pas d'elle, il percevait son odeur, reconnaissable mais plus forte que d'habitude, grisante, presque oppressante.

« Nous sommes déjà fous d'être restés ici, chuchota-t-elle. Maman doit être inquiète. Elle ne me le pardonnera jamais s'il t'arrive quelque chose. »

Elle le fixa d'un air provocant, dénoua son sous-vêtement et s'en servit comme d'un linge pour s'essuyer le corps.

« Cesse de faire l'enfant, Orché. Viens. »

Orchéron eut l'impression que son souffle précipité résonnait dans le silence du silo avec la force d'un vent d'Agauer. L'envie le tortura de se ruer sur Mael, d'égarer ses mains et ses lèvres sur sa peau cuivrée, de plonger la tête entre ses cuisses, de goûter son fruit fendu, de se débarrasser de son propre pagne, de s'offrir au désir de sa sœur. Puis il ressentit dans la poitrine une piqûre familière, ténue pour l'instant, comme une épingle de corne enfoncée dans le cœur, poussa un gémissement assourdi, renversa la tête en arrière et s'adossa au montant de la lucarne dans l'attente de la crise. Pour l'avoir expérimenté un nombre incalculable de fois, il connaissait parfaitement le processus implacable de ces poussées de souffrance qui le terrassaient parfois pendant près d'une semaine. La douleur, indicible, insoutenable, commençait par ce petit pincement dans la région du cœur, s'étendait rapidement à la poitrine, progressait en même temps vers le cerveau et le bassin, se propageait enfin dans ses membres pour le saisir tout entier et le précipiter dans un gouffre où des courants froids semblaient dénuder et mordre chacun de ses nerfs. Après une première réaction de révolte, une colère incontrôlable qui l'entraînait à frapper murs, piliers, portes, yonks, hommes ou femmes dont le seul tort était de passer à portée de ses poings, il s'affaissait comme un sac vidé de ses grains sur la terre battue de la cour, sur les bottes de manne d'un silo ou sur le parquet de sa chambre, il restait prostré pendant des nuits et des jours entiers sans boire ni manger, sans faire autre chose qu'émettre des geignements à fendre l'âme et verser des larmes intarissables. On l'avait parfois retrouvé étendu dans l'étable, souillé d'excréments de yonk, ou recroquevillé sur le bord de la rivière Abondance qui déroulait ses méandres à une demi-lieue du mathelle. Le seul soin qu'on pouvait alors lui donner était de lui étaler une couverture de laine sur le corps pendant l'hivernage ou lui verser un peu d'eau fraîche sur le visage pendant la saison chaude.

« Orché, est-ce que ça va ? » souffla Mael.

Il lui ordonna, d'un ample mouvement du bas, de s'éloigner. Dégrisée, elle se releva, enfila son sous-vêtement et sa robe sans prendre le temps d'épousseter les barbes et les brins de manne. Il partageait tout avec elle, sauf ces phases d'abattement pendant lesquelles il ne la reconnaissait plus. Elle avait tenté à plusieurs reprises de le rejoindre de l'autre côté de son mur de souffrance, mais il ne lui adressait aucun signe, il ne présentait aucune prise, aucune faille, et elle avait dû se résigner à le laisser seul dans son inaccessible ailleurs.

« Rentre au moins à l'intérieur avant qu'il ne soit trop tard », cria-t-elle, les larmes aux yeux.

Submergé par la douleur, Orchéron martela le montant de la lucarne à coups de poing, puis, comme cela ne le soulageait pas, il se laissa tomber sur le plancher, souleva une botte de manne et la projeta avec une force inouïe vers le fond du grenier.

Les yeux exorbités, la lèvre supérieure retroussée, il avait l'air d'un fou en cet instant, d'un être possédé par les démons de l'amaya, d'un homme capable d'arracher la tête de quelqu'un sans même s'en apercevoir. Constatant qu'il s'était enfin placé hors de portée des umbres, Mael engagea les jambes dans l'ouverture carrée du grenier, dévala l'échelle aux larges barreaux et courut s'enfermer dans la petite construction en bois qui, alimentée par une canalisation, servait à la fois de lieux d'aisance et de point d'eau.

Orchéron passa sa colère sur une vingtaine de bottes avant de s'effondrer, vaincu par la souffrance, aussi faible qu'un yonkin nouveau-né, aux prises avec la sensation atroce d'être dépecé vivant par des pinces minuscules. Puis un éclair de lucidité le traversa et il décida de ramper jusqu'à la lucarne pour assister au passage des umbres. Les prédateurs volants l'attiraient depuis que son père adoptif l'avait recueilli au bord de la rivière Abondance, mais, à cause de la terreur qu'ils lui inspiraient, il avait toujours reculé le moment de les contempler, de les affronter.

Franchir la courte distance qui le séparait de l'ouverture lui demanda de la volonté et du temps. À chacune de ses reptations, il roulait dans un buisson aux épines vénéneuses, déchirait un peu plus le tissu profond de son être. Son seul repère visuel était le cercle de lumière mauve écrasé sur le plancher et jonché de brins de manne. Il n'entendait pas d'autre bruit que les claquements de ses coudes, de ses genoux, les chuintements de son torse et de son bassin sur les lattes de bois. Une fois arrivé au bas du mur, il se redressa tant bien que mal en s'agrippant aux saillies des pierres. Il se tenait dans l'œil instable d'un tourbillon de formes et de couleurs. Ou, plus exactement, au centre d'une immense spirale qui happait les plans verticaux et horizontaux, les zones d'ombre et les taches de lumière, les courbes des bottes de manne et les stries parallèles du grenier... Qui le projetterait bientôt dans le cœur même de la souffrance et ne le relâcherait qu'au bout de plusieurs jours, exténué, broyé, comme une branche morte pulvérisée par une tempête de cristaux de glace.

Il résista, agrippé à sa décision de contempler les umbres, poussé par le désir inconscient, peut-être, de mettre un terme définitif à ces effroyables crises. Les prédateurs volants lui offraient l'opportunité de s'engager sur le sentier des chanes. Personne ne connaissait la signification exacte du mot « chanes » : pour les uns ils étaient les amayas, les démons grinçants de l'espace, pour d'autres ils se chargeaient de guider les âmes des défunts dans l'au-delà, pour d'autres enfin ils représentaient les Qvals, les gardiens de l'eau bouillante. Chacun savait cependant qu'ils symbolisaient le huitième chemin, celui de la mort et de la renaissance. L'idée avait déjà effleuré Orchéron de se planter un couteau de corne dans le cœur, de se jeter dans la rivière Abondance avec une pierre attachée au cou ou de se pendre à la branche d'un jaule, mais à chaque fois un sentiment confus d'échec, de culpabilité, et la pensée de Mael l'avaient retenu de passer à l'acte.

Il se laissa choir sur le rebord de la lucarne et s'adossa au montant de bois. Bercé par la brise, le volet oscillait sur ses gonds de pierre et grinçait doucement contre le mur. Il eut besoin d'un peu de temps pour s'accoutumer à la luminosité pourtant déclinante. Le contraste entre la chaleur lourde du crépuscule et le froid incisif qui se propageait sous sa peau le suffoqua. Sous ses yeux s'étalait une mosaïque de couleurs fuyantes dans laquelle il croyait discerner l'ocre des toits et de la terre battue, le jaune vif des frondaisons des jaules, les touches rouges, dorées ou bleu nuit des massifs de fleurs, le mauve assombri du ciel, le brun sombre des chemins, le blanc soyeux des champs de manne tardive.

Du nouveau monde il ne connaissait rien d'autre que le domaine d'Orchale. Son existence y avait commencé à l'âge supposé de onze ans. Il n'avait aucun souvenir de sa vie d'avant, de l'endroit où il avait égaré ses premières années, de la femme qui lui avait donné le jour. À chaque fois qu'il avait tenté d'explorer cette partie amputée de sa mémoire, une crise s'était déclenchée, si bien qu'il avait renoncé à exhumer son passé, que son histoire se confondait avec son adoption, avec les travaux du mathelle rythmés par les saisons et les enseignements de Karille, la djemale, avec les cris et les rires de ses frères et sœurs, avec la tendre complicité de Mael. Il avait entrepris depuis peu sa formation de potier. Il aimait plonger les mains dans la terre rougeâtre et grasse, façonner les fonds plats, faire naître des formes rondes, ventrues, avec les bandes roulées, lisser les surfaces internes et externes, sculpter les anses, graver et peindre des motifs sur les jarres ou les vases exposés à la chaleur de Jael et vernis avec une substance végétale avant d'être cuits au four. Mais ni les petites joies de la vie quotidienne ni la bienveillance de ses parents adoptifs, ni même les sentiments de Mael ne suffisaient à lui faire oublier son calvaire. Les belladores, les guérisseuses errantes, n'avaient pas trouvé d'explication à ces crises récurrentes, et les soins qu'elles avaient dispensés, herbes, minéraux, massages, bains de boue, rituels, n'avaient donné aucun résultat.

La mort était sans doute la meilleure, la seule solution.

Un mouvement attira son attention au-dessus des toits. Il crut d'abord que des trous s'étaient ouverts dans le ciel, que des portes s'étaient entrebâillées sur une nuit perpétuelle, puis les formes se déplacèrent avec une telle rapidité qu'il lui sembla les apercevoir dans deux endroits à la fois. Partagé pendant quelques instants entre la terreur et la souffrance, il se cramponna à une pierre d'angle pour ne pas dégringoler de la lucarne.

Trois umbres survolaient le silo, aussi légers et silencieux que des nuages. Pas un mouvement, pas un bruit n'agitait désormais le domaine. Les courants glacés et puissants qui se diffusaient dans la chaleur écrasante ne soulevaient aucun friselis, aucun tourbillon. Impalpables, inexorables comme une essence de froid. Rien à voir avec les rafales hurlantes qui soufflaient depuis l'Agauer pendant l'hivernage.

Orchéron écrasa ses larmes d'un revers de main et contempla les prédateurs volants pendant un bon moment. Longs corps renflés en leur milieu, pointes triangulaires à l'avant, sorte de panache translucide et ondulant à l'arrière. Comme ils ne semblaient pas décidés à bouger, il surmonta sa douleur et son vertige pour se relever et, en équilibre précaire sur le rebord de la lucarne, il agita les bras et hurla :

« Qu'est-ce que vous attendez pour venir me chercher ? »

Sa voix sanglotante se prolongea dans le silence comme au fond d'un ravin. Il crut se rendre compte qu'un des umbres fondait sur lui.

CHAPITRE IV

LAKCHAS

Vénérée Qval Frana,

Voici donc le complément d'informations que je vous avais promis. J'espère que vous me pardonnerez ma brièveté, mais la création d'un mathelle requiert une énergie considérable et je m'explique maintenant pourquoi tant de femmes choisissent de rester attachées au domaine d'une autre plutôt que de fonder le leur : la matière soumet la résistance physique et l'équilibre mental à rude épreuve. Mais j'écris à la femme chargée de la responsabilité de Chaudeterre, à la gardienne d'un enseignement séculaire, à la mère spirituelle de centaines de djemales, et je prends conscience, en couchant ces mots sur le rouleau, de ce qu'il faut de grandeur d'âme et de dévotion pour diriger une organisation de cette envergure, je prends conscience, vénérée Qval, de votre force de caractère, de votre générosité, de votre... beauté, et je rends aujourd'hui l'hommage que je n'ai pas su vous rendre du temps où j'avais l'incommensurable honneur de vivre à vos côtés, de vous parler, de respirer le même air que vous.

Brièveté, disais-je : j'ai donc sollicité l'agrément des protecteurs des sentiers dans le projet de fonder mon domaine. Il a suffi qu'Andemeur répande la rumeur de mes intentions pour qu'un soir deux hom-

mes affublés de masques d'écorce et vêtus de robes grossières (pour ne pas dire ridicules) s'introduisent dans la chambre de mon futur constant, m'ordonnent de me rhabiller et me bandent les yeux. Andemeur m'a encouragée à les suivre sans résistance. Lorsqu'à l'issue d'une marche exténuante ils m'ont enfin retiré le bandeau, j'étais entourée d'une ronde de masques d'écorce éclairés par des solarines. Je ne suis pas parvenue à identifier l'endroit où ils m'avaient conduite : la grange délabrée d'un domaine à l'abandon ? Une de ces grandes cabanes bâties par les chasseurs sur la piste des troupeaux de yonks ? De leurs voix déformées, caverneuses, ils ont commencé à me poser des questions, d'abord sur les raisons qui me poussaient à fonder mon mathelle, ensuite sur mon passé de recluse. Ils savaient en effet que j'étais une ancienne djemale – j'ignore de quelle manière ils ont obtenu ce renseignement ; par Andemeur ? par une sœur séculière ? – et semblaient très intrigués par les mystères de Chaudeterre. Je leur ai répondu de manière à contenter leur curiosité sans rien dévoiler de notre enseignement, de nos règles, de nos pratiques. En réalité, je m'en suis tirée avec un pieux mensonge, prétendant que j'étais une mauvaise disciple de Djema et que mon incapacité à me plier à la discipline communautaire m'avait valu une exclusion fracassante, définitive.

C'était une véritable humiliation, Qval Frana, que de subir l'interrogatoire de ces rustres dissimulés derrière leur masque. Ils m'ont harcelée de questions intimes touchant à ma sexualité de djemale, essayant visiblement de m'extorquer l'aveu d'amours exclusivement féminines et traitées par eux d'abominables, de contraires aux lois du nouveau monde. J'ai, bien sûr, eu connaissance de telles amours dans l'enceinte du conventuel, et je n'en blâme pas mes sœurs, qui ont parfois un trop-plein de tendresse à épancher, mais j'ai soutenu le contraire devant les protecteurs des sentiers – il semble que le mensonge soit parfois la meilleure façon de célébrer l'instant présent – car j'ai senti qu'ils cherchaient un prétexte pour salir l'image de Djema et, par conséquent, diminuer l'influence de notre... de votre ordre sur la population du nouveau monde. Je doute qu'ils aient ajouté foi à mes propos, mais au moins je suis certaine de ne pas leur avoir offert l'opportunité qu'ils attendaient. D'ailleurs, s'ils ont fini par m'accorder leur consentement, c'est sans doute parce qu'ils espèrent me gagner à leur cause et me faire revenir plus tard sur mes déclarations.

Qu'ils n'y comptent pas ! Leur puissance et leur arrogance sont certes alarmantes – elles devraient vous inciter à préparer votre défense, Qval Frana, à lever une armée secrète en vous appuyant sur votre capital de sympathie auprès de la majorité des habitants du nouveau monde –, mais ni la menace ni les représailles ne m'entraîneront sur le sentier de la trahison, du déshonneur. J'ai bien l'intention d'ailleurs de les combattre à ma manière, avec l'aide d'Andemeur, des autres constants qui viendront un jour se fixer au domaine, des volages que j'aurai attirés sur ma couche. Je fourbirai mes armes de femme pour recruter mes bataillons, pour protéger mes frontières, mes permanents, mon cheptel et mes récoltes.

Ayant refusé de m'installer dans l'un de ces mathelles ruinés par les protecteurs des sentiers et laissés en friche, j'ai décidé de m'établir sur les territoires encore vierges situés au nord de Cent-Sources, de bâtir une maison grande comme une forteresse autour de deux sources distantes l'une de l'autre d'une trentaine de pas, de cultiver d'immenses champs de manne précoce et tardive, d'agrandir le verger pour l'instant constitué d'une centaine de fruitiers sauvages, bref, d'offrir un cadre à la fois généreux et solide à tous les enfants que mon ventre daignera accueillir. À ce propos, vous ai-je dit que nous devrions recevoir le premier dans une petite vingtaine de jours ? J'ai hâte d'admirer le chef-d'œuvre qui s'est développé à l'intérieur de moi, d'entendre son premier cri, de caresser ses cheveux, de sentir son souffle sur mon visage et ma poitrine.

La maison n'est pas encore achevée que j'ai déjà été approchée par une mathelle. Elle m'a entretenue des assemblées secrètes que tiennent les reines des domaines, soucieuses de leur indépendance, alarmées par les manœuvres des protecteurs des sentiers (vous n'êtes pas la seule à vous en inquiéter, comme vous pouvez le constater). Je leur soumettrai mon idée à la première occasion : usons, abusons des charmes dont la nature nous a dotées, recrutons des chevaliers, des soldats qui, pour l'amour de nous, empêcheront les couilles-à-masques de briser l'équilibre instauré par nos mères, les filles de la divine Ellula. Puisqu'ils cherchent à imposer une épreuve de force, ripostons par la force, montrons-leur qu'ils ne nous inspirent aucune crainte, renvoyons-les à leurs jeux et à leurs masques puérils, poussons-les, pendant qu'il est encore temps, dans les gouffres d'où ils ne pourront plus jamais sortir.

J'ai quitté le chemin de Djema pour m'engager sur celui d'Ellula, vénérée Qval. Un autre feu m'embrase, l'amour tout puissant, dévastateur, de la mère. Pour cet enfant à naître, pour tous les autres qui suivront, je me sens prête à renverser le nouveau monde, à répandre le sang, à défier les chanes.

Je ne sais pas si j'aurai le temps de vous dépêcher une autre missive, mais, quoi qu'il arrive désormais, soyez assurée de mon indéfectible affection.

Merilliam, mathelle du « Présent ».

« Tⁱⁱⁱᴬᴬᴬᴬ... » Ankrel se dressa face au troupeau furieux qui, poussé par les rabatteurs, fonçait dans sa direction. Les yonks, lancés au grand galop, soulevaient un formidable panache de terre et d'herbe pulvérisées. Serrés les uns contre les autres, ils donnaient l'impression de ne former qu'un seul corps sombre étalé sur plusieurs centaines de pas, un gigantesque torrent traversé d'éclats scintillants et de flocons d'écume blanche.

Ankrel fléchit les jambes et resserra les doigts sur le manche légèrement concave du poignard de corne. Après cinq années d'instruction, le temps était venu pour lui de quitter le monde des apprentis, d'entrer dans le premier cercle des lakchas de chasse. Il apercevait les autres postulants répartis tous les cinquante pas de chaque côté du large sillon creusé par la chasse précédente, entièrement nus et armés de leur seul couteau de corne comme lui. Ils devraient, comme lui, tuer trois yonks avant la tombée de la nuit, prouver leur aptitude à devenir un lakcha, un homme capable de nourrir la communauté quelles que soient les circonstances, comme les enfants-dieux de l'arche des origines qui avaient vaincu les terribles robenoires et les Kroptes sanguinaires afin de fournir leurs rations quotidiennes aux fils et filles de l'*Estérion*. Les rayons rasants de Jael vêtaient les peaux hâlées et luisantes de la pourpre crépusculaire.

Ankrel s'efforça de respirer avec calme, de dissiper sa nervosité. Il n'avait pas peur des yonks, ces animaux qu'il avait appris à connaître tout au long de ces cinq années, mais il redoutait l'échec, l'infamie du crâne rasé, les moqueries des anciens, les deux années supplémentaires de probation, l'exclusion solennelle en cas de second revers. Il avait rapidement compris que les lakchas, taciturnes, avares de confidences, dispensaient leur enseignement par l'exemple. Il les avait donc observés avec une attention jamais prise en défaut, il avait analysé les techniques de ceux qui passaient pour être les meilleurs, puis, pendant que les autres apprentis se reposaient, il s'était exercé sans relâche dans la chaleur écrasante de la saison sèche ou sous les averses de cristaux de glace, le plus souvent dévêtu pour s'habituer à cette sensation de vulnérabilité que suscite la nudité.

Les yonks approchaient dans un grondement assourdissant. Leurs muscles ronds et leurs veines sombres se découpaient sous leurs robes lisses. Dans quelques semaines, ils commenceraient à s'habiller d'une graisse et d'une fourrure épaisses en prévision de l'hivernage. Leurs cornes recourbées, effilées, disparaîtraient sous une toison emmêlée qui s'en irait par plaques entières au retour de la saison chaude. Certains lakchas préféraient chasser le yonk « sec », plus musculeux, plus rapide, d'autres le yonk « gras », plus massif, moins vif mais plus difficile à égorger. Ankrel savait d'ores et déjà qu'il appartenait à la première catégorie. Il faisait de la vélocité et de la précision les qualités premières d'un bon chasseur. Il ne s'en était pas ouvert aux autres, bien entendu, car un apprenti n'était pas convié à exprimer ce genre d'opinion, mais il s'était débrouillé pour servir d'assistant à Jozeo, un homme grand, élancé, presque maigre, qui à ses yeux incarnait l'idéal du lakcha de chasse.

Un début de complicité s'était noué entre eux qui ravissait l'admirateur et, sans doute, flattait le modèle. Ankrel avait ainsi récolté quelques précieuses informations de la part de son aîné : « Évite de te suspendre aux cornes des yonks, ça les rend fous furieux, imprévisibles, dangereux ; tiens-toi prêt à les lâcher aussitôt que tu leur as planté ta lame dans la jugulaire, ou tu pourrais te retrouver coincé sous leur poids ; si tu tombes vers l'intérieur du troupeau, reste planqué derrière l'animal que tu viens d'abattre, les autres, en général, s'arrangent pour l'éviter ; répandre le sang d'un yonk est un acte sacré, rends grâce aux lakchas chaque fois que tu as la chance d'en tuer un... »

Ankrel vit l'apprenti le plus proche du troupeau bondir vers l'avant, se jeter dans le torrent de cornes, de mufles et d'échines, se suspendre au flanc d'un yonk, disparaître dans les remous sombres. Le crépitement frénétique des sabots résonnait dans sa cage thoracique avec une force effrayante. Du troupeau se dégageait une impression de puissance phénoménale, accentuée par la lumière rasante du crépuscule naissant, par l'oppressante immobilité de l'air encore figé de chaleur, par l'immensité de la plaine d'herbe jaune qui ne présentait aucun relief, aucune barrière capable d'endiguer ce flot impétueux.

Combien d'apprentis laisseraient la vie dans cette première confrontation avec les yonks ? Combien de mères s'effondreraient en sanglots sur le corps embaumé de leur fils au retour de l'expédition ? D'après les anciens, un tiers de ceux qui aspiraient à entrer dans le premier cercle étaient retrouvés piétinés, encornés ou démembrés après le passage du troupeau. C'était le prix de la sélection ou le « tribut aux lakchas de l'arche », les enfants-dieux du sentier de l'abondance qui, de temps à autre, prélevaient un butin supplémentaire parmi les chasseurs confirmés.

Ankrel eut une pensée pour sa mère, servante dans un mathelle de Cent-Sources, frappée de stérilité après l'avoir mis au monde. Elle n'aurait plus personne à aimer s'il venait à disparaître, surtout pas les volages qui venaient parfois la rejoindre dans sa chambre, des hommes sans visage et sans nom dont elle se servait pour assouvir les besoins de son corps et oublier quelques instants son humeur mélancolique. C'était d'ailleurs la rencontre avec l'un de ces volages, un chasseur, qui avait poussé Ankrel à se lancer sur le sentier des lakchas. Fasciné par le récit des aventures de l'amant d'un soir, il s'était engagé dans une expédition à l'âge requis de vingt ans et, malgré l'opposition de sa mère, avait commencé son apprentissage. Il n'avait jamais regretté sa décision, même au cœur des nuits glaciales ou des jours torrides, même aux temps incertains des longues migrations des yonks. Il ne s'imaginait pas assis toute la journée devant un atelier de poterie, un métier à tisser, un monceau de peaux à tanner ou des lames de corne à affûter, il ne se voyait pas dans la peau d'un moissonneur, d'un cueilleur, d'un charpentier, d'un tailleur de pierre ou d'un constant. Seuls le mouvement perpétuel, les grands espaces, le fouet des rafales, les brûlures de Jael, les morsures des vents d'Agauer, la simplicité des bivouacs, bref, tout ce qui faisait l'existence fraternelle et rude des lakchas, avaient le pouvoir de l'exalter, de le griser.

Les yonks déboulèrent devant Ankrel et estompèrent la lumière du jour. Une odeur âpre l'enveloppa, le sol trembla sous ses pieds, les vibrations s'amplifièrent dans sa colonne vertébrale, dans son crâne, il fut soulevé de terre comme une brindille chahutée par le vent. Les jambes fléchies, les bras légèrement écartés, la main droite ouverte, la gauche refermée sur le manche de son couteau, il refoula une impulsion de panique et concentra son attention sur les animaux du bord du troupeau. Du coin de l'œil il vit un corps désarticulé rouler sous le déferlement des sabots. La mort sanctionnerait la moindre erreur, la plus infime hésitation.

« Entre le chemin des lakchas et le chemin des

chanes, il n'y a que l'espace de ta décision », disait Jozeo.

Ankrel évalua la vitesse de course des yonks et porta le regard vers l'avant afin de choisir son premier gibier. Il repéra, une trentaine de pas plus loin, un animal légèrement à l'écart de la multitude, un mâle à en juger par son allure et la taille de ses cornes. Il l'observa jusqu'à ce qu'il franchisse les deux tiers de la distance, puis, sans le quitter des yeux, il se mit à courir légèrement de biais par rapport au troupeau, de manière à être lui-même lancé à toute allure lorsque sa proie arriverait à sa hauteur. L'espace d'un instant, il eut la sensation de battre avec le cœur de la gigantesque harde, de baigner dans son fleuve de sueur, de respirer ses milliers de souffles, de bondir au rythme de ses sabots. Le mâle approchait, les cornes en avant, les naseaux presque au ras du sol. Une bête magnifique, une dizaine d'années à première vue, une robe luisante d'un brun doré parsemée de taches noires, une toison courte sur le crâne et sur une partie de l'encolure, de longues cornes courbes, effilées, d'un blanc qui tirait sur le jaune, une masse imposante de muscles tendus, sculptés par l'effort.

Ankrel prit encore le temps de calculer le point d'impact et de répéter mentalement ses gestes avant de briser sa ligne de course et de plonger sur le côté. Il se projeta de tout son long contre le poitrail du yonk, enroula, presque dans le même mouvement, son bras droit autour de la puissante encolure, lança les jambes en l'air afin de les poser sur la partie supérieure du garrot et de mieux répartir le poids de son corps. L'odeur le suffoqua, le contact avec la robe tressautante et trempée de sueur le surprit, le blessa, l'affola. Il lui sembla que son visage, son torse, sa poitrine, son ventre, ses testicules et ses cuisses se frottaient aux branches piquantes d'un buisson, que chaque mouvement, chaque impact enfonçaient un peu plus profondément les épines. Le yonk poussa un beuglement, redressa la tête et, d'une violente ruade, essaya de se débarrasser de l'homme suspendu à son cou. Les jambes d'Ankrel perdirent leurs appuis, retombèrent jusqu'au sol où ses talons rebondirent comme des galets ricochant sur la surface lisse d'un étang. Il faillit lâcher prise, se souvint des conseils de Jozeo, *exploiter l'effet de surprise, ne pas laisser à la bête le temps de se ressaisir*, et, avec l'énergie du désespoir, piqua son poignard vers la jugulaire de l'animal.

Il éprouva le choc de la lame s'enfonçant dans le cuir, ressentit la surprise et la douleur du yonk avec une acuité saisissante, la brève crispation de ses muscles, le ralentissement pourtant imperceptible de son allure. Il décrivit deux cercles avec la lame pour agrandir la plaie, puis il la retira d'un coup sec de manière à laisser le sang s'écouler. Des flocons chauds, poisseux, lui arrosèrent les bras, la nuque, les épaules.

Le yonk rua une nouvelle fois, mais avec moins de conviction, et continua de galoper pendant un temps qui parut interminable à Ankrel. Ses jambes pendaient à terre, les crampes commençaient à tétaniser son bras droit qui supportait tout le poids de son corps. Pourtant il ne pouvait pas lâcher, pas encore, car la vitesse de l'animal, trop élevée, risquait de le projeter sous les sabots de ses congénères. Il lui fallait résister pendant quelque temps, oublier le grondement assourdissant, les brûlures de sa peau qui continuait de se râper sur la robe rugueuse, les secousses qui ébranlaient sa colonne vertébrale et disloquaient ses épaules.

L'effondrement du grand mâle faillit le surprendre. Il le sentit soudain partir sur le côté – du bon côté – sans avoir été prévenu par un nouvel infléchissement de l'allure, puis s'affaisser de tout son long. Il eut tout juste le temps de se jeter au sol avant que l'animal ne l'écrase, roula sur lui-même et exploita son élan pour se relever une dizaine de pas plus loin. Il vit le yonk s'immobiliser dans les herbes couchées, brandit son couteau, poussa un hurlement de joie, un hurlement de fauve. Sa peau, sur le devant, avait pris une teinte rouge vif alarmante, ses muscles, ses os, ses tendons semblaient avoir été traînés pendant des heures sur un lit de cailloux. Légèrement étourdi, il regarda passer le troupeau sans réagir, puis, tiré de son hébétude par un cri perçant, il se souvint qu'il lui fallait tuer deux autres bêtes avant la tombée de la nuit, se ressaisit, oublia ses douleurs et sa fatigue pour chercher une autre proie du regard.

Le troupeau s'était légèrement éclairci, signe qu'il approchait de sa fin. Ankrel se désempêtra des membres inertes de la femelle et se releva, chancelant, couvert de sueur et de sang. Moins puissante que le mâle, elle s'était montrée beaucoup plus rétive, beaucoup plus combative. Elle avait arrêté sa course aussitôt qu'il s'était agrippé à son cou, s'était mise à cabrer, à donner des coups de tête, à tourner sur elle-même, à s'agiter dans tous les sens. Secoué, ballotté, il n'avait pas eu le temps de la frapper à la jugulaire, ses doigts avaient ripé sur le poil humide, il était tombé comme un fruit mûr. Elle l'avait piétiné de ses membres antérieurs avant de tenter de l'encorner. Il avait eu le réflexe de l'agripper par une corne et, contrairement à ce que lui avait conseillé Jozeo, de s'y suspendre de tout son poids pour l'empêcher de relever la tête. Elle avait mugi de colère et s'était lancée dans une série de ruades véhémentes, mais cette fois il n'avait pas lâché et, tout en essayant d'esquiver les coups de genou ou de sabot, il lui avait plongé sa lame à plusieurs reprises dans le poitrail, troquant cette élégance du geste qu'il admirait chez Jozeo pour une frénésie meurtrière. Criblée de coups, la yonkine avait fini par ployer, non sans avoir tenté d'entraîner son bourreau dans sa chute. Il avait réussi à se dégager d'un bond sur le côté, mais ses jambes étaient restées bloquées dans l'étau formé par le cou, l'épaule et l'un des membres antérieurs du cadavre.

Il crut qu'elle lui avait brisé la cheville jusqu'à ce qu'il fasse jouer l'articulation douloureuse. Il n'était plus qu'une statue de poussière et de sang, un tronc desséché par la fatigue et la soif. Les animaux s'égrenaient devant lui en rangs de plus en plus clairsemés. Un fourmillement lui démangea la nuque et le haut du dos. Il se retourna et croisa le regard de Jozeo, juché quelques pas plus loin sur un yonk domestiqué, vêtu d'une tunique et d'un pantalon de peau. Il lut de l'espérance, de la confiance dans les yeux sombres du lakcha, sur ses traits pourtant impassibles et balayés par les mèches noires. L'ombre nocturne rôdait déjà dans les creux de la plaine et en bas d'un ciel que l'obscurité naissante unissait à la terre.

Galvanisé par la présence de son modèle, Ankrel examina les restes effilochés du troupeau. Les yonks qui fermaient la marche filaient maintenant au large, comme s'ils avaient compris que le salut se trouvait au milieu du passage. Ankrel n'avait plus d'autre choix que de foncer et de frapper le premier animal à portée de lame. Il s'encouragea d'un hurlement et s'élança. Son boitillement s'estompa au bout de quelques foulées, relégué au second plan par la tension de la chasse, par la sauvagerie de cette course à la mort. Il ne lui fallut pas longtemps pour combler l'intervalle. Il volait au-dessus de la terre labourée par les sabots, soutenu par les pensées de Jozeo, porté par le souffle divin des lakchas. Il rejoignit bientôt les bêtes lancées au grand galop, courut en leur compagnie pendant un petit moment sans éprouver la moindre gêne, le moindre essoufflement, puis, sans réfléchir, sans même lancer un regard par-dessus son épaule, il plongea sur le côté, la main droite grande ouverte et la gauche fermée sur le manche du couteau. Il entra en contact avec un yonk et lui enroula le bras autour du cou. Ses gestes s'effectuaient avec une étonnante fluidité, comme dans l'eau de la rivière Abondance, comme dans un rêve. Le frottement de sa peau nue sur la robe rêche ne le dérangeait plus, pas davantage que les réactions désordonnées de l'animal. Il eut le sentiment qu'ils n'appartenaient pas seulement au monde visible, le yonk et lui, mais à un ordre secret où ils avaient signé un pacte de sang. Leur étreinte avait quelque chose d'une union sacrée, d'un rituel à la fois grave et joyeux. Ils célébraient à leur manière la splendeur de la création, la permanence des cycles.

La lame d'Ankrel pénétra avec une douceur soyeuse dans le cou détrempé du yonk.

La nuit était tombée sur la plaine, les ondulations des herbes captaient par intermittence le poudroiement lumineux du ciel.

Ils se dressaient tous les deux au centre du cercle des lakchas rassemblés autour d'une grande solarine.

Seulement deux.

On avait coupé, à l'aide d'un coutelas de corne, les cheveux des huit apprentis qui avaient échoué dans leur épreuve. Cinq se verraient offrir une seconde chance après deux années de probation, trois étaient condamnés, à la fin de l'expédition, à retrouver la vie sédentaire des mathelles. L'un d'entre eux, Kaher, avait juré par tous les lakchas qu'il avait égorgé ses trois animaux, qu'il était victime d'une injustice, mais, à la façon dont les chasseurs avaient décortiqué la médiocrité de sa prestation, il avait compris qu'aucun détail n'avait échappé à leur vigilance, qu'il était inutile – et dangereux de surcroît – de chercher à les tromper, et il s'était effondré en larmes.

On avait ramassé onze cadavres dans le sillage de la grande harde, certains méconnaissables tant ils avaient été piétinés, écrasés. Les embaumeurs, également responsables de la conservation des quartiers de viande, avaient usé de tout leur talent pour leur redonner une apparence décente, mais certaines mères auraient du mal à reconnaître leur fils dans les visages et les corps difformes qui leur seraient présentés.

« Une dizaine de yonks abattus pour onze apprentis expédiés sur le chemin des chanes, les lakchas sont en colère », avaient murmuré des anciens, les yeux baissés, les mâchoires et les poings serrés.

Ankrel lança un regard de biais à Vimor, l'apprenti qui se tenait à ses côtés à l'intérieur du cercle. Toujours nu comme lui, il présentait de nombreuses égratignures sur les jambes et la poitrine. Ses fesses, pelées, à vif, étaient apparemment la partie de son anatomie qui avait le plus souffert de sa rencontre avec les yonks. Ankrel le détestait cordialement, et plus encore maintenant qu'ils se retrouvaient associés dans le triomphe. Il aurait voulu être seul à entrer dans le premier cercle, seul à être intronisé par les lakchas. La présence de Vimor indiquait que quelqu'un avait eu la même adresse, le même courage, la même volonté que lui. Une petite voix déplaisante lui soufflait que ce nanzier vaniteux, arrogant, se revêtait d'une partie de son éclat, lui volait la solennité de l'instant. Il n'aimait pas partager, peut-être parce que la stérilité de sa mère en avait fait un fils unique, un astre solitaire.

Les solarines découpaient des visages à la fois graves et chaleureux sur le fond de ténèbres. Elles éclairaient, en arrière-plan, les chariots de conservation, les yonks domestiques attachés aux rayons des roues et les différents équipements du bivouac. Ankrel croisa le regard brillant de Jozeo, assis en tailleur derrière le premier rang formé par les plus anciens. Le chef de cercle, Eshvar, un homme qui avait dépassé les cent cinquante ans, un âge très rare pour un chasseur, avait pris place sur une peau de yonk et s'était muni de la grande corne, symbole de son autorité. Les frémissements harmonieux des herbes s'échouaient dans le silence nocturne comme des soupirs lointains, nostalgiques. On entendait également, venant du bivouac, les pleurs et les reniflements de certains apprentis à qui on avait coupé les cheveux – avec une telle brutalité qu'on leur avait profondément entaillé le cuir chevelu.

« Loués soient les lakchas du cinquième sentier, le sentier du don de la nourriture, le sentier de l'abondance. »

La voix éraillée d'Eshvar courut dans la nuit comme un amaya grinçant de l'espace et hérissa la peau d'Ankrel. La face émaciée du vieil homme, encadrée de tresses noires, n'était plus qu'un lacis de rides creusées par la lueur blanche de la solarine.

« Loués soient les lakchas qui nous demandent aujourd'hui d'accueillir dans notre cercle Vimor et Ankrel. »

L'ordre des noms n'avait sans doute aucune signification, mais Ankrel fut mortifié d'être cité après Vimor. Il frissonna, réprima son impatience d'une longue expiration. Il en avait assez d'être exposé nu comme un yonk aux regards de ces hommes. S'il admettait la nécessité de la nudité dans l'épreuve, où aucune assistance, aucune tricherie n'était permise, il ne voyait pas l'intérêt de la prolonger à l'intérieur du cercle. Les chasseurs ne pouvaient sûrement pas juger des aptitudes d'un apprenti en examinant la profondeur de ses blessures ou le volume de ses testicules – il lui fallait reconnaître que, sur ce plan au moins, Vimor marquait sur lui un sérieux avantage.

« En vous élevant à la dignité de lakchas, Vimor et Ankrel, nous commémorons ce jour où Djema et Maran en appelèrent aux autres enfants-dieux, Aphya, Poz, Ming, Darl, Gœt, afin de distribuer la manne céleste aux passagers de l'arche, ajouta le chef de cercle. Vous aurez désormais le devoir de fournir à leurs descendants, à nos frères du nouveau monde, leurs justes rations de viande, de corne et de peau. Une tâche noble, magnifique, la plus grande de toutes assurément. Une lourde responsabilité également. Puissiez-vous en être dignes jusqu'à votre départ pour le chemin des chanes. »

Eshvar se leva et s'avança d'une démarche chaotique vers les deux impétrants. Ankrel sut que l'ordre des noms n'avait vraiment aucune importance quand le vieil homme se dirigea vers lui et, de la pointe de la grande corne, lui toucha le front, le plexus solaire, le nombril et le pubis. Il devina – ou crut deviner – qu'ils étaient restés nus pour être marqués symboliquement dans leur chair et, rasséréné, il adressa un sourire radieux au chef de cercle.

« Nous fondons de grands espoirs sur toi, Ankrel, murmura Eshvar en lui rendant son sourire. Pas seulement Jozeo ou les membres de ce cercle, mais d'autres qui ont de grands projets pour l'avenir.

— Quels projets, lakcha ? »

Le vieil homme reposa la corne sur son épaule, un mouvement qui arracha un froissement prolongé à sa veste et à son pantalon de peau. Son odeur forte, imprégnée de relents de graisse de yonk, fouetta les narines d'Ankrel.

« Il est encore trop tôt pour t'en parler. Cette nuit, nous nous contenterons de manger et de boire pour célébrer ton succès.

— *Notre* succès, vous voulez dire ? » souffla Ankrel.

Deux pas plus loin, Vimor tendait désespérément le cou pour essayer de capter des bribes de leur conversation. Ankrel ne discerna pas la moindre trace de bienveillance dans le coup d'œil que décocha le chef de cercle à son compagnon d'épreuve.

« *Votre* succès, effectivement, chuchota Eshvar. J'avais... nous avions pensé que tu serais le seul à surmonter l'épreuve, mais apparemment nous avions sous-estimé le facteur chance. »

Le vieil homme se détourna, s'avança vers Vimor et le toucha à son tour de la pointe de la corne, mais, même s'ils tenaient à deux dans le cercle, même s'ils étaient deux à partager le rituel, Ankrel savait désormais que les chasseurs le regardaient comme le seul vainqueur de la nuit, comme le seul apprenti digne d'entrer dans le premier cercle, et cette certitude lui valut une exaltation encore plus éblouissante que la mort paisible de son troisième yonk.

CHAPITRE V

COUILLES-À-MASQUES

Après quatre mois d'un hivernage plus long que d'habitude, les vents de glace ont enfin cessé de souffler. Avant-hier, nous sommes sortis de la maison pour la première fois depuis vingt jours, autant dire une éternité.

Vingt jours pendant lesquels j'ai dû déployer des trésors d'imagination pour soustraire un peu de mon temps aux obligations familiales. Grâce au ciel, ou à mes gènes, ou à mon maître Artien, l'imagination est une matière dont je dispose en abondance, un filon qui n'est pas près de s'épuiser. Vingt jours pendant lesquels il nous faut accepter, si possible avec le sourire, cette promiscuité qui nous oblige à respirer l'haleine et l'odeur de tous les permanents du domaine. Vingt jours à subir les regards sournois ou lubriques des hommes, leurs frôlements insistants, leurs avances obscènes, leur arrogance de mâles. Deux fois dix jours à rassurer Elleo, à exploiter les moindres instants de répit pour le rejoindre dans une mansarde, éteindre sa jalousie grondante d'une caresse, d'un baiser, d'une promesse. Deux fois dix jours où la vie, emprisonnée dans les murs épais, tourne en rond, se vicie, empeste la merde, l'urine, la sueur, suinte la grisaille, la crasse, la rancœur. Quatre fois cinq jours où je n'ai pu jeter sur le rouleau que des éclats de phrases, des pensées excédées, les débordements d'un trop-plein d'impatience et d'ennui.

Je me demande par quel miracle nos ancêtres ne se sont pas exterminés les uns les autres dans leur bagne volant. Quatre fois cinq jours de captivité semblent bien dérisoires en regard de cent vingt ans estériens d'enfermement entre des cloisons, des planchers et des plafonds de métal. Sans doute suis-je habitée par la mémoire des Estériens, moi qui porte, comme nous tous ici-bas, une partie de leur patrimoine génétique. Sans doute m'ont-ils transmis leur claustrophobie, leur « métallophobie », leur horreur des atmosphères confinées et leur hantise du vide.

Compatir à leurs maux ne m'enlève rien des miens. Vingt fois un jour dans la pénombre de pièces mal chauffées et puantes me paraissent bien moins supportables que cent vingt fois un an dans le silence glacé et mortel de l'espace. Ainsi court l'esprit, qui ternit le présent et glorifie le passé, qui se cherche des histoires pour tromper la marche du temps.

Quel bonheur de s'avancer dans la lumière du jour, de respirer un air vif et pur, de fouler une terre libérée de sa gangue de glace, de contempler l'herbe noircie par le gel, les jaules dénudés, les mannes d'un blanc presque translucide, de sentir sur son visage et sous ses vêtements les mordillements d'un vent frondeur ! Les rayons de Jael se glissent timidement entre les nuages noirs qui se déchirent et dévoilent un ciel d'un bleu-mauve encore pâle.

J'aime notre monde quand il s'éveille, s'étire, reprend ses couleurs sous la lumière ensommeillée de l'aube. J'aime Elleo qui respire comme un yonkin assoiffé à mes côtés, qui oublie ses tourments, qui rit à belles dents, qui frémit d'une sève nouvelle. J'aime ma mère Sgen, ses joues rougies par le froid, ses grandes mains calleuses qui caressent déjà les épis de manne brûlés par le gel, ses yeux clairs qui évaluent les dégâts, ses jambes fortes qui arpentent le domaine, son nez levé qui hume le vent, qui s'inquiète d'un dernier coup de griffe de l'hiver.

Je n'aime pas Cloz, l'un des constants de Sgen, un homme qui se prend pour mon père parce qu'il s'est oublié dans ma mère, un homme qui me toise avec le dédain d'un juge, qui ne m'adresse la parole que pour me rabrouer ou m'humilier, un homme dont la présence, ou plutôt l'absence, insinuante et froide, me fait penser aux umbres. Ma mère l'a choisi pourtant, elle lui a ouvert la porte de sa chambre, elle a ployé sous lui, elle a baigné dans son haleine, sa salive et sa sueur, elle s'est inondée de sa semence... Mystères de l'âme humaine. Elleo n'est pas de lui, bien entendu, je n'aurais jamais pu m'entendre avec un autre de ses oublis.

Je n'aime pas, d'ailleurs, mes frères et ma sœur, les deux garçons et la fille de ma fratrie primaire, c'est-à-dire issus du même père et de la même mère. Ce que j'affirme n'est pas tout à fait juste : je n'éprouve pour eux que de l'indifférence, une absence souveraine d'intérêt qui se justifie par le fait qu'eux-mêmes en sont totalement dépourvus. Plus vieux que moi, ils ont déjà semé pour mes frères et récolté pour ma sœur. Contrairement aux yonks, ils se multiplient en captivité, et plutôt vite, et leur engeance m'exaspère tant elle leur ressemble, tant elle paraît pressée de s'engager sur leurs traces, de reproduire, en pire, leur modèle. Je n'aime pas non plus les garçons et les filles de ma fratrie secondaire (nés de la même mère mais pas du même père). On connaît les géniteurs de trois de ces cinq-là. Pas très difficile dans la mesure où ils ressemblent comme deux pauvres cristaux de glace à leurs pères, deux constants effacés et laids (effacés parce que laids ?). Ma mère a décidément la manie d'inviter dans sa chambre ce qui se fait à peu près de pire en matière d'homme. Pas étonnant, dans ces conditions, qu'elle éprouve de temps à autre le besoin de se distraire avec des volages qui, eux, ne se montrent pas regardants sur l'âge et l'usure physique de leur hôtesse.

Elleo est probablement le fils d'un de ces nanziers de passage. Il ne ressemble à aucun permanent du domaine : ses cheveux bruns et bouclés, la finesse de ses traits, le vert envoûtant de ses yeux, la douceur de sa peau, la puissance de son corps en font un demi-dieu descendu parmi les mortels.

Avais-je d'autre choix que de le vouloir pour moi seule ? Avais-je le droit de le laisser se corrompre, se frotter à ces femelles grasses qui ne peuvent ouvrir la bouche sans laisser échapper un cancan affligeant ou une quelconque niaiserie ? Qui n'ont d'autre sujet de conversation que leurs menstrues, leurs ventres, leurs seins, leurs fesses et les fruits de leurs amours détestables ? N'était-ce pas mon devoir que de le sortir de la boue environnante, de l'entraîner sur un chemin où personne d'autre que nous n'oserait s'aventurer ? Peut-on parler d'orgueil ou d'égoïsme à mon propos ? Ou m'autorisera-t-on à invoquer les mânes de la divine Ellula ? Car je prétends aimer mon demi-frère avec la même force, la même dévotion que la jeune Kropte sut apprivoiser le monstre Abzalon.

Hier, j'ai croisé Lézel sur le chemin de mon refuge secret. Il m'a donné trois rouleaux de peau d'une souplesse merveilleuse. Il m'a fixée avec un regard que je ne lui connaissais pas, un regard trempé dans l'exigence, dans l'intransigeance. Il n'a pourtant jamais cherché à me solliciter durant ces deux mois d'enfermement. Lorsque je l'ai croisé dans les couloirs ou dans les pièces communes du domaine, il s'est contenté de me saluer d'un hochement de tête ou d'un petit geste de la main, arborant cet air à la

fois stupide et implorant qui est l'apanage des sou-
pirants oubliés.

J'ai pris les rouleaux, l'ai remercié de mon plus
faux sourire, puis j'ai filé sans demander mon reste.
Il me faut maintenant songer à trouver un nouveau
fournisseur. Lézel commence à estimer que je lui suis
redevable, et je refuse catégoriquement d'être impli-
quée dans ses pensées, dans ses sentiments, dans
ses désirs. Je crois en effet que les pensées, les sen-
timents, les désirs, lorsqu'ils ne sont pas partagés,
tissent une trame de plus en plus serrée qui risque
un jour de nous étouffer.

Extrait du journal de Lahiva filia Sgen.

Aphya et mung, les deux premiers satellites du nouveau monde, jetaient un regard gris, myope et dis-
symétrique sur le domaine. Vêtue d'une courte
tunique échancrée, Orchale appréciait les effleurements de la brise sur ses jambes et ses hanches
nues. La récolte de manne était engrangée, la maison plongée dans une obscurité paisible, Jol, son
constant le plus viril, le plus endurant, l'avait rassasiée avec sa vigueur habituelle, et pourtant, malgré
l'apaisement des sens, malgré les courbatures et la
fatigue engendrées par les quatre jours de battage,
elle n'avait pas trouvé le sommeil. Une angoisse
sourde, oppressante, l'avait jetée hors du lit au milieu
de la nuit. Elle s'était dit qu'un peu de marche, un
peu d'air l'aideraient à dissiper ses idées noires,
mais, après avoir parcouru une bonne dizaine de fois
le chemin qui partait de la cour intérieure et traversait le verger et le potager pour rejoindre les champs
de manne, la pointe était toujours là, fichée en tra-

vers de sa poitrine et de son ventre, tenace, douloureuse. Jusqu'alors, la gestion du domaine, les tâches
à répartir, les réparations à effectuer avant l'amaya
de glace avaient entièrement occupé son esprit,
mais l'inquiétude, semée comme une graine empoi-
sonnée par la visite d'Arléan fili Gej, n'avait cessé de
grandir sous le tumulte de ses activités, et, polie par
la paix nocturne, elle se révélait désormais dans
toute son étendue, dans toute sa virulence.

L'envie la prit soudain de se laver, de se débarrasser de l'odeur forte de Jol, des restes de semence
qui lui poissaient l'intérieur des cuisses. Il en allait
de son constant comme d'un feu dans l'âtre : elle
appréciait sa chaleur, sa verdeur, sa puissance au
moment de l'acte, elle n'aimait pas les résidus du
lendemain, les odeurs et les douleurs froides, la sensation de grisaille, de flétrissure dans la lumière sale
de l'aube. Elle s'approcha de l'une des quatre fontaines de la cour intérieure, retira sa tunique, s'asper-
gea copieusement le visage, la poitrine et le ventre,
puis elle enjamba la margelle et s'accroupit dans le
bassin. Elle laissa à son corps le temps de s'accoutumer à la fraîcheur de l'eau et s'absorba un moment
dans la contemplation de la fontaine, une grossière
statue de pierre censée représenter, comme les trois
autres, le corps massif du grand Ab. Tirée d'une
nappe phréatique par un système de siphon qu'il
fallait réamorcer au début de la saison sèche, l'eau
s'écoulait en un filet de la largeur de deux doigts,
avec une telle régularité qu'elle prenait l'apparence
d'un tube cristallin coincé entre le bec verseur, le
sexe recourbé du grand Ab et la surface du bassin.
Des chêneaux d'argile fixés sur le pourtour de la
margelle recueillaient ses débordements et les dirigeaient vers la canalisation qui les acheminait vers
l'étable, le verger et le potager.

Orchale se demandait souvent si les nappes

n'allaient pas finir par s'épuiser. Les deux étés précédents, les quatre statues n'avaient pissé qu'avec une parcimonie alarmante – et irrévérencieuse : la compassion du grand Ab ne passait-elle pas pour intarissable ? Elle s'en était ouverte aux autres mathelles lors de la dernière assemblée. D'aucunes avaient partagé ses préoccupations, mais les autres, la majorité, s'étaient alignées sur la position des mères de Cent-Sources, les reines des domaines originels regroupés autour de la colline de l'Ellab : les pluies de pré-hivernage et la fonte des glaces des montagnes de l'Agauer suffisaient amplement à reconstituer les nappes et les puits. La générosité de leur planète d'accueil n'avait pas de limites selon elles. Le seul danger venait des protecteurs des sentiers. C'était d'ailleurs pour combattre l'influence grandissante des « couilles-à-masques » que les mathelles avaient décidé de tenir des assemblées clandestines au début et à la fin de la saison sèche, à l'heure de Mung et de Maran, dans un endroit différent à chaque fois. Prévenues au dernier moment par des messagères djemales, elles s'y rendaient à pied par des chemins détournés. Il fallait à certaines comme Orchale plus d'un jour et une nuit pour gagner les lieux des rassemblements. De ces réunions nocturnes dont elle n'avait pas manqué une seule elle était ressortie avec un sentiment accru de solitude et d'impuissance.

Elle frissonna, remua les bras et les jambes pour chasser son engourdissement. Le troisième des satellites, Maran, le plus volumineux, le plus brillant, avait fait son apparition au-dessus du toit du silo. Elle distinguait, disséminées le long de son croissant gris, des taches blanches qui étaient des mers de glace selon Karille, la djemale attachée au domaine. Le fourmillement scintillant des étoiles absorbait peu à peu les figures falotes d'Aphya et Mung.

Des grincements suivis de crissements précipités brisèrent l'enchantement silencieux de la nuit. Orchale cessa aussitôt de bouger, transie par la peur et presque aussitôt par le froid. Dans l'eau jusqu'au menton, elle fouilla les ténèbres des yeux et finit par distinguer une silhouette qui venait dans sa direction. Elle fut tentée de s'immerger entièrement pour ne pas trahir sa présence dans le bassin. Une réaction irrationnelle, stupide : elle n'avait aucune raison de se cacher d'un permanent du domaine qui, comme elle, avait sans doute ressenti le besoin de prendre l'air. Elle se détendit lorsqu'elle reconnut la silhouette élancée d'Œrdwen. Plus jeune qu'elle d'une trentaine d'années, entré dans sa vie longtemps après Aïron et Jol, il avait su se ménager une bonne place près d'elle et, à l'issue d'une période normale de défiance, d'observation, se faire accepter par ses deux autres constants. Elle se souvenait avec une précision étonnante de la première fois où elle l'avait accueilli dans son lit. Il n'avait jamais approché de femme, et sa fougue s'était conjuguée à sa maladresse pour la ramener plusieurs décennies en arrière, du temps où elle n'avait pas la responsabilité d'un domaine sur les épaules, du temps où elle découvrait son pouvoir sur les hommes, sur ces volages aussi fringants que des yonkins sauvages qui se seraient battus au sang pour passer une nuit avec elle. Œrdwen n'avait guère progressé depuis, ni en maîtrise sexuelle ni en souplesse de caractère, mais en sa compagnie elle avait l'impression de prolonger plus que de raison sa seconde jeunesse.

Elle faillit l'appeler, l'inviter à se joindre à elle dans le bassin, se ravisa lorsqu'elle discerna une étoffe épaisse enroulée sous son bras droit et le manche d'un poignard de corne glissé dans la ceinture de son pantalon. Elle le vit bifurquer vers la gauche après avoir lancé un regard par-dessus son épaule et s'éloigner vers la sortie du domaine d'une allure de furve. Intriguée, elle attendit qu'il se fût presque évanoui dans l'obscurité pour sortir de l'eau et se lancer sur ses traces. La tiédeur de l'air ne réussit pas à la réchauffer. Elle enfila sa tunique en marchant bien qu'elle détestât le contact de l'étoffe sur sa peau mouillée. Maran plaquait un vernis argentin sur les façades des bâtiments et sur les frondaisons des jaules.

La silhouette d'Œrdwen disparut à l'angle de la maison principale, qui, comme le ventre d'une femme enceinte, s'était distendue au fur et à mesure des années pour accueillir la population croissante du domaine. Elle abritait désormais une centaine de personnes, plus quelques visiteurs de passage, volages, parents ou amis de permanents.

Fébrile, Orchale accéléra l'allure tout en veillant à ne pas faire de bruit. Son talon gauche se posa sur un caillou aux arêtes tranchantes. Elle se mordit l'intérieur des joues pour étouffer son cri. Lorsqu'elle se redressa, Œrdwen avait disparu. Elle s'accroupit derrière un massif de fleurs et observa, entre les deux colonnes de pierre encadrant l'entrée de la cour intérieure, le chemin de terre qui s'enfuyait dans les champs livides de manne avant de se perdre dans l'obscurité. Des gouttes d'eau dégouttaient des pointes détrempées de ses mèches et s'insinuaient sur sa poitrine et son dos. Les feuilles urticantes des fleurs lui irritaient les jambes, les fesses et les hanches. Un halo de lumière se déploya dans un champ de manne moissonné depuis peu. Quelqu'un – Œrdwen ? – venait de dégager une solarine dont l'éclat vif révélait la présence de plusieurs individus au milieu des éteules claires.

Orchale se releva et, longeant le muret, vint se poster derrière la première colonne. La brise lui apporta les éclats graves d'une conversation. La sola-

rine éclairait des faces qui lui semblèrent dispropor-
tionnées avec les corps, puis, affinant son observation, elle s'aperçut qu'il s'agissait de masques rudi-
mentaires taillés dans une matière rugueuse et
hachés de traits de peinture vive.

Une phalange de protecteurs des sentiers. Vêtus
de ces amples robes brunes qui leur descendaient
jusqu'aux chevilles et parachevaient leur anonymat.

Elle vit le corps longiligne d'Œrdwen disparaître
dans une robe et sa tête s'escamoter sous un masque. D'abord incrédule, elle fut secouée par une
série de tremblements, puis par une violente envie
de vomir qu'elle réussit à contenir mais qui lui aban-
donna un fond de bile dans la gorge. Œrdwen, le
père de ses quatre derniers enfants, cet homme avec
qui elle avait partagé le tiers de ses nuits, cet homme
qui avait maintes fois joui dans son ventre, dans ses
mains et dans sa bouche était donc un protecteur
des sentiers, un de ceux qui combattaient la puissance des mathelles depuis un siècle, un de ceux
qui égorgeaient les mères et les enfants des lignées
maudites, un de ceux qui jetaient aux umbres les
hommes et les femmes dont le seul tort était de
réfuter leur interprétation des légendes de l'*Estérion*.
Orchale avait maintenant l'impression de respirer
son odeur, moins forte que celle de Jol, plus suave
que celle d'Aïron, mais désormais oppressante,
détestable. L'odeur amère de la trahison, de la désil-
lusion. Comment avait-elle pu être crédule, aveugle
à ce point ? La solarine, telle une étoile maléfique,
donnait un éclairage nouveau et hideux à leur histoire d'amour : leur différence d'âge n'était donc pas
ce présent tardif et magnifique déposé à sa porte par
la divine Ellula mais le fruit d'une machination,
l'étape d'un plan mûrement réfléchi par les protecteurs des sentiers. Sans doute avaient-ils introduit un
des leurs auprès de chacune des mathelles, sans

90

doute avaient-ils tendu au-dessus des domaines un vaste filet, invisible pour l'instant mais qui, lorsqu'ils l'auraient décidé, emprisonnerait dans ses mailles l'ensemble de la population du nouveau monde.

Des larmes de rage embuèrent les yeux d'Orchale. Rage contre la fourberie d'Œrdwen. Rage contre sa stupidité, son orgueil de femme. Frissonnante, haletante, elle réprima un gémissement, frappa la pierre rugueuse de la colonne du front, du genou et du poing, remit un peu d'ordre dans ses pensées, se demanda si elle ne devait pas prévenir immédiatement Jol, Aïron et les autres hommes du domaine puis, alarmée par des jeux soudains de lumière et d'ombre, reporta son attention sur les couilles-à-masques. Alignés derrière la solarine que portait le premier d'entre eux, ils avançaient en procession vers l'entrée du domaine.

Affolée, elle se recroquevilla sur elle-même, referma les bras sur sa poitrine, contracta ses muscles internes pour endiguer le débordement de sa vessie.

Que venaient-ils donc chercher dans son mathelle ? Ou plutôt qui avaient-ils déjà condamné, qui venaient-ils exécuter ?

La réponse se dessina aussitôt, limpide, terrible : Orchéron. Quatre jours plus tôt, Arléan fili Gej, entendant ses hurlements, avait entrebâillé une tenture et l'avait vu, en équilibre sur le rebord de la lucarne du silo, s'agiter comme un dément pendant le passage des umbres. Le répartiteur n'avait pas passé la nuit au domaine comme il l'avait lui-même exigé dans un premier temps, il avait prétexté une affaire urgente, avait sauté sur son yonk et filé sans même penser à remplir sa gourde d'eau. Orchale n'y avait prêté qu'une attention distraite sur le moment, soulagée de retrouver Orchéron sain et sauf après la crise de folie qui l'avait poussé à défier les prédateurs volants. Elle s'expliquait maintenant les raisons de ce départ précipité : Arléan était arrivé au bout de la piste, avait identifié son gibier et s'était empressé d'en informer les protecteurs des sentiers. Quelle faute avait donc commise Orchéron pour s'attirer ainsi la haine des couilles-à-masques ? Il n'avait jamais quitté le domaine, pas même pour assister à la Grande Délivrance, la cérémonie annuelle qui commémorait l'arrivée des survivants de l'*Estérion* sur le nouveau monde. La réponse se trouvait peut-être dans son enfance, dans sa souffrance, dans sa relation privilégiée, équivoque, dangereuse avec Mael...

Orchale se ressaisit : le moment n'était pas venu de se poser des questions mais de tirer son onzième enfant des griffes des protecteurs des sentiers qui, guidés par la lumière mouvante de la solarine, progressaient comme une horde d'animaux féroces dans le champ de teules.

« Tu as peur de moi, Orché ? »

La lumière douce de Maran s'invitait par la lucarne et teintait d'une poudre argentée les poutres et les pierres du grenier. C'était Mael qui avait pris l'initiative de se glisser dans la chambre mansardée d'Orchéron, de le réveiller d'une pression sur l'épaule, d'étouffer ses protestations et ses questions d'un baiser appuyé, de le prendre par la main, de l'entraîner, vêtu de son seul sous-vêtement, dans le grenier du silo le plus éloigné de la maison.

La pièce était nue hormis quelques bottes de paille rassemblées dans un coin, recouvertes de draps de laine végétale et pourvues de deux oreillers. Visiblement nettoyée, aérée, elle embaumait d'un parfum reconnaissable entre tous, celui des cluettes, des fleurs aux pétales pourpres plus couramment appelées « pousse-l'amour ». Une cruche d'eau, deux gobelets, une coupe remplie de fruits et de parts de gâteau de manne trônaient sur une table basse. Mael avait bien préparé son affaire, tellement bien qu'Orchéron se sentait pris au piège, dans l'incapacité de lui refuser quoi que ce soit. La gorge sèche, il se versa un gobelet d'eau et l'avala d'une traite.

« De toi, non, des autres, oui...

— On s'en fiche, des autres ! s'écria Mael en se pendant à son cou. C'est toi que j'aime, toi que je veux. »

Il baissa la tête pour se défaire de l'emprise de son regard, entrevit, par l'encolure de sa robe, la naissance de ses seins qu'il avait si souvent caressés en pensée, admit dès lors sa défaite, une reddition qui n'avait pas le goût âcre des regrets mais celui, apaisant, du consentement. Le passage des umbres, s'il ne l'avait pas délivré de ses peurs, l'avait invité à les regarder en face, à les affronter. Les terribles prédateurs avaient fondu sur lui à la vitesse d'un éclair, l'avaient plongé dans une obscurité glaciale, intolérable, heureusement très brève, mais ils l'avaient épargné et s'étaient retirés en ouvrant une brèche sur son enfance. Contrairement à l'habitude, sa souffrance s'était estompée quelques instants seulement après leur disparition et la sonnerie de fin d'alerte. Il était désormais convaincu qu'ils l'avaient déjà gracié une première fois, même s'il en ignorait les circonstances et les raisons. Il se remémorait une ronde de silhouettes autour de lui, silencieuses, hostiles, imprécises, des corps blêmes allongés sur un sol noir. Il savait également que ses amours avec sa sœur d'adoption étaient déjà inscrites dans le passé, pas nécessairement dans le sien mais dans une mémoire globale, collective.

Souriante, triomphante, Mael se hissa sur la pointe des pieds et lui emprisonna la bouche avec gour-

mandise. Sa langue, ses mains, les frottements impétueux de sa poitrine et de son bassin balayèrent les
dernières hésitations d'Orchéron. Il se laissa entraîner par le courant, tellement puissant qu'il les précipita tous les deux sur le plancher et leur arracha
leurs vêtements. Ils n'étaient plus maintenant que
deux vagues de désir qui s'éclaboussaient, s'entre-
choquaient, s'entremêlaient avec une violence
inouïe. Orchéron pouvait enfin prendre à pleines
mains ces chairs tendres et rondes, goûter à pleine
bouche ce fruit fendu et si attirant sous sa fourrure
claire ; Mael pouvait enfin s'emparer de ce membre
intimidant qu'elle n'avait jusqu'alors perçu qu'au travers des étoffes, le rouler dans ses paumes, le cajoler
de ses lèvres.

Ils s'échouèrent sur les bottes de paille, renversant
au passage la cruche d'eau et la coupe de fruits.
Perchée sur lui, elle se contorsionna comme une
écliptе dorée pour se glisser sous son grand corps,
releva les jambes et les croisa sur son dos pour
mieux s'ouvrir, pour mieux favoriser l'intromission
du visiteur imposant qui s'impatientait à sa porte.
Elle n'était pas sûre tout à coup d'être assez grande
pour l'accueillir. Elle poussa un petit cri lorsqu'une
première poussée d'Orchéron brisa net son hymen,
un long soupir de surprise et de protestation
lorsqu'un deuxième coup de bassin, impérieux,
puissant, la fendit de part en part comme une bûche.
Elle resta pendant quelques instants écartelée, téta-
nisée, le souffle coupé, ne sachant si elle devait se
réjouir ou se désoler. Puis son frère adoptif se mit à
aller et venir en elle avec une douceur infinie, étonnante pour un homme de sa corpulence. Elle se
détendit, épousa ses mouvements, joua avec l'intrus
qui se faisait maintenant tendre, caressant, se
déroba pour l'abandonner pendant quelques instants à sa porte, le reprit avec avidité, le garda en

elle, le bassin basculé vers l'avant, les fesses décollées du drap de laine végétale, le pubis collé au pubis d'Orchéron, les seins écrasés sur son torse, les ongles enfoncés dans sa nuque, les dents plantées dans son épaule. Elle jouissait du contact de leurs peaux suantes, glissantes, chuintantes, de la cadence précipitée de leurs souffles, de l'enchevêtrement grisant de leurs odeurs, de leurs chaleurs. Elle gémissait d'être prise et de prendre, d'exercer son pouvoir de femme, d'emprisonner la puissance de l'homme. Des frissons naissaient au creux d'elle et montaient en spirales voluptueuses, fascinantes. Elle ne chercha pas à résister d'ailleurs, elle comprit d'instinct que son visiteur, gagné par la fébrilité, perdait tout contrôle sur lui-même et s'apprêtait à défaillir. Elle se creusa encore pour le blottir et le retenir au fond d'elle, suffoqua sous le poids d'Orchéron, lâcha prise, bascula dans un désordre indescriptible lorsque la semence de son frère et amant irrigua par saccades son intérieur profané.

Le fracas d'une porte ouverte à la volée ne leur laissa pas le temps de reprendre leur souffle et leurs esprits. Orchéron était encore allongé sur Mael quand Aïron, une petite solarine à la main, s'introduisit dans le grenier. Le visage du constant, chiffonné de sommeil, se renfrogna un peu plus à la vue de leurs deux corps nus et surpris dans une position qui n'entretenait aucune équivoque.

« Le malheur est sur nous... »

Planté sur ses deux jambes maigres qui s'évadaient de sa courte chemise de nuit comme des troncs desséchés, il se tenait dans l'encadrement de la porte avec la même affabilité qu'un épouvantail à nanziers. Ses cheveux tombaient en boucles grises et emmêlées sur ses épaules, une barbe de deux ou trois jours noircissait ses joues hâves, ses yeux lançaient du fond de ses arcades broussailleuses des éclats de colère et de peur.

Dégrisée, plus prompte à réagir que son frère, Mael sauta du lit de bottes de manne et courut se saisir de sa robe dont elle se revêtit en un clin d'œil.

« Et toi, qu'est-ce que tu attends pour te rhabiller ? » fit Aïron à l'adresse de son fils adoptif.

Orchéron se leva à son tour, penaud, les mains plaquées sur son sexe encore gorgé de désir.

« Je l'ai su dès que je t'ai vu sur la rive d'Abondance, ajouta Aïron.

— Comment pouvais-tu savoir que Mael et moi...

— Je ne te parle pas de ça, idiot ! J'ai toujours su qu'en te recueillant j'introduisais le malheur dans la maison d'Orchale. »

Orchéron drapa rageusement son pagne de laine végétale entre ses cuisses et le noua sur le devant.

« Alors fallait pas m'adopter ! »

Aïron jeta un coup d'œil derrière lui avant de secouer la tête d'un air abattu.

« On en parlera à un autre moment. Les protecteurs des sentiers, ils fouillent la maison, ils sont à tes trousses.

— Pour quelle raison ? s'écria Mael.

— On n'en sait foutre rien. Mais votre mère est persuadée que le chasseur de l'autre jour recherchait Orchéron et qu'ils viennent pour lui. Il doit se mettre à l'abri pendant quelque temps.

— Où ? s'écria Orchéron. Si vraiment ils en ont après moi, ils battront tout le Triangle pour me retrouver...

— Tu vois un autre choix ? Orchale t'a fait préparer un sac de vivres, une gourde d'eau, un couteau de corne, des vêtements et des chaussures. Quelqu'un t'attend au coin de l'atelier de poterie pour te les remettre. Fiche le camp maintenant, avant qu'il ne prenne aux protecteurs l'idée de fouiner dans les silos. »

Orchéron lança un regard désespéré à Mael, figée par la stupeur et la peur près de la table basse.

« Il existe une autre solution, dit-il, les mâchoires serrées. Que tous les hommes de ce domaine s'arment de couteaux, d'outils ou de pierres et accueillent ces couilles-à-masques comme ils le méritent ! »

Aïron se frotta les lèvres d'un revers de main.

« Orchale m'a défendu de te le dire, mais... certains hommes du mathelle font partie de leurs rangs. Le combat ne serait pas équitable. Et quand bien même on réussirait à les chasser du domaine, ils reviendraient les jours suivants plus nombreux, plus enragés. Fiche le camp maintenant, nous avons déjà perdu trop de temps. »

Mael s'avança de deux pas vers Orchéron.

« Je pars avec toi.

— Pas question, s'interposa Aïron. Avec une fille dans les jambes, il perdrait toute chance de leur échapper.

— Tu n'es pas mon père que je sache ! » cracha Mael en repoussant le bras du constant.

La lumière de la solarine effleura son visage déterminé, ses yeux larmoyants, ses mèches en bataille, les pierres du mur, la charpente en bois de jaule.

« Œrdwen, ton père... » Aïron se mordit la lèvre inférieure. « Si tu ne comprends pas que tu dois maintenant laisser partir ton frère seul, Mael, reprit-il d'une voix grave, tu le condamnes à mort et tu te condamnes à ne plus jamais le revoir. »

Orchéron s'approcha de Mael et l'enlaça par la taille.

« Mon père a raison, murmura-t-il. Quand je reviendrai, plus personne ne se mettra en travers de nous, je te le promets. »

Il l'embrassa avec fougue, se détacha d'elle, donna une petite tape sur l'épaule de son père adoptif et sortit sans se retourner sur le palier du grenier. Mael voulut s'élancer à sa poursuite, mais Aïron la saisit par le poignet et la maintint contre lui d'une poigne de fer. Elle n'essaya pas de lui échapper, elle s'affaissa sur le plancher avec la légèreté d'une feuille morte et pleura en silence, désemparée, rendue trop tôt à cette enfance qu'elle venait tout juste de quitter.

CHAPITRE VI

GAELLA LA FOLLE

Très vénérée Qval Frana,
Comme vous pouvez le constater, j'ai pris le temps
de vous écrire malgré les charges de plus en plus
nombreuses qui pèsent sur mes pauvres épaules.
Non que le Présent (un bien joli nom, n'est-ce pas,
pour un bout de terre, pour un fragment de
matière...) soit un échec, bien au contraire : nous
sommes, si j'ose dire, victimes de sa générosité ! Nos
récoltes de manne précoce et tardive sont si abon-
dantes qu'elles nous occupent quatre ou cinq mois
l'an, qu'elles débordent de nos greniers ; nos vergers
donnent tant de fruits que la main-d'œuvre saison-
nière nous manque pour les cueillir, les entreposer,
les sécher, en extraire le précieux sucre... Sans comp-
ter les potagers, exubérants, sans compter les plan-
tations de laine végétale, sans compter le petit
cheptel de yonks que nous avons réussi à constituer
(nous en comptons pour le moment treize, un résul-
tat tout à fait remarquable comparé aux autres
mathelles), sans compter les bâtiments et les cana-
lisations qui nous demandent un incessant travail
d'entretien... Je suis si fatiguée que parfois, je vous
assure, il m'arrive de m'endormir assise sur une
chaise de la terrasse qu'Andemeur et Solan ont
construite l'an dernier.

Mais je m'aperçois que je ne vous ai pas encore parlé de Solan. Je vous présente donc mon deuxième constant, plus jeune qu'Andemeur et cependant plus sage par bien des côtés. Un homme charmant, doux, modéré en tout, assez peu porté sur les plaisirs de la chair mais néanmoins père de mes troisième et quatrième enfants. Voici bientôt quatre ans que je n'ai pas reçu de volage dans ma chambre (je suis bien trop épuisée pour songer à m'apprêter, je dois être aussi séduisante qu'un épouvantail à nanziers) et qu'Andemeur, qui a reçu un coup de sabot de yonk au bas-ventre, ne m'a pas honorée de ses faveurs. Il ne reste plus qu'à partager la majeure partie de mes nuits avec Solan. Je ne m'en plains pas car il est peu exigeant, respecte mon sommeil, se contente le plus souvent de me tenir serrée contre lui. Je le provoque quand il me vient des envies et il lui arrive de répondre à mes avances. Je n'en retire pas les mêmes satisfactions que celles que j'éprouvais avec Andemeur ou certains volages, mais cela a suffi à me féconder à deux reprises, et, ma foi, les enfants issus de ces étreintes frustrantes sont aussi sains et vigoureux que les autres. Tout de même, il faudra bien qu'un jour je me décide à m'attacher un troisième constant. Et, dans ce but, affûter mes armes de femme, renouer avec le plaisir incomparable (illusoire ?) de se sentir désirée, déshabillée des yeux.

Parlons maintenant du sujet qui nous préoccupe : je n'ai pas de nouvelles directes des protecteurs des sentiers depuis que je me suis établie au nord de Cent-Sources, cela fera bientôt huit ans. Les réunions des mathelles, auxquelles je me rends une fois sur deux, me semblent désormais tourner aux bavardages futiles, aux jérémiades systématiques. Mes consœurs sautent sur tous les prétextes pour se plaindre : la chaleur, le froid, les tempêtes de pollen, les averses de cristaux de glace, l'infertilité des yonks domestiques, la froideur de leurs constants, la tyrannie des chasseurs, l'angoisse de la pénurie d'eau et, bien entendu, les manigances des protecteurs des sentiers... La majorité d'entre elles ont catégoriquement refusé l'idée que je leur avais soumise : hors de question pour les vertueuses reines des domaines de s'opposer par la force aux couilles-à-masques et, dans ce dessein, de recruter des bataillons armés. Ellula n'a pas triomphé de la haine par la haine, m'ont-elles répliqué, mais par l'amour, par la dévotion. Elles ont oublié, me semble-t-il, qu'Ellula était aussi une guerrière, une femme qui défia l'ordre séculaire et despotique des Kroptes, qui souleva les ventresecs et les épouses pour les conduire dans le pays des terribles robenoires par-dessus les gouffres d'eau bouillante. Ellula a su livrer toutes les guerres auxquelles elle était conviée, y compris l'étreinte, périlleuse entre toutes, avec le grand Ab. Elle ne s'est jamais dérobée, et c'est précisément là, dans le renoncement des mathelles, dans leurs interprétations erronées des légendes de l'Estérion, que s'avancent les protecteurs des sentiers. Ils continuent de s'emparer d'hommes, de femmes ou d'enfants qu'ils exposent aux umbres sur la colline de l'Ellab, ils s'obstinent à traquer les lignées maudites.

Après tout ce temps passé hors de l'enceinte de Chaudeterre, je ne sais toujours pas ce qu'est une lignée maudite. Je suppose qu'ils ont eu connaissance de fautes graves qui ont excité leur fureur. En exemple, vénérée Qval, je rappellerai l'interrogatoire scélérat auquel ils m'avaient soumise avant la création de mon domaine. Ils classent certainement les amours exclusivement féminines (et les amours exclusivement masculines ?) dans la catégorie des fautes graves impardonnables. Ou bien ils sont remontés, grâce à la reconstitution précise d'arbres généalogiques, jusqu'aux survivants de l'arche des origines et ont estimé que certaines branches pourries méritaient d'être coupées. Toujours est-il qu'ils poursuivent un but connu d'eux seuls et peuvent à tout moment s'abattre sur nous – nous, c'est-à-dire mon domaine et votre conventuel – comme des nuées ardentes.

Andemeur et Solan m'assurent qu'ils se tiennent prêts à les accueillir comme ils le méritent. Je ne mets pas en doute la bravoure de mes constants, mais les simples lois arithmétiques m'apprennent que je ne dois pas me faire d'illusions, qu'il ne sera guère facile de contenir les légions des couilles-à-masques. En attendant, j'essaie de jouir des présents que m'offrent l'instant (ou des instants que m'offre le présent), l'amour de mes quatre enfants, des trésors dont je vous parlerai plus longuement un jour, celui de mes deux constants, la générosité des terres qui m'ont accueillie.

Dernière chose, vénérée Qval : une sœur séculière m'a confié qu'une novice avait récemment tenté de pénétrer dans l'eau bouillante du bassin de Djema. Cela m'a rappelé mes premières années de noviciat où je pensais, comme cette jeune sœur, que l'épreuve du Qval revêtait une réalité physique. Eh bien, le croiriez-vous, j'en suis à nouveau convaincue après m'être longtemps persuadée comme vous, comme toutes les autres, qu'il ne s'agissait que d'un rituel symbolique. Je ne saurais vous l'expliquer avec des mots, mais j'ai pris conscience que Qval Djema, notre fondatrice, nous a bel et bien quittées en s'enfonçant dans cette eau redoutable, qu'elle nous a bel et bien conviées à la suivre physiquement quand nous nous en sentirions prêtes, quand nous aurions évacué nos doutes et nos peurs. La vérité est que nous nous sommes défilées, vénérée Qval, que nous nous sommes hâtées de nier l'aspect douloureux de cette expérience, de nous évader dans la *théorie, dans l'interprétation, dans la chimère, et qu'à cause de cela nous nous sommes dissociées du présent.*

Mais qui suis-je pour donner des leçons ? Une femme elle-même piégée par le temps, une mathelle et une mère ployant sous le poids de sa charge, une amante insatisfaite à qui il arrive de regretter les temps innocents de Chaudeterre, les interminables séances de porte-du-présent et l'odeur familière de l'air chargé de soufre.

Oserai-je, cette fois, espérer une réponse ?

Merilliam.

ALMA gravissait avec une lenteur exaspérante l'escalier tournant qui menait à la succession de toits en terrasse du conventuel de Chaudeterre. Cela faisait trois jours que la belladore assistante de Qval Anzell lui avait permis de sortir de sa cellule, mais elle ne lui avait sûrement pas donné l'autorisation de se lancer dans une montée aussi longue, aussi exténuante. Et d'ailleurs Alma commençait à regretter de s'être aventurée sur ces marches étroites et raides, mais elle avait parcouru trop de chemin désormais pour songer à revenir en arrière.

Comme le lui avait annoncé Qval Frana au sortir de son inconscience, son pied gauche supportait difficilement le contact avec le cuir d'une chaussure ou même avec la laine fine d'une chaussette, gonflait très rapidement dès qu'elle le sollicitait, était traversé de pointes douloureuses, insupportables, au niveau de la voûte plantaire, du tendon d'Achille et du talon. Le pied droit, lui, ne l'élançait pratiquement plus, ni les brûlures semées par les gouttes bouillantes sur ses jambes, son torse et son visage.

Elle boitait bas lorsqu'elle atteignit enfin le premier toit en terrasse, celui de l'entrepôt des vivres, surnommé le « ventre », en vertu de sa fonction, certes, mais aussi en raison de ses formes arrondies. Là, éblouie par la lumière de Jael, elle s'approcha du parapet de pierre et laissa errer son regard sur les collines qui semblaient veiller sur le conventuel comme des ombres protectrices. De la roche nue, noire, torturée, montaient des fumerolles ocre qui trahissaient la présence de nombreuses sources d'eau chaude et qui, de temps à autre, se transformaient en geysers plus ou moins importants selon les endroits, selon les moments. Au loin, entre les crêtes affaissées, se déployait la plaine jaune d'où jaillissaient les tempêtes de pollen au début de la saison sèche. Le ciel se tendait d'un mauve foncé profond qui annonçait le retour des premières averses de cristaux de glace.

Revoir ce paysage maintes fois observé, maintes fois haï, l'étrangla d'émotion. Elle eut à nouveau envie de pleurer, comme cela lui arrivait fréquemment depuis qu'elle avait repris connaissance dans sa cellule. Elle ne se lamentait pas sur son échec dans la grotte de Djema, sur ses illusions perdues, du moins elle n'en avait pas l'impression, elle pleurait sans raison apparente, comme s'il lui fallait évacuer par les larmes des douleurs profondes anciennes. Peut-être parce que les digues dressées par son orgueil s'étaient effondrées et que les chagrins accumulés depuis sa naissance avaient trouvé des brèches par où se déverser.

Quand ses larmes eurent fini de couler, elle traversa, toujours en boitant, le toit du « ventre » et gravit l'escalier droit qui donnait sur celui du bâtiment principal abritant les cellules, les réfectoires, les ateliers d'enseignement et les salles de porte-du-présent. Une construction de pierres noires comme les autres, mais plus imposante que les autres avec ses hauts murs criblés de fenêtres, son entrée monumentale en forme d'ogive, ses renforts de maçonnerie qui s'élevaient à chacun de ses coins comme des tours tronquées.

De la partie orientale du toit, on avait une vue d'ensemble de Chaudeterre, non seulement des bâtisses mais aussi du potager, du verger, de la retenue d'eau potable et de l'enclos des nanziers. Alma distinguait, entre les arbres au feuillage jaune, roux ou vert, les silhouettes des djemales qui vaquaient à leurs occupations. Les unes remplissaient les grands paniers de fruits, d'autres vérifiaient les canalisations, d'autres encore déterraient des qvelches, de grosses légumineuses au goût fade qu'elles entassaient sur une charrette à bras. Toutes étaient vêtues de tuniques courtes, amples, sans manches, conçues de manière à leur garantir une totale liberté de mouvement. Si la plupart d'entre elles ne portaient rien en dessous, quelques-unes avaient gardé le pan d'étoffe drapé qui leur servait de sous-vêtement et leur donnait l'allure grotesque de nourrissons en couches.

Alma n'avait jamais été affectée à ce genre de corvée. Elle ne s'en était pas étonnée jusqu'à présent, comme s'il allait de soi qu'elle devait consacrer chaque instant de son existence à la recherche de la porte-du-présent. Elle se demanda soudain d'où lui venait cette inexplicable faveur. Elle n'était pas de constitution très robuste, mais elle ne présentait pas de handicap majeur, rédhibitoire, du moins jusqu'à ce jour maudit où elle s'était mise en tête d'entrer dans l'eau bouillante de la grotte de Djema.

Elle décelait de la moquerie dans les yeux des djemales qu'elle croisait, probablement mises dans la confidence par Qval Anzell ou son assistante. Elle serait désormais, et pour longtemps, la novice aux pieds brûlés, l'incarnation de la naïveté, de la prétention et de la bêtise.

« Belle journée, hein ? »

Alma sursauta, se retourna aussi vite que le lui permettait son pied douloureux et vit approcher une vieille femme vêtue d'une longue robe blanche dont l'extraordinaire fluidité l'étonna. Elle croyait connaître toutes les djemales de Chaudeterre, y compris les plus anciennes ou les plus discrètes, mais elle ignorait l'existence de cette sœur dont le visage était un curieux assemblage de grâce et de laideur, de pureté et de corruption. La finesse incomparable des traits se devinait sous les atteintes du temps, les rides, les plis, les affaissements. Le regard, d'un brun qui tirait sur l'or, pétillait de vivacité sous les rideaux las, craquelés et empesés des paupières. Les cheveux, noués en chignon, aussi blancs que la robe, se dressaient au sommet du crâne comme une cime enneigée. D'elle émanait une odeur imprécise d'herbe, de fleur et de putréfaction. Grande, osseuse, elle toisait la novice avec un soupçon d'intérêt sous le vernis d'autorité, de dédain.

Alma exécuta avec maladresse la révérence que toute sœur devait à ses aînées à l'intérieur du conventuel. La vieille femme eut un rire éraillé avant de s'appuyer sur le parapet.

« Pas facile de faire ce genre de simagrées avec un pied ébouillanté, hein ? »

Alma se mordit les lèvres. La rumeur de sa mésaventure s'était répandue plus vite qu'elle ne l'avait pensé. Elle doutait d'avoir la force de supporter les railleries quotidiennes, les chuchotements fielleux, l'ironie des regards. Elle s'était mise dans une situation impossible. Elle garda les yeux rivés sur son ombre qu'étirait la lumière de Jael sur les dalles de pierre.

« Pas facile non plus d'être la risée de tout un conventuel ! »

Un reste de fierté dissuada Alma de s'effondrer en sanglots aux pieds de son interlocutrice dont la voix croassante s'enfonçait dans sa poitrine comme une lame ébréchée.

« La belladore, Qval Anzell, s'est empressée de colporter ton histoire. Elle prétend qu'elle se sert de ton exemple pour ramener les rêveuses aux réalités de ce monde, je crois plutôt qu'elle exerce un penchant naturel pour les ragots, pour la médisance. »

Alma releva la tête et lança un regard perplexe à la vieille femme.

« Que me voulez-vous au juste ? »

Elle avait craché ces quelques mots avec véhémence, avec hargne, bien loin de la déférence que les novices témoignaient en principe aux djemales plus anciennes. Les gloussements des grands nanziers, les éclats de voix et les rires des sœurs affairées dans la cour intérieure se mêlaient à la rumeur sourde des sources chaudes et aux sifflements des geysers.

La vieille femme se redressa avec un large sourire qui dévoila une dentition parfaite et donna à ses traits une douceur inattendue.

« Je te préfère nettement comme ça, réactive, colérique, orgueilleuse. Tu n'es pas faite pour la soumission, pour la révérence, pour la réclusion, tu n'es pas faite pour être djemale !

— Comment pouvez-vous affirmer ce genre de chose ? répliqua Alma d'une voix gonflée d'indignation. Et d'abord qui êtes-vous ? Je ne me souviens pas vous avoir vue dans le conventuel.

— Nous nous sommes croisées à trois ou quatre reprises. Je ne te reproche pas de ne pas m'avoir remarquée : notre chère Qval Frana m'a recommandé la plus grande discrétion.

— Pourquoi ?

— On me surnomme Gaella la folle... »

Alma hocha la tête. Elle avait entendu parler de Gaella la folle, une très vieille djemale, peut-être plus vieille que Qval Frana, une sœur frappée de démence qui hantait les couloirs sombres du conventuel comme un amaya grinçant de l'espace. Elle n'avait jamais douté de son existence, mais elle n'avait pas non plus envisagé de se retrouver un jour en sa présence. Elle comprit en tout cas que les affirmations de la vieille femme n'étaient que des divagations issues d'un cerveau détraqué et, rassérénée, se détendit.

« Et vous l'êtes ? Folle ? »

Gaella renversa la tête en arrière et éclata d'un rire hystérique qui, aux oreilles d'Alma, sonna comme le plus probant des aveux.

« Cette question n'a aucun sens ! C'est aux autres, à celles qui me disent folle, qu'il faudrait la poser. La folie n'est qu'une question de point de vue, de regard.

— Pourquoi vous considèrent-elles comme folle ? »

Gaella contempla un moment les collines noires puis dévisagea la novice avec une intensité qui contraignit cette dernière à baisser les paupières.

« Parce que, comme le grand Ab, comme Djema, j'ai vu le Qval. »

La vieille femme se tut, les yeux toujours fixés sur Alma, comme pour évaluer l'impact de ses paroles sur son interlocutrice.

« Vous l'avez vu ou... vous vous imaginez l'avoir vu ? bredouilla Alma, troublée par l'insoutenable pression de ce regard.

— Je l'ai approché, physiquement s'entend, mais j'ai perdu confiance et je me suis rétractée au moment d'opérer la fusion.

— Et où cette... rencontre se serait-elle déroulée ?

— Dans un endroit que tu connais bien désormais. »

Une fébrilité soudaine s'empara d'Alma qui, frissonnante, s'accouda au parapet. Elle venait tout juste d'entrer en convalescence et avait sans doute présumé de ses forces. Il lui sembla que le toit prenait de la hauteur et que le bâtiment oscillait sur sa base. Les formes claires des djemales qui se lavaient à grande eau à proximité de la retenue s'évanouissaient comme des songes au travers des frondaisons ajourées.

« Dans la grotte de Djema, reprit Gaella. J'ai eu la même idée que toi. Presque deux cents ans avant toi. J'aspirais comme toi à rejoindre le Qval dans l'eau bouillante. Je ne suis pas entrée dans le bassin, je m'y suis jetée tout entière du haut d'un rocher... »

Sa voix s'était hachée, ses yeux agrandis, son souffle accéléré. L'exaltation et la frayeur qui l'avaient traversée au moment de se lancer dans le bassin étaient toujours aussi vives deux siècles après.

« Et ensuite ? demanda Alma, malgré elle captivée.

— J'ai eu l'impression de m'être précipitée dans l'essence du feu. Je m'y étais préparée, mais la douleur était si forte que je me suis affolée, que j'ai perdu le contact avec le présent. Puis j'ai lâché toutes les prises, je me suis abandonnée à ce que je croyais être ma mort et le Qval m'est apparu. »

Gagnée par l'excitation, Alma se rappela qu'elle conversait avec une femme dérangée et s'appliqua à garder la tête froide.

« Quelle... quelle forme avait-il ?

— Il n'avait pas de forme, ou plutôt il en changeait sans arrêt. J'avais parfois l'impression de voir un visage de femme, parfois un tourbillon sombre, parfois une sorte d'animal.

— Il vous a parlé ?

— Pas comme nous le faisons en ce moment. J'entendais une voix à l'intérieur de moi. *Sa* voix.

— Que disait-il ?

— C'était un chant d'amour, un chant d'une beauté bouleversante. Il m'invitait à me fondre en lui.

— Pourquoi ne l'avez-vous pas fait ? »

Des reflets larmoyants brouillaient le brun doré des yeux de Gaella. Des plis s'étaient creusés aux commissures de ses lèvres, qui couraient jusqu'au bas du menton et en haut des pommettes.

« J'ai eu peur, petite sœur. Peur de perdre mes frontières, peur de passer dans l'autre dimension. Je me suis agrippée à mes souvenirs, à mes désirs, à mon individualité. Alors le Qval a disparu et je me suis retrouvée plongée jusqu'au cou dans une eau bouillante qui me rongeait les chairs.

— Que s'est-il passé ensuite ?

— Je ne sais pas exactement. J'ai perdu connaissance et je me suis réveillée sur les rochers du bord du bassin. C'est là que m'ont trouvée les djemales deux jours plus tard. Deux jours seule, aux prises avec une souffrance atroce, insoutenable. »

Alma se souvint de la douleur qu'elle-même avait éprouvée en pénétrant dans l'eau du bassin et imagina sans peine le calvaire qu'avait enduré Gaella.

« Vous en avez réchappé malgré tout... »

La vieille femme acquiesça d'un battement de cils.

« À quel prix ? Les belladores ne m'accordaient pas une chance de survie. Il faut croire que je suis d'une engeance coriace. Mais ma peau en a gardé des séquelles. Je ne supporte plus les étoffes rêches, lourdes, même en hiver. »

Elle se recula de deux pas, saisit le bas de sa robe et, d'un geste théâtral, la releva jusqu'au menton.

Alma ne put retenir une exclamation de surprise et d'effroi. Hormis la forme générale, ce qu'elle avait sous les yeux ne ressemblait pas à un corps. C'était une masse indistincte de chairs torturées, sanguinolentes, suintantes, purulentes, qui, bien que protégées par un baume épais et parfumé, répandait une puissante odeur de viande en voie de décomposition. Horrifiée, au bord de la nausée, la novice se demanda comment cette femme avait pu vivre pendant près de deux cents ans avec une telle infirmité.

Gaella rabattit précautionneusement sa robe sur ses jambes.

« Le prix de ma survie, reprit-elle d'une voix imprégnée de détresse. Tu n'as pas idée des difficultés que soulèvent des mouvements aussi simples que s'asseoir, se coucher ou se lever. Pas idée des précautions qu'exigent des fonctions aussi fondamentales qu'uriner ou déféquer. Si on ne m'avait pas donné cette robe, je n'aurais pas résisté, j'aurais été condamnée à vivre nue en toute saison, sans même la protection de la peau.

— Qui... qui vous l'a donnée ? balbutia Alma.

— Une vieille sœur qui a eu pitié de moi. Elle m'a dit qu'elle la tenait d'une autre sœur qui la tenait elle-même de l'arrière-petite-fille de Djema. Elle affirmait que la robe avait appartenu à Ellula en personne, et même qu'il s'agissait de sa robe de mariage. Je ne sais pas si c'est vrai, mais force est de reconnaître que nous ne savons plus fabriquer des tissus de cette qualité. Et puis cette étoffe a eu pour moi des vertus miraculeuses. Elle a apaisé mes brûlures, elle a éponge mon sang et mon pus, elle m'a protégée des canicules et des grands froids... »

Gaella marqua une pause, comme épuisée par sa tirade et le poids de ses souvenirs. Les rares nuages qui paressaient au-dessus des collines et les fumerolles se teintaient d'un rouge-brun encore peu prononcé qui préludait à l'avènement du crépuscule. Les grands nanziers s'agitaient derrière les barrières de leur enclos dans l'attente de la distribution quotidienne de grains de manne, leur nourriture exclusive. Leurs plumes multicolores, ébouriffées, formaient une mosaïque insaisissable de couleurs vives scintillantes.

Alma laissa passer un long temps de silence avant de revenir à la charge.

« Vous ne m'avez toujours pas dit pourquoi les autres vous considèrent comme folle.

— Je leur ai raconté la même chose qu'à toi.

— Elles ne vous ont pas crue ?

— Et toi, est-ce que tu me crois ? »

Alma soutint cette fois sans faiblir le regard de son interlocutrice. Elle ne discernait aucun signe de démence dans le brun doré de ses yeux mais la limpidité de ces sources cachées dans les recoins désertiques, la sincérité d'une femme dénudée, épurée par la souffrance. L'incorrigible rêveuse qui sommeillait en elle en profitait pour refaire surface, elle en était consciente, mais l'histoire de Gaella donnait une dimension nouvelle à ses propres tourments, un tour un peu moins absurde à ses propres déboires.

« Je vous crois, murmura-t-elle dans un souffle. Pourquoi... pourquoi m'avez-vous parlé à moi ?

— J'ai fait la même chose avec toutes celles qui sont entrées dans le bassin. Elles ne sont pas nombreuses. L'une est morte de ses brûlures, la deuxième a quitté Chaudeterre, la troisième, c'est toi. Qui d'autre que ces trois-là pouvait le mieux me comprendre ? Qui d'autre avait la capacité de tirer les djemales de l'existence fade, tiède, dans laquelle elles se complaisent ?

— Mais... vous... nous avons échoué ! s'écria Alma. Vous, vous vous êtes ébouillantée tout entière, moi, je n'ai réussi qu'à me brûler les pieds !

112

— Nous avons eu le mérite d'essayer. Il nous a manqué la confiance, cette confiance que Djema exigea de Maran pour plonger dans la cuve de l'arche. Cette confiance qui nous conduit à l'éternité, à l'invincibilité de l'instant. Qui transforme le feu en caresse et la souffrance en félicité. Je ne me suis pas donné la mort parce que je pensais que mon histoire devait être gardée, transmise, qu'il fallait entretenir cette petite lueur dans les ténèbres qui vont bientôt s'étendre sur nous.

— Quelles ténèbres ? demanda Alma, soudain alarmée.

— La nuit de notre passé. Elle nous submerge déjà, elle prend différentes formes, elle s'étend dans notre malédiction génétique.

— Vous voulez parler des lignées maudites ? »

Gaella lâcha un petit rire de gorge.

« Même si je le voulais, je ne pourrais pas être un couilles-à-masque ! Non, non, je parle de cette propension qu'ont les hommes à se fourvoyer dans les sillons du passé. Un nouveau monde nous a été donné, l'occasion d'un nouveau départ, et vois ce que nous en avons fait.

— Il me semble que l'ancien monde était bien pire que celui-ci !

— Sans soute, et c'est la raison pour laquelle nos ancêtres se sont entassés dans une arche, mais ce n'est qu'une question de temps. Le temps nous dévorera si nous refusons d'être ses enfants.

— Il nous dévore même si nous l'acceptons...

— Il nous détruit parce que nous hésitons toujours entre l'avant et l'après, que nous ne nous tenons jamais sur la ligne. Toujours à... contretemps. Mes brûlures, tes brûlures sont des contretemps. »

Alma se redressa, en proie à une émotion intense, inexplicable, suffocante.

« Des paroles, tout ça ! Pourquoi n'êtes-vous pas

113

retournée dans la grotte si vous avez réellement vu le Qval ? Pourquoi n'avez-vous pas essayé de mettre vos théories en pratique ? »

D'un geste délicat, Gaella décolla sa robe plaquée sur sa hanche.

« Le traumatisme. Je n'en ai pas eu le courage. Je me suis efforcée de vivre du mieux possible avec mes brûlures, ce cadeau avisé que m'a envoyé le temps. »

Gagnée par une colère sourde, Alma avait hâte désormais de clore cet entretien. Les ombres des collines s'allongeaient démesurément sur les toits des bâtiments. En bas, sous le regard des deux sœurs chargées de les nourrir, les nanziers se disputaient les grains blancs de manne à coups d'aile, de bec et de patte.

« On ne peut pas vivre dans la seule compagnie des regrets ! lâcha la novice avec agressivité.

— J'ai consacré une grande partie de ma vie à m'en débarrasser, répliqua la vieille femme d'un ton presque joyeux. J'accepte désormais ce que les autres ont fait de moi, la folle de Chaudeterre, l'épouvantail à djemales. Chaque soir je m'endors en pensant que cette nuit pourrait être la dernière, chaque matin je rends grâce au jour qui naît. Peu m'importe ce que me réserve le présent, je prends le temps comme il vient. Je n'ai plus de désir, ni celui de rester ni celui de partir. Je n'ai ni passé ni avenir, petite sœur, ouvre grand ton cœur et écoute, entends que cela est merveilleux.

— Dois-je comprendre que vous n'éprouvez plus le désir de rejoindre le Qval ? »

Gaella prit une longue inspiration et se dirigea d'une démarche aérienne vers l'entrée de l'escalier qui donnait sur le toit du bâtiment voisin, plus bas d'une vingtaine de pas.

« Tu dois comprendre que tout désir éloigne du Qval, y compris et surtout celui de le rejoindre. »

Alma vit disparaître son chignon blanc entre les montants de pierre des parapets. Perplexe, elle observa d'un œil distrait l'agitation habituelle de la cour intérieure du conventuel. Jael s'était couché derrière les collines dans une débauche de mauve, de bleu et de pourpre. Les ondulations de la plaine jaune se jetaient comme des courants obstinés dans l'horizon assombri.

Même si son pied gauche continuait de l'élancer, Alma devait à présent regagner sa cellule afin de recevoir les soins de la belladore.

Elle fut réveillée, au cours de la nuit, par des éclats de voix et des bruits de pas dans les couloirs. Elle avait mis du temps à s'endormir malgré son épuisement, harcelée par les paroles de Gaella, sceptique sur la santé mentale de la vieille femme, doutant de sa propre raison.

Elle se leva, grimaça lorsqu'elle posa le pied gauche au sol, se rendit en boitant à l'entrée de sa cellule, écarta la tenture.

« Que se passe-t-il ? demanda-t-elle à une djemale qui, vêtue de sa robe de nuit, les cheveux en bataille, passait dans le couloir, une solarine à la main.

— Tu as entendu parler de Gaella la folle ? »

Alma acquiesça d'un mouvement de tête.

« Elle s'est éteinte cette nuit. La sœur qui l'a retrouvée sur un toit – sur un toit, tu te rends compte ? – dit qu'elle est morte avec le sourire. »

CHAPITRE VII

ŒRDWEN

Comment est-ce arrivé ?

J'ai relu mon journal et retrouvé ces passages où je m'étais promis de ne jamais céder au désir d'Elleo, de garder entre nous cette tension inassouvie, de ne jamais briser cet élan qui nous hissait sur les cimes. Pourquoi ai-je cédé, cette nuit-là, comme une forteresse si lasse d'être assiégée qu'elle finit par s'offrir d'elle-même à ses conquérants ? Pourquoi cette nuit-là et pas une autre ? Est-ce une conséquence de la fièvre des pollens qui m'a clouée au lit pendant plus de deux semaines et m'a laissée aussi peu volontaire qu'une de ces femelles grasses et criardes qui me servent de belles-sœurs ? Est-ce l'efferves- cence de ce début de saison sèche, cette montée de sève, ce déferlement de vie qui pousse les êtres vivants à se rapprocher, à se mélanger, à se multi- plier ? Ou est-ce, plus simplement, l'accomplisse- ment de mes désirs secrets, l'aboutissement néces- saire d'un amour qui défie l'ordre naturel, qui, j'en ai la conviction, fera déborder les torrents de haine que je vois grossir d'année en année ?

La fatalité gouverne-t-elle notre existence ? Un courant nous saisit, nous entraîne, et, nous avons beau nous accrocher aux rochers, nous retenir aux troncs couchés en travers, il nous emmène là où il le souhaite comme si nous n'étions que des brindilles sans importance, des instruments de sa volonté.

Sans doute est-ce là une autre définition de l'ordre invisible dont, selon mon maître Artien, se réclamait Ellula. Je suis tentée de m'agripper à cette idée, une façon assez commode, je le reconnais, de me délester d'une partie de mon fardeau.

Mais pourquoi parler de fardeau, Lahiva filia Sgen ? Abandonne donc le poids de tes prétendues fautes à ceux qui jugent, à ceux qui pensent que l'amour se limite aux frontières, se meut dans des principes, ploie sous les jougs. Passés les premiers moments de stupeur, il n'y a eu aucune gêne entre Elleo et toi, aucun regret dans votre capitulation, aucune fausse note dans votre partition. Ce ne furent que tourbillons de mains et de lèvres, célébrations sensuelles, fulgurances charnelles, voluptés pures. Les esprits chagrins n'ont probablement jamais perdu les limites de leur corps, n'ont jamais prétendu à cette fusion suprême qui, l'espace de quelques instants, trempe les amants dans le creuset primordial d'où naît toute existence. Redresse-toi et regarde-les en face, ceux qui te guettent du coin de l'œil, ceux qui te maudissent du bout des lèvres, ceux qui t'envient du fond de l'âme. Dis-leur par la lumière de tes yeux, par la chaleur de ton sourire, par l'éclat de ta peau qu'ils cessent de s'inquiéter pour toi, qu'ils puisent en eux-mêmes des motifs de se réjouir, qu'ils apprennent à se vautrer dans leur existence, dans leurs envies.

Oui, tu aimes Elleo, oui, tu aimes faire l'amour avec Elleo, oui, tu as bien l'intention de continuer, oui, Elleo est ton demi-frère — ton frère, pourquoi cette restriction ? –, oui, votre amour est une façon comme une autre de célébrer la diversité et la générosité de la création.

Elleo m'a donc rendue femme. Ma mère, qui remarque tout, m'a dit que quelque chose en moi avait changé. Je lui ai répondu que c'était sans doute un effet second de la fièvre des pollens. Elle m'a fixée d'un regard pénétrant, grave, et j'ai su à cet instant qu'elle avait deviné, qu'elle était désormais condamnée à vivre en compagnie de la peur. Elleo a changé lui aussi. Ses traits sont plus virils, sa voix plus ferme, ses gestes plus assurés. Je me rends compte en l'observant que je l'aurais condamné à une enfance éternelle si j'étais restée rivée à mes certitudes. Nous avons brisé l'élan sublime qui nous emmenait loin des autres, mais nous avons gagné en maturité, en densité, en... banalité, en... humanité. Désormais, je cours le rejoindre lorsque nous avons terminé nos tâches respectives, le soir, le matin, au zénith de Jael. J'en arrive même à négliger mon cher journal – mais, comme j'ai renoncé aux peaux de Lézel et que, pour l'instant, je n'ai pas trouvé d'autre fournisseur, je tiens un bon prétexte pour faire des infidélités à mon maître Artien. Nous nous isolons au milieu des champs de manne précoce, sur le bord de la rivière Abondance ou bien dans l'un de ces refuges en bois érigés en différents recoins du domaine. Et nous nous aimons, oui, nous nous aimons sur les lits de terre, d'herbe ou de planches avec une brutalité animale, une douceur infinie, une voracité d'umbre.

J'aurais pu entraîner Elleo dans le vaisseau des origines, mais je m'en suis gardée. Maintenant que nous sommes liés par la chair, je veille plus que jamais à préserver mes jardins secrets. Cela aurait été une expérience passionnante, pourtant, que de s'unir dans une des cabines de l'Estérion, que de partager les sensations de nos ancêtres.

Il peut paraître surprenant que les habitants du nouveau monde n'aient jamais songé à utiliser le métal, mais, en vérité, il n'y a là rien de très éton-

nant : j'ai fait allusion à plusieurs reprises à ma « métallophobie ». Les cent vingt ans d'enfermement dans le vaisseau ont probablement laissé, sinon des traces génétiques, au moins un rejet tenace des matériaux métalliques. Et nous nous sommes enfoncés dans une régression technologique qui, j'en suis certaine, ne durera pas.

Est-ce un bien, est-ce un mal ? Ce n'est pas à moi d'en juger, moi qui me suis aventurée depuis longtemps dans une contrée située au-delà du bien et du mal.

Extrait du journal de Lahiva filia Sgen.

ORCHÉRON s'avança jusqu'à la taille dans l'eau de la rivière Abondance. Une écliptе brilla à quelques pas de lui avant de disparaître, comme un éclat de soleil chassé par l'ombre frémissante des branches. L'herbe jaune et les frondaisons des jaules gémissaient sous les risées brûlantes. Il lui sembla déceler des éclats de voix dans la rumeur persistante de la plaine, mais, depuis qu'il s'était enfui du domaine d'Orchale, il avait l'impression d'entendre le souffle de ses poursuivants jusque dans le silence glacé des nuits et des aubes.

Il ne s'était jamais éloigné des rives d'Abondance de plus d'une lieue, conscient que, sans eau, il n'aurait pas résisté plus de six jours dans la chaleur torride de cette fin de saison sèche. Il avait fini sa réserve de vivres depuis bien longtemps – quatre ou cinq semaines –, mais il n'avait pas encore osé revenir au domaine malgré l'envie qui l'en pressait, malgré le désir obsédant, douloureux, de serrer Mael dans ses bras, d'embrasser Mael, de s'enivrer de l'odeur et de la douceur de Mael. Il se nourrissait d'épis de manne crue dont il s'était habitué à l'amertume et à la consistance pâteuse, et de petits fruits bleus et acides qui poussaient sur certains ronciers. Pas de quoi contenter son appétit d'ogre qui faisait la fierté de sa mère Orchale lors des banquets du domaine. La faim le suivait comme une ombre, il flottait dans sa tunique et son pantalon, des vertiges le faisaient parfois trembler, chanceler. Il se terrait au milieu de collines habillées d'arbustes épineux et dormait dans une grotte peu profonde où s'invitait un froid mordant et avant-coureur de l'amaya de glace.

Deux fois par jour, il descendait de sa cachette pour aller s'abreuver et se baigner dans la rivière. Attentif aux bruits, il attendait un long moment avant de retirer ses vêtements et de se plonger dans l'eau fraîche. Le danger pouvait surgir à tout instant des buissons denses, des herbes hautes qui coiffaient les rives, des rochers qui se dressaient, obèses et lisses, au-dessus des grèves de terre craquelée. Pas seulement les protecteurs des sentiers mais aussi les furves, ces créatures dont on n'avait jamais réussi à déterminer si elles étaient amicales ou agressives. Ou encore les grands nanziers sauvages qui pouvaient se montrer dangereux s'il leur prenait l'envie d'expulser un intrus de leur territoire.

Il avait aperçu des umbres à plusieurs reprises, taches noires et lointaines sur un fond de ciel matinal. Ils étaient passés sans lui prêter attention, mais à nouveau la sensation très nette l'avait traversé qu'ils le reliaient à un passé qui lui appartenait et à un autre qui ne lui appartenait pas. En tout cas, aucune crise ne l'avait secoué depuis qu'il avait quitté le domaine, depuis, en réalité, qu'il s'était exposé aux prédateurs volants par la lucarne du silo.

L'eau ne le délivrait pas de son inquiétude, mais elle chassait les fatigues des nuits sans sommeil et délassait ses muscles noués. Cette fois encore, la tentation le traversait de prolonger son bain plus que de raison, quand un froissement prolongé des herbes derrière lui et la sensation d'être épié le poussèrent à regagner la rive et à se saisir de son couteau de corne. Il lui sembla entrevoir une forme sombre entre les tiges jaunes et frissonnantes. Le cœur battant, les nerfs à vif, la gorge nouée, il resta immobile, fléchi sur ses jambes, battu par une formidable rage de vivre.

Un nanzier surgit sur la rive opposée, un grand mâle aux plumes brun-rouge criblé d'ocelles noires et dorées. Sa tête plissée, ridiculement petite par rapport à son corps, se perchait au sommet d'un cou étroit et pelé. Elle se dotait d'un bec jaune et droit de la longueur d'un avant-bras, d'yeux globuleux et noirs et, au sommet du crâne, d'une aigrette de barbes transparentes qui oscillaient à chacun de ses dandinements. Aux extrémités de ses deux pattes puissantes habillées d'un duvet noirâtre, des serres recourbées et imposantes éventraient la terre comme des socs. Le grand volatile dominait Orchéron de deux bonnes têtes et atteignait sans doute le poids de quatre hommes. Il ne fallait pas se fier à son allure pataude et à sa stupidité apparente, il savait faire preuve de rapidité, de cruauté, d'efficacité, de cette sournoiserie qui tient lieu d'intelligence chez certaines espèces animales – et chez quelques représentants de l'espèce humaine. L'ébouriffage de ses plumes et ses caquètements secs traduisaient chez lui une grande agressivité. Fort heureusement, il n'appréciait que modérément le contact de l'eau et, comme son poids lui interdisait de voler, il n'avait pas d'autre choix que de traverser la rivière s'il voulait défier son adversaire. Il préféra donc renoncer au combat et s'abreuva pendant un long moment dans un détestable bruit de succion, s'interrompant régulièrement pour surveiller l'homme immobile sur l'autre rive.

Orchéron avait pris sa décision avant même que le nanzier eût disparu dans les herbes. Il en avait assez d'être accompagné par la peur et la faim dans chacun de ses gestes, dans chacune de ses respirations. Assez de la solitude, assez de cette partie de cache-cache avec un adversaire invisible mais omniprésent, assez de la dureté de la terre et de l'amertume de la manne sauvage. Il devait maintenant retourner au domaine, reprendre sa place parmi les siens. Plus de six semaines s'étaient écoulées depuis l'irruption des protecteurs des sentiers. Ils n'avaient sûrement pas renoncé à le capturer, mais ils ne pouvaient pas non plus consacrer tout leur temps à explorer la plaine. La meilleure façon de les mettre en échec, c'était de prendre l'initiative, de passer à l'offensive, de les affronter sur un terrain où ils ne l'attendaient pas. Démasquer par exemple les hommes du domaine qui, selon Aïron, s'étaient engagés dans leurs rangs, leur arracher l'explication de cette chasse à l'homme, puis les éliminer comme de mauvaises herbes. Contacter ensuite les permanents des domaines voisins, lever une troupe nombreuse, l'armer de poignards, de bâtons, de faux, de fourches, de masses, concevoir un système d'alarme qui préviendrait les incursions des couilles-à-masques, leur tendre des embuscades et les massacrer, oui, les massacrer, jusqu'à ce qu'ils jettent leurs masques et leurs robes aux épines, jusqu'à ce qu'ils s'évanouissent de la surface du nouveau monde comme de mauvais rêves.

Galvanisé par cette perspective, Orchéron se rhabilla et, d'un pas décidé, presque joyeux, marcha en direction du sud. Au bout du chemin, au bout de la plaine inondée de l'or en fusion de Jael, il y avait la récompense, il y avait les lèvres pleines, les cheveux blonds et la peau brune de Mael.

La nuit tombait lorsqu'il arriva en vue du domaine. La faim, la soif et la fatigue le harcelaient depuis un bon moment, mais, bien qu'il eût suivi les méandres d'Abondance, il ne s'était pas arrêté une seule fois pour se désaltérer ni pour se reposer, pas davantage qu'il n'avait pris le temps de se couper un épi de manne sauvage ou de cueillir les fruits bleus des buissons. La transpiration collait la laine végétale de ses vêtements à sa peau, ses pieds se gonflaient dans ses chaussures de cuir.

Il se posta au sommet d'une petite colline qui dominait le mathelle et observa les environs. Il ne remarqua rien d'anormal dans les mouvements des silhouettes qui, à la lueur vive des solarines, s'affairaient dans la cour intérieure et autour des bâtiments. C'était l'agitation paisible d'un soir ordinaire, le nettoyage des grandes tables alignées sur la terrasse, le contrôle machinal des canalisations d'eau, la fermeture des portes de l'étable et des silos, les discussions autour des fontaines... L'attention d'Orchéron se porta sur les endroits où il avait l'habitude de retrouver Mael après leur journée de labeur, mais il ne la remarqua pas parmi les femmes qui se promenaient en grappes dans la cour intérieure.

Peut-être l'attendait-elle dans le grenier du silo où elle l'avait entraîné la nuit de son départ ? Peut-être se languissait-elle dans sa chambre ou dans un autre recoin de la maison principale ?

Peut-être avait-elle perdu l'espoir et s'était-elle... consolée avec un autre ?

Orchéron expulsa d'une expiration rageuse cette idée insupportable, indigne de Mael, indigne de lui. Il fut néanmoins tenaillé par une inquiétude fébrile, par le besoin pressant de la retrouver. Il lui fallait à tout prix s'introduire dans les bâtiments, discrètement pour ne pas éveiller l'attention des complices des protecteurs des sentiers. Il s'appliqua à calmer son impatience : il n'avait pas d'autre choix que d'attendre l'extinction des solarines et la lente plongée du mathelle dans la nuit noire. Une bise piquante chassait peu à peu la chaleur du jour.

Lorsque la dernière solarine se fut éteinte, Orchéron dévala la pente de la colline, traversa un champ en friche et gagna les silos en coupant par le verger. Un voile nuageux escamotait les étoiles et plongeait le domaine dans une obscurité dense, presque palpable. Il s'efforçait de marcher en silence, mais les grincements de ses semelles sur les herbes ou sur la terre, les froissements de ses vêtements, son souffle précipité résonnaient avec force dans la nuit et semblaient trahir sa présence des lieues à la ronde.

Il atteignit sans encombre l'une des entrées du bâtiment qui contenait les réserves de manne, de paille, les outils ainsi que, dans les étages supérieurs, les séchoirs à fruits. La porte de bois pivota dans un long, dans un intolérable gémissement. Il ausculta les ténèbres, n'entendit pas d'autre bruit que le meuglement sourd d'un yonk provenant de l'étable voisine. Les odeurs familières de terre battue, de bois, de manne et de sucre ravivèrent sa faim et réveillèrent une foule de sensations, de souvenirs. Il s'engagea dans l'un des escaliers tournants dont il gravit les marches quatre à quatre jusqu'au palier du grenier.

À bout de souffle, le cœur battant, il s'engouffra dans la petite pièce où Mael s'était donnée à lui. Une solarine suspendue à une poutre dispensait des vestiges de lumière sur les bottes de paille toujours rassemblées dans un coin et recouvertes de leurs draps de laine végétale. Les cluettes rabougries pendaient au bout de leurs tiges affalées tout autour du vase et répandaient une odeur aigre qui n'avait plus grand-chose en commun avec l'essence pousse-l'amour. La table basse, la cruche et les gobelets étaient restés en place, de même que les fruits et les gâteaux de manne, dans un état de décomposition avancée.

La gorge d'Orchéron se serra : il avait la sensation d'être entré dans la chambre d'une morte. La poussière, la pourriture s'étaient glissées dans ses amours avec Mael. L'irruption d'Aïron dans ce grenier n'avait pas seulement brisé l'enchantement de l'instant, elle avait provoqué une cassure profonde, définitive. Il examina une nouvelle fois le grenier à la recherche d'un indice qui réveillât son bonheur dormant, mais il ne respira que le parfum singulier et amer de la désolation. Des larmes de fatigue et de découragement lui brouillèrent les yeux. Chancelant, il s'assit sur les bottes de paille et enfouit son visage dans ses mains. Après quelques instants d'abattement, il songea que la faim, la soif, la fatigue, la tension et la solitude de ces dernières semaines l'avaient prédisposé à broyer du noir, que la simple vue de Mael suffirait à effacer ses angoisses, à lui redonner le goût de la vie.

Il s'essuya les yeux d'un revers de manche et se releva. C'est alors seulement qu'il remarqua une silhouette immobile dans l'encadrement de la porte. Il ne discernait pas ses traits, seulement ses vêtements, vaguement révélés par la solarine, des bottes, un pantalon de peau, une tunique de laine végétale, ainsi que le bas d'un bâton.

« De retour au bercail, Orché ? »

Bien que la voix lui fût familière, Orchéron, saisi, ne parvint pas à lui associer un visage.

« Je... j'ai pensé que... cinq ou six semaines suffisaient, qu'il était temps pour moi de rentrer...

— Tu as très bien fait. Nous t'attendions. »

La silhouette s'avança de quelques pas dans le grenier. Orchéron se détendit lorsque le visage émacié de son interlocuteur, encadré de cheveux blonds et bouclés, émergea de l'obscurité : Œrdwen, le troisième constant d'Orchale, le père de Mael, un homme dont il appréciait modérément le caractère ombrageux mais dont l'apparition cette nuit lui faisait l'effet d'un baume apaisant.

« C'est Mael qui vous a parlé de ce grenier ? »

Les yeux sombres d'Œrdwen, profondément enfoncés sous les arcades sourcilières, brillèrent d'un éclat singulier. Il leva le bâton à hauteur de sa poitrine et, du plat de la main, en épousa les nœuds, les rugosités. Les veines saillaient, les muscles se creusaient sur ses avant-bras dégagés, puissants, glabres, aussi épais que son cou.

« Mael ne m'a rien caché de ce qui vous concernait tous les deux. »

Il avait parlé sans desserrer les mâchoires, avec une certaine réticence dans la voix. Un voile pâle avait glissé sur son visage et estompé quelques instants la sévérité anguleuse de ses traits.

« Je l'aime, elle m'aime, nous ne sommes pas frère et sœur de sang, plaida Orchéron.

— Vous portez le nom de la même mère, rétorqua sèchement le constant.

— Je porte le nom d'une autre femme. De ma vraie mère. Je ne m'en souviens pas encore, mais je sais qu'un jour...

— Fasse le ciel que tu ne recouvres jamais la mémoire !

— Pourquoi ? Qu'est-ce que vous connaissez de mon... »

La réponse lui arriva sous la forme d'un coup de bâton si soudain et si précis qu'il n'eut même pas le temps de s'en étonner. Le bois dur lui cingla le crâne au-dessus de l'oreille droite. La lumière de la solarine se mit à vaciller, de même que le visage d'Œrdwen, la table basse, les bottes de paille, les cluettes fanées, la cruche, les gobelets... Il s'accrocha à une cheville qui saillait d'une poutre au-dessus de sa tête, mais un deuxième coup de bâton, au flanc cette fois-ci, lui coupa la respiration et le contraignit à lâcher prise. Il s'affaissa sur le plancher avec une douceur cotonneuse, tel un cristal de glace glissant sur des balles de manne. La douleur commença à se manifester, sourde au début, de plus en plus féroce par la suite, comme au début de ses crises. Il se recroquevilla sur lui-même, la tête entre les bras, les mains croisées sur la nuque, les jambes repliées, les cuisses collées à la poitrine.

« Ma fille était pure et tu en as fait un puits d'infection ! glapit Œrdwen. Une porte de la malédiction ! »

Une nouvelle grêle de coups de bâton crépita sur les bras, les épaules et le dos d'Orchéron.

« Ma fille était belle et tu en as fait un symbole de laideur, d'abomination ! »

Orchéron prit conscience que le constant avait l'intention de le tuer. Il fut tenté dans un premier temps de ne pas s'y opposer, soulagé de mettre fin à une existence qui lui avait valu davantage de déboires que de satisfactions, puis, tandis que le bâton continuait de le frapper sous tous les angles, germa en lui l'envie de se révolter, de se battre. L'instinct de survie sans doute, mais aussi une envie impérieuse d'explorer cette partie de lui-même qui lui était inconnue, de reconstituer une trame dont il ne tenait qu'une poignée de fils épars. La pointe du bâton lui percuta sèchement le bas de la colonne vertébrale, une onde de douleur se propagea jusqu'aux extrémités de ses membres, jusqu'au sommet de son crâne.

Œrdwen s'assit sur les bottes de paille et, le pied posé sur la hanche d'Orchéron, le bâton calé contre l'épaule, reprit sa respiration.

« Je savais que tu reviendrais dans ce grenier, petit salaud. Ça fait quarante-six nuits que je t'attends. Nous avons désormais tout notre temps. Tu souffriras plus longtemps, plus durement que Mael est appelée à souffrir. Mes frères de Maran te veulent en vie, mais je leur ai déjà donné ma fille et, cette fois, j'ai bien l'intention de régler moi-même le problème. »

Les paroles d'Œrdwen glissaient sur Orchéron comme des gouttes d'eau sur les plumes de nanzier. Le constant lui offrait un répit inespéré, l'opportunité, sinon de se remettre des coups, de rassembler quelques idées, d'envisager une riposte.

D'abord trouver une arme. Son couteau de corne. Dans la poche de son pantalon. Impossible de le dégager pour l'instant. S'il bouge maintenant, Œrdwen se fera une joie de lui administrer une nouvelle volée de coups. Guetter le moment propice. Reprendre des forces. Le visage de Mael... Qu'a dit son père déjà ? Il l'a... livrée aux couilles-à-masques ? La colère monte en lui, noire, brûlante. Efface la douleur. Finit de le ranimer. Lui rend sa lucidité. Sa détermination.

Les yeux mi-clos, Orchéron observa Œrdwen, toujours assis sur les bottes, la bouche tordue et les yeux exorbités par la haine. Il remarqua pour la première fois que Mael ne ressemblait pas seulement à son père par la teinte et la forme de la chevelure, mais qu'elle en était le portrait épuré, magnifié.

Le constant se releva et tourna autour d'Orchéron comme un chasseur autour de sa proie blessée.

« Je maudis Aïron de t'avoir introduit dans ce domaine, d'avoir attiré le malheur sur notre famille ! »

Le bâton s'abattit sur le flanc d'Orchéron, puis une deuxième fois sur sa cuisse.

« Je maudis Orchale de t'avoir adopté, de t'avoir traité aussi bien et même mieux que ses propres enfants ! »

Un choc sur les mains, un autre sur l'épaule. Attendre. Attendre que s'épuise la flambée de rage du constant.

« Je vais enfin éteindre ta lignée et purifier le nouveau monde. Ce sont les gens comme toi qui empêchent Maran de revenir parmi nous. »

Il scandait d'un coup de bâton chacun de ses mots, chacune de ses expirations, mais les impacts cinglants ne réussissaient désormais qu'à souffler sur la colère d'Orchéron. Se tourner maintenant, légèrement pour ne pas éveiller les soupçons. Diriger lentement la main du dessous, la droite, vers le ventre, vers la hanche, le geste machinal d'un homme ivre de souffrance qui ne sait plus très bien ce qu'il fait.

Œdwen, en sueur, hors d'haleine, éprouva à nouveau le besoin de souffler et se laissa choir sur les bottes de paille. Orchéron exploita ce moment de répit pour glisser les doigts à l'intérieur de la poche, saisir le manche de son couteau, le dégager avec une lenteur exaspérante, puis, s'efforçant de maîtriser ses tremblements, il engagea l'ongle de son index dans l'encoche afin de déplier la lame.

« Hé, qu'est-ce que tu... ? »

Œdwen bondit sur ses pieds, plongea la pointe du bâton sous l'aisselle d'Orchéron et tira sèchement pour le contraindre à se tourner sur le dos.

« Par tous les amayas de l'espace... »

Le constant tempêta, s'acharna puis, n'obtenant aucun résultat, décida de changer de méthode. Il rencontra une opposition inattendue lorsqu'il voulut retirer le bâton coincé entre le coude et les côtes d'Orchéron. Il commit l'erreur d'accepter l'épreuve de force à laquelle le conviait le fils adoptif d'Aïron, s'arc-bouta sur ses jambes, oublia de se servir de ses pieds ou de ses genoux pour l'obliger à lâcher prise.

Orchéron résista pendant quelques instants avant de relever subitement le coude. Surpris, entraîné par la brusque dérobade du bâton, Œrdwen perdit l'équilibre, partit en arrière et heurta les bottes de paille sur lesquelles il s'affala de tout son long. Orchéron ne lui laissa pas le temps de reprendre ses esprits. Il se redressa, plongea vers l'avant et lui planta son couteau dans le creux de l'aine. La lame de corne crissa contre l'os de la hanche. Un voile de terreur glissa sur le visage du constant qui tenta de riposter de la pointe du bâton mais qui, terrassé par la douleur, n'eut pas la force d'aller au bout de son geste. Orchéron se dressa de toute sa hauteur au-dessus de lui et lui bloqua le bras du genou.

« Où est Mael ? »

Œrdwen eut encore les ressources de lui opposer un regard et un ton méprisants.

« Elle ne sera jamais à toi, pauvre yonk... Jamais... »

Hors de lui, Orchéron lui assena une série de gifles. Le crâne d'Œrdwen rebondit à la façon d'une pomme de jaule sur le drap froissé de laine végétale. Le sang maculait à présent le bas de sa tunique et le haut de son pantalon.

« Où est-elle ? hurla Orchéron.

— Tu ne le sauras jamais...

— Les autres me le diront.

— Ces imbéciles ne savent rien... rien... »

Œrdwen eut un petit rire de gorge qui souffla sur la fureur d'Orchéron comme un vent sec sur l'incendie d'un champ de manne. Fou de colère, perdant tout contrôle, il leva le couteau et, à cinq reprises, le plongea avec une violence inouïe dans la cage thoracique du constant.

Désemparé, perclus de douleurs, Orchéron resta immobile jusqu'à l'aube près du cadavre d'Œrdwen. Tandis que s'égrenaient les heures, son geste lui apparaissait dans toute sa froideur, dans toute son horreur. L'odeur piquante du sang se mêlait désormais à l'essence aigre des cluettes et aux relents poussiéreux. La lumière du jour tombait par la lucarne et déposait un voile blafard sur le grenier. Le domaine se réveillait, des éclats de voix, des claquements de porte, des mugissements troublaient la paix du petit matin.

Les bruits déclenchaient des images et des sensations dans l'esprit d'Orchéron. Il entrait dans la cuisine, saluait Mael d'une étreinte fougueuse, Orchale d'un baiser sur la joue, prenait un petit pain de manne dans la huche de bois, une poignée de fruits dans la corbeille d'argile, les mangeait debout, adossé au mur, regardait les hommes, les femmes et les enfants se croiser dans le désordre joyeux de l'aube, se versait un gobelet d'eau fraîche, l'avalait d'une traite, sortait dans la cour intérieure, respirait avec volupté un air enivré de parfums... Il ne ferait plus jamais partie de ce monde. Son crime l'en avait chassé plus durablement que l'incursion des protecteurs des sentiers. Et quand bien même il aurait la possibilité de revoir Mael, les choses ne seraient plus jamais comme avant. Un fleuve de sang coulait désormais entre eux, qui les empêcherait de se rejoindre, qui les emporterait dans ses remous.

Une sensation de présence, de déplacement l'entraîna à redresser la tête.

Orchale se tenait devant lui, pâle, essoufflée, vêtue de sa tunique de nuit, les cheveux dénoués, le visage creusé. Elle contempla pendant quelques instants le cadavre d'Œrdwen avant de lever les yeux sur son fils adoptif. Il ne lut pas de reproche dans son regard, ni même de la répulsion, mais de la douleur, de la résignation.

« Il m'avait dit qu'il t'attendrait ici chaque nuit, murmura-t-elle. Je ne l'ai pas vu revenir ce matin, je me suis doutée qu'il s'était passé quelque chose. »

Orchéron secoua la tête et baissa les yeux sur le bout de ses chaussures.

« Il voulait me tuer à coups de bâton, lâcha-t-il d'une voix tremblante. Il... il m'a dit qu'il avait donné Mael aux frères de Maran. »

Orchale frissonna, resserra le col de sa tunique sur sa gorge.

« Il était lui-même un frère de Maran, un protecteur des sentiers.

— Mon père n'aurait pas dû lui dire que...

— Personne ne lui a dit. Il s'en doutait. Il a tellement battu Mael qu'elle a fini par lui avouer ce qui s'était passé entre vous.

— Il ne s'est rien passé de mal !

— À tes yeux, non, mais aux siens, aux yeux des couilles-à-masques, votre faute était impardonnable...

— Et à tes yeux ?

— Mon regard n'a plus aucune espèce d'importance. Je ne suis qu'une mathelle déchue, une reine sans royaume. Le domaine est désormais sous le contrôle des protecteurs des sentiers. »

Orchale n'était plus la femme forte, généreuse et combative qu'Orchéron avait connue avant son départ, mais une enveloppe de chair creuse, vidée de sa substance, vieillie prématurément. Ses yeux autrefois pétillants n'étaient plus que les miroirs ternes d'une âme résignée.

« Et mon père ? Comment a-t-il réagi ?

— Ton père ? Il s'est rallié à eux. Il prétend que c'est pour endormir leur méfiance, pour préparer notre défense, mais je ne le crois pas. Il a la mine et le sourire des menteurs.

— Où est Mael ?

— Les couilles-à-masques l'ont emmenée pour, je suppose, l'exposer aux umbres.

— Où l'ont-ils conduite ? »

Orchale haussa les épaules.

« Nul ne le sait. Et nul ne sait quand ils ont l'intention d'exécuter la sentence. »

Orchéron se leva, essaya de replier la lame de corne, s'aperçut qu'il avait oublié de la nettoyer, que le sang coagulé en obstruait le mécanisme, jeta le couteau sur le plancher comme il se serait débarrassé d'un animal venimeux.

« Alors j'ai une chance d'arriver à l'Ellab avant que...

— Ta seule chance est de partir, Orchéron. Loin d'ici, loin du Triangle.

— Je n'ai pas l'intention d'abandonner Mael et de vivre seul le reste de mes jours.

— La légende évoque un peuple sur le continent qui borde l'autre rive des grandes eaux orientales. Le peuple de l'*Agauer*.

— Mael n'est pas une légende, mère. Elle est bien réelle et je l'aime. »

Orchale s'avança vers Orchéron et lui posa les mains sur les épaules. Il respira un peu de l'odeur de Mael dans son odeur plus lourde de femme mûre.

« Les protecteurs des sentiers sont en train de saccager notre monde, Orché. Tu trouveras peut-être une solution là-bas. »

Il se détourna pour échapper à la voix et au regard implorants de sa mère.

« La solution serait de les... »

Il s'interrompit, se souvenant subitement de toute l'horreur qu'il y avait à répandre le sang.

« Je partirai après avoir délivré Mael. »

Orchale lui posa la main sur la joue. Le contact avec sa paume glacée le fit tressaillir.

« Ne va pas à la colline de l'Ellab, je t'en supplie. Ils t'y attendent. Ils se servent de Mael comme d'un appât.

— Pourquoi ? Pourquoi est-ce qu'ils s'acharnent sur moi ?

— Ils ne me l'ont pas dit. La réponse se trouve sans doute dans ton passé. Dans leur passé. »

Orchéron enlaça sa mère adoptive par la taille et la serra contre lui.

« Est-ce que tu aimais Œrdwen ?

— Je l'ai aimé. Aussi fort que ton père ou que Jol. Je l'ai détesté, vomi, quand j'ai découvert qu'il était un protecteur des sentiers.

— Tu m'en veux de l'avoir tué ?

— Je m'en veux de ne pas l'avoir fait moi-même. »

Orchéron s'écarta d'Orchale et lança un bref regard au visage d'Œrdwen, aussi paisible dans la mort qu'il avait été tourmenté dans la vie.

« Je dois y aller, maintenant.

— Je vais te chercher un couteau, des vivres et des vêtements. Attends-moi là, je ne serai pas longue. »

Elle lui adressa un sourire à la fois las et plein d'espoir, tira sur les pans échancrés de sa tunique et sortit du grenier, le laissant à nouveau seul avec le corps d'Œrdwen, seul avec ses remords, seul avec les cendres de ses rêves.

CHAPITRE VIII

JOZEO

Vénérée Qval Frana,

Enfin, enfin, des renseignements nouveaux et concrets sur les protecteurs des sentiers. Je les tiens d'un jeune homme – d'un volage qui a passé quelques nuits dans ma chambre, un amant magnifique bien que peu expérimenté, on ne peut rien vous cacher... – qui a demandé à être admis dans leurs rangs et qui s'est finalement rétracté quelques instants avant de sceller le pacte. Car ils scellent un pacte devant toute l'assemblée, de la même manière que les novices de Chaudeterre prononcent leurs vœux après être sorties de la grotte de Djema.

Mon informateur, très disert sur l'oreiller, ignore la nature de ce pacte. En revanche, il m'a confié qu'il était en grand danger depuis qu'il avait renoncé au masque d'écorce et à la robe de craine (la craine est une plante sauvage qui produit une fibre textile brune, désagréable au toucher mais plus résistante que nos laines végétales) : ces gens-là n'aiment pas, visiblement, être déçus par leurs adeptes et assimilent à une trahison toute tentative de reprendre sa liberté individuelle.

Nous savions déjà qu'ils vouaient un culte à Maran, l'époux divin de Djema, nous ignorions en revanche qu'ils vivaient dans l'attente de sa réincar-

nation sur le nouveau monde. Maran serait, selon eux, le seul et vrai lakcha de l'arche, l'enfant-dieu qui fit jaillir la manne du vide céleste et, ensuite, la confia à Djema et à ses amis pour la distribuer aux autres passagers. Cette interprétation vous paraîtra sans doute ridicule, puérile, mais je vous invite à réfléchir à sa portée symbolique – je suis bien présomptueuse de vous exhorter au discernement, vous qui consacrez votre existence à la recherche de l'ordre secret, de l'éternité omnisciente du présent ! Que voulez-vous, je suis ainsi faite d'enthousiasmes juvéniles, de jugements à l'emporte-pièce, d'élans impulsifs qui paraissent sans doute irrespectueux et pour le moins maladroits.

Revenons à nos chers protecteurs des sentiers. Ils s'accordent à nier la nature divine de Djema et des autres enfants-dieux de l'arche pour faire de Maran leur dieu unique. Par ailleurs, ils ne font, toujours d'après mon informateur, que peu de cas du grand Ab et d'Ellula qu'ils considèrent comme des entités sans importance, comme les simples parents de l'épouse de Maran, comme les maillons ordinaires d'une chaîne génétique qui, j'y reviendrai plus tard, revêt à leurs yeux une importance cruciale. Ils vénèrent la figure de Lœllo en tant que « premier purificateur » (le destructeur des serpensecs) et précurseur du chemin des lakchas (une interprétation pour le coup foncièrement erronée : la chronologie de l'Estérion situe l'épisode des serpensecs longtemps après celui de la manne). Quoi qu'il en soit, Maran est devenu un dieu unique et, pardonnez-moi l'expression, « porteur de couilles ». Or ni vous ni moi n'en portons (ou bien vous m'auriez abusée avec une habileté démoniaque), ce qui veut dire que nos fonctions, vous en tant que responsable du conventuel de Chaudeterre, moi en tant que mathelle du présent, sont extrêmement menacées. Sans tomber dans la paranoïa pure et simple de certaines reines des domaines, je vous conseille de prendre de toute urgence des mesures de sécurité. Ce que j'ai fait moi-même avec l'aide d'Andemeur, de Solan et de mon jeune confident qui deviendra d'ici peu, j'en ai l'intuition, mon troisième constant. Tous les permanents mâles de mon domaine ont accepté de s'enrôler dans notre petite troupe, qui compte désormais une trentaine de membres, et de consacrer quelques heures de leur temps de repos aux exercices d'alerte et de défense. Mon premier fils lui-même, qui va sur ses huit ans, porte désormais une dague de corne à la ceinture et se comporte comme un vrai petit soldat.

À propos vous ai-je dit que Zephra, ma fille cadette, était sujette à des manifestations qui évoquent les visions d'Ellula ? N'y voyez pas, je vous en conjure, l'expression de l'orgueil d'une mère. Étant avertie de la perversité illusionniste du mental, je m'efforce de déployer une sévérité sans faille devant tout phénomène touchant à l'esprit, vision, prémonition, guérison, etc. J'aimerais vous présenter ma fille à Chaudeterre, ce qui m'offrirait une magnifique opportunité de vous revoir. J'en profiterais pour vous livrer en mains propres les dix nanzes de manne que je confie à chaque récolte aux collecteurs chargés de votre ravitaillement. Répondez par l'affirmative, vénérée Qval, et vous aurez devant vous la plus heureuse de vos anciennes disciples !

Je parlais de l'importance des lignées pour les protecteurs des sentiers : il semble qu'il y ait un rapport entre la pureté des lignées et la réincarnation de Maran. Ne me demandez pas lequel, mon beau volage n'a pas séjourné assez longtemps dans le nid des couilles-à-masques pour en apprendre davantage sur ce sujet. Je dois maintenant prendre congé : il se fait tard et je me lève demain à l'aube pour la

cueillette des éblouettes, les derniers fruits de la sai-
son sèche.

Recevez, vénérée Qval, l'assurance de mes senti-
ments très respectueux et surtout très affectueux.

Votre Merilliam.

« QUELQU'UN te demande. » Comme d'habitude, sa mère était entrée sans frapper dans la chambre d'Ankrel. Il tira hâtivement le drap sur son ventre et lui lança un regard courroucé. Ne se rendait-elle donc pas compte qu'il était sorti de l'enfance, qu'elle devait désormais respecter son intimité d'homme ? Elle le contempla avec dans ses yeux délavés par la fatigue et le temps une forme d'adoration soumise qui le hérissa.

« Qui ? marmonna-t-il en essayant de dissimuler au mieux sa mauvaise humeur et son érection mati- nale.

— Un homme. Un chasseur, je crois. »

Ankrel la pria de sortir d'un geste agacé, se leva quand elle eut refermé la porte et se rhabilla à la hâte. Au moment où ils s'étaient quittés, au croise- ment des chemins qu'on appelait les allées de Cent- Sources, Eshvar, le chef de cercle, et Jozeo lui avaient laissé entendre qu'ils le recontacteraient avant la prochaine expédition pour l'entretenir plus longuement du « projet » qu'ils n'avaient évoqué pour l'instant que de manière évasive. Il descendit quatre à quatre les marches de l'escalier central de la maison d'habitation, la plus petite des trois du domaine de Velaria, traversa au pas de course l'immense cuisine et sortit sur la terrasse éclabous- sée de la lumière rose et mauve de Jael.

La cour intérieure bruissait des cris des permanents du mathelle, au travail depuis l'aube. Agriculteurs, potiers, tanneurs, écorneurs, tisserands s'agitaient et s'interpellaient par les portails grands ouverts des ateliers et des granges. Des enfants de tous âges et des deux sexes remplissaient des cruches aux becs verseurs des douze fontaines qui représentaient les personnages principaux des légendes de l'*Estérion*. Des jeunes filles, les robes retroussées jusqu'aux cuisses, étrillaient les yonks domestiques tandis que les garçons, équipés de fourches à six dents de bois, changeaient les litières. Le domaine était l'un des plus grands, sinon le plus grand du nouveau monde, et Velaria, sa mathelle, l'une des femmes les plus écoutées, les plus vénérées. Il suffisait de grimper dans le grenier d'un bâtiment pour apercevoir, dressée au milieu de la plaine jaune, la colline de l'Ellab, le centre historique de Cent-Sources.

Ankrel aperçut le visiteur assis à l'une des tables de la terrasse devant une corbeille de gâteaux de manne parfumés à l'eau d'onis, une cruche d'eau et un gobelet de corne. Jozeo, car c'était lui, grignotait une pâtisserie en observant avec attention les femmes qui déambulaient dans la cour. La plupart lui adressaient un sourire ou une mimique complice avant de disparaître, preuve qu'elles ne restaient pas insensibles à ses charmes. Trois jours plus tôt, Ankrel avait surpris une conversation entre six permanentes du domaine qui toutes avaient accueilli Jozeo fili Jalen dans leur lit, qui toutes disaient de lui qu'il savait encore mieux s'y prendre avec les femmes qu'avec les yonks.

« Eh bien, Ankrel, on ne vient pas saluer les amis ? »

Ankrel eut un sourire à la fois chaleureux et intimidé : Jozeo avait beau le traiter en confrère, en égal, il lui restait beaucoup de chemin à parcourir pour atteindre à l'excellence et à la réputation de son modèle. Lui n'avait tué qu'une vingtaine de bêtes après son intronisation dans le premier cercle et n'avait jamais été invité sur la couche d'une femme.

D'un geste du bras, Jozeo l'invita à s'asseoir en face de lui.

« Comment va notre jeune chasseur ? Est-ce que tu t'es reposé au moins ?

— J'ai dormi ces derniers jours plus que tout le reste de ma vie ! » s'exclama Ankrel.

Jozeo écarta les mèches sombres qui lui balayaient le front. Il n'avait pas rassemblé ses cheveux en tresses comme à son habitude, et sa longue crinière, qui s'écoulait en torrents fous et noirs sur ses épaules, soulignait la régularité et la virilité de son visage.

« Il est essentiel pour un chasseur de savoir prendre du bon temps. Nous repartons en expédition plus tôt que prévu.

— Je suis prêt. »

Jozeo but d'une traite un gobelet d'eau et piocha un gâteau dans la corbeille. Son pantalon et sa tunique de peau, ornés de motifs colorés, gémissaient à chacun de ses mouvements. Le manche sculpté de son long poignard de corne dépassait d'un étui rigide lacé à sa cuisse.

« Prêt ? Prêt... à quoi ? marmonna-t-il après avoir arraché une bouchée de gâteau.

— À partir en expédition, avança Ankrel, décontenancé par la réflexion de son interlocuteur.

— L'expédition dont je te parle est très... différente des autres. »

Des frissons coururent sur la nuque et le dos d'Ankrel, qui se donna une contenance en plongeant à son tour la main dans la corbeille. Deux adolescentes passèrent devant la terrasse, jetèrent un regard appuyé aux deux chasseurs et s'éloignèrent en riant, ravies de leur propre audace. Les rayons enflammés de Jael, déjà haut dans le ciel, chassaient les derniers îlots de fraîcheur. Les frondaisons jaunes des jaules et les massifs écarlates des pourpreines avaient cessé de frissonner.

Ankrel mangea deux gâteaux, finit par perdre patience et par rompre un silence qui devenait pesant.

« Est-ce qu'il y a un rapport avec le projet dont Eshvar et toi m'avez parlé ? »

Jozeo le dévisagea avec une expression étrange, indéchiffrable, presque effrayante.

« C'est le projet, répondit-il en détachant chaque syllabe. Je pense, nous pensons que tu es un bon élément, un très bon élément même, et que tu dois faire partie de cette expédition.

— Mais quel genre d'expédition, au nom du ciel ? »

Jozeo recula sa chaise, se leva et alla s'accouder à la rambarde qui ceinturait la terrasse.

« Une chasse, comme tu peux t'en douter, dit-il d'une voix si basse qu'Ankrel dut tendre l'oreille pour saisir ses paroles. Mais le gibier en sera... particulier. C'est le rêve de tout vrai chasseur que d'affronter un adversaire digne de lui. Les yonks sont des animaux courageux, dangereux, mais tellement prévisibles... »

Il se tut pour laisser passer un groupe d'hommes qui, la bêche ou la fourche sur l'épaule, se dirigeaient vers le potager du domaine, situé entre le deuxième et le troisième bâtiment d'habitation. Ankrel en profita pour le rejoindre à côté de la rambarde. Il était à peu près de la même taille que son vis-à-vis, et pourtant il ne pouvait s'empêcher de se sentir tout petit à ses côtés, comme un enfant dans l'ombre d'un géant.

« Une expédition dangereuse, reprit Jozeo. Qui rassemblera les vingt meilleurs chasseurs.

— Je viens tout juste d'entrer dans le cercle, objecta Ankrel. Je ne peux pas faire partie des meilleurs.

— L'ancienneté n'est pas une vertu chez les lakchas. La preuve, Maran n'avait que huit ans quand il fit jaillir la manne du vide spatial. L'ancienneté apporte l'expérience, elle ne donne pas la détermination, la volonté, l'esprit de décision, le désir de perfection. Ces qualités, un lakcha les a dès le départ ou ne les a jamais. Et très peu sont les anciens des cercles à les posséder.

— Ils n'ont pas failli à leur tâche, les domaines n'ont jamais manqué de viande, de peaux ou de corne. »

Jozeo revint s'asseoir sur sa chaise, croisa les mains sous sa nuque et posa les pieds sur la table. Malgré leur usure, ses bottes cirées à la graisse de yonk avaient conservé toute leur souplesse, tout leur lustre. Ankrel songea qu'il devrait apprendre à se montrer moins négligent avec ses vêtements, ses chaussures, sa besace, sa gourde et son couteau de corne. Ils constituaient désormais son quotidien de chasseur, son uniforme, son armure, ils le protégeaient du chaud, du froid, de la soif, de la faim, des ronces, des cailloux, des robes rêches, des sabots et des cornes.

« Loués soient les lakchas, les yonks sont des animaux d'excellente composition ! s'exclama Jozeo. Ils savent d'instinct que la survie du nouveau monde repose en grande partie sur eux et ils viennent d'eux-mêmes s'empaler sur les lames, expertes ou non.

— Ils tuent pourtant des chasseurs et des apprentis à chaque expédition.

— Ceux qui ont été encornés ou piétinés n'avaient absolument rien à faire sur le sentier des lakchas ! » Une petite moue de mépris étirait les lèvres brunes de Jozeo. « Les yonks sont de braves bêtes, encore une fois, mais en égorger des milliers ne suffit pas à faire d'un homme un vrai chasseur.

— Quel gibier, alors ? »

Jozeo contempla le ciel où flottaient une poignée de nuages effilochés, imbibés du mauve et de l'or de Jael.

« Un gibier à la fois mystérieux et familier. Un gibier si rapide que nous ne pouvons pas le suivre à l'œil nu. Un gibier si dangereux que sa surveillance mobilise chaque jour des centaines de guetteurs. Un gibier qui nous oblige à nous terrer comme des furves quand il sort de son antre. »

La respiration d'Ankrel se suspendit tandis que son regard se levait à son tour sur la voûte céleste.

« Tu veux dire... »

Jozeo acquiesça d'un vigoureux hochement de tête.

« Les umbres. »

Ils gardèrent le silence pendant quelques instants, l'aîné observant du coin de l'œil le cadet qui avait du mal à reprendre son souffle. Ankrel était subitement assailli par toutes ses terreurs liées aux umbres, aux sonneries d'alerte déchirant la rumeur du domaine, aux attentes oppressantes dans les pièces silencieuses des bâtiments, aux disparitions subites d'hommes, de femmes, d'enfants de sa connaissance... Les chasseurs avaient beau disposer de leurs propres guetteurs, une angoisse sourde l'avait accompagné au long de ses cinq années d'apprentissage. On ne se sentait en sécurité nulle part sur la plaine d'herbe jaune qui offrait pour tout abri de vagues cachettes au milieu des rochers, les grands nids souterrains des nanziers sauvages ou encore les branches basses des arbres. Combien de fois avait-il estimé que les membres de son cercle n'auraient pas la moindre chance de survivre à une soudaine incursion des umbres ? Par bonheur, les prédateurs volants ne paraissaient pas attirés par les yonks et ne survolaient pratiquement jamais les zones de pâturage des grands troupeaux. Et les sonneries des cornes des guetteurs, disposés tous les cinq cents pas sur un cercle d'une centaine de lieues de diamètre, n'avaient déclenché que de fausses alertes.

« Tu te sens toujours prêt ?

— Mais comment... comment vous comptez capturer les umbres ? bredouilla Ankrel.

— Je te convie à la plus grande aventure de ton existence ! À l'aventure la plus extraordinaire qu'ait jamais vécue un être humain sur ce fichu monde ! Réponds d'abord à ma question : est-ce que tu te sens prêt ? »

Ankrel s'assit à son tour et s'absorba dans la contemplation du bois rugueux de la table, incapable de soutenir le regard exorbité, flamboyant, de Jozeo. Ce que lui réclamait le lakcha, c'était une confiance aveugle, un saut dans le vide, une plongée dans ses peurs les plus intimes, les plus anciennes, les plus profondes. Chasser les umbres, les insaisissables umbres, revenait à tenter d'attraper des cauchemars à main nue.

« Il me faudrait un peu plus de temps pour...

— Réponds ! »

La voix de Jozeo, tranchante, plana au-dessus d'Ankrel comme un couperet. Le jeune chasseur ouvrit la bouche pour inspirer un peu d'air, pour desserrer l'étau qui lui broyait la gorge et la poitrine. Il entrevit, comme dans un brouillard, la silhouette menue et voûtée de sa mère qui, vêtue d'une robe beige et coiffée d'un foulard écru, s'en allait distribuer des pains chauds et des fruits secs à ceux qui n'avaient pas eu le temps de prendre le premier repas du jour.

« Je suis prêt », lâcha-t-il dans un souffle.

Il n'en pensait pas un mot, encore sous le coup de l'effroi que lui avaient valu les révélations de Jozeo, mais il ne s'estimait pas en droit de décevoir son modèle.

« Prêt jusqu'à quel point ? »

Ankrel eut un rictus crispé censé traduire sa détermination.

« Jusqu'au point que vous aurez fixé. »

Jozeo se redressa sur sa chaise et, un large sourire aux lèvres, lui tapota l'épaule du plat de la main.

« Je le savais ! Je savais que je pouvais compter sur toi. J'avais parié avec les autres que tu accepterais.

— Qui sont les autres ?

— Tu les connaîtras bientôt. Ce sont tous des lakchas de chasse, mais pas seulement.

— Qu'est-ce que tu veux dire ? »

Jozeo jeta un bref coup d'œil sur les environs et se pencha par-dessus la table jusqu'à ce que ses mèches rebelles frôlent le front et le nez d'Ankrel.

« Tu es prêt à t'engager sur le sentier secret des lakchas ? dit-il à voix basse. Sur le sentier de Maran ?

— Maran ? Mais...

— Est-ce que tu es prêt à devenir un gardien des lois intangibles de l'arche ? »

Interloqué, suffoqué, le jeune chasseur répondit d'un clignement de cils et, d'un geste vague, invita son interlocuteur à poursuivre.

« Est-ce que tu es prêt, Ankrel fili Neamia, à rejoindre le cercle sacré des protecteurs des sentiers ? »

Les fesses et les cuisses irritées, Ankrel observait les environs au travers des interstices du petit appentis dont Jozeo avait soigneusement verrouillé la porte. Le visage dissimulé sous un masque d'écorce, le corps enfoui sous une longue robe, armés de piques, de haches, de masses, des protecteurs des sentiers gardaient les issues de la grange voisine, visiblement abandonnée depuis des lustres. Jael s'était couché depuis un bon moment, et le ciel, étonnamment lisse, se tendait d'un mauve sombre qui contenait déjà l'indigo de la nuit.

Jozeo et Ankrel avaient chevauché le yonk durant des heures sous la chaleur torride du jour. Ils ne s'étaient arrêtés qu'à deux reprises, une fois pour se restaurer et se désaltérer sur la rive de la rivière Abondance, une autre fois pour laisser souffler la monture de Jozeo, un mâle splendide à la robe presque entièrement noire et dont les cornes atteignaient la longueur d'un bras d'homme. Ils étaient arrivés en vue de la grange au crépuscule.

« Elle faisait partie d'un grand domaine autrefois, avait précisé Jozeo en sautant à terre. Mais Govira, sa mathelle, une sacrée belle femme par ailleurs, ne respectait pas les lois de l'arche.

— Elle ne les connaissait peut-être pas...

— Tout le monde les connaît. Nos ancêtres étaient tous logés à la même enseigne. Chacun de nous a reçu leur héritage, chacun de nous sait quelles sont les frontières à ne pas franchir.

— Et qu'est-ce qu'elle est devenue, cette Govira ?

— Elle et sa lignée se sont éteintes, avait répondu Jozeo dans un grand éclat de rire. Définitivement. »

Bien que les lieux fussent déserts, Jozeo avait enfermé Ankrel dans l'appentis en lui confiant que, jusqu'à la signature du pacte, seul son parrain était autorisé à contempler son visage et à entendre sa voix.

Ankrel avait beau explorer sa mémoire de fond en comble, il ne comprenait pas à quelles lois intangibles Jozeo faisait allusion. Il ne comprenait pas davantage ce qu'il fabriquait dans cet appentis qui puait le bois moisi au lieu d'être confortablement installé à la table familiale du domaine de Velaria. Il aurait été bien incapable d'expliquer les raisons qui l'avaient poussé à s'engager dans cette expédition insensée contre les umbres, à rejoindre le cercle mystérieux des couilles-à-masques, ces personnages vaguement burlesques dont les femmes brocardaient sans cesse les déguisements et l'emphase ridicules. Il existait une réponse pourtant, évidente mais tellement mortifiante qu'il répugnait à l'envisager : Jozeo avait exploité son admiration pour le manipuler, pour l'amener là où il l'avait décidé. Cependant, même si Ankrel avait eu la possibilité de soulever des montagnes de volonté et de courage pour faire marche arrière, il aurait préféré se planter son couteau dans le ventre plutôt que de revenir sur sa parole et d'affronter le mépris des lakchas. Il n'avait pas été piégé par son modèle mais par son orgueil.

La nuit était tombée, et avec elle un froid sec, lorsque la porte s'ouvrit enfin et livra passage à un protecteur des sentiers éclairé par une solarine. Il tendit à Ankrel un tissu plié ainsi qu'un objet en bois qui évoquait très vaguement un visage grimaçant.

« Mets-les. »

Il sembla à Ankrel reconnaître les intonations de Jozeo dans la voix déformée par le masque d'écorce. Il enfila la robe, coupée dans un tissu rigide, râpeux, désagréable au toucher.

« Tu devras te fabriquer ton propre uniforme une fois que tu auras scellé le pacte.

— Quel pacte ? » demanda Ankrel.

L'autre lui intima de se taire d'un geste de la main. Il hocha la tête, plaqua le masque de bois contre son visage et noua les trois lanières de cuir sur sa nuque. Les fentes oculaires, étroites, réduisaient considérablement son champ de vision. Il avait l'impression de participer à l'une de ces processions de Grande Délivrance où les enfants portaient des déguisements de tissu et d'argile censés figurer les héros de l'*Estérion*.

Ils sortirent dans la nuit où pas une étoile ne luisait et, toujours à la lueur de la solarine, se dirigèrent vers l'entrée principale de la grange. Ankrel, qui marchait derrière le protecteur des sentiers, sentait monter une étrange excitation en lui, une fièvre qui n'était pas seulement due à la chaleur dégagée par sa robe et son masque. Les ténèbres paraissaient subjuguées par une présence ensorcelante latente. Les deux hommes fendirent un petit groupe de gardes. Ils ne prononcèrent pas un mot, mais Ankrel vit briller par les fentes des masques des regards plus éloquents que les paroles, des regards dont l'intensité s'accordait à sa propre exaltation, la renforçait même, comme des ruisseaux venant grossir le cours d'une rivière. Il transpirait en abondance sous ses vêtements de peau et cette robe plus épaisse que la fourrure d'un yonk. Le masque lui donnait une sensation de puissance inouïe, voire d'invulnérabilité, comme si le bois renfermait un pouvoir occulte.

Ils entrèrent dans la grange qu'éclairaient une dizaine de solarines suspendues aux poutres ou posées dans des niches, s'avancèrent jusqu'au centre de l'espace nu, désert, où, d'un mouvement péremptoire du bras, son guide ordonna à Ankrel de s'arrêter. L'éclat des solarines révélait la progression du chaos en marche : des herbes avaient crevé le sol de terre battue, des pierres s'étaient effondrées du haut des murs, des ronces et des plantes grimpantes tombaient en entrelacs jaunes, verts ou rouges des brèches du plafond.

Ankrel ne parvenait pas à maîtriser ses tremble-ments. Chaque battement de son cœur pinçait les cordes qui partaient de sa cage thoracique pour se tendre jusqu'à son crâne, son bassin, ses jambes et ses bras. Une odeur indéfinissable, un mélange improbable de moisissure, d'essence de cluette et de graisse de yonk, imprégnait l'air aussi épais que de la boue.

Des protecteurs des sentiers surgirent de l'ombre et s'avancèrent en cercle autour des deux hommes. Une cinquantaine à première vue, peut-être davan-tage. Tous portaient, glissé dans la ceinture de corde qui les serrait à la taille, une dague ou un couteau de corne. La ronde grimaçante des masques d'écorce, grossièrement sculptés pour la plupart, s'immobilisa à une dizaine de pas d'Ankrel et de son guide.

« Loué soit Maran, l'enfant-dieu de l'arche, fit une voix caverneuse. Il vainquit les légions des robenoi-res et les Kroptes sanguinaires qui avaient crevé les yeux de sa mère, il fit jaillir la manne du néant et permit à nos ancêtres de survivre dans le vide de l'espace.

— Loué soit Maran, reprirent en chœur les pro-tecteurs des sentiers.

— Il plongea dans l'eau bouillante de la cuve pour délivrer son épouse Djema des sortilèges du Qval, il engendra des fils qui menèrent l'arche à bon port, il défricha le sentier de l'abondance, du don, de la générosité.

— Loué soit Maran.

— Il vit parmi nous par ses descendants et nous commande de préserver sa lignée.

— Loué soit Maran. »

Ankrel ne parvenait pas à déterminer s'il y avait un ou plusieurs récitants. La voix paraissait jaillir de divers endroits du cercle comme s'ils étaient plusieurs à prononcer les paroles rituelles, mais le timbre restait toujours le même, grave, solennel, sépulcral. Les scansions lancinantes du chœur le pénétraient comme des pieux brûlants, attisaient le feu qui grondait au fond de lui.

« Il nous guide sur la voie de la pureté, il nous garde de la malédiction et de la souillure.

— Loué soit Maran.

— Il nous protège des amayas de l'espace et de l'abomination du Qval.

— Loué soit Maran.

— Nous sommes les bras de sa colère, les instruments de sa vengeance, les défenseurs de sa parole, les gardiens de son ordre.

— Loué soit Maran.

— Nous sommes ses serviteurs, ses soldats, ses fils.

— Loué soit Maran.

— Nous sommes les protecteurs des sentiers. »

Le chœur ponctua cette dernière phrase d'un murmure prolongé qui enfla en une clameur assourdissante avant de s'envoler dans les ténèbres de la grange.

« Voici le frère qui demande à rejoindre l'armée des serviteurs de Maran, déclara le guide d'Ankrel quand le silence se fut à nouveau rétabli.

— Peux-tu nous répondre de sa lignée ? demanda une voix.

— J'en réponds.

— Peux-tu nous répondre de sa loyauté ?

— J'en réponds.

— Peux-tu nous répondre de sa volonté ?

— J'en réponds. »

Les protecteurs poussèrent une nouvelle clameur et se reculèrent de trois ou quatre pas, agrandissant le cercle et sortant plus ou moins de la lumière des solarines.

« Alors le temps est venu de sceller le pacte », reprit la voix.

Des mouvements au fond de la grange attirèrent l'attention d'Ankrel. Le regard insistant de son guide transperçait le bois de son masque et lui incendiait le visage. Il tremblait plus fort encore que lorsqu'il avait affronté nu les grands froids de l'amaya de glace, son corps et son esprit ne lui appartenaient plus.

Une silhouette projetée à l'intérieur du cercle parcourut une distance de dix pas avant de s'affaisser à ses pieds.

Une jeune fille blonde, vêtue d'une robe de laine végétale déchirée, souillée. Yeux écarquillés, bouche grande ouverte, bras levés au-dessus de sa tête en un geste d'imploration. Elle ne lui était pas inconnue, mais il ne se souvenait plus où il l'avait rencontrée, aux fêtes de Grande Délivrance peut-être, ou lors d'un banquet réunissant plusieurs mathelles. Sa beauté s'inscrivait en transparence sous l'expression de terreur qui l'enlaidissait.

« Elle sera exposée aux umbres demain à la première heure, souffla le guide d'Ankrel. Mais avant, tu dois la protéger d'elle-même, tu dois la purifier, tu dois lui donner une chance de recevoir la bénédiction de Maran, de renaître au nouveau monde, d'entrer dans la deuxième vie des méritants.

— Comment ? Comment ? »

Ankrel prit alors conscience de la tension douloureuse de son sexe, de l'énergie sensuelle, sauvage, qui irriguait chaque parcelle de son corps et sut qu'il connaissait la réponse.

CHAPITRE IX

L'ELLAB

Ce matin, j'ai croisé Lézel sur le chemin de mon refuge secret. J'ai aussitôt voulu battre en retraite, mais il m'a saisie par le bras et l'a serré avec une telle force que je n'ai pas réussi à me dégager. Mes hurlements n'ont servi à rien sinon à exciter sa cruauté. Nous étions trop loin du mathelle et des champs cultivés pour qu'on puisse nous entendre. Il m'a fixée avec une intensité brûlante, à me noircir le fond de l'âme. Je ne sais pas encore ce qui m'a le plus effrayé chez lui, son regard de fou, sa poigne de fer ou son air d'enfant battu. J'ai cru pendant quelques instants qu'il allait se jeter sur moi et mon corps tout entier a frémi, rejeté cette éventualité avec une violence farouche, animale. Je préfère mourir plutôt que de ployer sous un autre homme qu'Elleo. J'aurais frappé, griffé, mordu Lézel jusqu'à ce que la colère ou la douleur l'obligent à m'étrangler. Je me serais moi-même jetée la tête la première sur une pierre si cela n'avait pas suffi. Je ne suis pas partageuse, je l'ai déjà dit, je me garde tout entière pour Elleo, je ne veux pas être souillée par l'odeur, la sueur et la salive d'un tanneur, encore moins éventrée par son soc ni infectée par son foutre.

Il m'a demandé pourquoi je ne venais pas chercher les rouleaux de peau qu'il avait préparés à mon intention. « *Je préfère changer de fournisseur plutôt que de t'entretenir dans le sentiment que je te dois quelque chose* », lui ai-je répondu. Il s'est alors affaissé sur la terre comme une cluette fanée et s'est mis à pleurer toutes les larmes de son corps. Il a balbutié, entre deux sanglots, qu'il pensait à moi à chaque instant de sa vie, que mon visage l'accompagnait lorsqu'il tannait ses peaux, lorsqu'il se lavait, se restaurait, se couchait, se réveillait... Je n'ai pas eu pour lui un souffle de compassion tant il est vrai qu'une femme comblée n'a pas de place pour un soupirant malheureux, mais j'ai séché ses larmes avec la manche de ma robe et me suis astreinte à lui parler avec douceur : il n'avait rien d'autre à attendre de moi qu'une complicité amicale. Son regard devait maintenant se poser sur d'autres femmes. Le domaine de ma mère en comptait de très jolies, et d'encore disponibles. Si aucune d'elles ne lui accordait ses faveurs, il aurait toujours la possibilité de s'engager comme journalier dans d'autres domaines, de provoquer de nouvelles rencontres, de multiplier les chances. Il ne devait pas oublier non plus que la décision revenait toujours aux femmes, qu'elles avaient la liberté de garder, de partager ou de renvoyer les hommes qu'elles invitaient dans leur chambre, que nos ancêtres avaient jeté les fondations du nouveau monde sur cette règle fondamentale inviolable.

Il a semblé s'apaiser et se rendre à mes arguments. « *Je vais partir d'ici*, a-t-il murmuré. *La découverte du nouveau monde m'aidera peut-être à t'oublier.* » Je l'ai encouragé dans cette décision, lui assurant qu'il ne devait pas se tracasser pour moi, que je n'éprouverais aucune difficulté à me fournir en rouleaux – c'est faux, hélas : les peaux que je mendie ou vole dans les ateliers des tanneurs sont rugueuses, rigides, bien mal adaptées à la danse de la plume.

Il s'est relevé, m'a saluée d'un mouvement de tête et s'est éloigné en direction du mathelle. Je l'ai regardé se fondre dans l'immensité jaune de la plaine. Il m'a fait penser à une personne de rien qui s'efface dans son propre néant. Méchanceté, Lahiva filia Sgen ? Non, réalité : il n'était pour moi qu'un rouage anonyme du destin, il ne m'inspirait que de l'indifférence, du silence, du vide.

Mon bras a tremblé longtemps après le départ de Lézel et m'a empêchée d'écrire autant que je l'aurais souhaité. Ses doigts coupants ont imprimé une trace profonde, durable, comme le maillon d'une chaîne de sang, d'une chaîne de temps. Elleo ne manquera pas de s'en inquiéter : j'essaierai de lui fournir une explication plausible sans mettre en cause le tanneur. Je crois mon frère capable de tuer, oui, de tuer tout individu que je désignerais à sa vindicte.

Elleo me vole tout mon temps, mais jamais je n'ai été aussi heureuse d'être à ce point pillée, dépouillée. Il brûle en toute occasion de me prouver son amour, une ardeur qui nous entraîne à prendre tous les risques, à défier les règles élémentaires de la prudence. Nous nous aimons dans la maison de notre mère, pas seulement dans l'une ou l'autre de nos chambres où nous nous rejoignons au cœur des nuits, mais dans les couloirs, les greniers, les débarras... Il me prend avec rudesse sur les meubles, contre les murs, sur les dalles. Des voix s'élèvent non loin de nous, les portes s'ouvrent, des semelles claquent, des objets grincent. Quand elle s'enferme ainsi dans la peur et l'obligation de silence, la volupté atteint des pics vertigineux, éblouissants, des sommets d'extase pure. Il me faut un long temps, un très long temps, pour apaiser mes tremblements, pour reprendre mon souffle, pour redescendre sur ce monde.

154

J'avais l'intention de parler aujourd'hui de la légende du deuxième peuple, des passagers de la deuxième arche, celle que mon maître Artien appelle l'Agauer – oui, tout comme la chaîne montagneuse qui se dresse à l'est du Triangle –, mais la douleur à mon bras me contraint à renoncer. J'y reviendrai à la prochaine occasion, si Elleo, mon bel insatiable, m'en laisse le temps.

Extrait du journal de Lahiva filia Sgen.

DES BRUITS DE VOIX et de pas tirèrent Orchéron de son assoupissement. Il se plaqua au sol puis, après quelques instants d'immobilité, écarta précautionneusement les herbes sèches. Posté sur une petite butte de terre qui dominait les zones noires pelées du sommet de la colline de l'Ellab, il vit apparaître des protecteurs des sentiers, aisément reconnaissables à leurs masques d'écorce et à leurs robes de craine. Cette scène, cette atmosphère funèbre, cette farandole de trognes grimaçantes hantaient déjà sa mémoire.

Aiguillonné par la peur d'arriver trop tard, il avait marché deux jours et deux nuits sans interruption pour gagner la colline de l'Ellab où, selon Orchale, les couilles-à-masques offraient leurs condamnés aux umbres. Il avait suivi le cours placide d'Abondance jusqu'au troisième croisement des six chemins de terre, puis il avait coupé par la plaine d'herbe jaune, un itinéraire plus ardu mais plus court et plus discret. De fait, il n'avait pas rencontré d'autre créature vivante que des nanziers sauvages et sans doute des furves (des mouvements dans les herbes qui trahissaient le déplacement d'une ou plusieurs de ces créatures). Il était arrivé au pied de la colline au crépuscule et, après une pause bienvenue de quelques heures, avait atteint le sommet au milieu de la nuit. Aussitôt des images et des sensations l'avaient assailli, terreur, douleur, horreur, visages blêmes, corps figés, nausées, gémissements, murmures... Il avait su alors qu'il avait déjà mis les pieds sur l'Ellab, qu'un fil occulte reliait la première partie de sa vie à la colline des morts, puis, vaincu par la fatigue, il avait glissé dans un sommeil houleux peuplé de cauchemars.

Les protecteurs des sentiers continuaient d'affluer, comme crachés par les vestiges de la nuit dans la lumière blafarde de l'aube. Les uns portaient des corps d'hommes, de femmes et d'enfants, nus, lavés et vidés de leurs intestins pour éviter les salissures. Orchéron se souvint que les défunts du domaine d'Orchale étaient abandonnés sur le bord d'un chemin après le deuil traditionnel de trois jours. On ne les retrouvait pas le lendemain, sans qu'on sache – ni qu'on cherche à savoir – qui les avait enlevés, les umbres, les furves ou d'autres charognards. La réponse se trouvait sous ses yeux en cet instant : comme ils avaient fait de la colline de l'Ellab leur chasse gardée, les couilles-à-masques étaient naturellement devenus les fossoyeurs du nouveau monde.

Le sang d'Orchéron se glaça lorsque deux protecteurs des sentiers tirèrent au bout d'une corde une prisonnière au milieu de la vingtaine de cadavres étendus sur la terre brûlée. Même s'ils lui avaient recouvert la tête d'un ample capuchon de craine, il la reconnut sans l'ombre d'une hésitation et en éprouva à la fois du soulagement, de la colère et de l'inquiétude.

Des coups sourds ébranlèrent le sol et soulevèrent une nue poussiéreuse. Un groupe de couilles-à-masques plantait, à l'aide de masses de pierre, des piquets courts dans la terre sèche. Un autre retira le capuchon de la prisonnière et dénoua la corde qui lui enserrait les poignets. Orchéron se mordit la lèvre jusqu'au sang pour contenir son hurlement : en quelques semaines, Mael avait vieilli d'une trentaine d'années, son visage s'était amaigri, durci, des cernes profonds violacés s'étaient creusés sous ses yeux, ses cheveux collés par la terre et les croûtes n'avaient plus qu'un lointain rapport avec la cascade dorée somptueuse qui fredonnait au moindre de ses rires. Son regard éteint, vide, trahissait de l'indifférence, de l'absence, comme si elle était déjà morte à l'intérieur.

Les doigts d'Orchéron se crispèrent sur le manche du couteau de corne que lui avait remis sa mère adoptive. La même rage qu'il avait ressentie devant Œrdwen, la même sauvagerie, la même haine, la même envie de répandre le sang montaient en lui, finissaient de dissiper ses remords en partie estompés par sa longue marche entre le domaine d'Orchale et l'Ellab. Les couilles-à-masques devaient payer pour ce qu'ils avaient fait subir à Mael. Pour ce qu'ils avaient fait subir à sa... mère.

Sa mère...

Il la revoyait à présent, figure tragique posée sur un fond d'herbe brûlée, terrassée par le chagrin, la terreur et les regrets... Pas beaucoup plus âgée que Mael, et pourtant déjà rongée par le temps, déjà touchée par la mort... Et il se revoyait, lui, attaché à l'arbuste, à demi étranglé, fou de terreur, essayant vainement de briser ses liens...

L'arbuste avait disparu, mais les protecteurs des sentiers étaient toujours là, encore plus nombreux, retranchés dans leur anonymat, affublés des mêmes masques et des mêmes vêtements. Ils couchèrent Mael sans ménagement sur le sol, lui retroussèrent sa robe, lui lièrent les poignets et les chevilles aux piquets. Elle ne réagissait pas, n'essayait pas de regimber, pas même de rechercher une position un peu moins inconfortable. Contrairement à la mère d'Orchéron – de... Quel nom criait-elle ?... Lob... ? –, elle ne portait pas de marques de coups sur les membres ou le visage, seulement des traces rouges sur les cuisses qui ressemblaient à des empreintes de doigts.

Orchéron se rappela son premier nom, *Lobzal*, *Lobzi* pour sa mère, mais il demeura parfaitement étranger à cette enfance révélée, comme s'il remontait le cours d'une existence qui ne le concernait pas. Les umbres l'avaient épargné à deux reprises, sur cette colline et dans le grenier du silo. Si ce phénomène inexplicable voulait bien se reproduire une troisième fois – et il comptait bien qu'il se reproduise –, il lui permettrait de délivrer Mael, rien d'autre n'avait d'importance.

La sonnerie d'une corne retentit et plana un long moment dans le silence de l'aube. Les protecteurs vérifièrent les liens de leur prisonnière et se retirèrent en silence, pressés désormais de regagner leur abri avant le passage des prédateurs volants.

Orchéron attendit pour se redresser que les bruits de leurs pas se fussent évanouis. De son poste d'observation, il les regarda s'égrener en hâte sur le sentier tortueux de la colline, puis, quand il estima qu'il n'y avait plus de danger, il dévala la butte et, enjambant les cadavres, se précipita vers Mael.

« Mael, c'est moi, Orché, je suis venu te chercher... »

Il posa au sol sa gourde et sa besace. Elle le fixa sans qu'aucune expression ne trouble ses yeux. Il trancha les liens de ses poignets, la prit par les aisselles, la releva et l'étreignit.

« Qu'est-ce qu'ils t'ont fait, Mael ? Qu'est-ce qu'ils t'ont fait ? »

Les larmes maintenant roulaient sur les joues d'Orchéron avant de se perdre dans les touffes éparses et noires de sa barbe. Elle ne réagissait toujours pas, amorphe, les bras tombant de chaque côté de son corps, la tête posée sur l'épaule de son frère, comme une poupée vidée de ses chiffons.

« Je t'emmène avec moi. Nous partons sur l'autre continent, sur l'autre rive des grandes eaux orientales, là où il n'y a pas de couilles-à-masques. »

Il enfouit ses sanglots dans la chevelure de sa sœur adoptive. Elle répandait une odeur de terre humide, de sang séché, d'urine et de craine. Il la serra contre lui de manière convulsive, comme si ces quelques mouvements désordonnés et brutaux avaient le pouvoir de la ramener à la vie. Puis il s'aperçut que les pieds de Mael bleuissaient sous la pression des liens enroulés autour de ses chevilles, s'écarta d'elle et, tout en la maintenant assise d'une main, sectionna les cordes en s'appliquant à ne pas lui entailler la peau. C'est alors seulement qu'il remarqua, sous les plis de sa robe retroussée, les taches de sang qui maculaient le haut de ses cuisses et son bas-ventre.

La deuxième sonnerie d'alerte tira Orchéron de son hébétude. Il leva machinalement les yeux et discerna dans le lointain les formes noires d'un vol d'umbres. Il les suivit un long moment du regard avant d'observer, poussé par une curiosité machinale, les cadavres étendus autour de lui. La plupart étaient des anciens qui avaient probablement passé plus de deux siècles sur le nouveau monde, deux étaient des adultes dans la force de l'âge, un homme mutilé, déformé, comme broyé par une avalanche de rochers, une femme intacte hormis ses yeux, ses lèvres et sa gorge gonflés, victime sans doute d'une allergie au pollen tardif, un était un adolescent qui, à en juger par la large plaie à son front, avait reçu un coup ou une pierre sur la tête, la dernière enfin était une fillette de trois ou quatre ans qui, malgré sa pâleur, semblait plongée dans un sommeil paisible et prête à se réveiller à chaque instant.

Un gémissement le fit tressaillir. Allongée sur le dos, Mael fixait le ciel enflammé par les premières lueurs de Jael. Elle tourna la tête dans sa direction. Il crut deviner une lueur de complicité dans ses yeux, une amorce de sourire sur ses lèvres.

Elle était vivante. Vivante.

Il ne pouvait plus rien pour les autres mais, elle, elle avait encore un avenir, un supplément d'existence, du temps pour cicatriser ses blessures et l'amour de son frère d'adoption pour revenir à la vie. Lui devrait étouffer la fleur vénéneuse qui germait dans son cœur, oublier l'ombre odieuse des couilles-à-masques, arracher les derniers remords enracinés par le meurtre d'Œrdwen, réapprendre à la contempler avec un regard neuf, avec le regard intense et pur du présent. Il s'essuya les joues d'un revers de main, lui rendit son amorce de sourire, la saisit avec délicatesse par les épaules et le pli des jambes, la souleva et, tout en veillant à ne pas buter sur les cadavres environnants, s'engagea sur le sentier qui descendait vers la plaine.

Une vague de froid descendit sur la colline au moment où il atteignait la mi-pente. Il n'eut pas besoin de scruter le ciel pour savoir que les umbres survolaient le sommet de l'Ellab. Il s'immobilisa néanmoins, en nage, les bras tétanisés par son fardeau, avisa un renfoncement dans la paroi, une niche étroite creusée par le surplomb d'un rocher, s'y engouffra, posa Mael dans les herbes et s'assit à ses côtés. Il dégagea sa gourde, en plaqua le goulot sur les lèvres de sa sœur, réussit à lui faire avaler quelques gouttes qui refluèrent aussitôt aux commissures de ses lèvres, n'insista pas, but lui-même une rasade d'eau imprégnée d'une âpre saveur de cuir, mangea ensuite l'un de ces gâteaux aux fruits confits dont Orchale avait rempli sa besace.

Il n'avait désormais plus de repère, plus de frontière, comme si le ciel et la terre s'étaient dérobés à ses yeux. Hors de question de retourner au domaine d'Orchale, passé sous le contrôle des protecteurs des sentiers. Hors de question de demander refuge dans un autre mathelle, les couilles-à-masques les avaient probablement tous infiltrés. Hors de question, encore, de se cacher dans la plaine d'herbe jaune qui n'offrirait aucune ressource pendant les deux mois de l'amaya de glace. Il ne restait qu'une solution réellement envisageable, celle préconisée par Orchale, traverser les grandes eaux orientales et passer sur l'autre continent. Mais encore fallait-il franchir la chaîne de l'Agauer avant les averses de cristaux de glace et trouver le moyen de voguer sur des flots à la réputation peu engageante. De plus, avec le poids mort constitué par Mael...

Des cris le tirèrent de ses réflexions. Le roulement obsédant de ses pensées et sa fatigue s'étaient ligués pour l'entraîner à fermer les yeux.

Mael avait disparu. Il se rua hors de la niche et découvrit sa sœur adoptive plus haut sur la pente. Elle courait sur le sentier en agitant les bras et en poussant des hurlements. Elle avait retroussé sa robe jusqu'à la taille, mais la laine végétale tire-bouchonnée retombait à chacune de ses foulées et lui entravait les jambes.

« Mael ! »

Elle s'arrêta, fit passer sa robe par-dessus sa tête, la jeta derrière elle puis, sans se retourner, reprit sa course gesticulante, vociférante.

« Reviens, Mael ! »

Orchéron aperçut les umbres au-dessus de la colline, lucarnes ouvertes sur le vide, parfaitement immobiles. Cinq seulement, mais beaucoup plus grands – ou plus près – que ceux qu'il avait vus les autres fois. Pointes triangulaires aussi effilées que des lames, queues et ailes – ou nageoires – oscillantes, flancs amples et arrondis. Il ne pouvait pas suivre leurs déplacements des yeux, mais il savait, aux colonnes grises qui assombrissaient la lumière de Jael, aux courants froids qui s'échouaient dans la chaleur naissante du jour, qu'ils fondaient l'un après l'autre sur la colline de l'Ellab pour s'emparer des cadavres.

Il s'élança à la poursuite de Mael, combla rapidement l'intervalle malgré sa fatigue, malgré la raideur de la pente, malgré un point de côté. Elle-même titubait, s'appuyait aux rochers ou aux racines qui saillaient de la terre, s'accrochait aux branches des buissons pour rester debout et prolonger une course chaotique, chancelante. Il la perdit de vue dans un lacet en forme d'épingle.

« Mael ! »

Il accéléra l'allure, déboucha, au bout du tournant serré, sur une portion relativement plane habillée d'herbe, de ronciers et traversée en ligne droite par le ruban clair du sentier. Hors d'haleine, les poumons en feu, il s'arrêta pour balayer les environs du regard. Il finit par la repérer au milieu de la végétation, à demi camouflée par les panaches translucides des herbes. Les épines s'enroulaient autour d'elle comme des lanières de fouet, lui couvraient le dos, les fesses et les jambes d'égratignures sanglantes.

« Mael... »

Elle ne criait plus, ses exhalaisons prolongées s'achevaient en gémissements, en supplications. Il jeta un bref coup d'œil aux umbres avant de tirer son couteau de sa poche et de s'enfoncer à son tour dans le fouillis végétal. Les branches basses des ronciers s'agrippaient à ses bottes, à son pantalon, et enrayaient chacun de ses pas. Des épis desséchés se frottaient sur les manches de sa tunique dans une succession de froissements et de crépitements.

« Mael. »

Elle ne bougeait pratiquement plus, empêtrée dans les branches d'arbustes qui, plus loin, prenaient le relais des ronces et des herbes. Il continuait de se rapprocher, taillant dans la végétation à grands coups de botte, d'épaule et de couteau. Elle ne lui prêtait aucune attention, le visage levé vers le ciel, le corps perlé de sueur et de sang.

Orchéron perçut avec une netteté terrifiante la vague de froid qui descendait sur eux.

« Non ! »

Son cri se perdit dans le silence funèbre de la colline de l'Ellab. À l'emplacement où s'était tenue Mael une fraction de temps plus tôt ne restaient plus qu'un cercle noir et un sillage gris qui, déjà, se dispersait dans la lumière aveuglante du jour.

La nuit tombait quand Orchéron sortit enfin de sa prostration et se remit en chemin. Assis dans les ronces, le couteau en main, il avait d'abord projeté de mettre lui-même fin à ses jours puisque les umbres ne voulaient pas de lui. Puis, emporté par le cours de ses pensées, il s'était plongé dans cette enfance inconnue, étrangère, qui s'était achevée sur la colline de l'Ellab. Elle lui était revenue par bribes, par petites touches éparses qui ne suffisaient pas à recomposer l'intégralité du tableau mais qui, comme les solarines, jetaient des taches de lumière sur quelques zones de ténèbres. Elles avaient éclairé sa mère, Lilea, l'intendante du mathelle de Jasa, une femme jeune, jolie, vive mais sujette à de profondes crises de mélancolie qui la clouaient sur son lit pendant plusieurs jours. Elles avaient révélé des bouilles hilares ou inquiètes d'enfants, ses compagnons de bêtises et de jeux, le visage plus grave de Lena la djemale, sa première instructrice, les traits rudes de Forz, un constant de Jasa, un homme au regard libidineux et fourbe, les masques horribles des couilles-à-masques dans la semi-pénombre d'un silo. Elles avaient dévoilé des fragments d'existence, l'odeur et la chaleur de sa mère lorsqu'il se glissait dans son lit, le venin de la jalousie quand elle lui préférait un volage et lui fermait la porte de sa chambre, la frayeur soulevée par les passages des umbres, les petites peurs suscitées par les larcins de fruits dans les séchoirs des silos et par les jeux dangereux au-dessus des toits, les heures d'une nostalgie inexplicable, languide, si profonde qu'elle lui tirait des larmes. Elles avaient exhumé surtout ce besoin latent, fondamental, de découvrir l'ordre invisible de son monde, de mêler sa voix au chœur secret de son monde.

C'est là, dans cette aspiration intacte, dans ces braises couvant sous la cendre, qu'Orchéron avait puisé la force de repartir. Et aussi dans l'idée, dans la certitude que Mael avait choisi de se donner aux umbres plutôt que de se laisser empoisonner par ses souvenirs. Il n'avait plus rien à faire dans les domaines, ni même sur la plaine du Triangle. Puisque les hommes – les hommes et non les prédateurs volants – avaient fait le vide autour de lui, il partirait dans la direction de l'est, il passerait de l'autre côté des grandes eaux, il consacrerait son existence à l'exploration de son monde, à la recherche de cette trame invisible dont il pressentait la splendeur sous le voile terni des apparences.

Il percevait encore les vestiges du froid abandonnés par le passage des umbres. Ou bien étaient-ce les rafales mordantes de la bise ? Il frissonnait sous la laine pourtant épaisse de sa tunique. Les pierres roulaient sous ses pas, les herbes et les frondaisons bruissaient sur les bords du sentier comme des foules ivres de colère. Une chape nuageuse occultait les étoiles, la nuit se gorgeait de noirceur, d'amertume et de chagrin.

Un éclair éblouit la plaine, se désagrégea en répliques étincelantes, fulgurantes, qui précédèrent de peu un grondement prolongé. Les orages étaient rares sur le Triangle, mais d'une puissance dévastatrice.

Orchéron pressa le pas. L'air était déjà saturé d'humidité, et il lui fallait arriver au pied de l'Ellab avant les premières trombes. L'eau ruissellerait sur les pentes sèches, sur les rochers, transformerait le sentier en un torrent de boue. Il avait failli être emporté par un orage sur le versant d'une des collines, pourtant moins hautes que l'Ellab, qui bordaient le domaine d'Orchale. Traîné par une coulée de boue sur une distance de deux ou trois cents pas, il n'avait dû son salut qu'aux branches providentielles d'un jaule.

Des éclairs rapprochés hachèrent l'horizon comme un réseau de nerfs à vif, des roulements fracassants se répondirent, s'entremêlèrent, les premières gouttes, épaisses, lourdes, cinglèrent les herbes et la terre du sentier.

Orchéron distingua des lumières au pied de la colline. Des lumières qui persistaient à briller entre les sabres livides des éclairs.

Des solarines.

Elles cernaient dans l'obscurité des silhouettes d'hommes qui sortaient d'un abri souterrain et se répandaient en cercle autour de l'Ellab. Des hommes affublés de masques d'écorce, armés de piques, de haches et de masses.

CHAPITRE X

ZMERA

Vénérée Qval Frana,
Une première escarmouche a opposé notre petite troupe aux protecteurs des sentiers. Quelques jours avant, une délégation de couilles-à-masques avait demandé à me rencontrer. Ils venaient m'ordonner de leur remettre Kal, mon troisième constant – vous vous souvenez, mon bel informateur, l'homme qui refusa au dernier moment de signer leur pacte... Une injonction inacceptable, comme vous pouvez vous en douter (autant inacceptable que leur accoutrement, leur langage et leur anonymat). Je leur ai donc opposé une fin de non-recevoir, ils se sont retirés en m'insultant, en me promettant des représailles éprouvantes, sanglantes.
Nous nous sommes dès lors tenus sur un qui-vive permanent qui nous a permis, grâce à un système d'alarme mis au point par Solan, de prévenir leur attaque. Ils ne s'attendaient certainement pas à tomber sur une trentaine d'hommes décidés, armés, une petite troupe manœuvrant à la perfection et possédant sur eux l'avantage de connaître le terrain. Ils ont engagé le combat mais pas très longtemps, car ils se sont rapidement aperçus qu'ils couraient vers une défaite totale, humiliante. Ils ont battu en retraite en abandonnant deux des leurs allongés dans la

poussière, l'un tué d'un coup de dague de corne dans le cœur et l'autre blessé au ventre. De notre côté, nous n'avons à déplorer que des blessures bénignes, des éraflures, un doigt écrasé, une entaille profonde sur un genou de Solan. Mais le plus réconfortant, c'est que pas un de mes soldats ne m'a trahie, quand certaines de mes consœurs affirment que les couilles-à-masques ont infiltré l'ensemble des domaines. Tous ont combattu avec enthousiasme, conscients qu'ils ne défendaient pas seulement une mathelle ou un territoire, mais leur propre liberté, leur propre souveraineté. Et tous, le lendemain, avaient encore des étoiles dans les yeux. J'avoue que, gangrenée par la paranoïa d'autres mathelles, je nourrissais quelques soupçons sur Andemeur et sur Kal, le premier parce qu'il s'est aigri et fissuré dans ses certitudes, le second parce que son histoire ressemblait diablement à un stratagème mis en place par les couilles-à-masques. Mais leur bravoure, leur ardeur, leur dévotion m'ont apporté le plus cinglant, le plus éclatant des démentis. Si je sais comment me faire pardonner de Kal, j'ignore comment me rapprocher d'Andemeur. Je vous ai confié, me semble-t-il, qu'il avait reçu un coup de pied de yonk au bas-ventre et que, depuis, il était devenu indifférent aux choses du sexe. Mais je ne veux pas vous importuner avec des considérations qui vous sont étrangères, il me revient de trouver le moyen de prouver ma reconnaissance à mon fidèle constant, le père de mes deux premiers enfants et la pierre angulaire de mon mathelle.

Nous avons retiré leur masque aux deux protecteurs tombés sur le champ de bataille. Leur jeunesse m'a épouvantée : l'un, le mort, était encore un enfant de vingt ans, l'autre, le blessé, n'a probablement que cinq ou six ans de plus. Nous avons décidé d'épargner ce dernier, non par pure bonté d'âme – encore qu'il est certainement très éprouvant d'exécuter de sang-froid un adolescent désarmé – mais parce que la présence d'un otage (je n'aime pas ce mot mais je n'en ai pas d'autre à ma disposition...) pourrait revêtir une importance cruciale dans nos futures confrontations. Nous l'avons soigné et enfermé dans une pièce de la maison dont nous tenons la porte fermée à l'aide d'une barre de bois. Il nous toise avec dans les yeux une rage effrayante venue du fin fond de l'amaya. Il serait beau garçon, pourtant, sans cette expression fanatique qui transforme son visage en un masque aiguisé, blessant, encore plus rigide et effrayant que l'autre, celui taillé dans l'écorce. Il ne répond à aucune de nos questions, n'accepte aucune nourriture ni aucun gobelet d'eau. Nous comptons un peu sur la faim et la soif pour qu'il revienne à une attitude plus conciliante, à des sentiments plus humains. Quel pacte signent-ils donc, nos pauvres jeunes gens, pour être à ce point dévorés par la haine ?

Les sœurs séculières, qui passent d'habitude tous les quatre jours au domaine, espacent de plus en plus leurs visites. Quelques mathelles et moi-même envisageons de créer notre propre système de messagers pour correspondre avec les autres domaines et, si vous le souhaitez, avec le conventuel de Chaudeterre. La situation risque de se dégrader rapidement sur les plaines du Triangle, et nous devons à tout prix rompre notre isolement, rester en communication les unes avec les autres, offrir une opposition groupée, cohérente, aux protecteurs des sentiers.

J'ai eu l'occasion de vérifier à plusieurs reprises que les visions de ma fille Zephra nous proposaient des images fidèles de l'avenir. Fidèles, pas nécessairement figées : les chemins du présent ne sont jamais condamnés, et je vous assure, vénérée Qval, que nous devons réagir avec une extrême vigueur si nous ne voulons pas être balayées par les vents de l'oubli.

Ma proposition tient toujours malgré les incertitudes que soulève un voyage à Chaudeterre : je serais très heureuse de vous rencontrer, de vous présenter Zephra, d'envisager avec vous les solutions qui permettraient de résoudre au mieux de nos intérêts cette première grande crise du nouveau monde.

Merilliam.

« Aʜ, voici la petite idiote qui prend un bassin d'eau bouillante pour une baignoire ! » Alma s'avança de trois pas, s'inclina et resta un long moment penchée en avant, autant pour dissimuler son humiliation que pour se donner le temps de préparer sa riposte.

« Ne soyez pas trop sévère avec elle, Zmera, intervint Qval Frana. Je suis convaincue qu'elle deviendra un jour une bonne, une excellente djemale. »

Toujours inclinée, Alma sentit le regard de sa mère la parcourir du haut en bas comme une coulée de glace.

« Vous dites cela pour ménager mon cœur de mère, vénérée Qval, dit Zmera. Ma fille est devenue la risée du conventuel. Bah, on m'a rapporté que Gaella la folle était morte, et il faut bien que Chaudeterre lui trouve une remplaçante ! »

Alma eut enfin le courage de lever les yeux sur la femme qui se tenait assise, non sur le fauteuil de gauche, normalement dévolu à l'usage des visiteuses, mais sur celui de droite, le plus profond, en principe réservé à la responsable du conventuel. Elle ne put s'empêcher de ressentir un petit pincement de joie mauvaise en constatant que Zmera accusait désormais le poids des soucis et des ans. Des mèches grises ternissaient sa chevelure autrefois d'un noir plus profond que les nuits sans satellite. Les rides s'étaient creusées sur son front, autour des yeux, toujours aussi clairs et perçants, et aux coins de sa bouche. L'allure était également plus lourde, épaules affaissées, double menton, cou enfoncé dans les broderies de l'encolure de la robe. Les veines saillaient et les taches brunes fleurissaient sur le dos de ses mains, ces belles et grandes mains qui, Alma l'avait appris à ses dépens, distribuaient les gifles avec une vigueur, une précision et une rapidité étonnantes. Il avait suffi de deux ans au temps, cet inlassable sculpteur, pour faire émerger la vieillarde de la mathelle forte et orgueilleuse, de la reine féconde aux six constants et aux mille soupirants.

« En dehors de cette... mésaventure, Alma s'est révélée une novice appliquée, méritante, reprit Qval Frana. Et, croyez-moi, votre cœur de mère n'a rien à faire là-dedans.

— Mon cœur de mère peut-être pas. Les intérêts du conventuel en revanche...

— Je vous assure que ce genre de considération...

— Allons, vénérée Qval. Vous avez besoin de manne pour nourrir vos pensionnaires, de laine végétale pour les vêtir, de draps et de couvertures pour les coucher, de paille pour bourrer leurs matelas, d'huiles et de savons pour les laver. Vous n'êtes pas seulement une sainte engagée sur le chemin de Djema mais la gérante du conventuel, la mère des centaines de filles et de femmes qui vivent dans ces murs. Vous consacrez une grande partie de votre tâche aux relations avec les domaines fournisseurs, et vous estimez sans doute que vous devez ménager la susceptibilité de leurs mathelles. Pour ce qui me concerne, je vous prie instamment de m'épargner ce genre de duplicité. Je n'ai pas besoin que vous me vantiez les mérites de ma fille en contrepartie de mes livraisons de grain, de laine ou d'huiles végétales. Pas besoin non plus que vous la dispensiez des corvées collectives.

— J'ai seulement estimé que sa constitution physique...

— Sa fragilité n'est qu'apparente, soyez rassurée. Traitez-la en sœur ordinaire, c'est tout ce que je vous demande. Vous m'avez rendu service en l'acceptant dans votre organisation, je m'acquitte de ma part de marché, voilà tout. Alma n'a jamais été une enfant facile, c'est à vous et à vous seule qu'il revient de la corriger si elle persiste à semer le désordre dans le conventuel. Moi, j'ai simplement exprimé le souhait de la saluer avant de me remettre en route. »

Alma se détourna pour dissimuler ses larmes. Sa mère n'était pas venue à Chaudeterre pour la saluer ou s'inquiéter de sa santé, mais pour la punir, pour l'humilier, selon une vieille habitude. Et Qval Frana, en lui racontant sa mésaventure dans la grotte de Djema, lui avait offert sa tête sur un plateau. La façon qu'avaient les deux femmes de parler d'elle comme si elle n'était qu'un sujet de conversation ou une monnaie d'échange parmi d'autres la révulsait, la révoltait. Elle pouvait encore comprendre ce genre de comportement de la part de Zmera qui, ayant choisi le sentier d'Ellula, n'avait pas réussi à entasser tous ses enfants dans son cœur, mais elle était choquée par l'attitude de Qval Frana, une femme parcourant depuis plus de deux siècles la voie de la connaissance, de l'éternel présent.

Les lacets pourtant très fins de sa sandale comprimaient douloureusement son pied gonflé. Deux jours plus tôt, sur les recommandations des belladores, elle avait repris ses activités quotidiennes de novice, croisant en chaque couloir, en chaque pièce des regards sarcastiques, une ironie sous-jacente, insaisissable, nettement plus mortifiante que les moqueries déclarées. Elle ne pouvait pas tenir très longtemps la posture de la porte-du-présent, si bien qu'elle finissait la plupart des séances d'éveil assise contre un mur ou allongée sur la terre battue. Les sœurs instructrices ne lui adressaient aucun reproche, mais elles s'arrangeaient pour lui signifier qu'elle n'avait plus d'existence légitime à leurs yeux, comme si, en plongeant les pieds dans l'eau bouillante du bassin, elle avait trahi leur confiance.

« Ne reste pas figée comme un yonk, Alma ! Tu n'as donc rien à me dire ? »

Zmera se leva, défroissa sa robe d'une couleur vert sombre qui tirait sur le gris et s'approcha de sa fille. Elle portait comme d'habitude des bottines à semelles épaisses et renforcées de pièces de corne qui claquaient sur les dalles de pierre de la réception.

« Tu n'as jamais rien eu à dire, n'est-ce pas ? poursuivit-elle en tournant autour d'Alma qu'elle dominait d'une tête comme un grand nanzier autour d'un pain de manne. Même petite, elle ne pleurait jamais, vénérée Qval. Heureusement que je n'attendais pas ses réclamations pour lui présenter le sein. »

Alma reconnaissait maintenant, sous les essences de cluette et d'onis, l'odeur de sa mère, une odeur acide, assez légère au premier abord, entêtante par la suite. Une odeur synonyme de vexations ou de brimades.

« Je préfère garder mes impressions pour moi, mère », dit-elle d'une voix sourde, à peine audible.

Zmera avança à l'intérieur des colonnes de lumière qui tombaient des lucarnes obliques et s'entrecroisaient au milieu de la pièce et, les bras écartés, les paumes tournées vers le haut, s'immobilisa en face de Qval Frana.

« Un miracle s'est produit dans votre conventuel, vénérée Qval : ma cinquième fille parle !

— Un deuxième a suivi : mon unique mère s'en est rendu compte ! » répliqua Alma.

Elle se mordit l'intérieur des joues, abasourdie par sa propre audace, crispée dans l'attente de la gifle. Qval Frana s'agita sur son fauteuil, mal à l'aise. Comme l'avait affirmé Zmera quelques instants plus tôt, elle était également et surtout la nourricière des centaines de sœurs logées dans l'enceinte de Chaudeterre, et elle allait souvent à l'encontre de ses propres sentiments pour entretenir de bonnes relations avec les mathelles.

« Petite... » Les yeux exorbités, Zmera avait pivoté sur elle-même, comme piquée par une éclipte dorée. Elle se ressaisit et, tandis que ses lèvres se retroussaient en un sourire vénéneux, ses bras retombèrent le long de son corps. « Tu crois sans doute que j'ai du temps à perdre à écouter tes...

— Je comprends que vous soyez pressée, coupa Alma. On raconte que les protecteurs des sentiers ont attaqué certains domaines. Vous craignez tellement de perdre votre pouvoir que... »

La gifle claqua cette fois, avec une telle force qu'Alma partit en arrière et faillit perdre l'équilibre.

« Elle vient tout juste de sortir de convalescence, intervint Qval Frana avec une mollesse méprisable. Vous ne devriez pas la brutaliser de la sorte.

— Nous les mères, nous essayons de sauver l'héritage de l'*Estérion*, et elle me parle de pouvoir ! » gronda Zmera.

Alma avait la joue en feu et le goût du sang à la bouche, mais le choc avait effacé le complexe d'infériorité des instants précédents et déclenché une colère sourde, froide, parfaitement contrôlée.

« D'où sont issus tous ces hommes, les protecteurs des sentiers, sinon de ventres maternels ? cracha-t-elle avec hargne. Qui les a éduqués sinon leurs mères ? Se montreraient-ils aussi violents, aussi radicaux, s'ils avaient reçu leur content d'amour maternel ? »

Toute trace d'agressivité avait disparu du regard de Zmera lorsqu'il tomba à nouveau sur sa fille. On y lisait de la perplexité, voire un début d'étonnement.

« Ils ont reçu toute l'affection que leurs mères ont pu leur donner.

— Vous parlez du cœur des mères comme s'il était infini. Or Djema nous apprend que seul le présent est infini. Êtes-vous sûre, ma mère, d'avoir donné à vos enfants toute l'affection qu'ils vous réclamaient ? Êtes-vous sûre que certains de vos fils ne se sont pas engagés dans les rangs des protecteurs des sentiers ?

— Une idée de folle ! vitupéra Zmera. Alma la folle !

— Alma la fumée, Alma la sèche, Alma la fille du volage que vous regrettez d'avoir accueilli dans votre lit ! Alma le fruit pourri de vos amours honnies, votre honte, votre fardeau ! Alma qui sort de votre ventre et restera jusqu'à la mort votre enfant, que vous le vouliez ou non ! »

L'espace d'un instant, Qval Frana, clouée à son fauteuil par la violence de l'échange, crut que la mère et la fille allaient se précipiter l'une contre l'autre, mais elles se défièrent du regard en silence, séparées par une distance de deux pas qui, en cet instant, avait la largeur d'un gouffre. Comme soufflées par la fureur des deux femmes, les colonnes de lumière s'étaient évanouies et avaient laissé la place à une grisaille uniforme, assortie au blanc cassé des murs et au gris-bleu des dalles.

La responsable du conventuel vit par une lucarne des nuages bas et noirs s'amonceler au-dessus des bâtiments. Un orage d'une puissance phénoménale avait éclaté la veille au début de la nuit, brisant une dizaine d'arbres du verger, endommageant une partie des toits, détruisant l'enclos des nanziers, dont trois avaient été retrouvés écrasés sous des pierres et deux noyés dans la réserve d'eau potable. Les ruissellements avaient entraîné des coulées de rochers et de boue qui s'étaient échouées au pied des murs et avaient débordé dans les allées. Même si les orages étaient des manifestations de l'éternel présent, elle pria les enfants-dieux de l'arche qu'il n'en vînt pas un autre avant que les réparations et les opérations de nettoyage ne fussent achevées.

« Je n'ai jamais dit à personne, et surtout pas à toi, que je regrettais d'avoir accueilli cet homme dans mon lit, déclara Zmera d'une voix calme.

— Il n'est pas besoin de dire les choses pour les affirmer, répliqua Alma.

— Tu n'as rien compris, idiote ! J'ai regretté... et je regrette encore de l'avoir laissé partir alors que je mourais d'envie de rester avec lui. Notre relation était tellement passionnelle, dévorante, que je délaissais mes enfants, mes constants, mon travail, que le domaine menaçait de péricliter. J'aurais condamné une centaine de personnes à l'errance si j'avais pris la décision de le suivre. »

La tête baissée, les épaules basses, Zmera retourna s'asseoir dans le fauteuil des vénérées Qvals de Chaudeterre. Et à nouveau la vieille femme émergeait en elle, reléguait au second plan la mathelle, la reine séduisante du domaine.

« Tu lui ressembles, et chaque fois que je te voyais, que je te vois, c'est lui que je vois », reprit-elle après un moment de silence.

L'obscurité se déployait dans la pièce, estompait le sol, les murs et le plafond.

« Pourquoi m'avoir caché les vraies raisons ? demanda Alma.

— Tu étais, tu es toujours l'image vivante de mes regrets. Tu parlais de pouvoir tout à l'heure, je lui préfère le mot choix. Nous sommes toutes amenées à faire des choix, mais nos choix à nous, les mères, les mathelles, concernent les fondements mêmes de notre monde. Quand tu es entrée dans cette pièce, tu m'as ramenée au choix douloureux que j'ai dû faire il y a vingt-deux ans et que je continue de regretter aujourd'hui.

— En quoi suis-je responsable de vos regrets ?

— En rien, en effet, mais, comme tu l'as souligné, le cœur des mères n'est pas extensible à l'infini.

— Vous m'avez sacrifiée comme vous l'avez sacrifié. »

Zmera hocha la tête en retirant machinalement quelques-unes des épingles de corne qui maintenaient une partie de son épaisse chevelure serrée sur les côtés et à l'arrière de sa tête.

« Il y a sans doute une certaine légitimité dans ta façon de voir les choses. D'autres préféreraient appeler ça l'ordre invisible d'Ellula ou encore l'éternel présent de Djema.

— Ah, les légendes de l'*Estérion* ! s'exclama Alma. Quelle manne, n'est-ce pas ? On leur fait dire tout ce qu'on veut et son contraire. Je n'attends plus rien de vous, ma mère, je marche sur le sentier de ma propre vie, mais ne vous croyez pas pour autant exemptée de vos responsabilités. »

Elle avait prononcé ces mots avec douceur, avec sérénité presque. La colère était tombée en elle comme un vent paresseux de la saison sèche. Sa mère vivait avec ses propres douleurs, avec ses propres brûlures, ces « cadeaux avisés envoyés par le temps », selon les paroles de Gaella la folle, ces... *contretemps*.

« Vous m'avez traitée de folle...

— J'étais énervée, je ne le pensais pas, se justifia Zmera.

— Ne vous défendez pas. Je le prends comme un compliment. La brûlure à mon pied me confronte chaque instant à mes limites, à mes insuffisances.

Ou plutôt à mes suffisances. Elle me rappelle chaque instant combien je suis loin de l'éternel présent, combien j'ai d'orgueil et de colère en moi, combien je me perçois une, séparée du flot de la création. Écoutez, ma mère, écoutez bien, et vous aussi, vénérée Qval : j'ai fermement l'intention de... »

Des bruits de pas précipités l'interrompirent. Deux jeunes djemales échevelées, essoufflées, maculées de terre, vêtues des robes courtes et sans manches des jardinières, s'engouffrèrent dans la réception sans saluer ni respecter les convenances d'usage.

« J'espère que vous avez de bonnes raisons de nous déranger, fit Qval Frana d'une voix sévère.

— Les protecteurs des sentiers... les protecteurs des sentiers... balbutia une des sœurs, terrorisée.

— Eh bien quoi ?

— Ils arrivent, vénérée Qval ! »

La responsable de Chaudeterre pâlit, ses doigts se crispèrent sur l'accoudoir de son fauteuil.

« Comment ça, ils arrivent ?

— Des dizaines, à moins de deux lieues de nos portes ! »

Une centaine de masques d'écorce et de robes de craine se déployaient sur le plateau pelé qui séparait les collines des bâtiments du conventuel. Une pluie fine noyait les reliefs et donnait aux protecteurs des sentiers l'allure d'une armée d'ombres. Une partie des djemales s'étaient juchées sur le toit du bâtiment principal en compagnie de la vénérée Qval et des plus anciennes de Chaudeterre, dont Qval Anzell, la belladore. Les traits tendus, tremblantes de froid et de peur, elles suivaient la progression du bataillon dont les haches et les masses de pierre accrochaient des éclats de lumière.

« Pensez-vous que nous avons une petite chance de négocier avec eux ? demanda Qval Frana.

— Aucune, vénérée Qval, répondit Zmera. S'ils avaient cherché à négocier, ils auraient envoyé une délégation. Ils n'en ont pas éprouvé le besoin parce qu'ils savent qu'il n'y a pas d'homme à Chaudeterre, qu'ils ne rencontreront aucune opposition.

— Que me conseillez-vous ? »

Zmera secoua avec nervosité sa chevelure détrempée. Elle enrageait visiblement d'avoir été surprise loin de ses terres, loin de la petite troupe qui l'avait escortée et qui peut-être avait elle-même été prise au dépourvu par les couilles-à-masques. La pluie et le vent plaquaient les cheveux sur les nuques, les robes de laine végétale sur les épaules, les poitrines, les dos, les fesses et les jambes. En bas, des sœurs venaient tout juste d'apprendre la nouvelle et couraient, affolées, entre les masses grises des bâtiments, dans les allées du potager et du verger, au milieu des monticules de boue et de pierre abandonnés par l'orage.

Les deux mains accrochées à la barre supérieure du parapet, Alma éprouvait les pires difficultés à rester debout : elle avait, comme les autres, gravi l'escalier quatre à quatre, et il lui semblait à présent qu'elle venait tout juste de retirer son pied du bassin d'eau bouillante.

« Le conventuel ne dispose pas d'une pièce secrète, ou au moins difficile d'accès, où nous pourrions nous enfermer ? » demanda Zmera.

Qval Frana secoua la tête. De ses mèches courtes s'échappèrent des gouttes de pluie qui la nimbèrent d'une auréole fugace.

« La seule solution, c'est de suivre le chemin de Djema, dit soudain Alma. De nous enfuir par le bassin d'eau bouillante. »

Les paroles de Gaella la folle résonnaient en elle et prenaient une dimension nouvelle face à la menace qui se présentait sur le plateau. Elles cessaient d'être des mots, des concepts, pour revêtir une réalité tangible, pour se changer en certitudes, comme si les distances s'étaient soudain abolies entre le son et le sens.

Une dizaine de regards chargés de réprobation se tournèrent dans sa direction.

« Ta mère avait raison : tu es folle ! glapit Qval Frana.

— C'est le moment ou jamais de savoir si la porte-du-présent ouvre sur l'autre dimension, continua Alma. Si nous sommes réellement prêtes à entendre le chant du Qval...

— Ceci n'est pas une plaisanterie, Alma, lâcha Zmera entre ses lèvres bleuies par le froid. Ces hommes viennent ici dans l'intention de violer, de tuer.

— Les séculières et d'anciennes djemales m'avaient avertie, mais je n'en ai pas tenu compte, gémit Qval Frana. J'ai toujours pensé que Djema nous épargnerait ce genre d'épreuve.

— Djema n'est pas une déesse et l'épreuve fait partie de notre présent », dit Alma.

Qval Frana lui décocha un coup d'œil venimeux. Les gouttes d'eau ruisselaient sur sa face hachée et livide comme sur une terre dure, desséchée.

« Reprenez votre fille, Zmera, et allez toutes les deux au diable, vous avec vos livraisons, elle avec ses insolences ! »

Zmera accusa le coup d'un tassement du buste comme si elle avait été frappée au ventre, puis elle reprit son souffle, se redressa et toisa la responsable de Chaudeterre.

« Pas la peine d'aller au diable, c'est lui qui vient à nous, vénérée Qval. Mais, si vous connaissez un moyen de nous sortir de cette situation, je vous débarrasserai volontiers de ma fille. Ou plutôt, je la débarrasserai de vous. Elle n'a pas grand-chose à faire au milieu de femmes qui prétendent se dévouer à la puissance infinie du présent et qui tremblent comme des feuilles de jaule devant une misérable poignée de couilles-à-masques. »

Ce fut au tour de Qval Frana de fléchir sous l'attaque. L'espace de quelques instants, Alma crut que la vieille femme, accablée, épouvantée, allait enjamber la rambarde et se jeter dans le vide. Les protecteurs des sentiers gravissaient maintenant le monticule qui, déposé par la traînée de boue de la veille, traversait le plateau sur toute sa largeur.

« Cette misérable poignée, comme vous dites, est constituée d'hommes armés, finit-elle par murmurer d'une voix lasse. Qu'avons-nous à leur opposer ? La force ? Ils nous balaieraient comme des fétus de manne.

— Feignez de leur donner ce qu'ils viennent chercher, avança Zmera.

— Encore faudrait-il savoir ce qu'ils...

— Ce sont des hommes, des animaux sauvages. Et la nature nous a dotées, nous les femmes, de tous les atouts pour les apprivoiser. »

Qval Frana fixa la mathelle d'un air offusqué.

« Ai-je bien compris que vous me suggérez d'offrir mes sœurs à la concupiscence de ces monstres ?

— Ils les prendront de toute façon. Autant que vous restiez les maîtresses du jeu. C'est la seule façon d'éviter le massacre. »

Les protecteurs des sentiers avaient accéléré l'allure après le franchissement de l'obstacle de boue. Ils ne tarderaient plus maintenant à atteindre le conventuel. Les djemales avaient fermé le grand portail de bois de l'entrée principale, mais, même si elles avaient réussi à glisser les trois grosses barres de bois dans leurs supports respectifs, même si elles avaient calé les vantaux avec des pierres, les constructions présentaient un peu partout des failles, des passages. Chaudeterre n'avait pas été conçu dans l'optique de soutenir un siège mais pour résister au mieux aux offensives parfois virulentes des vents et des averses de cristaux de glace de l'hivernage. Les assaillants trouveraient rapidement le moyen de s'introduire dans les bâtiments, soit en se faufilant par les ouvertures qui, à certains endroits, n'exigeaient qu'une brève escalade, soit en se glissant dans les bouches d'aération, soit en exploitant les brèches mal rebouchées du mur qui longeait l'enclos des nanziers.

« Alma n'a pas tout à fait tort, fit soudain Qval Anzell. Nous avons la possibilité de nous réfugier dans le labyrinthe qui mène à la grotte de Djema. Nous ne sommes qu'une poignée à connaître le passage. Les protecteurs des sentiers ne pourront pas nous suivre.

— Ils n'en auront pas besoin, objecta Zmera. Il leur suffira de nous attendre à la sortie. »

D'un geste impatient, la belladore écarta les mèches collées à son front, ses tempes et ses joues.

« Ils ne connaissent pas l'existence de ce labyrinthe. Si nous agissons vite, si nous effaçons nos traces, ils ne devineront pas où nous sommes passées. Prenons des vivres et de l'eau. Lorsqu'ils en auront assez d'attendre, il ne leur restera plus qu'à lever le camp.

— Risqué, dit Zmera. Nous prenons le pari de leur stupidité. Nous n'aurons aucune possibilité de nous échapper au cas où les choses ne tourneraient pas comme...

— Il suffit ! coupa Qval Frana. La suggestion de Qval Anzell me paraît la plus judicieuse. Nous avons perdu assez de temps. »

Le labyrinthe souterrain s'ouvrait dans les soussols du bâtiment principal. Il ne s'agissait pas d'une véritable entrée d'ailleurs, mais d'une inclinaison progressive du terrain qui s'enfonçait dans une forêt de stalagmites consolidées avec des roches et se resserrait peu à peu jusqu'à prendre la forme d'un tunnel. Les six cents djemales du conventuel de Chaudeterre s'y engouffrèrent après avoir entassé des pains de manne, des gâteaux, des morceaux de viande fumée, des fruits et des légumes secs dans de grands sacs en laine végétale. Après, également, avoir rempli des dizaines de cruches et d'autres récipients d'une eau directement puisée dans la réserve extérieure d'où on avait retiré le matin même les deux cadavres des nanziers.

La vitesse à laquelle les djemales s'étaient organisées avait sidéré Alma. C'était comme si, tout à coup, un seul cœur s'était mis à battre, comme si chaque sœur, chaque novice était devenue la cellule d'un même et grand corps. Le voisinage de la mort, l'instinct de survie avaient dissipé l'inertie qui régnait habituellement sur le conventuel. Les rancœurs, les jalousies, les mesquineries, les querelles s'étaient tues devant l'urgence de la situation.

Devant le présent.

Elle ne se tenait pas dans les séances d'éveil, la puissance infinie du présent, ni dans les interprétations plus ou moins absconses de l'enseignement de Qval Djema, mais dans cette conscience aiguë de chaque geste, de chaque instant, dans ce creuset primordial, fondamental, où se fondaient la vie et la mort. Les djemales s'étaient réparti les tâches sans un mot ni un geste superflu, sans un grincement ni un soupir, avec cette seule idée que leur survie reposait entièrement sur leur efficacité, sur leur harmonie. Alma elle-même avait rejoint l'un des groupes qui remplissaient les sacs de pains et de gâteaux de manne. Aucune ironie dans les regards qui l'avaient accueillie, mais une sérénité grave qui traduisait une adaptation, une ouverture totales aux contraintes du moment.

De même, le départ vers le labyrinthe souterrain s'était effectué sans précipitation ni bousculade, chacune venant naturellement occuper sa place dans le flot limpide qui s'écoulait vers les profondeurs de la terre. Les unes portaient les sacs, d'autres les cruches, d'autres encore des couvertures, des robes de rechange ou les fioles des belladores.

Juste avant de refermer et de condamner la porte qui donnait sur les sous-sols, deux sœurs avaient pris le temps d'observer la progression des protecteurs des sentiers : ils avaient pratiquement opéré la jonction, mais pas un d'entre eux ne s'était encore introduit dans le conventuel. Ils ne pourraient donc pas deviner où s'étaient retirées les habitantes des lieux et, ainsi que l'avait estimé Qval Anzell, ils s'en iraient selon toute probabilité au bout de deux ou trois jours de désœuvrement. Il suffirait ensuite d'envoyer quelques sœurs en reconnaissance pour organiser le retour de l'ensemble des djemales dans les bâtiments. Il conviendrait enfin de dresser un véritable rempart autour de Chaudeterre, de contacter les mathelles afin de recruter une armée commune, puis de trouver le moyen de démanteler l'organisation des protecteurs des sentiers.

Alma boitait bas et rencontrait des difficultés grandissantes à se maintenir dans l'allure. Elle avait perdu de vue la silhouette de sa mère depuis un bon moment. Certaines djemales de l'arrière-garde l'avaient rattrapée et dépassée sans lui accorder la moindre attention, mais elle apercevait derrière elle des lueurs mouvantes et rassurantes de solarines. Des bouches sombres s'ouvraient sur les parois de la galerie, les multiples entrées d'un labyrinthe dont on disait qu'il avait égaré un grand nombre de sœurs depuis la fondation du conventuel. Une odeur de soufre, encore peu prononcée, se diffusait dans l'air tiède.

Alma souffrait le martyre à chacune de ses foulées. Elle éprouva le besoin de souffler, de reposer son pied. Cinq ou six djemales filèrent à toute allure devant elle, l'obscurité absorba progressivement les lueurs de leurs solarines, les claquements de leurs pas décrurent dans le silence profond de la galerie.

Alma était désormais attardée, perdue, souffrante, sans ressource et sans lumière dans le dédale souterrain de Chaudeterre. Elle aurait dû crier, appeler au secours, mais son orgueil le lui interdisait, elle ne voulait pas donner à sa mère l'impression de mendier de l'aide.

Elle s'assit contre la paroi, délaça sa sandale et souffla sur son pied enflammé. Elle n'entendait plus d'autre bruit que des écoulements, des clapotis et les grondements lointains des geysers d'eau bouillante. Alors elle se mit à l'écoute du présent de tout son corps, de tout son esprit, et elle perçut dans les ténèbres une force à l'œuvre qui était peut-être la mort.

CHAPITRE XI

VENTRESECS

Elleo fait partie des hommes qui sont allés pendant quelques jours prêter main-forte aux permanents d'un mathelle inondé par une crue soudaine de la rivière Abondance. De violents orages ont éclaté en cette fin de saison sèche et provoqué de nombreux dégâts dans les domaines, y compris celui de notre mère. Mais nous avons été moins touchés que d'autres, et Sgen, toujours attentive, toujours généreuse, a envoyé quelques-uns de ses hommes et une part de ses récoltes chez ses consœurs en difficulté.

Je l'ai d'abord maudite de m'avoir enlevé Elleo (je la soupçonne de nous avoir surpris lors d'une étreinte et d'avoir saisi ce prétexte pour l'éloigner de moi), puis, passée cette première réaction de colère, je me suis résignée, mieux, je me suis ressaisie, et je compte tirer profit de son absence pour combler le retard accumulé dans la rédaction de mon journal. J'ai l'impression que mon maître Artien me regarde d'un œil sévère depuis son paradis monoclonal. Il se consacrait avec une telle intransigeance à la danse de la plume qu'il ne tolère sûrement pas les disciples velléitaires de mon espèce. D'un autre côté, s'il reconnaît avoir éprouvé un désir un peu fou et lointain pour Ellula, il n'a jamais vraiment connu l'état amoureux, ce chavirement de la raison et des sens, ce feu sublime qui dévore le cœur et le corps. Il n'a jamais connu, et encore moins en tant que mâle – ou en tant que copie biologique mâle –, ce frémissement ineffable de la chair, cette offrande profonde, troublante à l'envahisseur, au conquérant, cette dépossession magnifique qui, parce qu'elle brise les limites individuelles, parce qu'elle efface la conscience du moi, étend aux dimensions du cosmos.

En théorie, il ne devrait pas y avoir de descendants d'enfants de l'éprouvette dans la population du nouveau monde. Artien estime que les clones souffrent d'insuffisances génétiques et sont incapables de procréer. Il cite en exemple les serpensecs, ces redoutables tueurs issus du laboratoire du moncle Gardy qui, fort heureusement pour les passagers du vaisseau (fort heureusement pour nous par conséquent), ne purent se reproduire et, à de rares exceptions près, furent exterminés tous en même temps par Lœllo et le grand Ab. Mais il s'agissait de reptiles, rien ne prouve que cela se soit passé de la même façon pour les êtres humains. Peut-être suis-je moi-même une lointaine héritière de l'éprouvette (ce mot m'a longtemps posé problème, j'ai fini par m'imaginer une sorte de matrice transparente fabriquée dans un matériau semblable aux éclats des fenêtres du vaisseau des origines), ce qui donnerait un éclairage nouveau, intéressant, à mon tempérament parfois... incohérent, inexplicable. Peut-être mes gènes gardent-ils les traces de cette conception artificielle, me poussent-ils à reculer sans cesse les limites de ce matériau dans lequel mon ancêtre fut conçu ? Peut-être m'ont-ils entraînée sur la piste des écrits du moncle Artien, m'ont-ils incitée à poursuivre son œuvre ?

Tes divagations ressemblent fort à la recherche inconsciente d'une relation père-fille à travers le temps, Lahiva filia Sgen : il n'y a pratiquement aucune chance que tu sois la descendante d'un clone, encore moins d'un moncle, et encore moins du moncle Artien. Tu ne trouveras pas de justification à tes errements présents dans un passé recomposé, fantasmé. Tu manies la provocation comme une arme, mais, en réalité, tu cherches sans cesse à te disculper, à légitimer ta place dans ce monde qui, parce qu'il sombre dans la convention, ne te reconnaît pas. Tu ne t'acceptes pas, Lahiva filia Sgen, voilà la vérité, tu essaies de te nier, de te salir à travers les maux et les mots. Et l'écriture, cette chère écriture que tu négliges avec l'impudente insouciance des fantasques, n'est pas qu'un passage de témoin entre deux époques, mais une tentative désespérée d'explorer tes mécanismes secrets, de dévoiler la fleur noire qui te ronge, de dénuder tes monstres intimes. La grande différence entre le grand Ab et toi (mais non, mais non, rien ne prouve non plus que tu descendes en droite ligne du grand Ab...), c'est justement l'extraordinaire capacité qu'avait l'ancien détenu de Dœq à vivre en compagnie de ses monstres. Contemple-les maintenant, Lahiva, contemple tes colères, tes frustrations, tes mépris, tes haines, tes mesquineries, comprends qu'ils t'appartiennent au même titre que tes cheveux et ton corps, comprends qu'ils ne sont ni bons ni mauvais, mais que, si tu refuses de les apprivoiser, de les dompter, ils finiront par te dévorer comme ils ont dévoré les habitants d'Ester, comme ils ont dévoré Eshan, le jeune Kropte fou d'amour pour Ellula.

Une parenthèse à propos d'Eshan : je me demande s'il n'a pas donné son nom à un sentier, le chemin d'Eshan ou... le chemin des chanes. L'orthographe n'est pas la même, mais la sonorité, elle, reste identique, et personne n'a encore trouvé d'explication satisfaisante à l'origine du mot « chane ». Si j'en crois le moncle Artien, le jeune Eshan aurait choisi de se confier au vide plutôt que de prolonger une existence accablée par les remords. Nos ascendants se seraient-ils servis de son nom pour symboliser le dernier passage, le chemin de la mort ?

J'avais une nouvelle fois l'intention d'évoquer le peuple de l'Agauer, mais mes propres démons... pardon, mes monstres intimes se sont emparés de ma volonté, de mon bras et de ma plume. Elleo, mes monstres intimes : je suis décidément vouée à la dépossession. Quand donc me déciderai-je à exister par moi-même, à trancher les amarres, à voguer dans le silence enfin restauré de mon corps et de mon esprit, libre des désirs et des regrets, emplie du chant ineffable de l'univers, ce chant dont je perçois les échos lointains mais que je ne prends jamais le temps d'écouter ?

Un peu de volonté ! Le peuple de l'Agauer, donc.

Dans sa dernière page d'écriture, juste avant sa mort, Artien évoque un deuxième vaisseau, l'Agauer, parti d'Ester trois siècles après l'Estérion, transportant cinq cents passagers, Kroptes, mentalistes et Qvals (une nouvelle preuve, si besoin est, de l'existence réelle de ces êtres légendaires). J'ai interrogé quelques hommes et femmes parmi nos plus anciens : pour eux, l'Agauer évoque le mythe des magiciens qui viendront un jour sur le nouveau monde nous offrir le bonheur éternel. Ils atterriront selon eux à l'est du Triangle, de l'autre côté de la barrière montagneuse qui porte déjà le nom de leur arche. Mais ils ne se manifesteront aux descendants de l'Estérion que si ces derniers se montrent dignes de les recevoir, ou ils repartiront dans l'espace et apporteront leur magie à d'autres mondes, à d'autres peuples. J'ai demandé aux anciens ce qu'à leurs yeux signifiait l'expression « dignes de les recevoir ». Ils m'ont répondu que nous ne devions à aucun prix sortir des sept chemins d'évolution défri-

chés par les héros de l'Estérion. Qu'un seul d'entre nous s'en écarte, et c'est toute la population du nouveau monde qui en subira les conséquences. Je ne leur ai pas parlé de ma relation avec mon frère, mais je suppose qu'elle fait précisément partie de ces écarts qu'ils stigmatisent avec une grande véhémence. Je ne leur ai pas non plus révélé que, selon toute vraisemblance, l'Agauer s'était posé sur le nouveau monde depuis plus de quatre siècles (j'espère ne pas m'être trompée dans la conversion des temps : je n'ai pas très bien saisi cette différence entre le temps des vaisseaux et le temps d'Ester, et les précisions d'Artien sur le « voleur de temps » n'ont pas franchement éclairé ma lanterne).

Quoi qu'il en soit, si l'Agauer n'a pas rencontré de difficultés techniques insurmontables, il y a de fortes probabilités que nous ne soyons pas les seuls habitants humains du nouveau monde. Je ne vois rien d'étonnant au fait que les deux populations ne se sont pas encore rencontrées : notre vaste planète compte sans doute plusieurs continents séparés par des eaux plus ou moins difficiles à franchir. En outre, si les descendants des passagers de l'Agauer se sont comme nous consacrés à consolider les fondations de leur société naissante, ils n'ont pas pris le temps d'aller à la découverte de leur environnement plus lointain. Je serais curieuse néanmoins de savoir dans quelle direction ils ont évolué, de connaître leurs croyances et leurs mythes. Parlent-ils le même langage que nous ? Mangent-ils les mêmes aliments que nous ? Se sont-ils comme nous organisés autour des axes fertiles des femmes, autour des mères ? Ont-ils subi le même déclin technologique que nous (oui, sans doute, ou nous aurions déjà entendu parler d'eux) ?

Je serai probablement morte avant de recevoir les réponses à ces questions. Si la nature m'avait faite

homme, je crois que je serais partie à leur rencontre...
Mais, pauvre idiote, tu la tiens, ta solution ! Il te suffit
de persuader Elleo de se lancer dans l'aventure en
lui montrant au besoin le journal du moncle Artien.
Vous n'y trouveriez que des avantages : non seule-
ment vous auriez la possibilité de renouer les liens
entre deux peuples issus d'un passé commun, mais
vous pourriez vous aimer en toute impunité, en toute
liberté, sur les étendues vierges du nouveau monde,
vous mèneriez une existence exaltante, bien loin de
la routine abrutissante du mathelle.

Le temps va désormais me paraître encore plus
long jusqu'au retour d'Elleo. Ce n'est plus seulement
mes mains, mes lèvres, mon ventre qui l'attendent
avec impatience, mais un avenir enthousiasmant,
glorieux. Pourvu que je ne flanche pas au moment
de défricher notre nouveau chemin. J'ai ressenti des
nausées toute la journée d'hier et ce matin à mon
réveil. Je les ai imputées à l'absence d'Elleo et j'ai
tenté de les soustraire à la vigilance maternelle, mais
Sgen m'épie avec dans l'œil une lueur que je n'aime
guère.

Extrait du journal de Lahiva filia Sgen.

Orchéron observa les hommes et les femmes rassemblés autour du feu, des ventresecs sans aucun
doute. Orchale en recevait de temps à autre au
domaine, principalement aux périodes des moissons et des cueillettes de fruits. Grossissant les rangs
des permanents et des journaliers, ils travaillaient en
contrepartie de trois repas par jour, d'un bain heb-
domadaire et de quelques heures de sommeil sur la
paille des silos.

Ceux-là étaient une vingtaine, assis autour d'un grand feu où rôtissaient des quartiers de yonk, à l'intérieur d'un cercle d'abris de peau bas et semi-sphériques. Non loin, à demi dissimulés par les herbes, des hommes, des femmes et des enfants se baignaient dans une mare scintillante abandonnée par les orages des jours précédents. En arrière-plan se dressaient les formes dentelées et sombres de la chaîne montagneuse de l'Agauer.

Proche, si proche qu'Orchéron en eut le vertige.

« On s'est perdu ? »

Orchéron sursauta. Une jeune femme s'était approchée dans son dos sans faire de bruit, vêtue d'une robe ajourée qui ne dissimulait pratiquement rien de son corps.

Perdu ? Bien plus que ça ! Il était incapable de dire ce qu'il faisait au beau milieu de la plaine. Ses souvenirs s'arrêtaient à l'instant précis où il voyait les protecteurs des sentiers surgir d'un abri souterrain et, aspergés par la lumière des éclairs et des solarines, se déployer au pied de la colline de l'Ellab. Il avait repris connaissance quelques instants plus tôt, en plein jour, marchant au milieu des herbes dans la direction de l'est. Entre les deux, c'était le trou noir, le néant, un gouffre trop large et trop profond pour pouvoir être exploré.

« Tu es un... lakcha de chasse ? »

Il secoua lentement la tête tout en examinant son interlocutrice. Ses cheveux clairs, ondulants, blonds par endroits, encadraient un visage hâlé volontaire. Ses yeux d'un brun foncé tirant sur le noir le scrutaient avec sous le vernis de méfiance un soupçon d'impertinence. Elle irradiait une énergie qui reléguait l'irrégularité, la grossièreté de ses traits au second plan.

« Alors qu'est-ce que tu fais là ?

— Je... j'ai l'intention d'explorer le Triangle »,
répondit Orchéron.

La femme le fixa avec une attention redoublée, le
front et les paupières plissés, comme si elle essayait
de voir au travers de son crâne.

« Tu as plutôt la tête de quelqu'un qui fuit, dit-elle
sans le quitter des yeux. Quelqu'un que la mort pour-
suit... »

Troublé, il détourna la tête pour échapper à
l'extraordinaire emprise de ce regard.

« La femme que j'aimais, bredouilla-t-il. Les
umbres l'ont enlevée.

— Les négentes ne sont pas les envoyés de la
mort.

— Les négentes ?

— C'est le nom que les ventresecs donnent aux
umbres.

— S'ils ne sont pas les envoyés de la mort, où sont
passés les corps de ceux qu'ils enlèvent ? »

Elle eut le sourire indulgent d'une mère face à
l'ignorance de son enfant.

« Dans les mondes de la neutralité, du non-désir,
de la non-souffrance. Les négentes enlèvent les plus
faibles d'entre nous pour leur éviter des peines inutiles. Ils ramèneront celle que tu aimes quand les
temps seront venus de la réunion, de la fusion.

— Je serai probablement mort d'ici là.

— Quelle importance ? Ceux qui ont reçu une
belle vie n'emportent pas de regrets avec eux. »

Elle le prit par la main et l'entraîna en direction du
feu. L'odeur de viande grillée aiguisa son appétit.
Quelques instants plus tôt, il avait voulu saisir l'un
des gâteaux d'Orchale dans sa besace, mais ils
étaient tous moisis, immangeables, comme si, malgré l'action conservatrice du sucre des fruits, ils
avaient subi une décomposition accélérée.

« Viens manger avec nous, dit la jeune femme. Nous les ventresecs, nous partageons tout, la nourriture, l'air, l'eau, la terre, les plaisirs, les joies et les chagrins. »

Elle s'appelait Ezlinn et était l'une des douze femmes du clan, qui comptait également seize hommes et une dizaine d'enfants. Ils n'avaient manifesté ni approbation ni agrément lorsqu'elle leur avait présenté Orchéron, ils avaient simplement salué l'invité d'un petit mouvement de tête ou d'un clin d'œil et lui avaient tendu un morceau de viande ainsi qu'une gourde d'eau.

Les errants partageaient tout, c'était une règle fondamentale. Chaque enfant considérait chaque adulte comme son père et sa mère, et chaque autre enfant comme son frère ou sa sœur. Cependant, Ezlinn expliqua à Orchéron que les femmes ventresecs veillaient à ne jamais être fécondées par les hommes de leur clan afin d'éviter la consanguinité et l'affaiblissement de leurs lignées. Lorsqu'elles estimaient que le temps était venu d'avoir un enfant, elles s'en allaient à la recherche d'un géniteur, soit parmi les autres errants, soit parmi les permanents des domaines.

« Mais jamais chez les lakchas de chasse ! Eux sont les amayas des enfers, les envoyés de la mort.

— Pourtant, il a bien fallu que vous égorgiez ce yonk, objecta Orchéron en désignant les quartiers de viande qui continuaient de griller sur leurs broches de bois imbibées d'eau.

— Nous ne l'avons pas tué. Il est venu mourir devant nous, s'offrir à nous. »

Assis dans l'herbe encore gorgée d'humidité, Orchéron commençait à se détendre. Les permanents des domaines ne connaissaient pratiquement rien des ventresecs, qu'on n'invitait jamais aux banquets de fin de moisson ou de cueillette. Des rumeurs circulaient à leur propos, qui les dépeignaient tantôt comme des êtres futiles, parasites, paresseux, malveillants, tantôt comme des fanatiques qui interprétaient de manière totalement erronée les légendes de l'*Estérion*. On ne s'intéressait pas, par exemple, à la façon qu'ils avaient de prévenir les incursions des umbres, eux qui passaient toute leur vie dans les plaines du Triangle sans autre refuge que leurs précaires abris de peau.

« Comment... comment des femmes peuvent-elles décider que le temps est venu d'avoir un enfant ? demanda Orchéron.

— Nous apprenons très tôt à écouter nos corps, répondit Ezlinn. Nous pouvons être couvertes sans danger la plupart du temps. Mais, quelques jours par cycle, il nous faut nous abstenir ou bien trouver un reproducteur extérieur au clan. Et si possible un beau. »

Elle souligna son propos d'un regard égrillard qui le mit mal à l'aise et qui déclencha les rires des autres membres du clan. Certains d'entre eux, hommes ou femmes, n'avaient pas jugé nécessaire de se rhabiller à l'issue de leur baignade dans la mare. Des gouttes d'eau scintillaient sur leurs corps bruns, maigres pour la plupart.

« Où vous réfugiez-vous pendant l'amaya de glace ?

— Les plaines offrent de multiples ressources à qui les connaît, dit Ezlinn. On trouve sous les herbes une infinité de grottes et de sources d'eau chaude. Nos mères ventresecs n'ont jamais manqué du nécessaire, ni dans l'arche, ni sur l'ancien monde ni sur le nouveau. Même lorsque les Kroptes leur ont crevé les yeux.

— Pourquoi vous êtes-vous engagés sur le chemin des ventresecs ? »

Ezlinn posa son morceau de viande sur le sol, se rapprocha de lui, lui plaqua sa main sur le sommet du crâne, lui enfonça ses doigts dans les cheveux et, d'un mouvement pivotant du poignet, le contraignit à regarder dans toutes les directions.

« Qu'est-ce que tu vois autour de toi ?

— L'herbe jaune de la plaine, répondit-il après un instant d'hésitation.

— Pour les permanents des domaines, cette herbe est synonyme de terres à défricher, à conquérir, mais elle a pour nous la couleur et l'odeur de la liberté. Les mathelles ont délimité leurs territoires, nos territoires à nous n'ont ni limites ni frontières.

— Des ventresecs se présentaient pourtant au domaine de ma mère Orchale pour y travailler... »

Elle se pencha sur lui tout en lui maintenant sa main plaquée sur la tête. Il respira une bouffée de son odeur, âpre, musquée, imprégnée d'essences végétales.

« Parfois c'est pour nous une solution de facilité que de louer nos bras aux domaines, dit-elle d'une voix basse vibrante. Mais nous ne sacrifions pas pour autant notre liberté. Et puis cela permet à nos femmes de faire des rencontres. À nos hommes également : tu serais surpris par le nombre de mathelles ou de permanentes qui invitent les errants dans leur chambre. Comme nos ancêtres, nous sommes les indispensables souffles d'air dans les espaces confinés. »

Les cris et les rires des enfants qui s'éclaboussaient dans la mare dominaient par instants le friselis persistant des herbes. Bien que Jael fût encore haut dans le ciel, des courants frais se faufilaient dans la tiédeur mollissante du jour et la chaleur radiante des braises. Venus des cimes de l'Agauer, des vents de plus en plus froids balaieraient le Triangle jusqu'aux premières averses de cristaux de glace.

Ezlinn lâcha Orchéron et revint s'asseoir à sa place. Les autres le regardaient comme un animal curieux, les femmes surtout, intriguées ou attirées par son physique imposant. Il remarqua alors qu'il n'y avait pas d'anciens parmi eux, que les plus âgés n'avaient sans doute pas dépassé les cent ans.

Il ressentit soudain dans la poitrine une infime piqûre, comme une épingle de corne lui perforant le cœur. Il s'agrippa aux herbes, à la terre, pour contenir ses tremblements et ne pas basculer en arrière. La douleur se propagea rapidement vers son bassin et son crâne, s'enroula comme une plante vénéneuse autour de ses membres, autour de ses os. En lui monta une colère noire, terrible, une envie terrifiante d'éteindre chaque étincelle de vie sur ce monde, de répandre le néant autour de lui. Il plongea la main dans la poche de son pantalon et empoigna le manche de son couteau de corne

« Qu'est-ce qui se passe ? Tu es devenu tout... »

Il interrompit Ezlinn d'un regard à la fois autoritaire et implorant.

« Une crise. Éloignez-vous vite... par pitié... »

Dominé par la souffrance, incapable de se contenir, il se releva, dégagea son couteau, déplia la lame et, donnant des coups rageurs et circulaires devant lui, s'avança vers les silhouettes brunes qui s'évanouissaient dans les herbes. Titubant, hurlant, il marcha et frappa sans savoir où le portaient ses pas, aveuglé par la fureur, harcelé par les insaisissables lames qui lui tailladaient les nerfs. Il crut se rendre compte que les errants s'étaient dispersés comme des balles de manne aux premiers vents et, dans les tréfonds de sa conscience, il en éprouva un immense soulagement. Il s'acharna sur les herbes et sur la terre jusqu'à ce que ses forces l'abandonnent et qu'il s'affaisse de tout son long sur le sol en poussant un pitoyable gémissement.

Que s'était-il passé entre le moment où les couilles-à-masques se rassemblaient au pied de l'Ellab et celui où il avait repris connaissance sur la plaine ? La question surgissait sans cesse d'un recoin de sa mémoire. Il en retirait l'impression que du temps lui avait été dérobé, et que ce n'était pas la première fois. Il avait huit ans, peut-être neuf, lorsque les couilles-à-masques les avaient traînés, sa mère et lui, sur la colline de l'Ellab, onze environ lorsque Aïron l'avait recueilli sur le bord de la rivière Abondance. Il s'était donc passé deux ou trois ans dans l'intervalle, deux ou trois ans que sa mémoire semblait avoir purement et simplement escamotés comme la poignée de jours qui venaient de s'écouler à son insu.

Des frissonnements agitèrent les peaux cousues, liées à une armature de branches souples et entre-croisées. Ezlinn écarta les tentures de l'ouverture, s'introduisit dans l'abri et s'agenouilla près de lui. Elle revenait de la mare à en juger par ses cheveux mouillés et les auréoles d'humidité qui s'épanouissaient sur sa robe claire. La lumière encore blême indiquait que le jour venait tout juste de se lever.

« On dirait que les amayas ont décidé de te laisser en paix, s'exclama-t-elle avec un sourire chaleureux.

— Jusqu'à la prochaine fois. »

Il se sentait encore faible, mais la douleur avait disparu, abandonnant d'imperceptibles frémissements qui couraient le long de ses membres. Il avait peu dormi, coincé une grande partie de la nuit au fond d'un puits de souffrance, prostré sur les peaux que les ventresecs, après l'avoir transporté dans l'abri, avaient étalées sous lui. Lorsqu'il s'était réveillé, il avait été étonné, très étonné, de découvrir son poignard de corne posé en évidence sur ses vêtements pliés à ses pieds.

« Je... je ne maîtrise plus mes réactions quand les crises se déclenchent, dit-il. Ç'aurait pu être très dangereux pour vous.

— Tu n'as blessé personne. Et puis nous connaissons très bien ce mal. Nous l'appelons le mal des plaines ou la malédiction des ventresecs.

— Moi qui croyais être le seul à...

— Nous ne pensions pas non plus qu'il pouvait toucher un permanent des mathelles. Ni quelqu'un d'aussi jeune. »

Elle pencha la tête sur le côté pour essorer ses cheveux mouillés. Orchéron revit Mael effectuer ce geste, gracieux entre tous, devant l'un des grands Ab de pierre du mathelle, et une vague de tristesse froide, amère, le recouvrit, qui se retira en le laissant au bord des larmes.

« Quel rapport avec la jeunesse ? demanda-t-il d'une voix sourde au bout d'un long moment de silence.

— Le mal des plaines touche les plus anciens. La première crise signifie que leur temps de vie est écoulé, qu'ils sont devenus un poids pour les clans, qu'ils doivent désormais s'effacer. Alors ils s'en vont et ne reviennent jamais.

— Pourquoi ne m'avez-vous pas... effacé ?

— Ta vie ne nous appartient pas, pas davantage que celle des anciens ou des yonks. Ce n'est pas à nous de décider de l'heure de leur sacrifice. »

Orchéron examina l'intérieur de l'abri : de forme circulaire, il pouvait sans doute accueillir cinq ou six personnes, mais les ventresecs l'avaient réservé à son seul usage le temps de sa crise.

« Je suis un poids pour vous, murmura-t-il. Je vais partir. »

Il se redressa et repoussa la couverture de laine végétale étalée sur son corps. Ezlinn lui agrippa le poignet et, d'une pression continue, l'obligea à se rallonger.

« Tu n'es pas encore en état de partir.

— Et vos anciens ? Ils sont en état de partir, peut-être ?

— Ils connaissent le prix de l'errance, de la liberté, ils acceptent de le payer. S'ils ont eu une belle vie, ils n'ont pas de regrets.

— Qui te dit que je n'ai pas eu une belle vie moi aussi ? »

Elle plissa les yeux et le fixa avec cette attention lointaine qui semblait la projeter au-delà des apparences.

« Tu es comme la plupart des permanents des mathelles, déclara-t-elle d'une voix songeuse. Tu n'as même pas commencé à vivre. »

Elle lui adressa un petit sourire sarcastique avant de se retirer. Trop las pour essayer de comprendre ce qu'elle avait cherché à lui signifier, il se laissa dériver sur le cours paresseux de ses pensées, finit par s'assoupir, puis, réveillé par une rumeur lointaine, il enfila son pantalon avec une maladresse exaspérante, glissa son couteau dans sa poche et sortit.

La fraîcheur de l'air le surprit. Le vent restait froid bien que Jael brillât de tous ses feux dans un ciel d'un mauve très pâle, presque blanc. Il ne vit pas un seul ventresec dans les environs, ni entre les abris de toile ni autour du foyer central d'où s'échappaient encore des volutes de fumée grise, ni sur les bords de la mare. Femmes, hommes, enfants, ils avaient tous disparu, comme soufflés par les rafales. Des morceaux de viande froide et des galettes de farine de manne sauvage jonchaient les herbes, ainsi que des vêtements et des ustensiles épars. Le campement semblait avoir été abandonné en toute hâte, comme devant l'imminence d'un danger.

Il crut discerner des grondements, des mugissements et des cris dans le friselis des herbes et les sifflements du vent. À l'est, la plaine se faufilait entre les courbes de collines affaissées et s'échouait en vagues jaunes sur les premiers contreforts de l'Agauer ; elle s'enfuyait en ondulations aux couleurs changeantes vers les autres points cardinaux. Le croissant gris et terne de Maran, le dernier des satellites nocturnes, flottait encore au-dessus de la ligne d'horizon.

C'est là, dans l'axe de Maran, qu'Orchéron aperçut les formes sombres et imposantes d'une harde de yonks lancés au grand galop en direction du campement. Il eut besoin d'un peu de temps pour distinguer les silhouettes des cavaliers. Ce n'était donc pas un troupeau sauvage mais l'un des cercles de lakchas qui fournissaient les mathelles en viande, en corne et en peaux. Cette constatation aurait dû le rassurer, mais un pressentiment lui soufflait qu'il aurait sans doute mieux valu faire face à un troupeau de yonks sauvages plutôt qu'à des chasseurs. Les paroles d'Ezlinn, « les lakchas sont les amayas des enfers, les envoyés de la mort », remontaient à la surface de son esprit et donnaient un éclairage inquiétant à la disparition subite des ventresecs. Il n'essaya pas de fuir cependant, d'abord parce qu'il n'en avait pas les ressources, ensuite parce que les cavaliers l'avaient certainement repéré et qu'ils n'auraient aucun mal à le rattraper sur cette étendue désolée. Il se demanda où avait bien pu se réfugier le clan errant, puis il se souvint que, selon Ezlinn, les plaines offraient de multiples ressources à qui les connaissait.

Le cœur battant, la main dans la poche de son pantalon, les doigts crispés sur le manche de son couteau, il observa les lakchas et repoussa à plusieurs reprises la tentation de prendre ses jambes à son cou. La terre tremblait sous le roulement des sabots, les cris aigus des cavaliers lui transperçaient la poitrine. La troupe, composée d'une trentaine d'éléments, se scinda en trois parties à proximité du campement, les uns fonçant tout droit sur lui, les autres amorçant un double mouvement tournant. Il dut se faire violence pour rester immobile tandis que les yonks, le mufle baissé, les cornes en avant, avalaient à toute allure la courte distance qui les séparait de lui. Ils réussirent cependant à s'arrêter avant de le percuter, bridés par les saccades brutales des rênes de cuir, la bouche blessée par le mors de pierre, les naseaux écumants, la robe détrempée. D'un bref regard par-dessus son épaule, Orchéron s'aperçut que les montures qui l'avaient pris à revers piétinaient sans ménagement les abris des ventres-secs.

Les chasseurs l'examinèrent en silence, les yeux encore brillants de l'excitation de la chevauchée. Tous portaient des vêtements de peau, vestes, pantalons, bottes, ainsi que, au-dessus du genou, un étui rigide d'où saillait le manche de bois d'un poignard. Les uns étaient juchés sur des selles en cuir munies de sangles et d'étriers, les autres sur de simples couvertures de laine pliées en deux ou en quatre et maintenues sur l'échine de leur monture par de fines cordelettes passées de chaque côté de l'encolure. Leurs cheveux, longs pour la plupart, se rassemblaient en tresses plus ou moins épaisses et parfois munies en leur extrémité d'une dent ou d'une pointe de corne. Des restes de nourriture, des brins d'herbe ou des éclats de boue s'incrustaient dans leurs barbes épaisses où se devinaient également de courtes tresses. Les rafales de vent étaient impuissantes à balayer l'odeur des yonks exaltée par la transpiration.

« En voilà un qu'est un peu moins froussard que les autres ! s'exclama un lakcha.

— Ou alors c'est qu'il est plus stupide ! cria un deuxième.

— Ou bien il sait pas courir », ajouta un troisième.

Ils éclatèrent de rire. Orchéron était maintenant entouré d'un cercle de yonks fumants, écumants, qui tiraient violemment sur les rênes pour rapprocher leur mufle de l'herbe ou, pour les plus proches de la mare, essayer de boire un peu d'eau. Des abris ne subsistait rien d'autre que des vestiges informes, des bouts de peau et des éclisses de bois éparpillés.

« Toi, dis-nous pourquoi t'as pas foutu le camp avec les tiens. »

Les cheveux gris et les rides profondes du chasseur qui s'était adressé à Orchéron en faisaient le plus ancien du groupe. La grande corne recourbée qu'il portait à l'épaule semblait en outre traduire un rang supérieur. Peut-être était-il l'un de ces fameux chefs de cercle dont les femmes parlaient avec de l'admiration dans la voix et les hommes avec de l'envie dans les yeux ? De lui émanait en tout cas une grande autorité, et il se tenait sur son yonk avec une certaine prestance.

« Je... je ne suis pas un ventresec, dit Orchéron, conscient de la lâcheté de cette réponse, de cet empressement à renier ceux qui l'avaient recueilli et soigné avec une telle générosité.

— Tu viens d'où ? demanda le lakcha avec une moue dubitative.

— D'un domaine. Le domaine d'Orchale. Je suis l'un des fils de la mathelle. »

Les chasseurs se consultèrent du regard. L'espace de quelques instants, hormis les remuements agacés des yonks, seul le ballet méfiant de leurs yeux agita leur cercle. Les pointes de corne ou de pierre de leurs armes de jet, lances, arcs, flèches, luisaient au-dessus de leurs épaules ou de leurs têtes.

« Qu'est-ce que tu fiches dans un nid de ventresecs ?

— J'ai eu un malaise, je me suis évanoui et je me suis réveillé allongé dans un de leurs abris.

— Et qu'est-ce que tu fous à plus de trente lieues du premier mathelle ?

— Je... » Orchéron resserra le cordon de son pantalon pour se donner le temps de trouver une réponse plausible. « J'ai été envoyé à l'est en mission de reconnaissance...

— Tu mens ! Ça fait plus d'un siècle que les mathelles ont renoncé à explorer le Triangle. Elles ont suffisamment à faire avec leurs propres terres.

— Ma mère, elle, pense que...

— Je crois plutôt que tu es un de ces fichus bons à rien qui rôdent sur les plaines. »

Orchéron glissa l'ongle de son pouce dans l'encoche de la lame de son couteau et se tint prêt à la déplier.

« Quelle différence ça fait ?

— Quelle différence ? ricana le chasseur. La même différence qu'il y a entre un bon lakcha et une bouche inutile !

— En quoi est-ce que les clans ventresecs représentent une menace pour vous ? »

D'un coup de talon au flanc, le chasseur incita son yonk à s'avancer de quelques pas.

« Ils occupent nos territoires, ils détournent nos troupeaux, ils nous volent nos dépouilles et, si on les laisse se reproduire, ces parasites deviendront bientôt les maîtres du nouveau monde.

— Le nouveau monde est assez grand et généreux pour nourrir tous ses habitants.

— Pour l'instant. Il vaut mieux résoudre les problèmes avant qu'ils ne se posent. »

Orchéron eut un geste d'impatience qui effraya le yonk. Le chasseur apaisa sa monture d'une tension à la fois ferme et souple des rênes.

« Une poignée de chasseurs ne peut pas décider de l'avenir d'un monde ! gronda Orchéron.

— Qui te parle d'une poignée de chasseurs ? Ce sont les mathelles elles-mêmes qui ont demandé à certains chefs de cercle d'enrayer la prolifération des ventresecs.

— Absurde ! Pour quelle raison ?

— Les terres ne sont pas aussi généreuses que tu prétends. Il faut bien faire des choix.

— Les mathelles ont de bonnes relations avec les ventresecs. Elles n'hésitent pas à les engager pour les travaux saisonniers.

— Ce n'est pas parce qu'elles leur tendent une main secourable qu'elles n'aiguisent pas le couteau dans l'autre. Elles se veulent les emblèmes de la fécondité, de l'amour maternel, de l'abondance. Elles ne tiennent pas à salir leur image, ou ce serait tout le système des domaines qui risquerait de s'effondrer. »

Orchéron répugnait à recevoir les arguments du chasseur, mais il se demanda si sa mère Orchale avait fait partie des mathelles qui avaient réclamé l'extermination des errants. D'un coup d'œil circulaire il chercha une brèche dans la haie des yonks et des cavaliers. S'il avait eu l'intention de l'épargner, le lakcha ne lui aurait pas confié ces secrets. Ezlinn avait eu raison de dire que la mort le poursuivait. Après lui avoir enlevé sa mère biologique et Mael, après l'avoir poussé à assassiner Œrdwen, elle avait fini par le rattraper, tapie dans les yeux farouches de ces hommes, dans le souffle bruyant de leurs montures, dans la dureté tranchante de leurs armes. Elle le cernait alors qu'il n'avait pas encore commencé à vivre. Peut-être était-il encore temps, peut-être pouvait-il prendre la vie à bras-le-corps avant de s'engager sur le chemin des chanes ?

Il déplia la lame de son couteau et, poussant un hurlement sauvage, il bondit vers le yonk de son interlocuteur.

CHAPITRE XII

LES FILS DE MARAN

Très chère consœur,

Peut-être me connaissez-vous personnellement ? Peut-être ne suis-je pour vous qu'un visage parmi d'autres croisé au hasard d'une assemblée ? Qu'importe, les événements récents nous exhortent à bousculer les convenances, à renverser les barrières illusoires que le temps et les habitudes ont dressées entre nous. Sachez, pour commencer, que ce courrier a été recopié environ trois cents fois afin d'être distribué dans le plus grand nombre possible de domaines. Mes permanentes ainsi que des visiteuses de passage se sont mobilisées pour achever cette tâche avant le lever du jour, qu'elles en soient ici remerciées.

La rumeur a couru ces derniers jours que les protecteurs des sentiers se sont emparés du conventuel de Chaudeterre. Si elle a réellement eu lieu, ce dont je ne doute pas, hélas ! cette intolérable agression prouve que les couilles-à-masques sont passés à la phase finale de leur projet. S'attaquer à Chaudeterre, c'est en effet s'en prendre au symbole même de notre équilibre, de notre harmonie, c'est faire table rase des enseignements légués par nos ancêtres et, par conséquent, concourir à la ruine d'une certaine idée du nouveau monde.

J'ai eu moi-même à subir plusieurs de leurs assauts, chaque fois plus pressants, chaque fois plus meurtriers. J'ai réussi à les repousser pour l'instant grâce au courage et au dévouement des hommes du domaine. Les protecteurs des sentiers semblent avoir lancé des offensives sur plusieurs fronts dans le but, que j'estime évident, de nous maintenir isolées, de nous empêcher de nous regrouper. J'ai précisément envoyé ces missives au petit bonheur, un peu comme des bulles de pollen dispersées par le vent, pour prier ardemment chacune d'entre vous de prendre la seule décision qui s'impose en ces temps troublés : s'unir, s'unir tout de suite, par n'importe quel moyen, rassembler nos forces, nos hommes, nos fourches, nos masses, nos haches, nos faux, nos couteaux, notre bétail, porter immédiatement secours aux djemales de Chaudeterre, libérer le conventuel, puis battre toutes les plaines du Triangle avant que les protecteurs des sentiers ne jettent le masque et ne s'en retournent à leur intolérable anonymat. Il nous faut les identifier à tout prix, leur arracher leur déguisement, ne pas leur laisser un instant de répit, les pourchasser jusqu'aux confins du continent, jusqu'aux portes des enfers s'il le faut.

Comprenez, chère consœur, que nous n'avons plus d'autre choix que de brûler les mauvaises herbes, ou elles étoufferont le bon grain et transformeront nos terres en déserts. Les couilles-à-masques se sont déjà infiltrés dans nos tergiversations, dans nos contradictions et, si nous hésitons un jour de plus, ils s'engouffreront en masse dans une brèche béante, ils finiront de démanteler une construction dont ils sapent les fondations depuis trop longtemps.

J'en appelle donc à votre volonté de défendre ce monde que nos ancêtres ont mis plus d'un siècle à conquérir. Ce n'est pas parce que nous sommes engagées sur le sentier d'Ellula que nous devons refuser le combat auquel nous convie le présent. La guerre est aussi un acte d'amour véritable, nécessaire, lorsque nous en acceptons les règles, pas seulement pour nos enfants ou ceux que nous protégeons, mais aussi pour nos adversaires, ces hommes fourvoyés sur un sentier de violence comme le furent autrefois les Kroptes sanguinaires. Donnons-leur les baisers et les étreintes qu'ils attendent, des baisers et des étreintes de sang et de larmes. Nous n'en avons pas seulement la légitimité mais également le devoir, au sens de cette soumission à l'ordre invisible dont nous parle Ellula.

Seule, je ne tiendrai plus très longtemps face aux incursions répétées des couilles-à-masques. J'ai déjà perdu un constant, mon cher Andemeur, décapité d'un coup de hache, et six permanents qui ont payé leur bravoure de leur vie, mais avec votre soutien, avec une armée constituée de tous nos permanents et des volages qui épouseront notre cause, avec l'audace tranquille des combattants solidaires et résolus, nous renverserons, j'en suis sûre, le cours d'une histoire qui nous a échappé et nous restaurerons l'équilibre un instant menacé. Puis nous exhumerons avec sévérité nos propres manquements, nos propres erreurs. Car nous les mathelles, les mères, les femmes engagées sur le sentier d'Ellula, nous avons commis des erreurs funestes, nous avons pris des décisions iniques, nous avons usé et abusé de notre pouvoir pour conserver nos privilèges et consolider nos trônes de reines de ce monde. Nous ne pourrons pas faire l'impasse sur cet examen approfondi, cruel mais nécessaire. Plus tard, quand nous aurons résolu le conflit, nos consciences harcelées par le souvenir du sang versé nous empêcheront de dormir et nous obligeront à nous contempler en face.

En attendant, très chère consœur, je te supplie, oui, je te supplie de me répondre de toute urgence afin que je sache sur quelles forces compter. Au besoin, fais patienter le messager que je te dépêche – nous en sommes réduits à utiliser des enfants car nous ne pouvons pas nous permettre de priver notre petite troupe déjà affaiblie d'hommes dans la force de l'âge – et remets-lui immédiatement ta réponse. Je ne comprendrai pas qu'elle soit négative, mais je n'aurai pas d'autre choix que de l'accepter. Si elle est positive, indique-moi le nombre d'hommes dont tu disposes. Et puis arrange-toi pour faire transmettre ce message à d'autres mathelles, pour essayer d'augmenter le misérable pourcentage que représentent trois cents sur plus de trois mille. J'attends de recevoir plusieurs lettres – eh oui, je suis une incurable optimiste – avant de fixer un lieu de rendez-vous qui arrange les unes et les autres.

L'aube point. Les protecteurs des sentiers n'ont pas lancé d'attaque cette nuit. Notre unique prisonnier, un adolescent, un enfant, nous couvre d'insultes haineuses à travers la porte de son cachot. Nous ne nous sommes pas encore résolus à l'exécuter, même si l'envie me prend souvent de lui rentrer ses paroles à coups de couteau dans la gorge.

Qui sait ce qui arrivera demain ? Soyons attentives au présent.

> Merilliam, mathelle du « Présent »,
> plein nord, à environ
> deux cents lieues du centre historique
> de Cent-Sources.

Jozeo leva le bras pour donner le signal de la pause. Ankrel tira sur les rênes de son yonk et mit pied à terre avant même que sa monture ne s'arrête, impatient de soulager ses fesses, ses cuisses et ses mollets à vif. Ils chevauchaient depuis trois jours, et les frottements incessants sur le cuir de la selle et la robe rugueuse avaient engendré des rougeurs, des cloques dont certaines avaient crevé et libéré un pus mêlé de sang. Bien qu'ils eussent parcouru des lieues et des lieues depuis leur point de départ, un domaine situé dans la région nord de Cent-Sources, Ankrel avait la détestable impression de faire du surplace, sans doute parce que l'horizon et Jael étaient les seuls points de repère sur ces immenses étendues jaunes traversées d'ondulations bleues, vertes ou brunes. Ils n'avaient pas pris la direction du nord-est comme à l'habitude, ils s'étaient dirigés plein est, vers la chaîne montagneuse de l'Agauer dont les pics n'étaient encore que des ombres lointaines, des rêves inaccessibles.

Ankrel s'étira pour détendre ses muscles noués douloureux. Les autres, habitués à la monte, avaient déjà mené leurs yonks dans les zones les plus herbeuses et commencé à préparer le repas du zénith. Il était le plus jeune du groupe qui comptait vingt et un chasseurs, les meilleurs de l'ensemble des cercles selon Eshvar et Jozeo. Tous protecteurs des sentiers, ils s'étaient engagés avec enthousiasme dans cette expédition contre les umbres, car ils se voulaient les plus grands des lakchas, les fils préférés de Maran, et leur désir d'évolution, de perfection, ne trouvait plus à s'exprimer dans la chasse routinière aux yonks.

D'abord flatté d'avoir été admis dans leur cercle restreint, Ankrel avait rapidement mesuré le degré d'exigence qu'il y avait à vivre dans une telle compagnie. Les faiblesses, les jérémiades, les doutes n'étaient pas tolérés, ni d'ailleurs aucune autre manifestation de mollesse, de paresse, ou jugée comme telle. Il n'avait donc parlé à personne de ses rougeurs qui, pourtant, lui arrachaient des gémissements et des larmes. Il n'avait jamais réclamé le repos supplémentaire qu'implorait son corps engourdi, exténué. Les dents serrées, les yeux rivés sur ces maudites montagnes qui semblaient se reculer au fur et à mesure qu'ils s'en rapprochaient, il endurait ses douleurs en silence, mettait même un point d'honneur à plaisanter et à rire avec les autres au long des bivouacs. Il s'agrippait à l'idée qu'il participait à « l'aventure la plus extraordinaire qu'ait jamais vécue un homme sur ce fichu monde », selon l'expression de Jozeo.

Mais il ruminait des pensées sales et noires depuis son intronisation chez les protecteurs des sentiers. Il avait signé un pacte indélébile avec les frères de Maran. Ils l'avaient contraint à violer cette fille sous leurs regards, comme pour le piéger dans ses propres turpitudes et lui interdire tout retour en arrière. Non, ils ne l'avaient pas contraint, il avait agi de son plein gré, poussé par une force irrésistible, une puissance quasi surnaturelle qui semblait liée au port du masque et de la robe de craine. Comme si, en enfilant l'uniforme, il avait hérité de l'énergie d'un ensemble. Comme s'il avait été possédé par une unique et immense divinité nourrie depuis des siècles aux ferments de la haine, du désir et de la colère.

La fille, terrorisée, s'était débattue au début, une résistance qui avait soufflé sur le feu de son désir. Il s'était abattu sur elle comme un umbre sur sa proie, lui avait arraché sa robe et l'avait violée à plusieurs reprises, protégé par l'anonymat du masque, stimulé par les psalmodies graves des spectateurs, s'acharnant sur elle avec une violence inouïe, l'abandonnant en sang sur la terre battue de la grange.

C'est le lendemain seulement qu'il avait pris conscience d'avoir perdu sa virginité. Il n'en gardait pas un bon souvenir. Une amertume chargée de remords supplantait l'ivresse ressentie pendant la signature du pacte. Ô combien différente il avait imaginé sa première relation avec une femme ! Il n'avait esquissé qu'une caricature grossière de l'acte d'amour, une empoignade furieuse dans une grange délabrée, une série de saillies bestiales et sanglantes au milieu d'une haie vociférante de masques. Les autres l'avaient félicité pour sa virilité, l'avaient étreint avec ferveur, lui avaient signifié qu'il était désormais un membre à part entière de la grande famille des protecteurs des sentiers.

« Comment se portent tes fesses et tes cuisses ? »

Ankrel découvrit le visage de Jozeo à quelques pouces du sien. Le lakcha le dévisageait avec un mélange de sollicitude et de perplexité.

« Comment sais-tu que...

— Il suffit de te voir marcher ! coupa Jozeo. Tu donnes l'impression d'avoir fourré un buisson entier d'épines dans ton pantalon ! Mais je n'ai pas entendu une plainte sortir de ta bouche, et je me félicite de ne pas m'être trompé sur ton compte.

— Un peu tôt pour en juger, non ? Nous ne sommes partis que depuis trois jours... »

Jozeo leva les yeux sur le ciel dont la lumière aveuglante de Jael éclaircissait le mauve pur éclatant. Les herbes roulaient en vagues furieuses sous les coups de fouet d'un vent sec et lâchaient de temps à autre des bulles opaques qui se désagrégeaient avant d'avoir pris leur envol. On ignorait l'utilité du pollen de fin de saison sèche. Allait-il féconder les forêts inextricables de la pointe sud du Triangle comme le prétendaient certains, ou étaient-ce simplement des bulles qui restaient coincées avant les grosses chaleurs et attendaient le retour du vent pour pouvoir enfin s'envoler ? Il provoquait en tout cas des allergies mortelles chez certains individus, et bon nombre de mères tenaient leurs enfants enfermés dans les maisons jusqu'aux premières averses de pluie glacée, signes avant-coureurs de l'amaya de glace.

« Trois jours, c'est plus que suffisant pour juger un homme. »

Ankrel décolla le cuir de son pantalon collé à ses fesses, mais, même en prenant d'infinies précautions, il ne put s'empêcher de grimacer.

« Pourquoi suivons-nous la direction de l'est ?

— C'est de là que viennent les umbres. Toujours. On procède avec eux de la même façon qu'avec un gibier ordinaire : on remonte la piste.

— Sauf que les umbres, eux, ne laissent pas d'empreintes.

— Pour l'instant. Mais je suppose que, lorsque nous nous rapprocherons de leur territoire, nous découvrirons des signes, des traces.

— Et s'ils viennent d'un autre continent ?

— Nous irons sur l'autre continent s'il le faut.

— Ça pourrait prendre... toute une vie ! »

Jozeo eut un large sourire qui dévoila ses dents fortes, longues, bien plantées.

« Qu'est-ce qu'une vie au regard de la gloire éternelle de Maran ? »

Ankrel se souvint de ses adieux à sa mère, une étreinte matinale, impatiente, bâclée sur le pas de la porte, un retrait brutal pour s'arracher à ces mains qui le suppliaient de rester. L'intuition des mères... Une spirale vertigineuse le happa, qui lui coupa le souffle et le fit chanceler.

« Tu veux dire que... nous ne sommes pas sûrs de revenir un jour à Cent-Sources ?

— Dès l'instant où nous nous sommes lancés dans ce projet, nous avons perdu toute certitude, répondit Jozeo après un instant de silence. Mais je croyais que tu avais compris cela. »

Non, Ankrel n'avait pas compris, il s'était laissé porter par un courant qui l'avait d'abord expédié dans cette grange délabrée, puis au sommet de l'Ellab, puis dans cet abri souterrain du pied de la colline des morts, puis au cœur de cette terrible nuit d'orage où le nouveau monde avait paru promis à l'anéantissement, puis dans ce domaine à l'abandon où attendaient vingt yonks dressés, puis au milieu de cette plaine sans commencement ni fin. Ce n'était qu'une ronde accélérée de mouvements, de sensations, de remords et d'inquiétudes, en aucun cas une vision globale, cohérente, réfléchie.

« Je ne parle pas seulement de la durée de notre expédition, reprit Jozeo. Mais de notre gibier et des phénomènes qui s'y rapportent. Nous ne savons rien des umbres, nous ne savons rien de leurs capacités, de leurs instincts, de leurs besoins, rien de leur nature.

— À quoi ça sert de les chasser dans ce cas ?

— À cette question on pourrait répondre qu'ils doivent être éliminés parce qu'ils font peser un danger permanent sur la communauté. Que nos deux formes de vie sont incompatibles en apparence. Que nous devons apprendre à les combattre si nous voulons augmenter nos chances de survie.

— Mais ce n'est pas la vraie réponse, n'est-ce pas ? »

Jozeo tira son poignard de son étui rigide et, du tranchant de la lame, entreprit de se couper les ongles. Les autres avaient allumé, à l'aide de bâtonnets de soufre, un feu qu'ils alimentaient avec des brassées d'herbe sèche et les branches souples et encore vertes des buissons.

« Non, en effet. Le cercle ultime des fils de Maran nous a chargés de percer le mystère des umbres.

— Quel mystère ?

— S'ils le savaient, ce ne serait plus un mystère !
Ils pensent que les umbres ne sont pas des formes
de vie seulement attachées à ce monde.

— Tu veux dire qu'ils...

— Ce sont les mots exacts du cercle ultime. Tu
en sais autant que moi. À nous de découvrir le reste.

— Mais comment le... cercle ultime en est-il arrivé
à croire cela ?

— Je ne suis pas dans ses petits secrets. Je sais
seulement qu'il compte beaucoup sur notre expédition pour éclairer sa lanterne. »

Ankrel contint de son mieux une envie brutale de
baisser son pantalon et d'exposer son postérieur aux
caresses rafraîchissantes du vent. Il constata d'ailleurs que quelques-uns des chasseurs ne s'étaient
pas gênés pour le faire bien que leurs fesses ne fussent pas aussi rouges et pelées que les siennes. Un
reste de fierté ou de pudeur le dissuada de les imiter.

« Qui fait partie du cercle ultime ?

— Des anciens, je suppose.

— Eshvar ?

— Ça ne m'étonnerait pas.

— Qui a été le premier protecteur des sentiers ?

— Maran est le premier. Il protège ses fils en toutes circonstances. Je te raconterai l'histoire de son
premier disciple un soir si tu veux. Viens manger en
attendant. »

Ankrel avait encore une foule de questions à poser
à Jozeo, entre autres la relation qu'il y avait entre
leur expédition et cet homme qui était venu délivrer
la fille sur la colline de l'Ellab et qui avait subitement
disparu alors que les protecteurs l'encerclaient, mais
le lakcha mit fin à la conversation en se détournant
et se dirigeant d'un pas décidé vers le feu où gril-
laient les premiers morceaux de viande.

Ankrel le rejoignit après avoir jeté un coup d'œil
anxieux sur la voûte céleste que pas un nuage n'as-

sombrissait. Trop loin désormais pour être alertés par les cornes des guetteurs, ils ne pouvaient compter que sur eux-mêmes pour prévenir le passage des umbres et, comme la plaine n'offrait aucun refuge apparent, ils évoluaient en permanence sous la menace des prédateurs volants. Ils n'en avaient pas rencontré un seul depuis leur départ, mais l'horizon pouvait à tout moment se couvrir de taches noires capables de combler de gigantesques distances à une vitesse effarante.

Ils mangèrent dans un silence bercé par les sifflements du vent, les crépitements du feu et les bruits de mastication. Ankrel resta debout tout au long du repas, les jambes écartées afin d'éviter les frottements de ses cuisses. Une certaine appréhension se lisait sur les visages burinés des autres membres du groupe. Bien sûr, ceux-là se seraient laissé couper en petits morceaux plutôt que d'avouer leur inquiétude, mais la fixité des regards, la crispation des mâchoires et une tendance de plus en plus prononcée à l'irritation trahissaient une nervosité rentrée, de moins en moins bien rangée sous l'assurance des poses et des mines.

Le premier soir, Ankrel avait demandé à quelques-uns d'entre eux en quoi avait consisté leur pacte d'admission dans le cercle des protecteurs des sentiers. Un seul avait accepté de lui répondre, les autres ayant éludé la question d'un mouvement d'épaules ou d'un grognement courroucé.

« Ils m'ont demandé de leur rapporter une dizaine de têtes de ventresecs, avait murmuré Mazrel, un homme d'une centaine d'années, d'une voix tellement basse qu'Ankrel avait dû se coller contre sa bouche pour saisir ses paroles.

— Ça n'a pas été trop difficile ? »

Mazrel avait secoué la tête d'un air las, presque abattu.

« J'avais à ce moment-là une relation très... intime avec une femme ventresec. Une vraie furie au lit. Je lui avais soigneusement caché que j'étais lakcha de chasse : les errants ne nous aiment pas pour les raisons que tu connais sans doute. Elle croyait que j'étais un permanent du satané mathelle où vivait ma famille. Je lui ai dit que je voulais rencontrer les membres de son clan parce que j'aimerais peut-être devenir à mon tour ventresec. Elle a fini par me conduire aux siens. Ils étaient ce jour-là en train de préparer leur départ à la fin de la période des moissons. Ils m'ont invité à rester en leur compagnie. Leur clan s'était formé un an plus tôt et ne comptait qu'une quinzaine de personnes, cinq femmes, sept hommes et trois enfants en bas âge. J'ai attendu qu'ils s'endorment pour les tuer l'un après l'autre. Je leur ai ouvert la gorge d'un coup sec pour les empêcher de crier, ça fait juste un bruit d'air, un bruit de bulle de pollen qui se dégonfle ou d'un tuyau qui fuit. J'ai eu juste maille à partir avec un des hommes, un foutu costaud qui s'est réveillé quelques instants trop tôt. Il a fallu que je m'y reprenne à trois fois pour lui planter ma lame dans le cœur. Il a gueulé comme un yonk en rut. Les autres étaient morts heureusement, sauf les enfants, mais j'avais pas grand-chose à craindre d'eux. J'ai coupé les quinze têtes, je les ai mises dans un sac et je les ai ramenées aux protecteurs. Non, comme tu vois, ça n'a pas été trop difficile.

— Je ne parlais pas de ce genre de difficulté. Tu n'as jamais éprouvé des... des remords ? »

Mazrel lui avait lancé un regard stupéfait. Il ne s'était probablement jamais posé la question, même si, à la manière dont il se tordait les mains en racontant cette histoire, il ne paraissait pas spécialement fier de son exploit.

217

« Des remords ? Cette femme, la ventresec, me plaisait bien. Pas une autre fichue bonne femme n'a su un jour me chauffer les sangs aussi bien qu'elle. Je me suis dit qu'avec elle j'aurais pu passer du bon temps, et j'ai souvent regretté de ne pas l'avoir épargnée.

— Et les autres ? Les enfants ?

— Eux, c'étaient de foutues graines de parasites, de futurs charognards des plaines. »

Mazrel s'était claquemuré dans un silence maussade et Ankrel avait compris que leur conversation avait réveillé des fantômes douloureux chez son interlocuteur. Les protecteurs des sentiers imposaient à leurs futurs frères des épreuves dont ils ne revenaient pas indemnes. Ligotés par un inavouable secret, les nouveaux adeptes n'avaient plus la possibilité de reprendre leur liberté. Ils se l'interdisaient eux-mêmes, de peur de se retrouver confrontés à l'inutilité, à la monstruosité de leur pacte. Rien ne justifiait que Mazrel eût massacré ces quinze errants sinon le port du masque d'écorce et la robe de craine. Rien ne justifiait qu'Ankrel eût violé cette fille sinon la hantise de décevoir un homme qui portait le masque d'écorce et la robe de craine.

« Umbres ! »

Ankrel faillit régurgiter le morceau de viande qu'il venait d'avaler. Les gestes et les visages s'étaient figés autour de lui. Des taches noires s'étaient posées au-dessus des crêtes sombres de l'Agauer, comme si un enfant maladroit avait éclaboussé le ciel d'encre de nagrale. Nombreuses, peut-être trente ou quarante, plus ou moins larges, plus ou moins sombres. Le cœur battant, les tripes nouées, Ankrel fouilla les environs à la recherche d'un abri, mais la plaine n'offrait à perte de vue que ses herbes ondulantes aux couleurs changeantes.

« J'en ai jamais vu autant ! hurla une voix.

— Aux yonks ! glapit Jozeo. Essayons de trouver un refuge.

— Il n'y en a pas dans cette fichue plaine !

— Maran nous guidera. »

Jozeo ramassa sa gourde, remisa son poignard dans son étui, rejoignit son yonk en quelques foulées, sauta sur la selle, laboura les flancs de sa monture à coups de talon et, sans prendre le temps de glisser les bottes dans les étriers, s'élança au grand galop dans la direction opposée à celle de la chaîne montagneuse.

Les autres lakchas l'imitèrent, abandonnant sur place les restes de leur repas et les sacs de vivres. Ankrel fut l'un des derniers à réagir. Lorsqu'il se jucha sur son yonk, un mâle dont la robe brun foncé se mouchetait de taches claires, il faillit aussitôt en redescendre tant le contact avec la selle dure jeta du feu sur ses brûlures. Il n'eut pas besoin d'éperonner sa monture, gouvernée par des réflexes ancestraux d'appartenance au troupeau, pour qu'elle file au galop. Il resta d'abord plaqué sur l'encolure, le nez enfoui dans la crinière courte, les pieds calés dans les étriers, les jambes tendues, les fesses décollées de la selle. Il voyait, dans le demi-cercle des cornes, la petite troupe s'étirer en file au milieu des herbes, disparaître par instants dans les creux, resurgir plus loin sur les bosses. Il essaya de combler la dizaine de pas d'intervalle qui le séparaient de l'avant-dernier yonk, mais, n'y parvenant pas, il lança un regard fébrile derrière lui.

La nuée des umbres s'était rapprochée à une vitesse sidérante : ils flottaient pratiquement au-dessus de lui, gigantesques, menaçants, ondulant comme des écliptes de la rivière Abondance. Un gémissement de terreur s'échappa de ses lèvres. Une vague de froid lui lécha la nuque et descendit le long de sa colonne vertébrale. Ce n'était pas le vent, là-dessus il n'avait aucun doute. Les muscles de son dos se contractèrent dans l'attente du contact. La course pesante, obstinée, des grands herbivores ébranlait le sol dans un grondement sourd.

Le yonk d'Ankrel se déroba sous lui. Vidé de la selle, il eut une sensation de chute vertigineuse, de plongée effrayante dans un gouffre sombre et sans fond.

CHAPITRE XIII

FURVES

Grosse ! Je suis grosse des œuvres d'Elleo. Mon ventre commence à pousser, oh ! une simple impression plutôt qu'une véritable transformation, mais je me sens déjà pleine de cette vie qui s'épanouit en moi. Est donc arrivé ce que ma mère redoutait le plus au monde, la preuve tangible de mes amours avec mon frère. Non seulement Sgen ne peut plus se voiler la face, mais elle redoute les commérages qui ne vont pas manquer de souligner la lourdeur chaque jour plus délatrice de mes seins et mon ventre. Et elle ne pourra pas se défendre en prétendant que sa fille a séduit un volage, on ne m'a jamais vue en compagnie d'un autre homme qu'Elleo. Jusqu'alors les gens se sont tus ou se sont contentés d'exprimer leur suspicion et, déjà, leur sentence par la sévérité haineuse de leurs regards, mais à présent, à présent que je suis la preuve incarnée de leurs dénonciations muettes, ils risquent de briser les digues et de déverser leur colère sans aucune retenue sur mon frère et moi.

Elleo a pleuré en apprenant la nouvelle. Je ne sais pas si c'est de joie ou d'horreur, il avait l'air d'un enfant perdu, terrorisé, comme écrasé par le poids de cette responsabilité, comme déprimé à l'idée de me partager avec un autre, fût-il doublement issu de ses gènes. Nos étreintes ont déjà perdu de leur fréquence, de leur intensité, au point que, s'il n'était absorbé du matin au soir par les travaux de réfection du mathelle, j'en serais presque arrivée à croire qu'il m'évite, qu'il me fuit.

Nous n'avons pas voulu cette grossesse et pourtant elle était prévisible, ô combien : je n'ai jamais utilisé les « herbes d'amour », ces plantes dont les propriétés contraceptives ont été découvertes par les djemales du conventuel de Chaudeterre (sans doute en avaient-elles davantage besoin que les autres, elles qui sont censées consacrer tout leur temps, toute leur énergie à la recherche de l'éternel présent). De même, avec un minimum d'attention et de volonté, nous aurions pu nous abstenir durant les jours féconds de mes cycles. Nous étions trop avides de jouir l'un de l'autre pour simplement penser à prendre ce genre de précaution. Elleo quant à lui n'a jamais songé à se retenir et m'a irriguée avec une rare obstination. Il y a quelque chose chez lui d'une rivière en crue, incapable de rester dans son lit, impatiente de fertiliser les terres qui la bordent. Et, pourquoi le nier ? j'ai aimé qu'il se perde, qu'il déborde en moi.

Nous avons donc récolté ce que nous avons semé avec une si belle ardeur. Avant-hier, j'ai surpris ma mère en grande conversation avec une vieille servante du nom de Xahya qui, si on en croit la rumeur, commerce avec les forces occultes du nouveau monde. Ce sentier ne fait pas partie des sept chemins d'évolution de l'Estérion, du moins officiellement, mais il est à mon sens le versant occulte du quatrième sentier, celui de la connaissance, de l'eau bouillante, de Qval Djema. Xahya est d'ailleurs une femme difficile à cerner, à décrire : elle paraît changer de forme et de physionomie selon le moment où on l'observe, comme si son corps était le réceptacle de personnages divers et variés, assez puissants en tout cas pour remodeler ses traits à volonté. Même en plein jour, même sous les rayons ardents de Jael, elle semble environnée d'obscurité, formée d'essence ténébreuse. J'ai compris, aux regards furtifs qu'elles me jetaient, que ma mère l'entretenait de mon problème. Et j'ai deviné, à leurs mines de conspiratrices, à leurs hochements de tête entendus, à la détermination qui leur étrécissait les lèvres et leur plissait les yeux, qu'elles projetaient de... tuer mon enfant.

La solution de facilité aurait probablement été de les laisser agir, d'attendre docilement que les invocations de Xahya provoquent la fausse couche libératrice, mais la mère en moi s'est indignée de toutes ses fibres, a rejeté catégoriquement cette issue. J'ai donc pris la décision de m'enfuir. Sans mettre personne dans la confidence. Pas même Elleo. C'est préférable pour lui et pour moi. Pour lui parce que la vue de mon corps déformé ne réussirait qu'à le perturber davantage. Pour moi parce que je ne supporterais pas de déceler du dégoût, voire de la simple perplexité, dans ses yeux.

Je vivrai comme un furve, repliée sur moi-même, seule avec mes réserves de vivres, d'eau, de rouleaux de peau et d'encre de nagrale, j'écouterai mon enfant croître, je l'encouragerai à me donner ses premiers coups, j'établirai avec lui une relation clandestine, rageuse, profonde, où il sera seulement question d'amour, d'attention, de présence. Puis, quand il aura décidé de venir dans ce monde, j'irai le présenter à son père. Il pleurera, de joie pure cette fois, en découvrant son fils ou sa fille et en me découvrant, moi, sœur pardonnée, femme épanouie d'avoir donné la vie, mère triomphante et baignée de l'amour d'Ellula.

J'avais prévu un autre départ, une expédition exaltante en compagnie d'Elleo, mais les circonstances en ont décidé autrement. Et tant mieux finalement, les aventures les plus glorieuses ne sont pas toujours celles que l'on croit. J'ai commencé à mettre de côté des fruits secs, des morceaux de viande fumée et de la farine de manne. Je ne pourrai guère emmener avec moi qu'un sac de laine végétale, et encore à moitié rempli, ainsi que deux ou trois gourdes d'eau. Des provisions nettement insuffisantes pour couvrir les douze ou treize mois de grossesse qui me restent à vivre. Pas question pour autant de renoncer à mon nécessaire d'écriture. Il me reste à placer toute ma confiance dans la bienveillance d'Ellula, puisque désormais je me suis réfugiée sous son aile. Si ma requête est juste – mais la requête pour la survie d'un enfant, fût-il le fruit d'amours interdites, n'est-elle pas nécessairement juste ? – elle pourvoira à mes besoins, elle me guidera sur l'immensité des plaines du Triangle, elle me gardera des umbres et des autres prédateurs, elle me proposera un abri, un ventre chaud, humide, accueillant, où le mien pourra enfler sans crainte.

Ainsi retirée du monde, j'aurai enfin l'opportunité de reprendre possession de moi-même, d'explorer en toute liberté, en toute tranquillité, les frontières encore méconnues de mes territoires intimes. Je me provoquerai moi-même puisque je n'aurai plus personne à choquer ou à séduire. Mon maître Artien sera heureux de me voir consacrée sans retenue à la danse de la plume, son rire traverse déjà les gouffres de temps qui nous séparent. En réalité, en dépit de l'amour fou que je continue de porter à Elleo, je suis impatiente de suivre mon sentier de solitude, pas seulement pour allonger les distances entre Xahya et moi – rien ne dit non plus que les distances soient un problème pour les forces occultes invoquées par la vieille servante –, mais pour me retrou-

ver, pour m'accorder cette parenthèse de silence et de secret que me réclament mon corps et mon esprit.

Je repense à Lézel, je ne sais pas pourquoi. Voilà bientôt un an et demi que mon petit tanneur a quitté le domaine de ma mère et il n'a jamais donné de ses nouvelles, pas même à sa famille. Je l'ai poussé à l'exil et, par un de ces méandres facétieux du destin, je me vois contrainte de suivre ses traces. Lui ployait sous le poids de ses regrets, de son chagrin, moi je m'alourdis d'une autre vie et déjà, déjà, du manque d'Elleo.

Extrait du journal de Lahiva filia Sgen.

LES CHASSEURS avaient visiblement décidé de prolonger le plaisir. Surpris par l'attaque d'Orchéron, leur chef avait tendu avec brutalité ses rênes de cuir, le yonk s'était cabré, avait fouetté l'air de ses membres antérieurs et obligé l'agresseur à reculer. Les autres lakchas avaient aussitôt tiré leurs grands poignards de corne de leurs étuis et formé une haie attentive, menaçante, infranchissable.

Orchéron avait poussé un cri de rage et s'était à nouveau rué sur son vis-à-vis. Le cabrage du grand herbivore ne l'avait pas arrêté cette fois-ci, il l'avait contourné d'un bond et, dans le même mouvement, avait frappé du haut vers le bas. La lame de son couteau avait crissé sur la cuisse du chasseur mais elle n'avait pas atteint la chair en profondeur, elle avait seulement incisé le pantalon de cuir et la peau sur une longueur de deux pouces.

« Maudit ventresec ! »

Le chasseur avait riposté avec une vivacité stupéfiante. Son poignard avait sifflé tout près des yeux d'Orchéron, qui, entraîné par son brusque retrait du buste, avait perdu l'équilibre et roulé dans les herbes. Le temps qu'il se relève et déjà les lakchas, rompus depuis des années aux traques, aux réactions parfois dangereuses des hardes de yonks sauvages, avaient reculé, saisi leurs arcs et encoché leurs flèches. Tenu en joue, Orchéron n'avait pas eu d'autre choix que de s'immobiliser. Le chef des chasseurs avait examiné sa blessure, superficielle, avant de lui lancer un regard furibond.

« J'avais presque fini par te croire, toi et ta foutue histoire de fils de mathelle, mais tu es bien de l'engeance des ventresecs, plus sournois et stupide qu'un grand nanzier !

— Qu'est-ce qu'on fait de lui ? avait demandé un chasseur.

— Il a voulu jouer avec nous, on va jouer avec lui... »

Ils avaient donc commencé le jeu. Ils avaient encore élargi le cercle et, l'un après l'autre, ils avaient lancé leurs yonks au grand galop vers Orchéron. Il avait esquivé la charge des animaux sans trop de difficulté au début, puis la fatigue s'en était mêlée, son souffle était devenu court, ses réflexes s'étaient émoussés, ses yeux voilés de rouge, et les cavaliers avaient raccourci les distances, accentué la cadence, l'avaient harcelé jusqu'à ce qu'il s'effondre, hors d'haleine, ivre d'épuisement, près du feu où rougeoyaient des braises.

Il attendait le coup de grâce, les yeux rivés sur les volutes de fumée claire qui s'évanouissaient dans la lumière de Jael. Il entendait le souffle précipité des yonks, exténués par ces assauts brefs, violents, répétés, d'autant plus harassants qu'ils venaient juste après une longue galopade à travers la plaine. Son sort le laissait indifférent à présent, il s'abandonnait à la mort, au vide, ni heureux ni déçu de sortir d'une vie qui, comme une poignée de terre poussiéreuse, lui avait glissé entre les doigts. Il doutait de rejoindre sa mère Lilea et Mael dans les mondes des chanes, mais cela n'avait qu'une importance relative, il aspirait au repos, au silence, à la dispersion de son être dans le néant, dans l'indicible. Il se ressentait encore des coups de bâton d'Œrdwen, douleurs sourdes, frémissements le long de la colonne vertébrale. Une question le tracassa, le tira pendant quelques instants de sa torpeur : comment Œrdwen avait-il pu être le constant d'une femme comme Orchale, le père d'une fille comme Mael et revêtir le masque et la robe des protecteurs des sentiers ? Les peurs des hommes étaient-elles si terribles qu'elles les poussaient à dresser entre eux des murs de silence, de haine et d'incompréhension ? Avant d'être emportée par les umbres, sa mère lui avait révélé qu'il était le dernier descendant d'une lignée maudite, mais est-ce que son extinction effacerait la grande, l'immense malédiction qui semblait peser sur l'ensemble du genre humain ?

Les chasseurs discutaient entre eux. Leurs voix graves étaient celles d'hommes enracinés dans l'assurance de leur puissance, de leur légitimité. Elles rappelaient à Orchéron, en moins caverneuses, les voix des protecteurs des sentiers dans le silo. Ils lui avaient enfilé un sac de toile sur la tête après avoir prononcé la sentence. Il avait entendu des frottements, des chuintements, des grognements, des gémissements étouffés, puis, au bout d'un temps qui lui avait paru très long, il avait fini par s'assoupir, marinant dans sa sueur et l'odeur de farine de manne, vaincu par la peur et la douleur. Il s'était réveillé dans un réduit insalubre mal éclairé. Après que ses yeux s'étaient habitués à la semi-pénombre, il avait découvert, posé sur une botte de paille blanche, le visage tuméfié de sa mère. Il prenait conscience aujourd'hui que Lilea avait retenu ses hurlements pendant que les couilles-à-masques la violentaient. Par amour pour son fils.

Un tumulte de cris perçants, de meuglements, de crépitements se leva tout à coup. Il crut que les chasseurs éperonnaient leurs montures pour le piétiner, pour en finir. Il s'agrippa soudain de toutes ses forces à cette vie qu'ils venaient lui prendre et que, quelques instants plus tôt, il leur aurait cédée sans résistance. Il voulut raffermir sa prise sur le manche de son couteau, mais ses doigts se refermèrent sur le vide. Il l'avait lâché sans même s'en rendre compte pendant les assauts des yonks. Il se redressa pour chercher une issue du regard.

Le spectacle qu'il découvrit alors le stupéfia. Les yonks tournaient sur eux-mêmes, apeurés, affolés, isolés les uns des autres par des créatures qu'il ne voyait pas mais dont il devinait les déplacements aux mouvements des herbes. Les cavaliers, eux-mêmes gagnés par la nervosité, s'efforçaient à la fois de rester en selle, de maîtriser leur monture et de décocher leurs flèches. Certains d'entre eux avaient déjà vidé leur carquois, jeté leur arc et tiré leur poignard qu'ils brandissaient en poussant des hurlements de frayeur et de désespoir. Le regard d'Orchéron capta en arrière-plan, entre les herbes qui coiffaient les buttes environnantes, des silhouettes nimbées de lumière, attentives, immobiles.

Un chasseur lâcha les rênes et fut éjecté de sa selle. Son yonk fou de terreur s'éloigna aussitôt au triple galop. Il y eut une agitation intense, rageuse, autour de l'homme à terre, qui évoquait les remous, les convulsions, les craquements, les succions d'une invisible curée. Son cri d'agonie plana un long moment au-dessus du tumulte avant de s'achever en un gargouillis prolongé, sinistre. Stimulés par la fuite de leur congénère, les yonks comprirent que leur survie passait par l'élimination de leurs cavaliers, ruèrent et se cabrèrent de plus belle. Les lakchas, désarçonnés, chutèrent l'un après l'autre et se retrouvèrent au sol, aux prises avec un adversaire insaisissable, impitoyable. Quelques-uns réussirent à se relever, mais à peine eurent-ils le temps d'esquisser un pas que les remous les renversèrent et les submergèrent.

Lorsque Orchéron, abasourdi, se releva, il se demanda s'il n'émergeait pas d'un rêve. Il ne restait plus un seul lakcha de chasse dans le campement ventresec, pas un fragment d'os, ni un pan de vêtement, ni une chaussure, ni même un morceau de viscère ou une goutte de sang. Rien d'autre qu'une vague odeur de yonk et un silence funèbre. Ils s'étaient volatilisés, tout comme les silhouettes sur les buttes environnantes, tout comme les créatures une fois leur carnage accompli. Il se raccrocha, pour se convaincre qu'il évoluait toujours dans le monde réel, aux vestiges des abris des errants, à l'amas de cendres encore chaudes, aux taches sombres et lointaines des montures éparpillées sur la plaine jaune, aux égratignures qui lui zébraient le torse. Il eut envie de plonger les mains dans un tas de terre humide et rouge, de la plier et de l'arrondir sous ses doigts. Jamais il ne s'était senti aussi réel que dans l'atelier de poterie du domaine. Comme si façonner la matière lui permettait de descendre dans le cœur même de la matière, comme si la terre modelée, consentante, lui confiait ses secrets.

Des mouvements traversèrent son champ de vision, suivis de froissements. Les créatures rampantes étaient revenues en arrière pour lui faire subir le sort des chasseurs, du moins le crut-il jusqu'à ce que des silhouettes humaines émergent des herbes et convergent dans sa direction. Il reconnut la chevelure exubérante, la robe claire et l'allure décidée d'Ezlinn. Elle s'avança vers lui et, tandis que les autres s'égaillaient dans le campement dévasté, lui posa la main sur l'avant-bras et le fixa d'un air où se mêlaient soulagement et remords.

« Tu n'es pas blessé ? demanda-t-elle en examinant les éraflures semées sur son torse par ses innombrables chutes.

— Juste des égratignures.

— Loués soient les négentes, les furves sont arrivés à temps, dit-elle au bout d'un petit moment de silence avec un sourire hésitant.

— Des furves ? Je les croyais inoffensifs...

— Ça dépend des moments, ça dépend pour qui. Arjam (elle désigna du bras un homme aux cheveux clairs, presque blancs, qui inventoriait avec les autres les restes des abris) est celui de notre clan qui communique avec les furves.

— Tu veux dire que ces animaux sont... intelligents ?

— Ah, tu es bien comme les autres ! »

Le front plissé, l'air maussade, elle laissa errer son regard sur les membres de son clan affairés à sauver ce qui pouvait l'être.

« Les mathelles, les permanents, les chasseurs, ils pensent tous qu'ils sont les seuls êtres évolués de ce monde ! reprit-elle d'une voix gonflée de fureur contenue. Et ils s'installent sur ces terres comme si elles leur avaient toujours appartenu ! Ils ne cherchent pas à rencontrer les autres formes de vie, et pourtant les autres formes de vie, les furves, les négentes, ont tant de choses à nous apprendre.

— Les négentes ? Qu'est-ce que les umbres pourraient nous apprendre ? »

Elle haussa les épaules et, d'un geste machinal, retira un brin d'herbe coincé dans ses cheveux emmêlés. Encore en sueur, Orchéron frissonna malgré la tiédeur diffusée par les rayons de Jael.

« Nous croyons qu'ils sont à la fois les régulateurs et les symboles de ce monde, mais nous n'avons pas encore trouvé le moyen d'établir la communication avec eux.

— Que vous apporte la communication avec les furves ?

— Ils nous enseignent les secrets des plaines, ils nous signalent les abris, les sources chaudes, les racines nourricières, les vergers souterrains, les peaux, les os et la corne des cadavres de yonks.

— Ils vous demandent quoi en échange ? »

La question parut offusquer Ezlinn.

« Pourquoi nous demanderaient-ils quelque chose ? Ils sont heureux de nous découvrir, de nous connaître, de nous faire découvrir et de nous faire partager leur monde.

— C'est vous qui leur avez demandé de me venir en aide ? »

Elle se rapprocha du feu et remua la cendre du bout de son pied nu, dérangeant des braises qui lancèrent des éclats colériques.

« Nous n'aurions pas dû intervenir. Nous ne voulons pas que les chasseurs et les permanents des domaines soient informés de notre relation avec les furves. Mais tu sembles... différent des autres, nous avons eu des remords de ne pas t'avoir prévenu de l'arrivée des chasseurs et nous avons demandé à Arjam d'appeler les furves.

— Ils se tenaient là, tout près ? »

Elle renversa la tête en arrière et émit un rire musical qui s'envola entre les sifflements des rafales.

« Vous les permanents, vous n'avez pas la moindre idée de la puissance des furves. De l'incroyable finesse de leurs perceptions. De la vitesse à laquelle ils parcourent le réseau des galeries qu'ils entretiennent depuis des millénaires.

— Ni de leur voracité. Il ne leur a pas fallu longtemps pour engloutir une vingtaine d'hommes... »

Elle pivota avec vivacité sur elle-même et le dévisagea avec une attention soutenue, presque agressive. Un nuage gris se dispersa autour de son pied couvert de cendres.

« Ils peuvent aussi se montrer plus féroces que les plus féroces des humains. Pour l'instant, ils ont toléré les chasseurs parce qu'ils les aident à réguler les grands troupeaux de yonks. Mais si les lakchas ne comprennent pas rapidement qu'ils doivent cesser de nous harceler, alors les furves les élimineront sans pitié. De même, si les mathelles s'obstinent à s'étendre, elles briseront les équilibres du continent et seront à leur tour menacées.

— Vous devriez les prévenir. »

Une moue d'amertume plissa les lèvres d'Ezlinn.

« Ce n'est pas faute d'avoir essayé. Mais les mères de Cent-Sources ne renonceront jamais à leur héritage de l'*Estérion*, à leur position de reines des domaines. Pour elles les ventresecs ne sont que des parasites à qui de temps à autre elles font l'aumône d'un peu de travail, de quelques repas et de quelques heures de repos sur la paille des silos. »

Orchéron se souvint des termes employés par Orchale et par ses constants pour décrire les ventresecs, « paresseux, pouilleux, propres à rien, menteurs, pique-assiette... ». Les paroles d'Ezlinn n'étaient que le strict reflet de la vérité. Pourtant, à la lueur de ce qui venait de se passer dans le campement, les mathelles auraient eu tout intérêt à tenir compte des mises en garde des errants.

« Les furves, ils mangent quoi en dehors de la chair humaine ?

232

— Ils ne nous ont pas livré ce genre d'information. Mais il semble qu'ils se nourrissent d'une autre substance que les aliments solides ou liquides, quelque chose comme de l'énergie pure. »

Orchéron croisa les bras et se frictionna les épaules pour essayer de se réchauffer.

« Qu'est-ce que vous comptez faire maintenant ?

— Nous attendrons le retour de la prochaine saison sèche pour reconstruire les abris de peau, répondit Ezlinn. Nous passerons l'amaya de glace dans un refuge souterrain. Tu... tu peux rester avec nous si tu veux. En tout cas, moi je le souhaite. »

Elle avait lâché cette dernière phrase entre ses lèvres serrées, incertaine de l'accueil qu'il réserverait à sa proposition, incertaine de ses propres désirs, comme elle aurait lancé un de ces dés de pierre où étaient gravés les symboles des héros de l'*Estérion* et dont se servaient les permanents des domaines pour disputer des parties animées de sept-sentiers.

« Je dois aller sur l'autre continent avant les premières averses de cristaux de glace », dit-il.

La surprise le disputa à la déception dans les yeux sombres d'Ezlinn.

« Sur l'autre continent ? Pour quoi faire ?

— Il me semble que c'est là que... l'ordre invisible me commande d'aller.

— Mais tu devras franchir les montagnes de l'Agauer et les grandes eaux orientales.

— Je trouverai un moyen. »

Elle hocha la tête à plusieurs reprises, visiblement absorbée dans ses réflexions, puis son regard revint se poser sur lui, empli d'une flamme nouvelle.

« Nous t'accompagnerons jusqu'au pied des montagnes.

— Je croyais que vous deviez chercher un refuge. »

D'un ample geste du bras elle montra la plaine céleste éclaboussée de l'or de Jael.

« Nous avons encore le temps.

— Et les autres ?

— Je vais leur soumettre l'idée, mais je suis sûre qu'ils seront tous d'accord avec moi. »

Comme elle l'avait annoncé, aucun membre du clan ne manifesta de désaccord lorsqu'elle leur proposa de pousser jusqu'aux montagnes de l'Agauer. Orchéron décela même de l'excitation, de l'enthousiasme dans les yeux, dans les sourires, comme si l'expédition, longue de plusieurs jours, leur offrait un supplément de hasard dans une existence vouée à l'errance, à l'incertitude.

De leur ancien campement ils ne récupérèrent que quelques gourdes de peau, une poignée d'ustensiles de corne et une brassée de vêtements épargnés par les sabots des yonks. Un des enfants retrouva le couteau d'Orchéron non loin des cendres, enfoui sous une touffe d'herbe, et courut le lui rapporter avec une fierté presque comique. Les ventresecs étaient eux-mêmes équipés de couteaux aux lames de corne, aux manches d'os ou de bois, mais, à en croire leur réaction face à la menace des lakchas de chasse, il ne leur venait pas à l'idée de les utiliser en tant qu'armes. Sans doute ne s'octroyaient-ils pas le droit de donner la mort, eux qui subissaient le mépris des permanents des mathelles et le harcèlement des cercles de chasse ? Sans doute avaient-ils accompli, dans l'ombre de leurs autres descendants, mieux que leurs autres descendants, une partie des rêves des passagers de l'*Estérion*, avaient-ils voué un respect absolu à ce monde d'adoption auquel, sur l'intervention du grand Ab, on n'avait pas donné de nom ? Seuls les ventre-secs avaient refusé de s'emparer des terres et des sources, seuls ils avaient noué des contacts avec une forme de vie antérieure à l'arrivée des hommes, seuls ils avaient perpétué cette notion de liberté et de partage qu'avaient voulue les maudits d'Ester. Et, parce que les autres ne les avaient pas suivis sur le sentier de la sincérité, ils étaient devenus des personnages encombrants, des miroirs insultants, les cibles toutes désignées de cette haine qui grossit sournoisement dans les lits creusés par le mépris de soi. Ne possédant ni terres, ni source, ni maison, ni réserves de grain ni bétail, ils allaient pleins de la grandeur offerte par le dépouillement et la liberté, ils étaient les enfants du présent.

Ils marchèrent en direction de l'Agauer jusqu'à la tombée de la nuit. Une fraîcheur piquante s'était invitée après le coucher de Jael, des nuages menaçants, poussés par un vent irascible, avaient sillonné un ciel assombri, d'un mauve qui virait à l'indigo. Les herbes ondulantes avaient libéré des bulles de pollen tardif et changé de couleur à plusieurs reprises, tirant sur la plaine des voiles tantôt bleus, tantôt verts, tantôt bruns.

Le froid transperçait Orchéron, toujours torse nu, jusqu'aux os. Il rencontrait des difficultés grandissantes à suivre le train des autres, y compris des enfants. Ils marchaient en silence, d'une allure aérienne à côté de laquelle la sienne paraissait aussi pesante que celle d'un yonk. Il y avait quelque chose d'une harmonie, d'un chant, dans la façon qu'ils avaient de se bercer dans le sein du nouveau monde, cette même harmonie, ce même chant qu'il avait perçus, enfant, dans le friselis des frondaisons, dans le fredonnement des sources ou dans les sifflements coléreux des tempêtes d'amaya. Ezlinn, qui se tenait à ses côtés, se serrait de temps à autre contre lui pour l'encourager, pour le réchauffer.

Ils s'arrêtèrent quand la nuit eut commencé à étendre sa main noire sur la plaine. Ils se disposèrent en cercle autour d'Arjam, qui, les yeux clos, la tête baissée, se concentra quelques instants avant d'émettre un son prolongé, entre mélopée, sifflement et gémissement. Les autres l'écoutaient avec recueillement, les yeux clos, la mine grave. Si étrange, si poignant était son appel que les ténèbres naissantes semblaient noyées de tristesse. Ses cheveux dessinaient sur le fond de pénombre une tache aussi claire que l'œil gris pâle et entrouvert de Mung, le premier des trois satellites nocturnes.

Le froid n'était plus le seul responsable des frissons d'Orchéron. Des vibrations répétées lui donnaient à penser qu'un tremblement de terre, semblable à celui qui avait endommagé le domaine d'Orchale six ans plus tôt, était sur le point de ravager la plaine. Il sentit sur sa joue la caresse insistante et rassurante du regard d'Ezlinn. Arjam s'était tu, et les ventresecs ne paraissaient pas affolés par les rumeurs sourdes qui montaient dans le silence nocturne et qui, provenant de plusieurs directions à la fois, traduisaient des déplacements extraordinairement rapides et puissants dans les profondeurs de la terre.

La main d'Ezlinn se glissa dans celle d'Orchéron. Il ne sut qu'en faire dans un premier temps, trop plein du souvenir de Mael, trop accaparé par ce qui se passait autour de lui pour prendre une quelconque initiative, puis la chaleur qui irradiait de la paume de la jeune femme le réconforta et le poussa à en prolonger le contact.

Les grondements se rapprochèrent, les tremblements s'accentuèrent, les déséquilibrèrent, les obligèrent à modifier leurs appuis. La terre se soulevait, se tordait comme la surface en furie de la rivière Abondance au plus fort de l'amaya de glace. Ezlinn jugula la panique galopante d'Orchéron d'une pression appuyée sur ses doigts.

Alors, à quelques pas d'eux, comme un immense buisson aux branches furieuses, les furves jaillirent des entrailles du sol.

CHAPITRE XIV

LABYRINTHE

Très chère amie,

Sache tout d'abord que j'ai reçu vingt réponses positives et que, par conséquent, dix-neuf autres mathelles lisent en ce moment, ou vont bientôt lire, une copie de la lettre que tu tiens entre les mains. Vingt sur les quelque trois mille cinq cents domaines que compte le nouveau monde (mais tous n'ont pas reçu mon message, loin s'en faut), cela peut te paraître dérisoire, décevant, désespérant.

J'y vois quant à moi, l'éternelle optimiste, un signe des plus encourageants.

Il nous faut en effet retirer un certain nombre de domaines passés entièrement ou partiellement sous le contrôle des protecteurs des sentiers. Combien ceux-là sont-ils ? Des centaines sans doute. Espérons seulement qu'ils n'atteignent pas le nombre fatidique de mille, un seuil qui, je l'avoue, ne nous laisserait que peu d'espoir de redresser la situation. Il nous faut ensuite retrancher les mathelles farouchement ancrées dans la certitude que la violence n'est pas inscrite dans le sentier d'Ellula. J'ai essayé de convaincre ces dernières, mais mes arguments n'ont pas pesé lourd face à une croyance enracinée depuis plusieurs générations. Combien sont-elles, ces mères qui se laisseront dépouiller plutôt que d'aller à l'encontre de leurs convictions les plus profondes ? Mille cinq cents ? Deux mille ?

Il nous faut enfin compter les hésitantes, les récalcitrantes, les irrésolues, celles qui attendent nos premières actions, nos premiers coups d'éclat pour prendre leur décision. C'est ce dernier groupe que nous devons à tout prix conquérir. Une fois que nous aurons déclenché le mouvement, elles basculeront dans notre camp, elles viendront se joindre à nous comme l'eau se rue dans un siphon amorcé, elles grossiront nos rangs avec d'autant plus d'enthousiasme qu'elles voudront se faire pardonner leurs tergiversations, qu'elles seront avides de se draper dans un pan de notre gloire, elles deviendront nos bras les plus féroces et nos recruteuses les plus efficaces.

Vous formez donc le noyau dur, mes amies. Quels que soient les jugements qui seront portés sur cette période noire de notre histoire, le mérite vous appartiendra, plein, entier, indivisible. Et lorsque vos descendants chanteront les louanges des mathelles victorieuses des couilles-à-masques, ils parleront de ces vingt et une femmes qui prirent un jour la décision de s'unir pour défendre coûte que coûte l'héritage sacré de l'Estérion, pas de celles qui arrivèrent après, qui volèrent au secours du succès.

Chacune de vous emmène avec elle une cinquantaine d'hommes en moyenne, ce qui porte les effectifs de notre petite armée à un peu plus de mille soldats. Je t'assure, chère amie, je vous assure, vous toutes, que ce n'est pas rien, ayant moi-même réussi à contenir les assauts des protecteurs des sentiers, très supérieurs en nombre, avec une troupe maintenant réduite à une quinzaine d'éléments. Au prix de pertes douloureuses, certes, mais nous sommes entrées en guerre et la guerre est une déesse cruelle qui exige son lot quotidien de sacrifices et de deuils.

Ce monde n'avait probablement jamais connu de conflit avant l'arrivée de nos ancêtres. Constatons donc qu'il est illusoire, voire impossible, de dissocier le pire du meilleur chez l'être humain. Nous transportons dans nos gènes, dans nos fibres, ce goût du malheur qui valut tant de souffrance à nos ascendants dans le ventre de l'Estérion et sur leur monde d'origine. Notre présent, cet insaisissable présent que j'ai cherché en vain à capturer durant mes années de djemale au conventuel de Chaudeterre – je ne pense pas qu'une seule d'entre vous ignore encore mon passé, on y faisait souvent allusion aux réunions des mathelles, et plutôt sur le mode sarcastique –, se terre aussi dans cette mémoire profonde que nous n'avons pas su transformer.

Était-ce d'ailleurs une nécessité de la transformer ? N'était-ce pas déjà une manière de se fuir et, par conséquent, d'engendrer ce décalage dans lequel s'engouffrent, selon Djema, tous les malheurs de l'humanité ? Acceptons-nous maintenant telles que nous sommes, filles de ces hommes et de ces femmes qui eurent pour compagnes la division et la violence, combattons sans peur et sans faiblesse, tuons sans pitié ces adorateurs de Maran qui versèrent le premier sang.

J'ai souhaité éprouver ma détermination en égorgeant moi-même le jeune prisonnier dont je vous avais parlé dans la missive précédente. Je n'ai pas tremblé au moment de plonger le couteau dans sa gorge. Il m'a agonie d'insultes jusqu'à ce que ma lame lui sectionne les cordes vocales, il m'a injuriée des yeux jusqu'à ce que la mort les voile, preuve que les couilles-à-masques emportent leur folie avec eux sur le chemin des chanes, preuve qu'il n'y a aucune mansuétude ni aucun revirement d'attitude à attendre de leur part. Ce sont des blocs de haine pure que nous devons désagréger, dissoudre dans le feu de notre propre résolution, de notre propre... haine. Œil pour œil, dent pour dent, haine pour haine, et que les plus méritants l'emportent ! L'exécution de notre jeune otage ne m'a pas accablée de remords, elle a au contraire soufflé sur ma colère, sur mon désir pur, sincère, brûlant de débarrasser la surface du nouveau monde de l'engeance détestable des protecteurs des sentiers.

Le lieu de rendez-vous n'entraînera de difficulté majeure pour aucune d'entre vous. Vous êtes toutes les mères de mathelles situés au nord de Cent-Sources, non loin du mien par conséquent, vous êtes toutes mes très chères voisines. Les mères des domaines originels ont été prévenues, j'en ai eu la confirmation, mais aucune d'elles n'a daigné me répondre, comme si elles s'estimaient bien au-dessus de ces contingences misérables, comme si l'ancienneté de leurs terres les dispensait de la menace des couilles-à-masques. Qu'elles s'étouffent dans leur mépris, ces femmes qui s'élisent comme les reines des reines, comme les descendantes les plus pures des héros de l'Estérion ! Nous nous passerons de leur appui de la même manière que nous nous sommes passées de leur bénédiction pour fonder nos mathelles. Souvenez-vous d'elles, souvenez-vous de ces mijaurées qui s'opposaient à toute décision ou à toute initiative susceptibles de remettre en cause leurs privilèges, souvenez-vous qu'elles figeaient notre monde dans un conservatisme oppressant, qu'elles vivaient déjà dans le passé, dans la négation des enseignements d'Ellula, ces mêmes enseignements dont elles se prétendent les représentantes les plus illustres. S'il m'est permis ici de me montrer grossière – ce sera, je pense, la meilleure façon de révéler le fond de ma pensée –, je conchie leur prestige, je conchie leurs maisons, je conchie leurs bavardages, je conchie

leurs intrigues, je conchie leur hypocrisie et leurs
mines perpétuellement outragées.

M'étant ainsi soulagée, je t'invite à me rencontrer
au milieu de la nuit prochaine au lieu-dit des Trois
Cornes, au bord de la rivière Abondance. Que celles
qui ne connaissent pas cet endroit suivent la rive
orientale d'Abondance à partir du croisement des
Quatre Chemins du nord. Elles finiront par tomber
sur une crique profonde, surmontée de trois rochers
en forme de corne. Venez toutes accompagnées
d'une escorte solidement armée au cas, probable,
hélas ! où vous feriez de mauvaises rencontres.

Le présent nous convie à la fermeté et à la vigi-
lance. Je t'embrasse du fond du cœur, très chère
amie.

Merilliam.

Cᴇʟᴀ faisait des heures qu'Alma errait dans le labyrinthe souterrain de Chaudeterre. Sans solarine ni
torche de résine, elle ne voyait pas à trois pas devant
elle, et les galeries se ressemblaient au point qu'elle
avait l'impression d'en parcourir une seule, toujours
la même, multipliée à l'infini. Elle entendait, ou
croyait entendre, des cris étouffés, des murmures
dans le silence des profondeurs bercé par les clapotis. Elle se dirigeait alors, ou croyait se diriger, vers
la source du bruit, espérait se rapprocher de ses
sœurs, mais le cri étouffé ou le murmure s'interrompait au bout de quelques instants, ou bien retentissait
derrière elle et l'entraînait dans une autre direction.

Elle marchait pieds nus sur un sol rugueux, coupant parfois, ayant d'abord retiré sa sandale gauche
dont son pied gonflé, douloureux, ne supportait plus

le contact, puis s'étant débarrassée de la droite pour combattre une vague impression de déséquilibre. Elle tenait ses deux chaussures dans la même main et se servait de l'autre pour explorer à tâtons les parois blessantes ou pour éviter les concrétions qui tombaient de la voûte et barraient la galerie sur toute sa hauteur.

Elle avait cédé une fois au découragement et s'était effondrée en larmes au pied d'une grosse stalagmite. Elle avait d'abord cru qu'elle ne pourrait plus se relever tant elle était épuisée, tant son pied ébouillanté lui faisait mal. Elle avait fini par s'assoupir, recroquevillée sur elle-même, la hanche et l'épaule meurtries par la dureté du sol. Réveillée en sursaut par une sensation de mouvement, de présence, elle avait scruté un long moment l'obscurité sans rien distinguer d'autre que les tores arrondis et gris d'autres stalagmites éparpillées dans la galerie. L'odeur du soufre lui avait semblé plus forte que d'habitude, et l'air plus moite, comme si l'activité des sources souterraines s'était accrue pendant son sommeil. La douleur à son pied avait en tout cas considérablement diminué, et elle avait décidé de repartir, tenaillée par la faim et la soif, se maudissant de ne pas avoir insisté pour porter un sac de vivres ou une cruche d'eau potable.

Comme elle avait perdu depuis longtemps tout sens de l'orientation, elle n'essayait plus de se repérer, elle enfilait les galeries au hasard dans l'espoir un peu fou de tomber sur un groupe de ses sœurs. Elle s'immobilisait de temps à autre, restait à l'écoute du silence, tentait de capter, sous les clapotis qui rythmaient la rumeur grave et persistante, des éclats de voix, des chuchotements, des rires qui la guideraient dans le dédale. Mais les bruits qu'elle percevait disparaissaient au bout de quelques instants comme des mirages sonores et ne réussissaient qu'à renforcer son impression de tourner en rond.

Le découragement la gagnait à nouveau, elle peinait de plus en plus à poser son pied au sol. Elle marcha encore quelque temps avant de renoncer au sortir d'une galerie, vaincue par la fatigue et la douleur. Elle retroussa sa robe et s'installa en porte-du-présent, une posture tellement usitée pendant ses deux années de noviciat à Chaudeterre qu'elle était devenue un réflexe, presque une seconde nature. Elle se concentra aussitôt sur la circulation de l'air dans sa gorge et ses poumons, prit des inspirations de plus en plus profondes, ralentit le débit de ses expirations, fut peu à peu baignée d'un grand calme. De ses pieds, sollicités par la posture, montèrent des douleurs vives, aiguës, surtout du droit qui compensait les faiblesses du gauche et supportait tout le poids de son corps. Elle les ignora de la même façon qu'elle ignora le tremblement de ses jambes et l'angoisse qui resurgissait en force dans son silence intérieur. Trop exténuée pour tenter de dominer ses troubles physiques et ses pensées parasites ainsi que ses instructrices le lui avaient enseigné durant les séances d'éveil au présent, elle se contenta de les observer au fur et à mesure qu'ils se présentaient, comme elle aurait observé des phénomènes extérieurs à elle-même, les averses de cristaux de glace, les tempêtes de bulles de pollen, les ondulations aux couleurs changeantes des herbes de la plaine ou les nuages traversant le ciel mauve au-dessus des toits du conventuel. D'innombrables tentacules surgissaient de son mental, qui la ligotaient à ses pensées, à ses souffrances, qui tentaient de l'entraîner dans les remous familiers et tumultueux.

Une ronde infernale de jugements, de désirs, de souvenirs, de peurs, de rejets...

Pauvre petite fille abandonnée dans le labyrinthe souterrain de Chaudeterre. Pauvre petite fille mal aimée, reniée par sa mère. Pauvre petite fille handicapée à vie par sa propre stupidité. Pauvre petite fille seule dans le noir, écrasée de frayeur. Pauvre petite fille assoiffée de reconnaissance et incapable de démontrer son importance aux yeux de tous. Pauvre petite fille si douée pour le malheur et bientôt morte de soif. Pauvre petite fille, pauvre petite fille, pauvre petite fille... Elle se contempla ainsi, sans dureté excessive mais sans complaisance, avec l'infime recul nécessaire pour percevoir tout l'artifice, toute l'absurdité de sa situation. Elle qui avait si souvent appelé la mort de ses vœux, elle risquait seulement de mourir. Elle n'aurait pas montré de quoi elle était capable, la belle affaire ! on n'emportait pas dans l'autre monde l'admiration ou la reconnaissance des autres. Elle n'avait rien à prouver, ni à sa mère ni aux responsables du conventuel, ni même à Qval Djema la fondatrice, elle se devait seulement d'être elle, dans le présent, avec ses forces et ses faiblesses, ni pauvre petite fille ni héroïne de mondes inexistants.

Un cri strident la tira de sa contemplation. Elle se rendit compte qu'elle pleurait. Elle la fumée, la sèche, versait décidément beaucoup de larmes depuis qu'elle avait trempé les pieds dans le bassin bouillant. Des bruits de pas précipités enflèrent et se répercutèrent dans le silence des profondeurs. Cette fois, elle en était sûre, des sœurs couraient dans une galerie toute proche de celle-ci. Elle se releva, rabattit sa robe sur ses jambes, fit quelques mouvements d'assouplissement pour rétablir la circulation sanguine, grimaça lorsque le sang, affluant à ses pieds, réveilla ses douleurs assoupies et se mit en chemin en direction du tumulte. Elle perdit du temps à franchir les passages étranglés entre les bases imposantes des stalagmites et les parois. Des hurlements suraigus et continus supplantèrent les bruits de cavalcade et lui vrillèrent les nerfs. Elle déboucha dans une autre galerie, vaste, dégagée, et aperçut dans le lointain la lueur faible et fixe d'une solarine. Reprise par ses peurs, elle hésita un moment à s'en approcher.

Les hurlements s'interrompirent et le silence retomba sur les lieux, funèbre, écrasant. Le cœur battant, Alma attendit encore quelques instants avant de s'engager dans la galerie et de marcher vers la lumière aussi vite que le lui permettait son pied gauche. Elle ressentait de nouveau la présence d'une force latente, d'une énergie qui emplissait les ténèbres et dont elle ne parvenait pas à déterminer la nature. La lumière de la solarine soulignait les irrégularités des parois et de la voûte de la galerie.

Elle éclairait également une forme oblongue posée en travers du sol et qui était, Alma s'en rendit compte après avoir franchi une distance d'une cinquantaine de pas, un corps étendu. Le corps d'une djemale plus précisément, vêtue d'une robe déchirée imbibée de sang. Alma eut un haut-le-cœur quand elle découvrit la tête de sa sœur, réduite à une bouillie de chair, d'os et de cheveux. Impossible de discerner les traits dans son visage ravagé, mais son corps à peu près intact la désignait comme une femme d'une quarantaine d'années, une femme par conséquent à peine entrée dans l'âge adulte. Sa robe retroussée, dénudant jambes et bassin, semblait indiquer qu'elle avait été violée avant d'être frappée avec un acharnement démentiel. L'odeur de sang masquait les effluves de soufre et une autre senteur à peine perceptible, un mélange de résineux et d'herbes sauvages.

Alma se recula de deux pas et se pencha sur le côté pour vomir. Comme elle avait le ventre vide, elle régurgita de la bile dont l'amertume provoqua une nouvelle et violente série de spasmes. Haletante, tremblante, gémissante, elle s'essuya les lèvres d'un revers de manche, se releva et avisa, quelques pas plus loin, la petite solarine dont les ténèbres assiégeaient le halo faiblissant. Elle la ramassa avant de s'appuyer contre la paroi pour récupérer un peu de ses forces. La pierre était encore emplie de la tiédeur de sa sœur morte. Elle n'avait plus aucun doute désormais, la force à l'œuvre dans ces souterrains était une entité maléfique, destructrice. Elle ferma les yeux, renversa la tête en arrière, essaya de juguler le flot tourmenté de ses pensées, de retrouver le calme réparateur qu'elle avait expérimenté quelques instants plus tôt, mais quelque chose l'en empêcha, la sensation nette, presque blessante, d'être cernée, observée.

Elle rouvrit précipitamment les yeux. Découvrit quatre silhouettes autour d'elle. Quatre ombres silencieuses qui avaient jailli de l'obscurité pour s'avancer dans le halo lumineux de la solarine. Quatre hommes aux visages dissimulés par des masques d'écorce et drapés dans d'amples et grossières robes de craine. Quatre protecteurs des sentiers qui brandissaient des haches et des masses de pierre.

Ils débouchèrent sur une vaste place circulaire et criblée de colonnes de lumière qui tombaient d'invisibles ouvertures. Alma reconnut l'endroit malgré la souffrance dévorante qui la privait par intermittence de sa lucidité et lui donnait l'impression d'évoluer dans un improbable ailleurs.

Éclairés par des solarines récupérées près d'autres cadavres de djemales, les quatre couilles-à-masques avaient au préalable emprunté un réseau tortueux de galeries dans lequel ils s'orientaient sans marquer la moindre hésitation. Ils n'avaient pas touché leur prisonnière, ils lui avaient seulement ordonné de les suivre. Alma n'y connaissait pas grand-chose en matière de sexualité masculine, mais des sœurs plus âgées lui avaient confié qu'ils « avaient beau se rengorger de leur virilité, ces messieurs avaient besoin de reconstituer leurs forces une fois qu'ils avaient craché leur... (regards narquois sur la novice) venin ». Et ces quatre-là, à en croire leurs robes souillées de sang, avaient sans doute dilapidé une grande partie de leur énergie avec d'autres sœurs. En revanche, ils s'étaient montrés impitoyables lorsqu'elle les avait implorés de s'arrêter quelques instants pour reposer son pied au supplice, ils l'avaient frappée du manche de leurs haches et de leurs masses pour l'obliger à continuer. Dès lors elle avait eu l'impression de marcher en permanence sur un tapis de braises rougeoyantes.

Ses quatre gardiens entraînèrent Alma vers un groupe de djemales regroupées au centre de la place. Elle ne se fit pas prier lorsqu'ils lui firent signe de s'asseoir au milieu de ses sœurs, elle se laissa tomber comme une masse, s'allongea sur le dos pour détendre ses muscles noués et essayer d'oublier, ne serait-ce que quelques instants, la brûlure qui lui dévorait désormais tout le corps. C'est à peine si elle prit conscience que quelqu'un se penchait sur elle.

« Alma ? Alma ? »

Elle concentra son regard sur le visage qui se précisait dans son champ de vision et reconnut sa mère. Zmera n'avait plus rien de la mathelle sûre d'elle et autoritaire qu'elle s'efforçait de paraître en toutes circonstances : cheveux désordonnés, collés par la poussière à ses tempes et à ses joues, traits creusés par l'anxiété, yeux agrandis et délavés par la frayeur. Alma fut néanmoins contente de la revoir, contente de la savoir en vie.

« Ces monstres ne t'ont pas... »

Zmera n'alla pas au bout de sa question, par peur sans doute d'entendre la réponse. Alma secoua lentement la tête avec un sourire qu'elle espéra rassurant. Les colonnes de lumière éclairaient des visages dans le groupe des djemales, la face ridée de Qval Frana, celle, ingrate, de Qval Anzell, d'autres qui appartenaient pour la plupart aux djemales anciennes de Chaude-terre.

« Ils nous attendaient, reprit Zmera. Ils savaient que les sœurs se réfugieraient dans les souterrains du conventuel. Quelqu'un les a guidés dans le labyrinthe.

— Qui ? » souffla Alma.

Zmera haussa les épaules.

« Nous n'aurons sans doute jamais la réponse à cette question. Peut-être une sœur ingénue, facile à séduire, à influencer. » Elle posa la main sur l'épaule d'Alma. C'était la première fois, à sa connaissance, que sa mère lui manifestait un peu d'attention, de tendresse. « J'ai cru que tu étais morte, Alma. Et je ne me serais jamais pardonné d'avoir manqué l'occasion de dissiper le... malentendu entre nous.

— Moi je me suis déjà pardonné, murmura Alma. Et je vous ai aussi pardonné. J'ai souffert de votre mépris, mais tout ça n'a plus aucune importance. J'ai cessé d'être votre pauvre petite fille. Le principal, pour vous comme pour moi, est de s'en aller sans remords et sans regrets sur le chemin des chanes.

— Tu n'as vraiment ni remords ni regrets ? »

Alma se redressa sur un coude. La sensation de brûlure s'assourdissait peu à peu, son esprit se clarifiait comme un ciel de fin d'orage. Des protecteurs des sentiers gardaient toutes les bouches qui donnaient sur la place, y compris l'entrée grondante et fumante de la grotte de Djema. Les lueurs figées des solarines et celles, dansantes, des torches de résine étiraient leurs ombres sur les parois et les voûtes rugueuses et accentuaient l'aspect grimaçant de leurs masques. Des corps avaient été entassés à la hâte dans un recoin de pénombre. Des souffles d'air remuaient un bouquet d'odeurs fortes où dominaient le soufre et le sang.

« Et vous ?

— On ne répond pas à une question par une question, dit Zmera.

— Il me semblait que vous cherchiez une réponse dans ma réponse », répliqua Alma.

Zmera poussa un long soupir avant de glisser une main hésitante dans les cheveux de sa fille.

« Bien sûr que j'ai des regrets ! Des tonnes de regrets ! Je ne parle pas seulement de ton père... Tu n'es pas la fille d'un volage, d'ailleurs, mais d'un errant, d'un ventresec. »

Alma eut un tressaillement de surprise qui raviva la brûlure à son pied.

« Je l'ai supplié de devenir mon constant, mais rester au domaine était au-dessus de ses forces, tu comprends, c'est comme enfermer un nanzier sauvage dans une cage. Il voulait que je le suive dans son errance, il voulait m'enseigner les secrets des plaines du Triangle. Une femme n'a pas le droit d'abandonner ses enfants et, pourtant, s'il me demandait de le suivre aujourd'hui, je le ferais sans l'ombre d'une hésitation. Tu es l'incarnation de ce regret, Alma.

— Vos regrets ne me concernent plus, mère. Je suis Alma, l'incarnation du présent, et j'ai déjà bien assez à faire sur mon propre chemin.

— J'aurais sans doute dû t'en parler plus tôt. Tu lui ressembles, tu as hérité de ses gènes, tu étais faite pour l'errance, pour la liberté. Mais des mathelles avaient chargé certains cercles de chasse d'éliminer les errants et j'ai eu peur pour ta vie. Je ne voulais plus t'avoir sous les yeux, tu ne pouvais plus rejoindre ton père, il ne restait plus qu'une solution : le conventuel de Chaudeterre. Ça aussi, je l'ai regretté. Et amèrement. Pas seulement parce que l'enfermement risquait de te rendre folle, mais parce que tu étais... tu es ma fille, mon sang, ma chair, et qu'on ne coupe jamais le cordon avec ses enfants. »

De grosses larmes roulaient sur les joues de Zmera. Alma resta interdite, pétrifiée. Son esprit la pressait de se jeter dans les bras de sa mère, mais les vieux réflexes, implantés par des années de méfiance, de déception, l'entravaient, la paralysaient. Elle avisa alors une cruche et un morceau de pain de manne non loin d'elle, s'en empara sans demander la permission à quiconque, but une longue rasade d'eau tiède et mangea le bout de pain qui, bien que rassis, suffit à chasser le goût d'amertume de sa gorge.

D'autres sœurs, plus ou moins jeunes, plus ou moins amochées, vinrent peu à peu grossir le groupe des survivantes. Alma comprit qu'elles servaient de réserve aux protecteurs des sentiers. Certains d'entre eux venaient régulièrement en chercher une et s'éclipsaient avec elle dans une galerie adjacente où ses cris résonnaient un long moment avant de s'interrompre brusquement. Ils tournaient autour des femmes avant d'arrêter leur choix, relevaient quelques têtes qui restaient obstinément penchées, émaillaient leurs examens d'éclats de rire et de commentaires graveleux. Ils s'arrêtèrent à plusieurs reprises devant Alma et l'inspectèrent de la tête aux pieds avant de se rabattre sur une de ses voisines, souvent plus âgée. Ils ne faisaient que confirmer ce qu'elle avait découvert depuis sa tendre enfance, à savoir qu'elle était moins attirante que les autres filles aux yeux des garçons. Elle n'aurait jamais pensé en revanche que cette disgrâce lui vaudrait un jour un supplément de vie. Elle ne se berçait pas d'illusion, ils finiraient par l'emmener comme les autres, mais une question lui trottait dans la tête, incongrue voire malsaine dans les circonstances : est-ce qu'elle serait choisie *avant* sa mère ?

Un protecteur des sentiers saisit Alma par la manche et la força à se relever. Elle tenait maintenant sa réponse : ils avaient privilégié la jeunesse, dont elle était la dernière représentante, au détriment de la beauté mûre de Zmera. Elle avait consacré les dernières heures à établir le contact avec le présent, elle se sentait désormais baignée d'un grand calme, résolue et parfaitement maîtresse d'elle-même.

Elle adressa un regard et un sourire d'adieu aux anciennes du conventuel. Elle lut tout le désespoir du nouveau monde dans les yeux de Qval Frana. Elle comprenait cette détresse, ce terrible sentiment d'échec, de gâchis, au moment de tirer le bilan. Elle l'avait elle-même vécu lorsqu'elle avait manqué l'épreuve de l'eau bouillante. Car il s'agissait bel et bien d'un échec, non d'une interprétation erronée de l'enseignement de Djema comme le prétendaient les autres. Qval Anzell la fixa avec attention, comme si elle avait deviné sa détermination, et lui rendit son sourire.

« Emmenez-moi avant ma fille ! »

Zmera s'était levée et avancée vers les protecteurs des sentiers. Elle avait en partie recouvré son arrogance de reine de domaine, de femme consciente de son pouvoir. Un protecteur lui saisit l'avant-bras et la repoussa avec une telle brutalité qu'elle perdit l'équilibre et tomba durement aux pieds de Qval Frana.

« Sois donc pas si pressée, ton tour viendra ! » cracha une voix déformée par le masque.

Alma contempla sa mère qui gisait sur le sol rocheux, la respiration coupée par le choc.

« La mort n'est que l'autre versant de la vie, maman. Où que je sois, où que tu sois, nous resterons toujours unies. Suis-moi si tu as foi en moi. Je t'aime quoi qu'il advienne. Et vous toutes, suivez-moi si vous avez foi en Djema. »

Le protecteur la tira en arrière avec un grognement d'impatience. Elle lui emboîta le pas avec une apparente docilité. Son pied avait légèrement dégonflé et ne l'élançait pratiquement plus. Ses bourreaux, au nombre de trois, l'entraînèrent vers une galerie située non loin de la grotte de Djema. Les hommes chargés de garder les entrées somnolaient, à demi affalés sur leur hache ou leur masse de pierre. Les autres s'affairaient à manger, à boire ou à transporter les cadavres.

Elle feignit de trébucher et de battre des bras pour se rééquilibrer. Le protecteur, surpris, lâcha sa manche. Les deux autres éclatèrent de rire. Elle exploita aussitôt le léger flottement pour se faufiler entre eux et foncer à toutes jambes vers l'entrée de la grotte de Djema.

« Hé, sale petite... »

Elle ne ralentit pas lorsqu'elle approcha des deux gardiens de l'entrée, qui, réveillés en sursaut par les cris, s'agitaient comme des pantins dont on aurait tiré les fils par à-coups. Le temps qu'ils reprennent leurs esprits, qu'ils se fassent une idée de la situation, et ils virent une forme grise leur filer sous le masque et s'engouffrer dans la grotte.

« Remuez-vous, au nom de Maran ! »

Elle se débarrassa de sa robe sans cesser de courir. Les sensations de la première fois lui revinrent en bloc, l'émotion, la curiosité, l'inquiétude, l'espoir, la déception... Les vapeurs chaudes l'enveloppèrent, tissèrent des entrelacs cuisants sur sa peau nue, ses poumons et sa gorge s'embrasèrent, ses oreilles et ses ongles se criblèrent d'épingles enflammées. Elle ralentit l'allure pour ne pas glisser sur le sol humide. Les rochers déchiquetés se dressaient toujours autour de l'eau comme des crocs vigilants. Une lumière vague, maladive, caressait les stalactites tronquées à demi noyées par les volutes, scintillait dans les geysers, les frémissements et les bulles qui agitaient la surface du bassin. Les cris stridents de ses poursuivants transpercèrent le grondement de la grotte. De plus en plus suffoquée par les vapeurs brûlantes et chargées d'une forte odeur de soufre, elle n'essaya pas de lutter contre la peur, elle escalada les premiers reliefs et grimpa sur un éperon rocheux qui surplombait le bassin. Là, elle s'appliqua à reprendre sa respiration, attentive aux battements de son cœur, aux frémissements de sa peau, de ses muscles, de ses nerfs.

Les paroles de Gaella la folle résonnèrent avec une netteté saisissante dans son vide intérieur : *Il nous a manqué la confiance, cette confiance qui conduit à l'invincibilité, à l'éternité de l'instant, qui transforme le feu en caresse et la souffrance en félicité.* Elle contempla l'eau bouillante, l'eau terrible du Qval, discerna de la beauté dans ses bouillonnements, dans ses clapotis, dans ses gargouillements, dans ses grondements. Elle lança un regard sous elle, aperçut, à demi estompées par la vapeur, les silhouettes grotesques de deux couilles-à-masques qui escaladaient à leur tour les rochers.

Des contretemps...

Ils arrivaient trop tard, déjà dévorés par le temps. Elle n'avait plus de désir, plus de passé ni d'avenir, et elle entendait que cela était merveilleux. Elle prit son élan et sauta avec joie dans l'eau bouillante.

...eraient après avoir accompli les rites de fécon-
...et de partage. Les hommes se relayaient pour
...r mon sac et mes gourdes, les femmes pour me
...enir ou m'encourager quand la fatigue m'entraî-
...à ralentir le pas. Les errants sont capables de
...rcher à vive allure toute la journée sans trahir la
...indre lassitude. Ils vont pour la plupart sans
...aussures, partiellement ou entièrement nus pour
...rtains, dorment dans des abris légers de peau et
...e bois qu'ils montent et démontent en un temps très
...ref, mangent des fruits que je n'avais jamais vus
...uparavant ou découvrent, à l'endroit où ils établis-
sent leur campement, un yonk mort qui semble être
venu s'échouer là dans le seul but de leur servir de
repas. Ils n'ont pas peur des umbres, qu'ils appellent
négentes, leur vouent même un culte aussi fervent
que celui qu'ils accordent aux anciennes ventresecs
kroptes de l'Estérion (je ne suis pas sûre d'ailleurs
qu'ils connaissent les origines kroptes des ventresecs).

Je me sentais tellement bien en leur compagnie
que j'ai presque regretté qu'ils me conduisent, un
soir, devant un trou de la largeur d'un homme, à
demi dissimulé par les herbes. Ils m'ont remis mes
affaires et m'ont invitée à m'y glisser en m'assurant
qu'il y avait plus bas un refuge où je trouverais largement de quoi subvenir à mes besoins. J'ai compris
qu'ils ne souhaitaient pas me garder près d'eux
parce que mon enfant risquait d'être un maillon faible dans leurs chaînes génétiques, je les ai remerciés
du fond du cœur et je me suis faufilée dans le passage.

De naturel claustrophobe (l'héritage biol...
des passagers de l'Estérion, il me sem...
déjà parlé), j'ai manqué défaillir...
dans l'étroit boyau qui s'enfonça...
dans les entrailles de la terre. J'ai...

CHAPITRE XV

GRANDES EAUX

Elleo hante chaque instant mes pensées, et pourtant je n'ai vraiment pas envie de retourner au
domaine, je n'ai surtout pas envie de revoir les
autres, ma mère, ses constants, mes frères, mes
sœurs, les permanents, je n'ai pas envie de replonger
dans l'ambiance et l'odeur oppressantes du
mathelle, je n'ai pas envie de partager leur air, leur
eau, leur pain et leurs conversations, je n'ai pas envie
d'être la cible de leurs regards inquisiteurs, je n'ai
pas envie de revenir dans cette maison qui est pour
moi une prison de pierre au même titre que l'Estérion
fut une prison de métal pour ses passagers.

J'ai découvert, là où Ellula m'a conduite, une vie
que je ne soupçonnais pas, une vie qui ne se borne
pas aux limites étroites d'un domaine, aux principes
déjà étriqués de notre civilisation balbutiante. Je
regrette de ne pas être partie plus tôt, de ne pas avoir
écouté cette voix qui me poussait à découvrir les
merveilles du nouveau monde. Elleo me retenait au
domaine, du moins c'est ce que j'ai été encline à
penser dans un premier temps, puis, en approfondis-
sant ma réflexion, j'ai pris conscience que j'étais la
seule responsable de cet état de fait, que, si mon
désir s'était montré fort, opiniâtre, mon frère n'aurait
pas eu d'autre choix que de m'accompagner. Si je

suis restée auprès de ma mère, c'est en réalité dans le seul dessein d'entrer en conflit avec elle, avec les permanents du mathelle, avec l'ensemble de la population du nouveau monde. Il fallait qu'ils sachent, ces piètres adorateurs des sentiers, de quelle boue était faite Lahiva filia Sgen, de quel venin étaient imprégnés ses mots et son souffle, de quelle malédiction brûlait son âme. Je n'existais pas par moi-même, seulement dans le miroir des autres, et j'ai dû pousser très loin la provocation pour qu'ils me vomissent des yeux et m'incitent à partir.

Il n'y a rien de plus merveilleux que de briller pour soi-même, c'est une nouvelle convertie qui te l'affirme, lecteur (lectrice). Rien de plus important que de se laisser bercer par le murmure de la vie qui coule en soi. Quand je repense aux permanents des mathelles, à ceux qui vouent leur existence à conquérir, agrandir, consolider leur environnement, je ne les envie pas et leur garde même encore un peu de mépris. La vérité est que je ne me suis jamais sentie des leurs, voilà pourquoi, sans doute, j'ai éprouvé le besoin fondamental de les défier, de les offenser. Ne va pas croire, lecteur (lectrice), que j'en conçoive des remords : d'abord la notion de remords m'est inconnue, ensuite les âmes bornées reçoivent les outrages qu'elles méritent. À chaque époque se dressent des fous et des folles dont le seul rôle est de creuser des brèches dans les murailles des certitudes, de faire souffler des courants d'air frais dans les atmosphères confinées. J'ai endossé ce rôle avec toute la détermination dont j'étais capable, je l'abandonne maintenant à d'autres, dans un nouveau registre certainement, mais qu'importe, que les fous et les folles continuent de jouer, de chanter, de danser, de provoquer !

J'ai quitté le domaine de Sgen au cœur d'une nuit noire sans satellite, munie d'un sac de vivres, de trois

gourdes d'eau, de deux robes et ... sépar... chaussures de rechange et, enfin, d... dité ... d'écriture. Elleo n'était toujours ... porte... mathelle sinistré où ma mère l'avait ... sou... pagnie d'une poignée de permanent... nai... évidemment de ne pas l'embrasser une ... ma... mais aurais-je eu le courage de partir ... mo... serrée dans ses bras, si je m'étais roulé... ch... odeur, dans sa chaleur ? Il valait mieux ... ce... trois, l'enfant, Elleo et moi, qu'il en fût ain... d...

J'ai marché et pleuré jusqu'à l'aube, l'âr... b... rée, les épaules meurtries par le poids du s... gourdes. J'ai erré jusqu'au zénith de Jael a... plaines en suivant la direction du nord-est, du ... c'est ce que semblait indiquer la position de l... du jour. Épuisée, je me suis assise dans les her... j'ai bu une gorgée d'eau et mangé un petit pain... manne parfumé à l'eau d'onis. C'est alors qu... m'ont entourée, un groupe de ventresecs qui m'on... demandé si je m'étais perdue. Je ne les ai pas perçus comme ces êtres fourbes, sales, méprisables dont parlent les permanents des mathelles, je les ai accueillis comme des envoyés de la divine Ellula et je leur ai raconté mon histoire, toute mon histoire, sans omettre de préciser que le père de mon enfant était également mon frère de sang. Ils ne m'ont pas paru choqués, du moins pas en apparence, ils m'ont simplement dit qu'eux-mêmes veillaient à éviter les naissances consanguines pour ne pas affaiblir leurs lignées. Mais, puisque l'enfant était là, puisque moi, sa mère, n'avais pas assez de ressources pour mener à bien ma grossesse, ils acceptaient de me conduire dans un endroit où je ne manquerais ni de vivres ni d'eau.

Ils m'ont guidée à travers la plaine pendant cinq ...rs. Ils étaient plus de cinquante, hommes, femmes ...fants, un rassemblement de trois clans qui se

j'ai pu la panique qui m'entraînait à regagner la surface, à jouir encore du mauve sombre du ciel, des vagues incessantes des herbes et des lâchers des bulles de pollen, et j'ai continué de descendre, plus morte que vive, en espérant que les errants ne m'avaient pas expédiée dans ma tombe. (Mais pourquoi auraient-ils perdu cinq jours dans la seule intention de se débarrasser d'une invitée indésirable ?)

Le boyau s'est élargi et m'a déposée dans une gigantesque cavité. Il m'a fallu un peu de temps pour m'accoutumer à la faible clarté des lieux. La lumière du jour s'y invite, mais avec parcimonie et par un jeu complexe de ricochets qui la désagrègent en poussière diffuse, ténue. J'ai dû également m'habituer à la moiteur permanente qui règne dans le gouffre et qui s'explique par la présence de sources d'eau chaude. Deux exactement, l'une bouillante et chargée d'une forte odeur de soufre, l'autre tiède, claire, qui déborde d'un bassin naturel avant de s'écouler en ruisseaux dans les profondeurs du sol. Cette dernière me sert désormais de baignoire et de réserve d'eau potable.

Mais, plus extraordinaire, la voûte et les parois de la cavité se tapissent d'une plante grimpante et légèrement phosphorescente qui donne en permanence ces mêmes gros fruits savoureux et nourrissants que m'avaient offerts les ventresecs. La divine Ellula m'a donc procuré un refuge où je pourrai passer les deux mois de l'amaya de glace au chaud, de l'eau et de la nourriture. Elle a de surcroît exaucé mon vœu de solitude en éloignant de moi les errants. Je peux donc consacrer tout mon temps à la vie qui croît en moi, à l'écriture, à l'exploration systématique de mes territoires intimes.

Bien sûr, mon corps souffre du manque d'Elleo. Il a tellement chanté à ses caresses, à ses baisers, à ses visites qu'il réclame avec véhémence sa partition

259

et que je dois parfois essayer de le contenter en me servant de mes souvenirs et de mes mains.

J'avais prévu de surseoir un peu avant de te raconter la suite, cher lecteur (lectrice), mais je suis moi-même une narratrice impatiente, incapable de réfréner sa plume, et je ne puis résister au plaisir de t'entretenir de mes nouvelles rencontres, même si elles ne restent pour l'instant qu'esquissées, fugitives, impalpables. Car figure-toi que cette cavité perdue au milieu des plaines ne renferme pas seulement une eau bienfaitrice et des fruits délicieux, elle est aussi et surtout l'un des repaires des... Qvals !

Extrait du journal de Lahiva filia Sgen.

Orchéron et les ventresecs passèrent la nuit dans le refuge souterrain révélé par les furves. Il y régnait une tiédeur agréable, et les feuilles mortes des plantes grimpantes formaient des matelas, sinon confortables, du moins acceptables. Ils avaient mangé de gros fruits à la chair blanche et sucrée qui avaient apaisé la faim d'Orchéron, ils s'étaient lavés dans le bassin naturel d'une source tiède, puis ils s'étaient répartis par petits groupes ou par couples dans la grotte qui offrait de nombreuses chambres annexes en plus de la salle principale.

Les furves s'étaient éclipsés presque aussitôt qu'ils étaient apparus dans la nuit. D'eux Orchéron n'avait aperçu que leurs longs corps souples, ondulants, lisses, luisants, leurs immenses gueules aux bords tranchants et leurs membres antérieurs, courts, puissants, munis en leur extrémité d'une griffe aiguisée, creuse et large qui évoquait une pelle. Ils s'étaient balancés un petit moment au-dessus de la cavité qu'ils venaient de forer, comme des herbes agitées par le vent, puis ils s'étaient retirés sans un bruit, sans un cri, abandonnant derrière eux un tunnel étroit aux contours nets. Les ventresecs s'y étaient engouffrés l'un après l'autre et, après avoir rampé pendant un long moment sur une pente assez raide, avaient débouché dans la cavité où régnait une odeur tenace de soufre.

Les mains d'Ezlinn sinuèrent à nouveau sur le torse d'Orchéron. Quelques instants plus tôt, elle était venue se pelotonner contre lui dans le réduit minuscule où il s'était isolé. Il n'avait pas répondu à ses avances, non parce qu'elle lui déplaisait mais parce que le souvenir de Mael était encore trop présent, trop vivace, et qu'il aurait eu l'impression de le trahir, de le salir en cédant aux sollicitations d'Ezlinn. Elle avait poussé un soupir de déception, en apparence résignée, mais sa nouvelle offensive montrait qu'elle n'avait pas renoncé, qu'elle reviendrait à la charge tant qu'il ne l'aurait pas repoussée avec la fermeté requise. Elle se frotta avec impatience contre lui et, d'une pression appuyée de la main sur l'épaule, l'invita à se retourner. L'épais tapis de feuilles sèches craqua, crépita sous leur poids.

« Tu n'as donc aucun désir pour moi ? »

Il lui effleura la joue du dos de la main. L'obscurité effaçait en partie les traits de la ventresec et donnait de la profondeur, du trouble à son regard.

« Ce n'est pas ça, répondit-il. Mael, la femme qu'ils m'ont enlevée, elle vit encore en moi.

— Les négentes l'ont emmenée dans les mondes où on ne souffre pas. Elle n'a plus besoin de toi et tu n'as plus besoin d'elle. Moi, je suis là, à tes côtés, et j'ai besoin de toi. Pour faire un enfant. »

La proposition d'Ezlinn souleva en lui à la fois de l'émotion et de la perplexité : il n'avait jamais envisagé d'être père, pas même avec Mael. Non seulement parce qu'il tardait à sortir de l'enfance, mais parce que la notion même de paternité lui était totalement étrangère. Il n'avait pas connu son père biologique, un homme sans aucune espèce d'importance selon Lilea, une ombre, et il n'avait pas réussi – ni même essayé d'ailleurs – à reconstituer l'image paternelle auprès d'Aïron.

« Il y a d'autres hommes que moi », murmura-t-il dans un souffle.

Elle se redressa sur un coude et le dévisagea avec dans les yeux des lueurs de dépit, de colère presque.

« Plein d'autres ! Et aucun ne m'a jamais refusée. Jamais ! »

Elle rajusta rageusement sa robe et, ramassée sur elle-même pour ne pas se cogner à la voûte basse, sortit de la petite excavation. Il regretta de l'avoir déçue, d'autant que, elle avait raison sur ce point, il ne servait à rien de remuer le passé, de ressasser les souvenirs. Il faillit lui crier de revenir, mais, brisé par les événements de la journée, il y renonça et plongea rapidement dans un sommeil où les rêves résonnaient comme de lointains, d'impalpables échos.

Lorsqu'il se réveilla le lendemain matin, les ventresecs avaient disparu. Il eut beau appeler, explorer les salles annexes, il dut se rendre à l'évidence : les matelas de feuilles séchées, les queues et les trognons des fruits étaient désormais les seules traces du séjour des errants dans la grotte.

Il mit leur disparition sur le compte de la déception d'Ezlinn : l'avait-il insultée en refusant ses avances ? Avait-elle réveillé les autres membres du clan pour filer en plein cœur de la nuit et l'abandonner à son sort ? Leur départ l'attrista. Il avait cru qu'elle comprendrait, qu'elle lui pardonnerait. Il ne l'avait pas repoussée par mépris, encore moins par dégoût, mais simplement parce que, depuis le meurtre d'Œrdwen et la mort de Mael, il n'avait pas le cœur à ça, qu'il avait besoin d'un peu de temps pour redécouvrir les enchantements de la vie.

Il mangea deux fruits, en cueillit quatre supplémentaires qu'il fourra dans les poches de son pantalon et s'engagea dans le tunnel creusé par les furves. Alors qu'il en avait parcouru la moitié, qu'il apercevait le cercle aveuglant de la sortie, il entendit un vague bruit de frottement dans son dos. Il se contorsionna pour jeter un regard par-dessus son épaule et vit que le boyau, qui s'emplissait aux trois quarts de la lumière de Jael, s'assombrissait à grande vitesse. Il reconnut au bout de quelques instants l'épiderme luisant, la tête ronde et la gueule entrouverte d'un furve. La créature fonçait sur lui comme l'eau furieuse d'un torrent.

Il pensa que les ventresecs avaient demandé à leurs alliés furves de venger l'honneur bafoué d'Ezlinn, se souvint de l'extraordinaire rapacité avec laquelle ils avaient englouti les lakchas de chasse et, gagné par l'affolement, rampa de toutes ses forces en direction de la sortie. La sueur lui dégoulina dans les yeux, son torse nu s'égratigna sur la terre et les pierres, des gémissements s'échappèrent de ses lèvres, mais, il eut beau s'échiner avec l'énergie du désespoir, il comprit que son poursuivant s'abattrait sur lui bien avant qu'il ne parvienne à regagner l'extérieur et, le souffle court, exténué par la violence de l'effort, il s'immobilisa.

Le furve se tenait à quelques pouces de ses pieds, sans doute depuis un petit moment déjà. Sa tête se balançait au bout de son long corps, sa gueule refermée se réduisait à une fente légèrement incurvée, une dizaine d'antennes translucides et souples, perchées sur la partie supérieure de son crâne, flottaient dans l'air comme les tentacules d'une éclipte. Elles lui servaient probablement d'yeux et de narines car on ne lui voyait pas d'orifice ni de relief au-dessus de la gueule. De même ses flancs arrondis, annelés par endroits, ne palpitaient pas, comme s'il n'éprouvait pas le besoin de respirer. De temps à autre son corps se tendait et sa tête se propulsait au-dessus du dos d'Orchéron. Les griffes uniques de ses membres antérieurs repliés sous lui crissaient sur les cailloux sertis dans la terre meuble.

L'homme et la créature du nouveau monde restèrent un long moment dans cette position, lui n'osant pas bouger de peur de déclencher l'attaque, elle ponctuant ses ondulations hypnotiques de brusques coups de tête vers l'avant dont certains, plus amples, la rapprochaient tout près de son visage. Orchéron se remémora à nouveau la scène du carnage dans le campement, comprit que, si le furve avait vraiment eu l'intention de se jeter sur lui, il n'aurait pas attendu si longtemps et commença à se détendre. Il se tourna lentement dans le boyau pour s'asseoir et décontracter ses jambes. Les fruits dans sa poche irritèrent le creux de ses aines et le haut de ses cuisses. Il eut l'idée d'en sortir un et de le tendre au furve. Aussitôt les extrémités des antennes de la créature vinrent se poser sur la peau jaunâtre du fruit et sur la pulpe de ses doigts. Leur contact n'était ni agréable ni déplaisant, il évoquait la caresse des épis de manne encore tendres d'avant les moissons.

Les antennes s'enhardissaient à présent, s'enroulaient autour du poignet et de l'avant-bras d'Orchéron, accentuaient leur pression sans jamais toutefois se faire blessantes, remontaient vers son épaule comme des branches grimpantes extensibles, atteignaient son cou, son menton, ses joues, son nez, ses yeux, son front. Rassuré par la délicatesse du furve, il se laissa explorer sans résistance, un peu inquiet au début, de plus en plus serein par la suite. Il ne s'agissait pas d'une première prise de contact mais, c'est du moins ce qu'il ressentit avec acuité, du resserrement d'un lien distendu, de la résurgence d'une relation très ancienne. Il n'avait pourtant jamais mis les pieds dans les réseaux souterrains du Triangle, pas à sa connaissance en tout cas, et il se demandait de quel recoin de sa mémoire surgissait ce genre de réminiscence. Les antennes le palpèrent pendant un long moment encore avant de se rétracter lentement et de retrouver leur conformation initiale. Puis la gueule du furve s'ouvrit, se dilata jusqu'à estomper sa tête et son corps, jusqu'à occuper la quasi-totalité du boyau, comme un nouveau tunnel qui se serait ouvert à l'intérieur du premier, bâilla avec une insistance et une profondeur alarmantes, avant de se refermer brusquement sur le fruit que lui présentait la main tendue.

Orchéron ne ressentit pas le moindre choc sur les doigts ou sur la paume, à peine un fourmillement. La créature du nouveau monde s'évanouit avec la même vélocité qu'elle était apparue. Il vit la lumière s'étirer comme un ruban étincelant dans le boyau et, perplexe, un peu étourdi, se remit à ramper vers le cercle aveuglant de la sortie.

Dehors l'attendaient un ciel noir, un vent mordant et une pluie cinglante. Il essaya de s'orienter, mais il ne discerna pas un seul point de repère autour de lui, ni les montagnes de l'Agauer dissimulées par les rideaux de pluie ni le disque de Jael enfoui sous une épaisse couche de nuages. La plaine s'éparpillait en collines sombres, échevelées, en vagues furieuses d'où s'échappaient les dernières bulles de pollen alourdies et pulvérisées avant d'avoir pris leur envol. La fraîcheur piquante des gouttes annonçait l'arrivée prochaine des averses de cristaux de glace. Combien de jours lui fallait-il encore pour arriver au pied des montagnes ? Cinq, six ? L'amaya de glace avait largement le temps de prendre ses quartiers, et il ne disposait ni de vêtements chauds ni de réserves de vivres, rien d'autre que trois fruits et son couteau de corne assoupi dans le fond d'une de ses poches. La solution la plus raisonnable aurait été de retourner dans la cavité et d'y séjourner jusqu'à la fonte des glaces, jusqu'au retour de la saison sèche. Elle contenait de quoi subvenir à tous ses besoins, nourriture, eau, chaleur. Mais le sentiment tenace qu'il devait à tout prix continuer son chemin, gagner le bord des grandes eaux orientales avant l'arrivée des premiers froids le retenait de se glisser dans le tunnel des furves. Aucune raison précise, pourtant, ne le poussait à se rendre sur l'autre continent. La légende de l'*Agauer*, du deuxième peuple dont lui avait parlé sa mère Orchale, n'était qu'un prétexte. Il cherchait autre chose, quelque chose qui avait un rapport avec lui, avec son passé, qui pourrait expliquer ses crises, combler les vides de sa mémoire. La solution se trouvait ailleurs que sur le Triangle, il en était persuadé, et, après avoir consumé la plus grande partie de sa vie en pertes de temps, il refusait de gaspiller deux mois de plus dans une grotte souterraine des plaines. Il croisa les bras pour se protéger des rafales sifflantes et des gouttes blessantes.

Il ne pleuvait plus mais le vent répandait une humidité amère, saumâtre. Des cris plaintifs, aigus, ponctuaient les grondements réguliers qui montaient du gigantesque gouffre. Une mousse rosâtre supplantait l'herbe rase par endroits et grimpait à l'assaut de grands rochers blancs veinés d'or, d'ambre et de vert.

Orchéron contourna une colline imposante pour se rapprocher du bord du gouffre. Il n'avait aucune idée de l'endroit où il se trouvait ni de la façon dont il s'y était rendu. Ses derniers souvenirs le montraient perdu au milieu des plaines du Triangle battues par une pluie et un vent mordants, puis c'était le vide, le trou noir, l'impression qu'une nouvelle partie de sa vie avait été escamotée. Il se sentait aussi fourbu que s'il avait marché pendant plusieurs jours sans prendre ni repos ni sommeil. Il peinait à remuer ses membres lourds, engourdis, comme si son cerveau n'était plus synchronisé avec son corps. Il s'était inspecté de la tête aux pieds et n'avait découvert aucune trace de coup, aucune blessure apparente. Il avait aperçu derrière lui les aiguilles de l'Agauer blanchies par les neiges éternelles, si proches, si hautes qu'elles paraissaient occuper la moitié du ciel. Il en avait conclu qu'il avait franchi les montagnes et subi une autre de ces pertes de mémoire qui entrecoupaient son existence.

Un nouveau saut dans le temps.

Le spectacle qu'il découvrit de l'autre côté de la colline lui coupa le souffle. Six ou sept cents pas en contrebas, au fond du gouffre dont il ne distinguait pas le bord opposé, s'étendait une masse d'eau sans limite, parcourue d'ondulations blanches, de collines mouvantes, de vagues titanesques qui venaient régulièrement se pulvériser dans un fracas d'orage sur les rochers du pied de la paroi. Et les gouttes qui lui cinglaient le visage ne dégringolaient pas des nues mais montaient des gigantesques gerbes d'écume disséminées par le vent. Les rayons de Jael déchiraient les nuages et tombaient en colonnes radieuses sur la surface de l'eau qu'ils teintaient de reflets bleus ou verts. L'air était vif, frais, mais pas aussi froid que dans les plaines du Triangle, comme si l'amaya de glace ne s'installait pas de ce côté-ci des montagnes. Des créatures volantes aux plumes multicolores, semblables à de petits nanziers, dérivaient sur les courants aériens et se posaient en bandes au sommet des récifs fouettés par l'écume. C'est d'eux que venaient les cris qui s'entrelaçaient en trilles aigus autour des grondements amples des vagues.

Orchéron sut alors qu'il était arrivé sur la rive des grandes eaux orientales. De tous les habitants du nouveau monde, seuls les chasseurs, entraînés par les migrations des troupeaux de yonks, franchissaient la distance qui séparait les domaines du Triangle du littoral des grandes eaux. Ils en rapportaient des récits effrayants, des histoires de monstres aux cris épouvantables, de démons ruisselants et cruels surgis des profondeurs aquatiques. Certes, les lakchas de chasse avaient la parole féconde et l'imagination débordante, mais Orchéron devina qu'une autre raison, bien consciente celle-là, les poussait à colporter ces rumeurs terrifiantes : la volonté féroce de maintenir les autres dans les limites des plaines du Triangle, de réserver à leur seul usage l'immensité de ces territoires sauvages et splendides. Ils privaient les descendants de l'*Estérion* d'un spectacle magnifique, mais également d'autres ressources, d'autres facettes de leur monde d'adoption.

Orchéron s'assit sur un rocher et contempla la surface ondulante des grandes eaux qui se jetaient au loin dans un horizon subtilisé par les nuages et les brumes. Autant il était facile de traverser à la nage la rivière Abondance, large à ses périodes les plus grosses de deux ou trois cents pas, autant franchir cette étendue sans fin lui paraissait impossible, au-dessus de ses moyens et de ses forces. Le regard avait beau se concentrer sur le lointain, il ne saisissait pas la rive opposée, l'ombre du deuxième continent, ni même ne la devinait, il embrassait seulement ces collines ourlées d'écume qui s'affaissaient et se reconstituaient dans un mouvement perpétuel lancinant.

Tourmenté par la faim, Orchéron glissa la main dans sa poche. Ses doigts s'enfoncèrent dans une matière molle et visqueuse. Les fruits qu'il avait cueillis dans la cavité souterraine étaient devenus immangeables. Il se releva, retira ses chaussures, son pantalon, retourna ses poches, les vida de la pulpe noircie et presque liquide, récupéra son couteau enduit d'une matière sucrée gluante, avisa une flaque d'eau au milieu de la mousse, y plongea le pantalon tout entier, le frotta pendant quelques instants, le rinça et l'étala sur un rocher avant de nettoyer son couteau. Il recueillit un peu d'eau dans le creux de sa main, la recracha aussitôt après l'avoir bue. Ce n'était pas avec elle qu'il pourrait étancher sa soif. Son goût avait la même saveur saumâtre, en nettement plus prononcé, que l'air ambiant, la même saveur âpre que la sueur ou qu'un lait de fleur croupissant depuis plusieurs jours dans un fond de cruche.

Jael entamait sa lente plongée vers l'ouest quand il décida d'explorer les environs. Il enfila son pantalon encore humide, resserra les attaches effilochées de ses chaussures de cuir, longea la rive des grandes eaux dans une direction qu'il estima être le nord, parcourut plusieurs lieues au milieu des grands rochers dressés comme des gardiens au-dessus du précipice. Si leurs formes variaient selon leur exposition aux pluies et aux vents, leurs couleurs restaient toujours les mêmes, un blanc laiteux, parfois translucide, strié de veines bleues, vertes ou brunes. La végétation se réduisait le plus souvent à cette mousse rosâtre et rêche qui cernait de rares buissons émaillés de fleurs écarlates. Des oiseaux bariolés s'envolaient à son approche en poussant des piaillements de frayeur. Il n'y avait pratiquement aucune chance de trouver des arbres fruitiers dans le coin, aucune chance par conséquent d'apaiser une faim qui devenait obsédante, torturante. Il avait déplié la lame de son couteau, au cas très improbable où un yonk ou un autre animal viendrait s'échouer dans les parages.

Il dévala avec prudence une pente abrupte, glissante, qui donnait sur un plateau encaissé fouetté par un vent violent, empli de la lumière rouille de Jael et léché de façon intermittente par l'écume des vagues.

Il n'y trouva pas un yonk mais un troupeau.

Des dizaines de grands herbivores broutaient avec avidité les feuilles vert sombre et luisantes des arbustes qui poussaient entre les échines claires et arrondies des rochers.

CHAPITRE XVI

CRISTAUX DE GLACE

Chères amies,

Nous avons perdu un grand nombre de soldats hier au domaine de Sigille (deux cent trente et un pour être horriblement précise), mais je ne considère pas cette hécatombe comme une défaite. Beaucoup d'ennemis ont également mordu la poussière (cent quatre-vingt-dix-sept ont été dénombrés sur le champ de bataille, cette comptabilité a vraiment quelque chose de lugubre) et les couilles-à-masques savent désormais qu'ils trouveront une opposition virulente chaque fois qu'il leur prendra l'envie d'attaquer un de nos domaines.

Que de surprises, n'est-ce pas, quand on retire les masques des morts et qu'on découvre les visages de nos terribles adversaires ! Ici on reconnaît le constant d'une mère appartenant au cénacle prestigieux de Cent-Sources, là les fils d'une mathelle voisine à qui on a offert, enfants, des fruits séchés et des gâteaux de manne, là encore ses propres neveux, cousins ou amants d'un soir. Ces hommes vivaient sur nos terres, mangeaient à notre table, dormaient sous notre toit, parfois même dans nos lits, ces hommes nous souriaient le matin au réveil, nous parlaient avec gentillesse, nous regardaient avec les yeux de l'affection, nous chahutaient, nous embrassaient, nous caressaient, nous pénétraient, ces hommes jouaient les partenaires exemplaires pendant que la nuit, à l'heure de Maran, revêtus du masque et de la craine, ils se livraient à toutes sortes de complots et de crimes contre nous. Nous avons réchauffé des amayas dans notre sein, nous avons nourri, bercé et cajolé ceux qui allaient s'instituer nos bourreaux, et il faudra qu'un jour, si Ellula nous aide à nous sortir de cette crise, nous cherchions à comprendre les causes profondes de leur comportement, nous déterrions les racines empoisonnées. Que nous déterminions, mes sœurs, quelle est notre part dans cette trahison des rêves de nos ancêtres, dans l'évolution brutale de notre nouveau monde.

Demandons-nous, par exemple, s'il n'y a pas de rapport entre ce déferlement de violence et la décision prise par l'assemblée des mathelles il y a de cela plus de cent cinquante ans d'exterminer, je dis bien exterminer, les ventresecs des plaines. Je tiens cette histoire d'un vieux chasseur venu s'échouer au domaine ; un soir qu'il avait abusé de l'alcool de manne, il nous a raconté les horreurs commises au nom des mères sur les immensités sauvages du Triangle. Les mathelles jugeaient en effet que la prolifération des errants risquait de ralentir voire d'empêcher à terme l'extension des domaines. Elles pensaient à leurs filles en menant cette réflexion, elles souhaitaient que leurs descendantes aient un jour la possibilité, comme elles-mêmes, de fonder leur propre mathelle. Que les chères issues de leur chair ne restent pas toute leur vie des permanentes, des servantes, des inférieures. Mais vous connaissez toutes ce désir, n'est-ce pas ? Nous avons tendance à projeter nos idéaux dans nos enfants, surtout dans nos filles ; cette volonté de perpétuer les rêves à travers les gènes, à travers le temps, relève de l'éternelle tragédie humaine.

Oh, les mathelles ne se sont pas salies elles-mêmes les mains dans l'exécution de cette sentence, elles ont prié les cercles de chasse de se charger de la tâche. Les chefs des cercles ne demandaient pas mieux que d'obtempérer : c'était pour eux, les orgueilleux lakchas, le moyen rêvé d'exercer une emprise ultérieure sur les reines des domaines et, surtout, cela leur permettait d'éliminer ceux qu'ils considèrent comme leurs rivaux sur le continent du Triangle. Les lakchas se sont tellement identifiés à ces étendues sans fin qu'ils s'en croient les proprié-taires et qu'ils voient d'un très mauvais œil le déve-loppement d'une « civilisation errante » sur leurs terrains de chasse.

Il semble qu'il y ait un rapport étroit entre les chas-seurs et les couilles-à-masques, que l'organisation des protecteurs des sentiers se soit développée sur les cercles existants. Il serait intéressant, en vue d'approfondir l'examen que j'évoquais plus haut, d'étudier l'histoire des frères de Maran, de cerner la personnalité de leur(s) fondateur(s). Sans doute y trouverions-nous des éléments susceptibles de nous éclairer. Je vous avoue cependant que je ne sais pas très bien par quel bout entamer ce genre de recher-ches. Si l'une de vous a la moindre idée, qu'elle me la soumette, mieux, qu'elle remonte elle-même la piste et nous fasse part à toutes de ses découvertes. Nous mènerons de la sorte les deux actions simulta-nément, l'une sur le front de la guerre, l'autre dans les arcanes de l'histoire. Puissent ce présent et ce passé complémentaires déboucher sur cet avenir radieux que nous espérons toutes (et tous, les ave-nirs, radieux ou non, ne sont pas réservés aux fem-mes) !

En attendant, je vous recommande la vigilance. Nous avons besoin d'environ deux heures pour ras-

sembler notre armée, prêtons donc une extrême attention aux sonneries de nos guetteurs. Encore heureux que nos adversaires se croient obligés d'enfiler ces masques et ces robes ridicules ! On les repère, ces idiots, des lieues à la ronde ! Leur entêtement à revêtir l'anonymat de leur uniforme les prive de tout effet de surprise. Encore heureux que la crainte des umbres nous ménage des moments de répit. Encore heureux que nous soyons en fin de saison sèche, que nos silos regorgent de manne, de fruits et de laine végétale. Si la viande, les peaux et la corne viennent à manquer, il nous reste toujours la possibilité d'abattre nos yonks domestiques.

Nous sommes épuisées, nerveusement et physiquement, mais essayons de tenir jusqu'à l'amaya de glace : en gelant le conflit, il nous permettra de reprendre nos forces, de panser nos blessures, de nous consacrer à nos deuils, de nous réorganiser, de recruter de nouvelles alliées, d'étoffer notre armée. Patience, les premières pluies froides sont tombées, et l'arrivée des averses de cristaux de glace n'est plus qu'une question de semaines, voire de jours.

Je n'ai pas reçu de nouvelles de Chaudeterre, et je crains, je crains que ce silence ne soit synonyme d'une fin tragique pour mes anciennes sœurs. Il ne sert à rien d'expédier nos troupes au conventuel, elles n'y trouveraient que des cadavres. Pleurons nos mortes et nos morts, défendons avec acharnement les vivants. Chaudeterre se repeuplera lorsque tout sera rentré dans l'ordre, et je ne parle pas seulement de la disparition des couilles-à-masques.

Il me reste à vous embrasser jusqu'à la prochaine réunion, au même endroit, à la même heure. À moins, bien entendu, que les averses de cristaux consignent chacune dans son mathelle et retardent nos retrouvailles jusqu'au sortir de l'amaya de glace.

Si tel est le cas, je souhaite à toutes du repos, de la paix, de la consolation et de l'amour dans la chaleur du foyer.

Merilliam.

FIÉVREUX, torturé par la faim, la soif et la souffrance, Ankrel était désormais persuadé qu'il ne sortirait jamais de cette grotte, qu'elle deviendrait bientôt son tombeau. Le cadavre de sa monture gisait dans la pénombre quelques pas plus loin.

Elle avait amorti la chute de son cavalier avant de rebondir sur le sol comme une vulgaire pomme de jaule, de rouler sur elle-même et de heurter le pied d'une paroi. Ankrel, lui, avait perdu connaissance. Réveillé par des élancements atroces dans sa jambe droite, étendu sur une surface rugueuse inconfortable, il avait voulu changer de position, mais la douleur s'était accentuée, et il lui avait semblé entendre un craquement sinistre. Il avait envoyé sa main en reconnaissance et découvert, au-dessous du genou, sa peau transpercée par les esquilles des os brisés. Puis, quand il s'était accoutumé à la très faible lumière qui baignait l'excavation, il avait vu les pointes osseuses se dresser, telles des aiguilles de montagnes miniatures, au-dessus d'une bouillie de chair et de sang, il avait vu l'angle que faisaient son tibia et son fémur, il avait pris peur, il avait pensé qu'il ne pourrait plus jamais marcher, courir, parcourir le sentier des lakchas, il avait pleuré, il avait essayé de réparer ce membre et ses rêves en miettes, mais la douleur l'avait happé comme une gueule gigantesque, immonde, et l'avait broyé jusqu'à ce qu'il

275

s'effondre sur le dos et perde à nouveau connaissance.

Depuis, il avait alterné les périodes de réveil en
sursaut, de lucidité et de délire fiévreux, mais il ne
pouvait toujours pas bouger, pas même la tête ou la
main, chaque mouvement réveillant le monstre de
douleur qui somnolait entre deux attaques. Bien
qu'ayant perdu toute notion de temps, il avait déduit,
à la baisse sensible de la luminosité déjà maladive,
que la nuit n'allait pas tarder à tomber, qu'il avait
déjà passé un après-midi entier dans cette excavation. Il aurait sans doute mieux valu être enlevé par
les umbres plutôt que de subir une lente agonie dans
une faille anonyme et infernale du nouveau monde.
Les prédateurs volants ne faisaient qu'une bouchée
de leurs proies, ne leur laissaient donc pas le temps
de souffrir, tandis que sa blessure se conjuguerait à
la faim et la soif pour entretenir son calvaire pendant
des heures. Il n'avait même pas la possibilité de mettre fin à ses tourments, son poignard s'était échappé
de son étui pendant sa chute.

Il se demandait régulièrement ce qu'étaient devenus Jozeo et les autres. Les umbres avaient-ils fondu
sur eux, la terre s'était-elle ouverte sous les sabots
de leurs montures ou bien avaient-ils trouvé un autre
moyen d'échapper aux prédateurs volants ?

Quelle idée prétentieuse et stupide de croire
qu'on pouvait traquer les umbres comme de vulgaires yonks ! Leur mode de déplacement, leur vitesse
d'exécution, leur mystère leur donnaient un énorme
avantage sur les chasseurs et leurs montures cloués
au sol comme de vulgaires nanziers. Comment un
lakcha de l'expérience de Jozeo s'était-il laissé
embringuer dans une expédition aussi absurde,
vouée à l'échec avant même son départ ? Le cercle
ultime des protecteurs des sentiers exerçait-il une

telle influence sur ses adeptes qu'il leur retirait toute discrimination, toute personnalité ?

Et lui, en avait-il eu, de la discrimination, de la personnalité, lorsqu'il avait violé cette fille dans la grange ? Ils l'avaient piégé, comme Jozeo, comme les autres, ils l'avaient poussé à la faute, ils l'avaient marqué de leur sceau, ils lui avaient retiré tout espoir de mener une existence ordinaire. La seule façon de se libérer de leur satané pacte, c'était la mort, l'intervention de ces chanes qui le cernaient déjà dans les ténèbres et dont il percevait le souffle, les chuchotements, les froissements, les craquements.

Ils hurlaient maintenant son nom, le jaune flamboyant de leurs yeux ricochait sur les dentelles rocheuses, leurs squelettes s'allongeaient démesurément et se désarticulaient sur les aspérités, sur les reliefs, leurs voix déchiraient l'obscurité, leurs visages grimaçants se penchaient sur lui, leurs bras se tendaient vers lui, le soulevaient, l'emportaient.

La douleur à nouveau, avide, cruelle, intolérable.

La nuit, noire. Si noire.

Il rouvrit les yeux, eut besoin d'un peu de temps pour reconnaître au-dessus de lui le visage souriant de Jozeo. La lumière du jour s'infiltrait en rayons étriqués par une ouverture verticale, éclaboussait le sol et les parois de flaques étincelantes. Une odeur familière de yonk dominait les relents de moisissure, de bois brûlé et de viande grillée. Des bruits étranges troublaient régulièrement le silence de la grotte. Allongé sur un épais matelas d'herbes et de feuilles, il se sentait fébrile, faible, mais la douleur à sa jambe, maintenue par une attelle de bois et posée sur des chiffons roulés en boule, s'était assourdie. On lui avait retiré ses vêtements et étalé une couverture de laine végétale sur le corps.

« Tu ne t'en es pas si mal tiré, petit frère, déclara Jozeo. Neuf d'entre nous ont été emportés par les umbres, et tu es toujours en vie. Ta jambe est amochée, mais elle s'en remettra très vite. Grâce à notre invitée... »

Il désigna d'un coup de menton une jeune femme aux cheveux bruns et vêtue d'une robe claire, assise sur un rocher dans un recoin d'obscurité. Elle serrait contre elle une forme gigotante qui, il fallut quelques instants à Ankrel pour s'en rendre compte, était un nourrisson. Elle lui donnait le sein, et c'était d'eux que venaient ces bruits étranges de succion qu'il n'avait pas réussi à identifier quelques instants plus tôt.

« Une foutue ventresec, reprit Jozeo. Elle est venue accoucher dans cette grotte pendant que nous battions la plaine. Elle était toujours là quand nous sommes revenus, trop faible pour s'enfuir. Elle n'avait pas encore coupé le cordon. Comme je sais que les errants sont tous plus ou moins sorciers, je lui ai proposé le marché suivant : ou elle soignait ta jambe, ou j'égorgeais son enfant. Nous avons coupé le cordon et gardé le nouveau-né avec nous pendant qu'elle partait chercher des herbes. Elle n'a pas perdu de temps, crois-moi ! Elle a mâché les herbes pendant un bon moment, elle les a étalées sur la plaie, puis elle a remis tes os en place avant d'installer une attelle. Elle prétend que ta jambe sera complètement guérie dans deux jours. »

Jozeo se pencha sur Ankrel et ajouta à voix basse :

« Elle a intérêt parce que, si ce n'est pas le cas, elle aura le temps de souffrir avant de mourir. Si elle a dit vrai, je la remercierai en la tuant d'un seul coup, et avant son gosse. Mais je ne t'ai pas demandé encore comment tu te sentais...

— Mieux », souffla Ankrel.

Il baissa les paupières pour dissimuler ses larmes. Comme il aurait aimé se réveiller dans l'au-delà en cet instant, loin des hommes, de leurs rumeurs, de leurs fureurs ! Comme il aurait aimé s'effacer dans le vide, dans l'oubli définitif, dans le silence éternel !

« C'est grâce à cette grotte que nous avons pu échapper aux umbres, poursuivit Jozeo. Maran n'abandonne jamais ses fils. Enfin, il avait sûrement ses raisons d'en rappeler neuf à lui. Je pensais que tu étais aussi parti le rejoindre et je m'en désolais, mais, quand nous avons décidé de récupérer les yonks dispersés, nous avons aperçu cette faille, nous avons vu qu'elle ne s'était pas ouverte depuis bien longtemps, je suis descendu avec Mazrel, nous avons entendu tes gémissements et nous t'avons trouvé juste avant la tombée de la nuit, avec ta fichue jambe pliée en deux. On n'aurait pas su quoi faire de toi si on n'avait pas coincé cette sorcière de ventresec dans la grotte. Tu es un fils béni de Maran, Ankrel. »

Le fils béni de Maran ne put empêcher les larmes de rouler sur ses joues, mais Jozeo, compatissant, prit pour un excès de fatigue ce qui était une horreur muette, un dégoût profond de la vie.

« Tu dois avoir faim et soif après toutes ces heures passées dans cette satanée faille. »

Joignant le geste à la parole, Jozeo tendit au blessé un morceau de viande fumée et un bouchon de gourde qui, renversé, faisait office de gobelet. Ankrel prit d'abord le bouchon et en vida le contenu dans sa bouche. Malgré sa saveur prononcée de vieux cuir, l'eau le désaltéra et chassa de sa gorge le goût sous-jacent, persistant, d'amertume. Les autres lakchas l'encourageaient d'un sourire, d'un signe, d'un mouvement de tête. Leurs visages rudes, burinés, soulignés par la lumière oblique et dorée de Jael, incarnaient en cet instant la fraternité et, il fallait bien en convenir, une certaine forme de noblesse. La face ronde et pâle de la ventresec paraissait fade, éteinte en comparaison, comme un satellite nocturne égaré dans une assemblée d'astres du jour.

Le goût fort de la viande fumée de yonk acheva de sortir Ankrel de son humeur sombre. Après tout, qu'importait le passé, qu'importaient les remords et les pactes, il était en vie, *en vie*, rien d'autre ne comptait, il pouvait entendre, toucher, voir, sentir, goûter, jouir de l'air, de l'eau, de la nourriture, de la chaleur, du froid, du contact de la couverture sur sa peau nue, du corps des femmes à l'occasion. Le destin l'avait conduit chez les fils de Maran et l'avait empêché de partir sur le chemin des chanes, soit ! Que s'envolent donc ces scrupules obsédants, épuisants ! Qu'il devienne un couilles-à-masque, un serviteur de la nuit, un fossoyeur du nouveau monde ! Puisqu'il n'a pas le choix, puisqu'il ne l'a jamais eu, qu'il s'engage avec ferveur sur les traces de l'enfant-dieu de l'arche et qu'il cesse de se lamenter sur son sort ou sur le sort de ceux qu'il sera amenés à sacrifier !

Jozeo le regarda un petit moment dévorer son morceau de viande avant d'éclater de rire.

« On dirait que tu es définitivement revenu à la vie, petit frère ! »

« Tu m'avais promis de me raconter la vie du premier disciple de Maran, dit Ankrel. Puisqu'on est bloqués dans cette grotte à cause de moi, autant que tu le fasses maintenant. Après, nous n'aurons peut-être plus le temps. »

Les onze lakchas s'étaient assis dans les herbes ployées par un vent froid chargé d'humidité, laissant la ventresec et son enfant seuls dans la grotte. Les dix-neuf yonks attachés aux rochers broutaient quelques pas plus loin, levaient de temps à autre un regard inquiet sur les nuages noirs qui filaient comme des voleurs au-dessus des collines. Les chasseurs craignaient désormais les averses de cristaux de glace, qui, lorsqu'elles étaient soutenues, pouvaient réduire les hommes et les animaux en charpie.

Ennuyé de retarder le groupe, Ankrel leur avait offert de se remettre en route sans attendre la rémission complète de sa fracture. Ils n'avaient pas accepté sa proposition : ils ne bougeraient pas tant que la sorcière ventresec n'aurait pas confirmé que ses os étaient définitivement ressoudés.

« Pas seulement parce qu'on t'aime bien, Ankrel, avait précisé Jozeo, mais parce que nous ne sommes plus que onze et que nous avons besoin de tous les talents. »

Ils avaient également retrouvé son poignard au fond de la faille. Une profonde émotion s'était emparée de lui lorsqu'il avait refermé la main sur le manche concave : c'était avec lui qu'il avait tué ses trois premiers yonks, avec lui qu'il avait connu ses premières vraies sensations de chasseur et d'homme.

« Ça m'intéresse aussi, intervint Mazrel. Je suis devenu le partisan d'un homme dont personne ne m'a jamais vraiment raconté l'histoire. Comment ça se fait que tu la connaisses, toi ?

— Je suis curieux de nature, répondit Jozeo. J'ai demandé à plusieurs anciens et j'ai recoupé leurs versions. J'ai même, c'est dire, consulté la vieille confermée qui m'a appris à lire et à écrire. Un vrai puits de science. Elle en savait davantage sur lui que ses propres frères !

— Et qu'est-ce qu'elle savait ? »

Jozeo se releva et s'avança au centre du petit cercle qui s'était spontanément formé autour de lui.

« Elle ne l'aimait pas. Pas plus que les confermées de Chaudeterre ne nous aiment. Enfin, il ne doit pas rester grand-chose de leur satané conventuel à l'heure actuelle ! Difficile de démêler le vrai du faux dans ses paroles. La part de calomnies, la part de légendes, la part de réalité. Personne n'est plus sûr de rien à vrai dire, pas même les membres du cercle ultime. Il n'était pas un lakcha de chasse, ça, c'est à peu près sûr. Pas vieux non plus, toutes les versions concordent sur ce point. On sait aussi qu'il a disparu un très long temps et que, lorsqu'il est revenu, il a commencé à rechercher et à éteindre les lignées maudites. Les uns disent qu'il a rencontré Maran en personne dans l'arche des origines, d'autres qu'il a seulement reçu des visions, d'autres encore qu'il a découvert les rouleaux où étaient consignés les enseignements de l'enfant-dieu.

— Et toi, qu'est-ce que tu crois ? demanda Mazrel.

— C'est ce que tu crois, toi, qui est important ! dit Jozeo. On n'aura jamais la possibilité de connaître la vérité, il faut donc choisir une vérité à son goût, à son image. La meilleure est celle qui permet d'accomplir sans faiblesse les volontés de Maran.

— Pourquoi les masques, les robes ? lança Ankrel.

— Les masques représentent l'intransigeance, l'inflexibilité du bois et de l'esprit, la robe symbolise la soumission, l'égalité devant la règle. En revêtant l'uniforme, nous cessons d'être des individus pour nous relier au grand corps de Maran, nous devenons une phalange unie, indivisible.

— Les gens disent plutôt que c'est pour nous planquer, fit observer un chasseur aux cheveux roux et grossièrement taillés au couteau de corne. Que nous avons honte de ce que nous sommes, de ce que nous faisons.

— Les gens ? Les mathelles, les confermées de Chaudeterre, ce sont elles qui colportent toutes ces saloperies sur nous ! Elles ont divisé pour régner, elles ont vécu pendant des siècles dans l'unique obsession de consolider leur pouvoir, elles nous craignent comme les umbres parce que nous avons décidé de prendre notre part d'héritage, que leur temps est bientôt révolu. Le premier disciple a défriché le sentier de Maran, l'enfant-dieu qui permit aux passagers de l'arche de survivre et que, pourtant, leurs descendants ont rejeté dans l'oubli.

— Ils lui ont tout de même donné le nom d'un satellite, cria un lakcha.

— Ils ont cru se débarrasser de lui en le reléguant dans le monde des ténèbres, et c'est précisément pour faire à nouveau resplendir sa gloire, sa lumière, que nous le servons. Elles, les confermées, les fentes cousues, elles se moquent de nous, elles nous appellent les couilles-à-masques, mais elles n'ont pas idée de la toute-puissance offerte par le masque et la craine. Ce ne sont pas de simples pièces d'étoffe ou de bois, ils sont emplis de la vigueur de Maran, de la vigueur de l'ensemble des protecteurs des sentiers, les vivants et les morts. »

Ankrel se souvint de l'ivresse, de la sauvagerie qui s'étaient emparées de lui au moment de revêtir le masque et la robe. Ils lui avaient conféré cette toute-puissance dont parlait Jozeo, ils l'avaient relié à un grand corps invisible, omniprésent, dont il était devenu l'un des multiples bras. Ce n'était pas l'individu Ankrel qui avait violé la fille dans la grange, mais Maran à travers Ankrel, Maran qui l'avait marquée de son sceau, Maran qui l'avait visitée, purifiée, préparée à la vie éternelle. Ankrel n'avait pas eu le temps de se tailler un masque dans un bloc d'écorce ni de se confectionner une robe avec le fil de craine, mais il se promit de s'en occuper à la première occasion, parce que chaque nouveau masque, chaque nouvelle robe renforçaient la cohésion et la détermination des protecteurs des sentiers.

« Les confermées et les mathelles croient que nous sommes des fous sanguinaires, poursuivit

Jozeo avec ce regard exorbité et brillant dont Ankrel avait eu un premier aperçu au domaine de Velaria. Mais elles ne voient pas dans quels sentiers se sont fourvoyés les fils et les filles de l'*Estérion*, elles ne voient pas que les lignées maudites conduisent notre peuple à la dégénérescence et, à terme, à la disparition, elles refusent de comprendre que le nouveau monde a maintenant besoin de purificateurs, de gardiens, de protecteurs. Le premier disciple est venu nous révéler le danger, nous montrer le sentier, il mérite à jamais notre reconnaissance et notre admiration.

— Il s'appelait comment ? demanda Mazrel.

— Son nom est comme son histoire, il change selon les versions : pour les uns il est tout simplement le Premier, pour d'autres le Zèle incarné, pour d'autres l'Emmégis, pour d'autres le Maranite, et il en existe encore un certain nombre, plus ou moins compréhensibles. Donnez-lui le nom que vous voulez, celui qui correspond à vos envies, à vos besoins. Si vous l'appelez du fond du cœur, il vous entendra où que vous soyez. »

Le vent apporta une succession de tintements cristallins. Les chasseurs levèrent les yeux sur les nuages noirs et si bas qu'ils semblaient s'éventrer sur les courbes pourtant affaissées des collines. Des rideaux clairs et denses escamotaient les plaines dans le lointain.

« Une averse de cristaux ! cria Jozeo. Les yonks ! Il faut les rentrer ! »

Mais les grands herbivores renâclèrent au moment de franchir l'ouverture dont les bords étroits et coupants leur comprimaient et leur éraflaient les flancs. Il fallut, pour chacun d'entre eux, que deux chasseurs les tirent par les rênes pendant que trois autres les poussaient ou leur piquaient les membres postérieurs avec les lames de leurs poignards. Les premiers cristaux de glace, encore peu volumineux, encore semi-liquides, tombèrent alors qu'il restait sept yonks dehors. Les hommes se protégèrent en remontant leurs tuniques ou leurs vestes sur leurs têtes. Les légères contusions provoquées par le début de l'averse ne les empêchèrent pas de mettre à l'abri trois autres yonks. Puis les cristaux atteignirent rapidement le volume de pommes de jaule, devinrent aussi durs, aussi tranchants que des lames de corne, et les chasseurs durent se résigner à abandonner les trois dernières montures à leur sort. Les yonks, harcelés par les aiguilles qui se fichaient profondément dans leur cuir, ensanglantés, affolés, brisèrent leurs attaches et s'enfuirent au triple galop. Ankrel et les autres lakchas, massés dans l'entrée de la grotte, les virent s'effondrer l'un après l'autre sur un sol déjà revêtu d'une blancheur scintillante bientôt rougie de leur sang.

« Il arrive parfois que des troupeaux entiers se fassent piéger par ces satanées pluies de cristaux », grommela Jozeo.

L'averse s'était prolongée une grande partie de la nuit, et le silence s'était empli de tintements plus ou moins aigus, horripilants à la longue. Ils avaient rappelé à Ankrel les interminables journées dans la cuisine ou la chambre de la maison du domaine de Velaria. L'amaya de glace était une période pénible pour les enfants, pour tous ceux qui aimaient s'ébattre au grand air et qu'exaspéraient les atmosphères confinées. Certains y trouvaient leur compte, les permanents par exemple, qui goûtaient un repos bien mérité après avoir consacré des jours et des nuits aux moissons de manne tardive, les volages qui profitaient de l'occasion pour occuper plus longtemps la chambre d'une conquête, des femmes à qui cette claustration offrait l'occasion de se dédier à leurs constants, à un amant de passage ou à leurs enfants, les djemales séculières qui demeuraient dans le domaine où les avaient surprises les premières averses et qui en profitaient pour nouer des relations assez peu compatibles avec leur statut de sœurs de Chaudeterre, mais pour lui comme pour la plupart des enfants et des adolescents l'hivernage signifiait des semaines entières à supporter la proximité et les humeurs des adultes, des jours et des jours d'immobilité, d'attente, des heures et des heures à scruter un ciel désespérément noir et triste.

La plaine n'était plus qu'une immensité blanche dépourvue de reliefs. Les nuages clairs s'effilochaient sous les assauts rageurs du vent et dévoilaient des pans de ciel mauve. Le froid de la veille avait cédé la place à une douceur humide rassurante. Les cristaux du dessus avaient déjà fondu, les flaques s'élargissaient et atteignaient le sol par endroits, les herbes libérées redressaient leurs épis aux barbes agglutinées. Des cadavres des trois yonks fauchés par l'averse il ne restait plus que des squelettes où pendaient encore quelques pans de robe, quelques morceaux de chair.

Ils ne pourraient pas se remettre en chemin tant que la glace ne serait pas entièrement liquéfiée. Ankrel marchait normalement, n'était-ce une légère appréhension au moment de poser le pied au sol. La ventresec lui avait retiré son attelle et lui avait assuré que les os étaient maintenant ressoudés. Ses herbes mâchées avaient accompli des miracles. Les belladores djemales, pourtant réputées pour leur science et la qualité de leurs soins, n'auraient sûrement pas obtenu un résultat aussi spectaculaire en un temps aussi court.

« Il a pris de l'avance sur nous, dit Jozeo.

— Qui ? »

À peine avait-il posé la question que la réponse s'était imposée à Ankrel comme une évidence : l'homme qui avait tenté de délivrer la fille au sommet de la colline de l'Ellab, l'homme qui avait disparu au moment où les frères de Maran étaient sur le point de le capturer.

« Je croyais que nous allions chasser les umbres, murmura-t-il. Pas que nous poursuivions un homme.

— Les deux sont liés, dit Jozeo. Chasser les umbres, éteindre une lignée.

— Comment sais-tu qu'il s'est enfui dans cette direction ? »

Le lakcha frotta le dos de sa main sur ses joues hérissées d'une barbe courte et drue. Depuis plusieurs jours il avait cessé de se raser avec la lame de son poignard. De même il avait renoncé à se tresser les cheveux. Ce laisser-aller, peu dans ses habitudes, ne diminuait en rien la grandeur, la fierté qui se dégageait de lui, au contraire même l'accentuait par le simple jeu des contrastes.

« Je n'en sais rien, je l'espère. C'est notre direction de toute façon.

— Comment... comment a-t-il fait pour disparaître ? Il utilise la magie ?

— La magie ? Je ne crois pas. Mais j'ai une petite idée sur la question. Et le cercle ultime la partage.

— Quelle idée ?

— Tu le sauras plus tard, si nous le retrouvons.

— Si nous devons passer sur l'autre continent, comment traverserons-nous les grandes eaux orientales ? »

Jozeo eut un sourire sibyllin.

« Tu en poses, des questions ! Tu es aussi curieux que je l'étais à ton âge. Ça fait plus de trois siècles que les lakchas de chasse utilisent le passage entre le Triangle et le deuxième continent. »

La surprise arrondit les yeux d'Ankrel.

« Un passage ? Pourquoi n'en ont-ils jamais parlé aux autres ?

— Il est parfois préférable de laisser les autres dans leur ignorance.

— Tu es déjà allé sur le deuxième continent ?

— C'est la première fois. Tout comme toi. C'est un honneur réservé à très peu d'entre nous, Ankrel. »

Jael fit sa réapparition et la chaleur augmenta brutalement de plusieurs dizaines de grades. Le manteau blanc de la plaine s'ajoura de plus en plus, révéla les dessous jaunes et désordonnés des herbes.

Les lakchas préparèrent les yonks, entassèrent les réserves de vivres dans les sacs, remplirent les gourdes aux dernières flaques. Les aiguilles immaculées de l'Agauer se découpaient avec netteté sur le fond mauve du ciel. Ils les estimèrent à deux jours de chevauchée, moins peut-être si le temps restait clair et leur permettait de progresser une partie de la nuit. D'autant que les cavaliers, au nombre de onze, disposaient de seize montures et pouvaient établir un roulement. Une fois les montagnes franchies, il leur faudrait encore deux jours pour atteindre les bords des grandes eaux orientales.

Jozeo tira son poignard de sa gaine.

« Je dois régler le sort de cette ventresec avant de... »

Ankrel l'interrompit d'un geste.

« Je m'en charge. C'est moi qu'elle a soigné, c'est à moi de la remercier. »

Jozeo sonda son vis-à-vis d'un regard perçant, puis hocha la tête avec un sourire entendu.

« Bon, mais fais vite. »

Ankrel lâcha la rêne de la femelle baie qu'on lui avait assignée pour monture et s'éclipsa dans la grotte.

Il en revint quelques instants plus tard, pâle, les traits tirés. Il répondit d'un clignement de paupières à l'interrogation muette de Jozeo, se jucha sur la yonkine puis, sans attendre le signal du départ, se lança au grand galop sur la plaine qui, à nouveau, rutilait sous les ors de Jael.

CHAPITRE XVII

Yonks

Mon enfant va bientôt naître. Je le sens qui se prépare à quitter son cocon liquide pour passer dans la sécheresse de ce monde. Mon ventre et mes seins sont devenus si gros, si lourds que je me fais l'effet d'être une yonkine domestique gavée de manne.

Elleo ne me reconnaîtrait plus. Lui qui réussissait presque à joindre le bout de ses doigts autour de ma taille, il ne pourrait même plus l'entourer de ses bras. Lui qui empaumait mes seins comme de « jolies petites pommes de jaule », il ne réussirait même plus à en couvrir les aréoles. Je me suis élargie de partout, épaules, hanches, cuisses, fesses, jusqu'à mon visage qui m'apparaît épanoui, rempli, bouffi sur le miroir incertain du bassin d'eau tiède. Métamorphoses...

Mais enfin, Lahiva filia Sgen, tu n'es pas la première femme qui donne la vie sur le nouveau monde, chaque mère fabrique sa dizaine d'enfants sans se regarder enfler avec une telle adoration, sans se prendre pour la merveille des merveilles ! Tu n'es qu'une femme comme une autre, un creuset où se développe la vie, une machine formidablement conçue pour perpétuer l'espèce ! Ton ventre se pousse pour faire de la place au nouvel arrivant, tes seins se gonflent de lait pour le nourrir, tes muscles se couvrent de graisse, tu t'arrondis comme une cruche sous les doigts d'un potier, la maternité ne va pas sans la rondeur, il n'y a là vraiment rien de révolutionnaire.

Si, Lahiva, il s'agit bel et bien d'une révolution ! Et qu'elle se répète inlassablement pour chaque femme à chaque époque ne change rien à l'affaire. Ce n'est et ce ne sera jamais une aventure banale, ce branle-bas de matière, ce déplacement du centre de gravité, ce bouleversement du corps, du cœur et de l'âme ! Un astre se meut à l'intérieur d'un autre astre, et bientôt il passera la porte, il brillera dans le ciel, il s'ajoutera aux milliers d'éclats qui resplendissent sur le nouveau monde, il gardera sa propre teinte, sa propre luminosité, il ajoutera quelque chose de rare, d'unique au scintillement général. Mon fils, car il s'agit d'un fils, j'en ai acquis la certitude, notre fils à Elleo et à moi, changera à jamais le cours du temps.

Je pressentais depuis longtemps cette unicité magnifique qui nous différencie des règnes végétal et animal, j'en ai eu la confirmation par le Qval. Oui, tu as bien lu, toi qui me fais l'honneur – l'amitié ? – de consulter ce journal, j'ai rencontré le Qval. J'y faisais allusion il y a de cela neuf ou dix mois, mais l'occasion ne s'était pas encore présentée d'y revenir.

Dis plutôt que tu n'as pas écrit une seule ligne depuis ces neuf ou dix mois, paresseuse, et que le moncle Artien, qui te surveille de là où il se trouve, trépigne de rage et cherche avec fébrilité une disciple un peu plus fiable.

Que plaiderai-je pour ma défense ? Que mon temps était très occupé ? Allons, on trouve toujours un peu de temps à consacrer à la danse de la plume. Que mes réserves de rouleaux de peau et d'encre de nagrale diminuent ? C'est vrai, mais il t'en reste suffisamment pour tenir jusqu'à ton retour au mathelle. Que la présence de plus en plus encombrante de mon fils envahissait toutes mes pensées ? En partie, mais il est des périodes où il te laisse en paix, où tu t'inquiètes même de ses silences. Que mes besoins physiologiques – manger (jamais rassasiée avec les fruits de la grotte, envies folles de bons petits plats), boire (sans cesse), uriner (de plus en plus fréquemment, une vraie fontaine), déféquer (aller en me dandinant comme un nanzier dans une salle écartée pour éviter d'être incommodée par les odeurs), dormir (besoins de sommeil en très nette hausse), somnoler (indispensable complément du sommeil) – me prenaient la majeure partie de mes journées et de mes nuits ? Un peu plus qu'avant, certes, mais pas... beaucoup plus qu'avant. Eh bien ?

Le Qval, lecteur, voilà mon véritable alibi.

C'est la relation avec le Qval qui m'a volé toutes mes heures libres. Je l'ai d'abord aperçu dans la source d'eau bouillante, une ombre, une forme indéfinissable, une présence qui m'observait, qui m'enveloppait de calme, qui se glissait dans mes pensées. Je me suis assise pendant des semaines, pendant des mois, sur le bord de la retenue d'eau bouillante dans l'intention de renouer et de prolonger le contact. Mais, tant que je le guettais, tant que j'étais tendue par la volonté de communiquer avec lui, il ne s'est pas manifesté. J'ai pris conscience de mon erreur quand, m'étant assise comme d'habitude sur les rochers brûlants qui bordent le bassin, je me suis laissé bercer par l'instant, sans but, uniquement attentive aux effleurements troublants des vapeurs chaudes, aussi agiles et insinuantes que les mains et la langue d'Elleo. Je me suis aperçue soudain que le Qval était là, en face de moi, que le Qval émergeait de l'eau et se hissait à hauteur de mon visage, que le Qval m'invitait à le rejoindre dans son élément.

Suis-je vraiment entrée dans cette eau bouillante comme la rougeur de ma peau m'a incitée à le pen-

292

ser le lendemain, la peur de la brûlure m'a-t-elle retenue sur les rochers, ai-je réellement entendu son
murmure, ai-je rêvé ? Il ne me reste que des impressions, aucune certitude.

Il m'a semblé flotter dans une masse liquide et
chaude, il m'a semblé être enveloppée et rafraîchie
par une ombre, il m'a semblé entendre une voix
silencieuse à l'intérieur de moi, il m'a semblé entretenir une sorte de dialogue avec une pensée étrangère, il m'a semblé apercevoir entre les volutes de
vapeur un visage de femme, un visage si beau, si
lumineux, si aimant que j'en étais bouleversée, il m'a
semblé me retrouver, mais c'est peut-être mon
orgueil qui m'égare, en compagnie de... Qval Djema.

En compagnie de la fille unique du grand Ab et de
la divine Ellula.

En compagnie de l'une des grandes figures héroïques de l'Estérion.

Qval Djema a aboli le temps pour me parler de
l'avenir, pour me révéler que mon fils serait celui par
lequel se propagerait l'espoir, que l'influence de mes
descendants ne se limiterait pas à ce monde, parce
que l'univers était une trame dans laquelle tous les
mondes s'inséraient, par laquelle tous les mondes
communiquaient. Elle m'a dit que, si j'avais eu cette
relation interdite avec mon frère, c'était justement
pour être poussée à fuir la communauté des hommes, à rechercher la compagnie des autres êtres
vivants, à me conformer à l'autre ordre, l'invisible.
Elle m'a dit également que mon enfant était le fruit
d'amours pures, sincères, véritables, telles que celles
de sa mère Ellula pour son père Abzalon, et que,
parce qu'il était baigné du lait si rare de la tendresse
universelle, ils auraient, mon enfant et ses descendants, une importance universelle. Elle m'a recommandé de le plonger dans l'eau bouillante après
l'avoir mis au monde. Elle m'a assuré qu'il n'en souf-

frirait pratiquement pas et qu'il serait protégé à vie par l'éternel présent.

« Il ne bénéficiera pas toujours de l'amour tout-puissant de sa mère. »

Ces pensées-paroles (paroles-pensées) m'ont choquée : Qval Djema venait tout juste de souligner la sincérité et la pureté de mon amour, insinuait-elle maintenant que... j'abandonnerais mon enfant ?

« Le temps, Lahiva, le temps dévore ses enfants et génère les séparations. Baigne-le dans l'eau du Qval, et toutes les créatures de ce monde le reconnaîtront, le serviront. »

De quelles créatures voulait-elle parler ? Et quel moyen auraient ces mêmes créatures de le reconnaître, de le servir ?

« Nous sommes tous reliés par l'éternel présent. »

Ce furent les dernières paroles-pensées de Qval Djema. J'ai sombré dans l'inconscience et, quand je suis revenue à moi, j'étais allongée sur mon lit de feuilles. J'ai cru que j'émergeais d'un rêve jusqu'à ce que je découvre la couleur écarlate de ma peau, une rougeur typique des brûlures. Je n'en souffre pas, mais des cloques se forment et des plaques de mon épiderme se détachent tous les jours, au point que j'ai l'impression de me dévêtir de plusieurs couches de tissu, moi qui vais entièrement nue depuis que j'ai pris possession de cette grotte ! Je devine parfois la forme sombre du Qval sous les frémissements de l'eau bouillante, je me sens enveloppée de sa présence, de sa vigilance, mais il ne communique plus directement avec moi. Je suis assez hésitante sur la conduite à suivre : dois-je, quand il sera né, tremper mon enfant dans l'eau bouillante comme j'ai cru le comprendre, ou bien ne sont-ce que les divagations d'une femme enfermée depuis trop longtemps dans cette grotte ? D'une exilée qui s'invente des histoires pour tromper la solitude et le temps ? J'espère en

294

réalité une confirmation formelle de la part du Qval, mais je sais qu'il n'en fera rien, qu'il me laissera jusqu'au bout la liberté de choix, qu'il réclame une part de foi, de confiance, dans toute démarche.

Dans l'attente de la délivrance, je tourne en rond en ressassant cette question obsédante : qu'a voulu dire Qval Djema en affirmant que mon enfant ne bénéficierait pas toujours de l'amour tout-puissant de sa mère ? Moi je sais du fond du cœur, du fond du ventre, que je ne cesserai jamais de l'aimer. Est-ce que la vie nous séparera ? Est-ce la... mort qui s'en chargera ?

Extrait du journal de Lahiva filia Sgen.

Orchéron s'était résigné à tuer un yonk à l'aide de son petit couteau de corne. Il avait repoussé cette perspective pendant deux jours, cherchant des yeux un yonkin, en principe plus facile à tuer, mais le troupeau, fort de deux à trois cents têtes, ne comptait que des adultes. Puis deux facteurs s'étaient conjugués pour balayer ses hésitations : la faim, omniprésente, impérieuse, et le mouvement des herbivores qui, après avoir brouté les feuilles des arbustes, avaient commencé à se disperser sur le sentier qui partait du plateau et montait en lacets vers le haut de la falaise. Ils s'en allaient chercher de nouveaux pâturages et sans doute se rapprocher peu à peu de la chaîne de l'Agauer pour entamer leur migration vers les plaines du Triangle à la fin de l'amaya de glace.

Orchéron s'était posté sur un rocher qui surplombait le sentier, mais il n'avait pas eu besoin de se lancer dans l'entreprise hasardeuse d'égorger un yonk sauvage avec un couteau conçu pour éplucher des légumes ou couper du pain (suffisamment efficace pour tuer un homme cependant, c'était le même genre de couteau qu'il avait utilisé pour poignarder Œrdwen) : un grand mâle avait soudain quitté le sentier, parcouru une courte distance au milieu des arbustes et s'était affaissé à seulement quelques pas du rocher où il s'était installé.

Mort. Sans raison apparente.

« Nous ne tuons pas les animaux, avait dit Ezlinn. Ils viennent mourir devant nous, s'offrir à nous. »

Le comportement du yonk, une bête splendide, puissante, ne présentant aucun symptôme apparent de maladie ou de faiblesse, illustrait à la perfection le phénomène décrit par la ventresec. Il semblait s'être laissé mourir à seul dessein de nourrir l'homme affamé et apeuré qui se dressait sur le bord du sentier. Ses congénères poursuivaient leur paisible ascension sans lui prêter attention. Ils se préparaient à affronter les grands froids de l'amaya comme le montrait la toison déjà fournie qui leur habillait le crâne, l'encolure et une partie du poitrail. Leurs cornes recourbées dessinaient des demi-cercles plus ou moins amples aux extrémités effilées. La plupart des robes étaient d'un brun-rouge clair ou foncé, souvent mouchetées, quelquefois noires, unies ou parsemées de taches blanches.

Orchéron attendit un petit moment avant de descendre de son rocher. En arrière-plan, les collines des grandes eaux orientales, voilées d'écume dorée, se balançaient mollement sous l'œil éblouissant de Jael. Les oiseaux multicolores jouaient sur les courants aériens dans un concert de piaillements qui, bien que tapageurs, s'harmonisaient avec les grondements des vagues et les sifflements du vent. Quelques-uns se posaient sur les arbustes ou les reliefs proches, sautillaient sur place, les ailes entrouvertes, jusqu'à ce que, effrayés par un bruit ou un mouvement, ils s'envolent avec une telle vivacité que l'œil avait du mal à les suivre, qu'ils paraissaient s'évanouir dans les airs.

Orchéron se rendit près du cadavre du yonk et entreprit de le dépecer après avoir lancé un coup d'œil au reste du troupeau. Comme il ne disposait ni de ces bâtonnets enduits de soufre ni de ces pierres-à-frotter dont se servaient les habitants du nouveau monde pour allumer les feux, il était condamné à manger de la chair crue, une perspective qui le fit un peu hésiter au début, puis, tenaillé par la faim, il plongea la lame de son couteau dans la cuisse du yonk, dut appuyer de tout son poids pour transpercer le cuir, découpa un morceau de viande de la largeur d'une main et surmonta sa répulsion pour commencer à manger.

« Ce serait meilleur cuit ! »

Il sursauta. Se retourna. Se retrouva face à un groupe d'hommes, de femmes et d'enfants qui s'étaient approchés en silence dans son dos. Il reconnut d'abord la chevelure claire, presque blanche, d'Arjam, puis les traits d'Ezlinn, puis les visages des autres membres du clan. Les ventresecs semblaient pâles, fatigués, leurs vêtements étaient déchirés, maculés de terre et de taches d'herbe.

La surprise empêcha Orchéron de prononcer le moindre mot. Ezlinn s'avança vers lui avec un sourire hésitant. Le vent emmêlait ses cheveux, retroussait sa robe et dévoilait ses pieds et ses jambes couverts d'égratignures.

« Ça fait deux jours et deux nuits que nous marchons sans nous arrêter. Hier matin, nous étions encore sur les pentes de l'Agauer. Nous avons faim. Est-ce que tu acceptes de partager ce yonk avec nous ? »

Il acquiesça d'un hochement de tête machinal, encore trop saisi pour recouvrer l'usage de la parole. Une dizaine de ventresecs, hommes et femmes, s'abattirent aussitôt sur le cadavre du yonk tandis que les autres, dont Ezlinn, ramassaient du bois mort, des feuilles séchées, coupaient des branches d'arbuste, des herbes, et entassaient le tout derrière un gros rocher.

La vitesse à laquelle les errants dépecèrent l'animal sidéra Orchéron. Ils le retournèrent sur le dos puis, tandis que quatre d'entre eux le maintenaient écartelé, deux hommes lui percèrent les jugulaires pour le vider de son sang, l'ouvrirent du haut en bas, le nettoyèrent des intestins et des viscères. Les gestes étaient précis, vifs, les lames de corne parfaitement aiguisées taillaient dans le cuir, dans la chair, tranchaient les cartilages et les tendons des articulations, le désossement s'effectuait sans heurt, sans résistance, dans une harmonie silencieuse qui évoquait un ballet parfaitement réglé. Là où les permanents des domaines chargés de débiter les yonks domestiques s'exécutaient en force, à l'aide de masses, de scies et de haches, les errants s'appuyaient sur une connaissance parfaite de l'anatomie des grands herbivores pour privilégier l'adresse et la douceur. Pas de ahanements intempestifs ni de craquements sinistres, seulement le froissement soyeux des souffles attentifs et des chairs incisées.

« Nous... »

Ezlinn hésita, les yeux rivés sur les pierres brûlantes où cuisaient des morceaux de viande.

« Pour un clan ventresec, il n'y a pas d'injure plus grave que de refuser une de ses femmes. »

Après avoir assouvi leur faim, la plupart des errants s'étaient massés sur le bord extérieur du plateau. C'était la première fois qu'ils poussaient jusqu'aux confins du Triangle, se cantonnant d'habitude aux territoires délimités à l'est par la chaîne de l'Agauer, au sud par l'impénétrable forêt tropicale, au nord et à l'ouest par les plaines infinies, et le spectacle majestueux des grandes eaux orientales leur arrachait des cris de stupéfaction, de ravissement.

« Pourquoi êtes-vous venus me rejoindre, alors ? demanda Orchéron.

— Tu n'es pas ventresec, nos lois ne te concernent pas.

— Ce n'est pas une réponse... »

Orchéron piqua sa baguette de bois taillée en pointe dans un morceau de viande. Il avait déjà dévoré plus que sa part, mais, contrairement aux errants qui se contentaient de rations frugales, il n'était pas encore rassasié.

« Tu n'es pas comme les autres permanents des mathelles, dit Ezlinn. C'est vrai que j'étais fâchée, et les autres du clan, quand tu n'as pas voulu de moi. Le châtiment pour une telle injure est la mort habituellement, mais... »

Elle s'interrompit, cherchant ses mots. Orchéron souffla sur le morceau de viande avant de l'épousseter de ses cendres.

« La mort ? Pour avoir refusé tes avances ?

— La loi des errants dit qu'insulter une femme c'est insulter l'univers entier.

— Je n'ai pas eu le sentiment de t'avoir insultée !

— Je te crois. C'est pour ça que nous avons quitté la grotte en pleine nuit. Pour ne pas avoir à te tuer. Et puis, le lendemain, nous nous sommes dit que nous avions fait une erreur, pas de t'avoir laissé en vie, je veux dire, mais parce que, si les négentes t'avaient envoyé à nous, c'est qu'il y avait une raison, que nous avions quelque chose à apprendre. Nous avons décidé de revenir dans la grotte, mais tu étais déjà parti. Nous avons interrogé les furves, ils nous ont montré l'endroit où tu te trouvais, et...

— Comment ça, montré ?

— C'est de cette façon qu'ils communiquent. Ils ne parlent pas, ils envoient des images à ceux qui peuvent les percevoir. Ils ne nous trompent jamais : la preuve, nous t'avons retrouvé. »

Orchéron commença à mâcher son morceau de viande. Ils étaient tous les deux seuls près des braises qui commençaient à perdre de leur éclat malgré les effleurements du vent. Les autres s'étaient répartis sur les rochers qui bordaient la falaise pour contempler l'agitation des grandes eaux, les arabesques incessantes et colorées des oiseaux.

« Qu'est-ce que je pourrais vous apprendre ? demanda Orchéron.

— Je ne sais pas. Pas encore. Il y a un mystère en toi. La façon dont tu es arrivé ici par exemple. Nous, nous avons eu besoin de deux jours et de deux nuits pour franchir la distance, et pourtant nous sommes bien meilleurs marcheurs que toi.

— Je suis incapable de dire ce qui s'est passé entre le moment où je suis sorti de la grotte et celui où je me suis retrouvé au bord des grandes eaux. J'ai comme des... trous de mémoire.

— Les furves l'ont montré à Arjam plutôt comme une sorte de saut dans le temps. »

Orchéron suspendit sa mastication. Un saut dans le temps...

Cette définition était probablement celle qui collait le mieux à la réalité, qui comblait le moins mal les vides de sa mémoire. Certains épisodes de son existence lui manquaient tout simplement parce qu'il ne les avait pas vécus. Sans doute fallait-il chercher l'origine de ses crises dans ces coupures temporelles, comme si ces dernières engendraient une souffrance qui, trop intense pour se déverser d'un seul coup, s'écoulait à la manière d'une eau filtrée par une retenue.

« Saut dans le temps ou pas, marmonna-t-il, je ne suis pas capable de vous apprendre quoi que ce soit, vu que je n'ai pas la moindre idée de comment ces choses-là arrivent. Je crains que vous n'ayez fait tout ce chemin pour rien.

— Pour rien, sûrement pas. Sans toi, nous n'aurions jamais trouvé le courage de franchir les montagnes, nous n'aurions jamais vu les grandes eaux orientales.

— Qu'est-ce qui vous en aurait empêchés ?

— La prophétie... » Ezlinn secoua la tête comme pour chasser des pensées parasites. « Elle dit que l'ensemble des ventresecs seront frappés de la malédiction de l'Agauer si un seul des clans s'engage sur le sentier qui mène à l'orient.

— La malédiction de l'Agauer ?

— L'extermination. L'anéantissement.

— Vous n'avez pas peur que... »

Elle l'interrompit d'un geste péremptoire.

« Nous ne pouvons pas rester éternellement sur les plaines du Triangle. Les furves ne pourront peut-être pas enrayer la progression des mathelles. La population des domaines s'accroîtra sans cesse et finira par nous déborder. Tant pis si la malédiction arrive par notre clan, le temps est venu d'explorer les autres territoires du nouveau monde.

— Vous auriez pu commencer par une autre direction.

— Des clans l'ont déjà fait. Ils n'ont trouvé que des forêts, des déserts, des étendues glacées. L'orient est le seul sentier qui nous reste. »

Orchéron finit son morceau de viande, essuya ses lèvres grasses d'un revers de main et but une large rasade à l'une des gourdes de peau appartenant aux ventresecs. Malgré son léger goût de soufre, l'eau, qu'ils avaient puisée la veille à une source des montagnes, lui parut délicieusement rafraîchissante en comparaison des flaques saumâtres du littoral.

« À condition de trouver le moyen de traverser », soupira-t-il en désignant l'étendue scintillante des grandes eaux.

Après avoir soigneusement entreposé les quartiers de yonk dans une cavité tapissée de cailloux et rebouchée à l'aide d'une pierre plate, ils fouillèrent le plateau, une large faille plutôt qu'un véritable plateau, à la recherche d'un chemin qui descendrait jusqu'au pied de la falaise. Ils découvrirent derrière un gros rocher, dissimulée par des arbustes, l'entrée arrondie d'une galerie. Le passage, emprunté par les yonks à en croire les déjections, se présentait sous la forme d'un tunnel aux bords parfaitement nets qui s'enfonçait en pente douce dans les entrailles de la terre. Il y régnait une obscurité profonde, humide, saturée d'une double odeur de yonk et de saumure. Ils le parcoururent avec précaution, à tâtons, veillant à ne pas glisser sur les bouses ou sur les plaques de mousse, puis, après un long moment d'une progression aveugle, éprouvante, ils entrevirent sur les parois et sur le sol lisses des reflets qui préludaient au retour de la lumière.

« Ce n'est pas l'érosion qui a creusé ce tunnel, dit Arjam. Ni les furves : ils n'ont pas besoin de les faire aussi larges. Et puis ils ne viennent jamais sur les bords des grandes eaux.

— Qui alors ? » demanda Ezlinn.

Arjam haussa les épaules. Sa chevelure claire avait été l'un des seuls points de repère tout au long de la descente. Les grondements des vagues, incessants, assourdissants, recouvraient les voix et les obligeaient à hurler.

« Ça ressemble à un travail d'homme.

— Les hommes ne viennent jamais non plus sur les bords des grandes eaux, objecta Ezlinn.

— Les chasseurs peut-être...

— Eux ? Ils sont plus peureux que des enfants ! Ils croient que la frontière orientale est bordée de vide et hantée par les créatures infernales !

— Ils le croient réellement ou ils le font croire ? »

Ils franchirent les cinq ou six cents pas qui les séparaient de la sortie et débouchèrent sur une plate-forme rocheuse léchée par des langues grésillantes et moussues, entourée d'une barrière de récifs qui retenaient les rayons obliques de Jael et maintenaient les lieux dans une pénombre imprégnée d'une humidité poisseuse. Un vent violent s'engouffra dans les vêtements et les contraignit à s'agripper aux aspérités. À intervalles réguliers, des vagues puissantes se brisaient sur la barrière de récifs et se pulvérisaient en panaches écumants qui balayaient la plate-forme avec la puissance cinglante d'averses de préhivernage. L'eau, glacée, piquait les yeux et avait un goût âpre, amer.

Même si les ruissellements n'avaient pas tout à fait nettoyé les vestiges épars de leurs déjections, il paraissait improbable que le troupeau de yonks vînt de là. Les grands herbivores avaient sans doute découvert l'entrée du tunnel sur le plateau, l'avaient descendu, poussés par la curiosité, puis ils l'avaient remonté quand ils avaient constaté que le passage s'achevait en un cul-de-sac.

Vue d'en bas, l'agitation des grandes eaux se faisait impressionnante et soulevait chez Orchéron de sérieux doutes sur la possibilité de poursuivre son périple. Fabriquer un esquif ? Il en existait dans certains domaines, qui servaient à traverser la rivière Abondance au plus fort de ses crues, mais d'une part il ne disposait d'aucun des outils indispensables, ni hache, ni scie, ni rabot, ni glu de jaule pour assembler les planches entre elles, d'autre part le bois était rare pour ne pas dire inexistant tout le long du littoral, et enfin, quand bien même toutes les conditions auraient été réunies, une embarcation n'avait aucune chance de résister à l'amplitude et à la puissance de ces vagues. L'obstacle semblait vraiment infranchissable. Les piaillements des oiseaux multicolores, qui se riaient des bourrasques dans le mauve assombri du ciel, résonnaient comme autant de sarcasmes. Les ventresecs avaient reculé dans l'entrée du passage, comme si le déchaînement des grandes eaux relevait déjà de cette malédiction dont avait parlé Ezlinn.

« Nous devrions remonter. Il n'y a rien ici. »

Le visage ruisselant, les cheveux et la robe détrempés, les lèvres bleuies par le froid, les yeux agrandis par la frayeur, Ezlinn avait quitté l'abri du passage pour se rapprocher d'Orchéron. Une projection d'eau particulièrement virulente balaya la plateforme. Il saisit la ventresec par le bras puis la maintint plaquée contre lui pour l'empêcher d'être emportée.

Ils remontèrent sur le plateau, se réchauffèrent et séchèrent leurs vêtements à la chaleur revigorante d'un feu d'herbes et de branches. Ils ne prononcèrent pratiquement pas un mot jusqu'au crépuscule. Seuls les chamailleries et les rires des enfants, âgés de trois à quinze ans, troublaient le silence à la fois grave et maussade observé par les adultes du clan.

Gagné par un sentiment d'impuissance qui pesait sur son humeur comme une pierre, Orchéron entreprit de couper les poils les plus longs de sa barbe à l'aide de son couteau de corne, une décision qu'il regretta quand il se fut irrité et écorché les joues et le menton. Il s'efforça de ne pas répondre aux regards d'Ezlinn, assise en face de lui de l'autre côté du feu, qui cherchaient le sien avec obstination.

Après le repas du soir, ils se dispersèrent sur le plateau pour y passer la nuit, les uns se construisant des abris de fortune avec des branchages et des pierres, les autres se glissant dans les anfractuosités des rochers. À la façon dont ils hésitaient, dont ils tournaient en rond, Orchéron vit que les ventresecs étaient rongés par l'inquiétude, perdus hors des plaines où ils savaient qu'ils pouvaient compter sur une nature généreuse et sur l'appui des furves. En quittant leurs territoires habituels, ils avaient non seulement pris le risque d'attirer la malédiction de la prophétie sur eux et sur l'ensemble des clans errants, mais celui d'affronter un environnement qu'ils ne maîtrisaient pas.

Orchéron se faufila dans la petite cavité rocheuse qu'il avait découverte le soir de son arrivée, suffisamment hermétique pour l'aider à supporter la fraîcheur humide de la nuit. Le matelas d'herbe qu'il y avait installé le protégeait tant bien que mal de la dureté de la pierre mais avait pour inconvénient de lui irriter la peau.

Il avait supposé, et redouté, qu'Ezlinn viendrait le rejoindre un peu plus tard, or elle ne se manifesta pas de la nuit, comme si elle s'était enfin résignée à respecter son désir de solitude. Par un de ces étranges revirements dont est coutumière l'âme humaine, il en fut déçu : il aurait aimé serrer contre lui le corps vigoureux de la ventresec, aussi bien pour lutter contre la froidure que pour faire jaillir un peu de tendresse dans une solitude de plus en plus desséchante. Le souvenir de Mael ne s'estompait pas, pas encore, mais il ne suffisait plus à le nourrir. La vie au domaine d'Orchale lui paraissait loin désormais, aussi étrangère que sa première enfance, comme si ses souvenirs subissaient eux aussi des sauts dans le temps. Plus rien ne le reliait à Aïron, son père adoptif, cet homme qui l'avait recueilli sur les bords de la rivière Abondance mais qui n'avait jamais réussi à trouver le chemin de son cœur. Seule Orchale lui manquait, parce qu'elle était vivante contrairement à Mael, et qu'elle l'avait aimé aussi bien et même mieux que les fils issus de son ventre. La mort d'Œrdwen devenait anecdotique, un fait comme un autre dont l'éloignement estompait l'impact émotionnel ou l'enfouissait sous d'autres émotions. Le troisième constant d'Orchale avait fini de se vider de son sang dans l'esprit d'Orchéron, il était enfin ce corps froid et impersonnel à la sérénité apaisante, consolatrice.

Des meuglements prolongés le tirèrent de son sommeil. Il s'extirpa de son refuge avec un peu trop de précipitation et se cogna durement le haut du crâne à la pierre. À demi étourdi, il sortit dans la pluie fine et froide qui dérobait le paysage et ternissait la lumière de l'aube. Le troupeau de yonks était revenu sur le plateau et s'était dispersé entre les rochers à la recherche des arbustes épargnés par le broutement de la veille. Alertés par le remue-ménage, les ventresecs se rassemblaient près de la cavité où ils avaient entassé les quartiers de viande.

Une pointe de dépit transperça Orchéron lorsqu'il vit Ezlinn s'avancer en compagnie d'un homme aux cheveux noirs et raides qu'elle tenait enlacé par la taille. Étrange comme on dédaigne les choses qui vous arrivent et comme on revendique celles qui vous échappent. Une flambée de colère l'embrasa, qu'il dirigea d'abord sur la ventresec avant de la retourner contre lui-même. Il prit conscience qu'il aurait fait exactement la même chose avec un couteau, qu'il aurait plongé la lame dans la poitrine d'Ezlinn puis dans la sienne, avec la même rage qu'il avait poignardé Œrdwen. Il s'inquiéta de cette tendance à recourir à la violence à la moindre contrariété et dispersa sa tension intérieure dans l'observation des yonks sauvages. Il ne remarqua d'abord rien de notable dans le troupeau, puis il aperçut un grand mâle à la robe gris clair, presque blanche, et aux cornes noires. Il fut d'abord étonné de ne pas avoir discerné plus tôt cette couleur de robe pourtant peu commune, puis il en arriva à la conclusion que ce troupeau n'était pas le même que celui de la veille.

Louvoyant entre les rochers et les herbivores, il se dirigea à grands pas vers l'ouverture du tunnel qui conduisait sur la plate-forme du pied de la falaise. L'abondance d'excréments frais le conforta dans l'idée que les yonks avaient bel et bien emprunté ce passage pour gagner le plateau. Il le parcourut aussi rapidement que le lui permettaient l'obscurité et le sol glissant.

En bas, la pluie et les gerbes des vagues s'associaient pour envelopper les grandes eaux d'une grisaille uniforme. La barrière de récifs qui isolait la plate-forme des vagues n'était plus qu'une ombre menaçante et grondante d'où surgissaient de temps à autre des griffes liquides livides. Il serra les dents pour lutter contre le froid, contre la sensation effrayante d'être la proie de l'eau et du vent ligués, et observa avec une attention soutenue les rochers luisants battus par les embruns. Des bourrasques virulentes le déséquilibrèrent et l'obligèrent à reculer à plusieurs reprises. Il avisa sur sa gauche une bouse de yonk à quelques pas du pied de la falaise, à demi cachée par l'arête basse d'un rocher. Il s'en approcha tant bien que mal, arc-bouté sur ses jambes, replié sur lui-même, le torse et le visage giflés par les gouttes.

Il s'engagea dans un espace délimité d'un côté par une rangée serrée de grands rochers et de l'autre par la paroi, une perspective impossible à discerner de loin à cause de l'uniformité des couleurs et des formes. Il lui suffit ensuite de suivre les excréments de yonk, intacts de ce côté-ci, pour remonter le passage, de plus en plus étroit, sur une cinquantaine de pas. Il progressait maintenant à l'abri du vent et des gerbes d'écume. Le grondement des vagues semblait se désagréger sur le silence. Assez large pour les yonks, le chemin, car il s'agissait bien d'un chemin taillé dans la roche, épousait les méandres décrits par le bas de la falaise.

Orchéron le parcourut sur une distance qu'il estima à une lieue. Il se jonchait par endroits de flaques d'urine ou de mares hérissées par la pluie, abandonnées par les vagues qui réussissaient à s'élever au-dessus de la muraille rocheuse. Une dénivellation légère mais bien réelle l'amenait peu à peu à plonger dans les profondeurs du sol et à se transformer, plus loin, en galerie souterraine.

Orchéron s'immobilisa, leva la tête et contempla le ciel réduit à un mince ruban gris et larmoyant au-dessus des parois resserrées. Des rigoles gonflées par la pluie diluaient les restes de bouse de yonk. Les grands herbivores, qui, selon la légende, avaient fait leur apparition sur le Triangle deux siècles après l'atterrissage de l'*Estérion* sur le nouveau monde, étaient donc arrivés par là, par ce passage qui semblait se jeter dans les abysses des grandes eaux.

Il s'apprêtait à aller prévenir les ventresecs de sa découverte quand il discerna un mouvement dans l'obscurité de la bouche sombre.

CHAPITRE XVIII

QVAL

Très chères amies,
Les premières averses de cristaux de glace se sont révélées nettement plus virulentes que les années précédentes à la même période, comme si la nature elle-même était gagnée par cette fureur qui embrase le nouveau monde. Nous devons interpréter ce dérèglement climatique comme un signe, comme la manifestation de l'amour divin d'Ellula. En nous envoyant cet amaya précoce, la protectrice de notre sentier (c'est à dessein que j'emploie le mot protectrice, n'en laissons surtout pas le monopole aux couilles-à-masques) nous permet de goûter cette trêve que nous appelions de tous nos vœux.
Je profite de cette belle journée d'éclaircie pour renouer le contact avec vous et venir aux nouvelles. Je suppose que nous n'aurons pas à reprendre les armes avant le retour de la saison sèche. Je me suis donc permis de déroger à nos règles de sécurité et de me séparer de trois de mes hommes pour vous dépêcher cette missive. Je ne me voyais pas envoyer des enfants sur les chemins des mathelles. Le ciel est dégagé pour l'instant, mais les vents venus de l'Agauer peuvent se lever soudainement et le couvrir de nuages en un temps très bref. Des enfants auraient risqué d'être surpris par de nouvelles préci-

pitations tandis que les hommes sauront lever la tête et se mettre à l'abri au moindre signe avant-coureur.

Dites-vous bien, mes amies, que la guerre contre les protecteurs des sentiers vient tout juste de commencer. Nous aspirons toutes au retour de la paix, de ces jours heureux bercés par les travaux des mathelles. Nous allons passer deux ou trois mois dans la chaleur de notre maison, entourées de l'amour des nôtres, nous allons reprendre notre place de reine du foyer, nos enfants, nos constants, nos volages, nos permanents vont de nouveau tourbillonner autour de nous comme les trois satellites nocturnes autour du nouveau monde. La tentation sera forte alors de croire que les hostilités sont terminées, que les jours de sang et de larmes se sont éteints comme de mauvais rêves.

La trêve est bénie, mes amies, mais elle est également pernicieuse. Les couilles-à-masques, eux, n'oublieront jamais qu'ils sont sur le pied de guerre, ils reprendront exactement là où les avait laissés le début de l'amaya, avec la même fureur, avec la même volonté de broyer celles et ceux qui contestent leur volonté hégémonique.

Les dernières nouvelles que j'ai reçues de Chaudeterre ont soufflé les dernières flammes d'espoir que j'entretenais presque malgré moi. Je les tiens d'un ancien moissonneur du domaine de Zmera, une mathelle de Cent-Sources qu'il avait escortée en compagnie de trois autres permanents jusqu'au conventuel où elle avait demandé audience à la vénérée Qval. Comme les hommes n'ont pas le droit de pénétrer dans les bâtiments, les quatre membres de l'escorte s'étaient installés dans les environs, au milieu de ces collines aux innombrables sources d'eau chaude qui ont donné son nom au conventuel. Ils se sont fait surprendre et massacrer par un groupe de couilles-à-masques, hormis l'un d'entre eux, notre moissonneur donc, qui s'était éloigné pour satisfaire un besoin naturel. Caché dans les rochers, il a vu une centaine de protecteurs s'introduire dans les bâtiments. Il est resté terré dans les collines pendant plus de trois jours, paralysé par la peur, buvant de l'eau de pluie, mangeant des fruits sauvages, dormant au pied des rochers, puis, alors qu'il s'apprêtait à reprendre le chemin des mathelles, il a été le témoin d'une scène abominable : les couilles-à-masques ont crucifié plusieurs djemales très anciennes sur le portail de bois de l'entrée principale de Chaudeterre.

Vous avez bien lu, mes amies : crucifiées. Il m'a semblé reconnaître dans la description que le res-capé m'a brossée des sœurs torturées les vénérées Qval Frana, la responsable du conventuel, et Qval Anzell, la belladore. Horrifié, notre moissonneur a attendu que les couilles-à-masques désertent les lieux pour s'approcher. Une des djemales n'avait pas encore fini d'agoniser ; pris de pitié, il l'a achevée d'un coup de couteau en plein cœur. Puis il a marché comme un somnambule jusqu'au premier mathelle, le mien, et nous a raconté son histoire (désormais enrôlé dans nos troupes, il bout d'impatience d'en découdre avec les bourreaux des djemales et de Zmera).

Une histoire terrible qui, j'espère, dissipera les illu-sions que pourrait engendrer et entretenir la chaleur rassurante, émolliente, du foyer. Une histoire, également, que confortent les visions de ma fille Zephra : les images qu'elle reçoit de l'avenir n'incitent guère à l'optimisme béat. La violence et la haine semblent se présenter comme d'indissociables compagnes dans les années à venir. Zephra voit aussi que la guerre se dispute à d'autres niveaux, que la guérison de nos blessures profondes dépend d'interventions dans la trame invisible qui nous relie à tous les êtres

*vivants de ce monde, y compris à nos ennemis.
J'admets que cela soit difficile à comprendre, à
accepter, mais nous appartenons à la même trame
que les couilles-à-masques. Non que nous devions
cesser la lutte et leur tomber dans les bras, mais
essayons de découvrir les liens secrets qui nous unis-
sent. C'est, me semble-t-il, le sens de cette recherche
historique que je réclamais dans mon dernier courrier. À ce propos, Halane m'a récemment confié
qu'elle avait peut-être trouvé une piste. Peut-elle
nous en apprendre un peu plus ou bien est-ce encore
trop tôt ? Quoi qu'il en soit, chère Halane, ton courrier
sera le bienvenu. Plus nous échangerons de missives
et plus nous resserrerons nos liens.*

*Je parlais – Zephra parlait – d'interventions dans
la trame invisible. Ma fille ne sait pas au juste ce que
recouvre cette notion, ni en quoi consistent ces interventions, ni quelle(s) personne(s) en est (sont) – ou
en serai(en)t – chargée(s). Il s'agit chez elle d'une
impression, d'une intuition plutôt que d'une révélation. À celles d'entre vous qui douteraient des visions
de Zephra, et qui auraient raison de le faire, on n'est
jamais assez prudent avec ces choses-là, je répondrai que j'ai moi-même observé la plus grande circonspection et attendu que les faits valident la
majorité d'entre elles avant de leur accorder du cré-
dit. En tant qu'ancienne djemale, j'ai reçu une formation critique qui me rend particulièrement
méfiante devant les phénomènes (ou pseudo-phéno-
mènes) touchant à l'esprit. Si donc je me permets de
faire allusion aux visions de Zephra, c'est parce que
j'ai acquis quelques certitudes la concernant, que j'ai
jugé opportun d'utiliser son don pour nous aider dans
la période difficile que nous traversons. À celles
d'entre vous qui persisteraient à soutenir que je suis
aveuglée par mon orgueil de mère, que je ne puis
juger en toute impartialité, je répondrai que l'orgueil*

serait un sentiment pour le moins déplacé dans notre situation. La mort de dizaines et dizaines d'hommes que nous avons aimés comme fils, constants, amants, frères ou compagnons de labeur m'incite au contraire à la modestie, à la contemplation, à la réflexion. J'ai pour principale motivation désormais d'épargner le plus possible de ces précieuses vies, non de me rengorger des aptitudes de ma progéniture.

J'attends que vous répondiez toutes à ce courrier, même si vous estimez que vous n'avez pas grand-chose d'important à dire. Racontez-moi, racontez-nous vos riens quotidiens, vos petits tracas, vos joies minuscules, ces ruisseaux infimes qui gonflent notre rivière humaine, notre Abondance.

Je vous embrasse du fond du cœur, mes chères compagnes bénies des jours maudits.

Votre Merilliam.

POURQUOI l'eau bouillante ? *Tu as besoin d'air, nous avons besoin d'eau bouillante, ainsi le veut l'ordre naturel.*

D'accord, mais pourquoi nous obliger à plonger dans l'eau bouillante ?

Nous ne pouvons communiquer qu'avec ceux qui acceptent de partager notre élément. Non parce que nous ne pouvons pas vivre en dehors de l'eau bouillante, mais parce que ceux qui ne parviennent pas à vaincre leurs peurs, et donc à vivre la plénitude du présent, ne peuvent pas nous entendre.

Alma examina son corps éclairé par la lumière ambrée de la roche translucide. Sa peau se couvrait de plaques rouge vif et de cloques d'où s'échappaient des gouttes d'un liquide séreux. Elle avait souffert comme une damnée à l'issue de son immersion dans l'eau bouillante de la grotte de Djema, mais la douleur, hormis celle à son pied gauche, s'était apaisée au bout d'un temps qu'elle avait estimé à quatre ou cinq jours. Elle avait compris que ces brûlures étaient les vestiges de ses peurs, les résurgences de ce passé qui, comme une éclipte d'Abondance, déroulait ses tentacules à la surface de son présent.

Elle avait entrevu, avant de s'enfoncer dans les profondeurs du bassin, les masques enrobés de vapeur de ses deux poursuivants parvenus à leur tour sur le promontoire rocheux. Elle avait eu la sensation de se dissoudre dans le cœur même du feu, elle avait commencé à remuer frénétiquement bras et jambes pour échapper à la douleur atroce qui s'emparait d'elle, puis elle s'était souvenue des paroles de Gaella la folle, elle avait coupé toutes les prises et s'était confiée à la souveraineté de l'instant. Il lui avait semblé s'en aller vers sa mort. Cette perspective ne l'avait pas désolée, au contraire, elle l'avait vécue comme une libération des contraintes physiques, des lois de la matière.

Puis le Qval lui était apparu.

Elle ne l'avait pas vu à proprement parler, elle s'était sentie enveloppée de sa présence, de sa vigilance, de sa douceur. Le feu s'était apaisé, elle avait flotté dans un état de semi-conscience ni agréable ni désagréable, neutre, où tout ce qui se passait autour d'elle et en elle ne la concernait pas. Elle ne s'était même pas étonnée des infiltrations d'eau bouillante dans ses narines, dans sa gorge, elle avait simplement ouvert la bouche pour reprendre sa respiration, elle avait cru se remplir d'un seul coup de toute la masse liquide et de toute la chaleur du nouveau monde, elle avait perdu connaissance en

croyant s'engager à nouveau sur le chemin des chanes.

Elle s'était réveillée sur le bord d'un autre bassin,
probablement relié à celui de la grotte de Djema par
une canalisation naturelle. Frémissante de souffrance. Comme dévorée par des flammes. Dans
l'incapacité totale de soulager les brûlures extérieures et intérieures qui la tordaient de douleur sur la
roche suintante.

Elle avait d'abord pensé qu'elle avait subi le même
sort que Gaella la folle, qu'elle était condamnée à
vivre le reste de ses jours dans un corps affreuse-
ment mutilé, puis elle avait à nouveau ressenti la
présence du Qval, une attention rassurante, un
baume impalpable et bienfaisant. Elle était restée
allongée jusqu'à ce qu'elle puisse exécuter un mouvement sans rallumer l'incendie qui sautait sur le
moindre prétexte pour revenir l'assaillir. Son horloge
biologique, réglée sur le rythme immuable du
conventuel, lui avait appris qu'elle avait probablement gardé cette position pendant quatre jours. Ni
la faim ni la soif ne l'avaient tracassée, elle avait
seulement dû faire preuve de patience, attendre que
se reforment les chairs et les organes ébouillantés.
Par chance, il lui arrivait de s'assoupir, de perdre
conscience de l'écoulement du temps, de se réveiller quelques heures plus tard, en partie régénérée,
en partie délivrée de sa souffrance.

Elle avait pu se relever sur un coude à la fin du
quatrième jour et s'asseoir au début du cinquième.
La cavité dans laquelle elle se trouvait était une pure
merveille en comparaison de la grotte de Djema :
elle s'habillait d'une roche translucide et gorgée
d'une lumière ambrée dont les nuances et les reflets
se multipliaient dans les voussures, dans les dentelles, dans les piliers et dans les volutes qui montaient de l'eau bouillante. Elle n'avait pas remarqué

d'ouverture dans la voûte aux rosaces complexes et fascinantes, et elle en avait déduit que la roche, comme les solarines, avait la propriété de capter et de restituer la lumière du jour. Seulement de la restituer en l'occurrence, car les rayons de Jael ne semblaient pas s'inviter dans les lieux.

Cette roche a été exposée à la lumière de Jael pendant des millions d'années. Divers bouleversements ont entraîné son glissement dans les profondeurs de la croûte planétaire. Mais elle a gardé le phénomène en mémoire, et elle s'obstine à le reproduire.

C'est ainsi qu'Alma avait reçu sa première communication. Gaella la folle en avait parfaitement décrit le mode : le Qval ne lui avait pas parlé, elle avait perçu une sorte de rumeur au fond d'elle qui s'organisait en suggestions cohérentes, en phrases, en langage. Elle avait voulu remonter une mèche agaçante qui lui barrait le front. Ses cheveux lui étaient restés dans la main. Ils s'en allaient par poignées entières, comme les vieilles plumes de nanzier à la fin de l'amaya de glace. L'image du corps déplumé d'un grand volatile lui avait effleuré l'esprit et elle avait éclaté de rire. Puis elle s'était passé la main sur le crâne et rendu compte qu'il s'était considérablement dégarni. Il lui avait fallu un peu de temps pour accepter de perdre ce qu'elle estimait être le seul fleuron de sa féminité.

Personne n'est là pour te regarder. Oui, mais si un jour je sors de cet endroit... Ils auront repoussé. Et s'ils ne repoussent pas ? Tu mettras un bonnet, un foulard, idiote. Et puis est-ce que les hommes t'ont un jour regardée ? Il suffirait que l'un d'eux... Tu n'existes pas uniquement par le regard des autres ! C'est vrai, mais c'est agréable, je suppose, de se sentir désirée. Celle qui se définit par les seuls désirs s'éloigne du sentier de Djema.

Le désir fait aussi partie du présent. Il est la partie visible de l'ordre caché, un fil dans le labyrinthe, une invitation à la vigilance.

L'intervention du Qval l'avait pétrifiée. Il lisait donc dans ses pensées, il s'invitait en clandestin dans ses cogitations, elle n'avait plus de secrets pour lui, il pouvait profaner comme bon lui semblait son esprit qu'elle avait toujours considéré comme le dernier refuge de sa liberté, le bastion inviolable où n'avait jamais pu la suivre sa mère ni aucune autre personne de son entourage.

C'est seulement que tu quémandais une réponse. Aucune créature vivante n'est capable de forcer l'entrée de ton esprit si tu en refermes soigneusement les portes.

Déstabilisée, elle avait pris peur, fermé la porte puisqu'on l'y invitait, et s'était claquemurée dans une bouderie maussade – et puérile – qui avait orienté ses pensées vers Zmera et ses sœurs du conventuel de Chaudeterre. Elle avait pris conscience qu'elles étaient mortes, une certitude, une sensation de désolation froide qu'elle avait en partie évacuée par ses larmes. Elle avait perdu ses deux familles d'un seul coup, celle de la chair et celle de l'esprit. Elle n'éprouvait plus pour Zmera cette haine sourde qui avait été longtemps sa seule source de vie, mais un amour apaisé, baigné de gratitude. Sa mère avait joué son rôle, un rôle ingrat et probablement désespérant, dans les desseins de l'ordre invisible, c'était maintenant à elle, sa fille, de jouer le sien, de trancher les liens, de se libérer définitivement du passé. De replonger si nécessaire dans l'eau bouillante.

Il te faudra patienter encore un peu. Pour l'instant, ton corps n'est pas apte à supporter une deuxième immersion.

Qu'est-ce que je dois faire maintenant ?

Le devoir est une notion inconnue chez les Qvals.

Qu'est-ce que vous attendez de moi ?

Rien. Le présent est une ouverture permanente. Reste ouverte.

Es-tu... êtes-vous Qval Djema ?

Elle avait observé attentivement l'eau claire et fumante après avoir posé cette question, mais la forme sombre, à peine perceptible sous les frémissements, n'avait pas daigné bouger ni répondre. Elle avait ravalé sa déception et adopté machinalement la position de porte-du-présent, accroupie sur le bord du bassin, un peu gênée au début par sa nudité. Elle avait peu à peu oublié son embarras en même temps que la douleur persistante à son pied gauche et s'était absorbée dans la perception d'elle-même, dans une vigilance pure, sans objet. Elle n'avait pas prêté attention aux images, aux sensations et aux pensées qui la traversaient et qui, pourtant, ne lui appartenaient pas. Elles émanaient, elle en était consciente, d'individus ou de mondes qu'elle ne connaissait pas, comme si elle se trouvait reliée aux fils d'une immense trame.

Un monde noyé sous les eaux, un autre ravagé par la guerre, un autre prisonnier des glaces, un autre encore livré à une puissance destructrice ; des murmures entremêlés, confus, un chœur de lamentations qui enflait lentement dans son silence, une déchirure qui se propageait à l'ensemble de la trame...

Qval Djema regardait Alma. Le Qval s'était dressé au-dessus de l'eau bouillante et rapproché d'elle. Elle distinguait maintenant, à l'intérieur de la forme sombre aux contours imprécis, un visage de femme, un visage bouleversant de beauté, de bonté. La fille du grand Ab et d'Ellula, la fondatrice de Chaudeterre. Émue aux larmes, Alma eut l'impression d'avoir retrouvé sa vraie mère, sa mère universelle.

Tu crois réellement que j'ai fondé le conventuel de Chaudeterre ?

Alma n'eut pas besoin de réfléchir très longtemps pour se forger une opinion : on n'enferme pas le présent dans des règles ni dans des murs.

Le présent change constamment, tout comme l'univers. Le temps ne se répète jamais. Lorsque nous sommes arrivés sur le nouveau monde, une dizaine de jeunes filles ont souhaité devenir mes disciples. Les Qvals se sont dirigés aussi rapidement que possible vers leur élément, l'eau bouillante.

Combien étaient-ils dans l'arche ?

À la fois peu nombreux et aussi multiples que le présent. Ils ont découvert les sources et s'y sont immergés. Les jeunes filles m'ont suivie jusqu'à la grotte que tu connais. Avant de plonger à mon tour, je leur ai proposé de me suivre et de fusionner avec le Qval. Prises de peur, elles ont reculé, elles ont estimé qu'elles n'étaient pas prêtes, qu'elles devaient consacrer chaque instant de leur vie à rechercher le moment propice, le moment présent, et elles ont fondé le conventuel.

Elles ont fini par se jeter dans l'eau bouillante ?

Elles en ont gardé le principe, mais aucune d'elles n'est parvenue à affronter l'épreuve. Et elles ont fait ce que font tous les êtres humains qui ont abdiqué : elles ont généralisé leur incompétence, elles ont élaboré un ensemble de règles qui éloigne chaque jour un peu plus leurs consœurs de leurs perceptions directes, intuitives. Seules une poignée de djemales des générations suivantes ont trouvé la foi et le courage nécessaires pour surmonter leur conditionnement et tenter l'épreuve, mais leurs peurs les ont reprises au moment d'entrer en contact avec l'eau bouillante. Tu en sais quelque chose, n'est-ce pas ?

Pourquoi les choses sont-elles si compliquées ?

*Les êtres humains ont tendance à oublier la sim-
plicité magnifique de la vie. Leur peur fondamentale
les pousse sans cesse à échafauder des systèmes
dont la complexité les rassure.*

Alma avait elle-même noué avec sa mère, avec
les autres, des liens de haine, d'indifférence, de
jalousie ou d'envie qui l'avaient tenue enfermée
dans un système à la complexité rassurante.

De quelle peur fondamentale parlait Qval Djema ?

*Le gouffre qui se creuse entre l'être et la percep-
tion. Les êtres humains se perçoivent solitaires, séparés du monde et de leurs semblables, or ils sont reliés
chaque instant à l'ensemble de la créa-tion.*

La création est aussi un système complexe.

*Sa diversité est inouïe, extraordinaire, inimagina-
ble, mais sous ses dehors complexes elle est formée
d'un seul souffle, d'un seul chant. Il suffit de respirer
ce souffle, d'entendre ce chant pour battre avec le
cœur de l'univers.*

Doit-on devenir un Qval pour battre avec le cœur
du monde ?

Le sourire de Qval Djema s'élargit à l'intérieur de
la forme sombre. Alma frissonna en songeant que
son interlocutrice était née et avait vécu dans l'arche
des origines, qu'elle avait atterri sur le nouveau
monde quelque huit cents ans plus tôt.

*Cesse donc de parler de devoir, Alma. Aucun sen-
tier n'est tracé à l'avance. Ma voie n'est pas nécessairement la tienne.*

Alma hésita un peu avant de formuler sa question,
puis elle s'aperçut que ses pensées s'étaient déjà
échappées de son esprit comme des nanziers d'un
enclos mal fermé.

Toutes ces histoires qu'on raconte sur l'*Estérion*,
elles sont vraies ?

Quelles histoires ?

Celles sur le grand Ab et sur Ellula par exemple. Est-ce que le grand Ab était vraiment ce géant invincible qui terrassa les terribles légions des robenoires ? Est-ce que le regard d'Ellula avait vraiment le pouvoir de métamorphoser les criminels en rédempteurs ?

Aucun son ne troubla le silence de la grotte, et pourtant Alma fut persuadée d'avoir entendu un rire.

Mon père et ma mère étaient beaucoup plus que des demi-dieux de légende : de véritables êtres humains. Le sentier qu'ils ont parcouru les a conduits à cette simplicité magnifique que j'évoquais tout à l'heure. Parce qu'ils ont su transformer leurs douleurs, leur passé en amour sincère, ils ont battu avec le cœur de l'univers.

Pourquoi ne sont-ils pas restés avec nous ?

Ils sont allés au bout d'eux-mêmes, au bout de leur chemin. Ils n'avaient plus rien à faire parmi nous.

Et toi... vous ?

J'ai choisi le chemin du Qval. Je suis l'une des gardiennes des équilibres de ce monde. Et donc de l'univers. Chaque blessure infligée à ce monde est infligée à l'univers.

Les protecteurs des sentiers en infligent beaucoup ces temps-ci.

Ils ne sont pas les seuls. Combien de blessures les mathelles ont-elles infligées au nouveau monde ? Combien de sources pillées ? Combien de terres épuisées ? Combien de blessures les djemales ont-elles infligées à leurs sœurs ? Combien de souffrances à l'intérieur du conventuel ? Combien de ventresecs tués par les flèches ou les poignards des chasseurs ? Combien d'hommes et d'enfants assassinés par les errants pour l'honneur d'une femme ou d'un clan ? Combien de massacres sur les deux continents ? Combien de déséquilibres apportés par les êtres humains, par tous les êtres humains, depuis qu'ils ont posé le pied sur cette planète ?

Ce n'est pas le rôle des Qvals que d'intervenir ?

Nous intervenons, et ce n'est pas une question de devoir. Mais nous ne sommes qu'une part de ce monde, la part des eaux bouillantes. Notre destin s'est lié à celui des hommes depuis leur arrivée sur Ester. Nous nous appliquons à restaurer les équilibres, à panser les blessures secrètes, mais, pas davantage que sur Ester, nous ne pourrons empêcher le pire d'arriver si les hommes persistent à ne pas respirer au rythme de leur planète d'adoption.

Le pire ?

Sur Ester, le pire s'est traduit par l'instabilité d'Aloboam, son étoile. La vie des étoiles n'est pas éternelle bien entendu, car tout relève des cycles dans l'univers, mais les déchirures dans la trame peuvent accélérer le cours des choses, influer sur la fréquence et la durée des cycles.

Et sur le nouveau monde ?

Le nouveau monde est un point particulier dans le tissu universel, une exception, un nœud qui échappe aux lois habituelles de l'espace et du temps. Le pire, ici, se traduira, se traduit déjà, par des contractions soudaines de l'espace et des accélérations brutales du temps.

Comme mue par un ressort, Alma se releva et s'approcha du bord du bassin. Vu de plus haut, le Qval avait la forme d'un animal au corps rond et au long cou qui s'étirait encore pour se hisser à sa hauteur.

Tu... vous voulez dire que le temps finira par nous dévorer ?

Le temps dévore ses enfants de toute façon, hormis les fils de l'éternel présent. D'habitude, il laisse à chacun la possibilité de se familiariser avec lui, de l'explorer, de comprendre ses exigences, ses méca-

nismes, de l'apprivoiser, mais, là, il s'engouffrera dans la faille, il s'accélérera d'une façon vertigineuse, il effacera purement et simplement les hommes de la création. Pas seulement les habitants du nouveau monde, mais, puisque nous appartenons au même chœur, tous les peuples humains qui sont un jour partis de leur terre d'origine pour peupler d'autres planètes des galaxies Endrome et Lactée.

Il n'y a pas moyen d'empêcher ça ?

La pensée d'Alma avait jailli de son esprit comme un flot de panique. Qval Djema marqua un long temps de pause. Son visage perdait parfois de sa netteté, s'estompait entièrement, devenait une simple tache claire ou bien – et Alma se demandait si elle n'était pas victime d'illusions d'optique – arborait de nouveaux traits, masculins ou féminins, comme si une infinité de personnages coexistaient à l'intérieur du Qval.

Nous ne sommes que les gardiens des eaux. Les fils de l'éternel présent. Il revient aux hommes de se réconcilier avec le temps.

L'épreuve de l'eau bouillante n'y suffit pas ?

Elle t'a permis de vaincre tes peurs et de franchir une étape, Alma, mais n'en tire aucune vanité. Quoi que tu fasses, tu restes à jamais piquée dans la trame humaine. Comme mon père Abzalon, comme ma mère Ellula, comme tous les passagers de l'Estérion, comme moi.

Ça veut dire que j'ai des... devoirs, non ?

Elle crut entendre à nouveau le rire joyeux de Qval Djema entre les frémissements, les bouillonnements et les clapotis de l'eau bouillante.

Quel que soit le sentier choisi, tu auras une influence sur la trame.

Je suis déjà engagée sur le quatrième sentier...

Le quatrième ? Il n'y en aurait que quatre ? On doit vraiment s'y sentir à l'étroit.

Les habitants du nouveau monde en ont retenu sept.

Sept ? Sur les millions et les millions de possibilités proposées par le présent ? Quelle générosité ! Regarde-toi, Alma, ton corps est unique, ta voix est unique, ton sentier aussi est unique.

Peut-être, mais comment le trouver ?

Il ne m'appartient pas de te fournir ce genre de réponse.

Maran est... était votre époux, enfin, c'est ce que disent les légendes. Pourquoi les protecteurs des sentiers l'ont-ils choisi pour modèle ?

Qval Djema observa un nouveau silence. Alma eut l'impression qu'un visage masculin infiniment triste se substituait pendant une fraction de seconde à celui de son interlocutrice.

Maran reste à jamais mon époux. C'est à deux que nous sommes entrés dans la cuve du vaisseau, je lui garde tout mon amour. Aucun abîme, aussi profond soit-il, ne réussit à nous séparer.

La réponse ne comblait pas la curiosité d'Alma, mais elle n'insista pas, devinant que Qval Djema s'en tiendrait là.

Ellula était aussi belle que le disent les légendes ?

Tu me trouves belle ?

Alma acquiesça de tout son corps, de toute son âme, avec un enthousiasme qui faillit la précipiter dans l'eau bouillante.

Ellula était incomparablement plus belle que moi. Elle portait sur elle la splendeur de son âme.

Je descends sûrement de Lœllo : je suis une sèche, une fumée.

De Lœllo et du grand Ab, de Clairia et d'Ellula. Tu as en toi tous les héros de l'Estérion, Alma.

Alma se sentait si bien en compagnie de Qval Djema qu'elle n'envisageait pas de retourner à la surface d'un monde gangrené par la souffrance. La grotte aux rochers lumineux lui faisait l'effet d'un ventre maternel, un cocon chaud et rassurant où elle était à l'abri des coups, des blessures et des déceptions. Sa peau s'était pratiquement reconstituée et ses cheveux repoussaient, plus épais, plus soyeux qu'auparavant. Seul son pied gauche continuait de l'élancer, trace indélébile – et cuisante – de son premier échec, réminiscence d'une vie révolue, abandonnée comme une vieille dépouille. Elle n'avait pas d'autre besoin que de boire de temps en temps un peu d'eau bouillante qu'elle recueillait dans le creux de sa paume et qu'elle avalait sans lui laisser le temps de refroidir. Parfois également, elle plongeait dans le bassin et nageait en compagnie du Qval – des Qvals ? – sans ressentir la moindre brûlure. Environnée d'une ou de plusieurs présences, elle recevait des caresses physiques et mentales qui la laissaient dans un état proche de la béatitude. Des pensées la pénétraient, s'entrelaçaient en elle, soulevaient des images, des émotions qui lui décrivaient le nouveau monde, cette planète d'un petit système de la périphérie de la galaxie Endrome que l'ordre invisible – était-ce une autre définition du hasard ? – avait dotée de propriétés particulières, à la fois exceptionnelles et redoutables.

Le chant de son monde ne se joignait pas seulement au chœur de la création, il l'amplifiait comme une gigantesque caisse de résonance, il en accentuait l'harmonie ou la dysharmonie, et la discorde entretenue par les êtres humains depuis leur arrivée risquait de retentir d'un bout à l'autre de l'univers, d'entraîner des réactions incontrôlables de cette flèche du temps qui s'était décochée avec l'apparition de la matière.

Le temps entraîne la matière et les créatures vivantes dans une direction, mais il cesse d'être opérant

dans l'état d'éveil au présent. Nous pouvons échap-
per à son déterminisme.

Les hommes aussi ?

Les hommes comme les autres. Il leur suffit de vivre le présent.

Ça ne les empêche pas de mourir.

La mort n'est pas non plus une fin. Mon père Abza-lon et ma mère Ellula sont morts, et pourtant ils vivent à jamais.

L'image se forma dans l'esprit d'Alma de construc-tions élancées et miroitantes non loin d'une faille bordée de roches translucides et emplies de lumière rouge. Elle sut aussitôt que son chemin venait de s'ouvrir, que son destin l'attendait dans ce paysage à la fois grandiose et austère.

Aucune obligation, Alma, aucun devoir.

Seulement un élan, vénérée Qval.

Le frémissement de joie du Qval se propagea dans l'eau bouillante du bassin et dans le corps d'Alma.

Les eaux communiquent entre elles. Nous pou-vons t'y emmener. Après, ce sera à toi d'agir. Si tu restes ouverte, tu sauras ce qu'il convient de faire.

Vous l'avez toujours su, n'est-ce pas ? Que je fini-rais par accomplir vos volontés ?

Nous n'avions aucune intention, Alma, nous n'ébauchons aucun projet. Nous ignorons où nous emmène le présent.

Alma se hissa sur le bord du bassin et s'allongea sur la roche humide. Elle avait maintenant la vision d'une femme et d'un nouveau-né dans une grotte plus sombre que celle-ci. La femme, nue, très belle bien qu'épuisée par l'accouchement, tenait son enfant par le pied et, pleurant toutes les larmes de son corps, le plongeait dans l'eau bouillante. L'enfant poussait des cris stridents mais, si elle se teintait d'une couleur rouge vif, sa peau fragile ne semblait pas souffrir des brûlures.

Alma vit ensuite un homme se glisser dans la grotte et, le poignard à la main, se rapprocher de la femme. Son visage disparaissait sous un masque grossier, taillé de façon rudimentaire dans une pièce d'écorce.

CHAPITRE XIX

PASSAGES

J'ai sans doute attendu beaucoup trop longtemps pour coucher mes mémoires sur le rouleau. Les souvenirs ont tendance à s'embrouiller quand on a atteint les deux siècles. D'un autre côté, l'âge m'a aussi donné le recul nécessaire pour évoquer ces terribles événements sans être à nouveau affectée par les émotions qui m'ont bouleversée sur le moment. Je ressens maintenant le besoin de raconter mon histoire avant de m'engager sur le chemin des chanes. Puisse-t-elle aider les habitants du nouveau monde à regarder leur passé et à panser leurs blessures.

Mais, puisque je n'ai pas beaucoup de temps devant moi et qu'il faut un début à tout, commençons par les présentations.

Je suis Gmezer, la sixième fille d'une cuisinière du mathelle de Vodehal, un des domaines les plus anciens et les plus importants de Cent-Sources. Je ne suis ni très jolie ni très vive, ni laide ni bête non plus, ce qui m'a valu une enfance sans histoire et sans relief. Mon père était l'un des quatre constants de Vodehal, c'est ma mère qui me l'a confié sur son lit de mort. J'avais une quinzaine d'années lorsqu'une fièvre des pollens l'a emportée. Après que les croque-morts eurent emmené son corps sans vie sur la colline de l'Ellab, j'ai observé avec attention les constants de Vodehal dans l'espoir de renouer avec mon père le lien privilégié qui venait tout juste d'être tranché.

Je ne me suis reconnue dans aucun des quatre : ils étaient tous repoussants, je ne parle pas seulement sur le plan physique, mais leurs manières n'avaient aucune élégance, ils ne se lavaient que très rarement, ils rotaient, pétaient et pissaient quand bon leur semblait, ils puaient l'urine, la sueur et l'alcool de manne des lieues à la ronde, bref je me demande encore comment ma mère, une femme élégante et même un peu maniérée, a pu se laisser saillir par l'un de ces yonks. Elle l'a fait en tout cas, sans quoi je ne serais pas arrivée en ce bas monde. Espérait-elle que la fille d'un constant aurait une vie un peu moins difficile que la sienne ? J'en doute, elle n'était pas des plus intelligentes, mais elle n'était pas naïve ou inconsciente à ce point.

Comme tous les adolescents, il a fallu que je choisisse un sentier à l'âge de vingt ans. Je n'avais pas la moindre idée de ce que je voulais faire, aussi Vodehal la mathelle a décidé pour moi. Elle a affirmé que j'avais la main verte (je me suis toujours demandé d'où elle tenait cette certitude) et, comme deux vieilles jardinières venaient coup sur coup de trépasser, je me suis retrouvée dans l'effectif chargé de l'entretien du potager, du verger et des massifs floraux. On ne peut pas dire que le choix de Vodehal m'ait enchantée, mais il est rare que les indécises de mon espèce se voient attribuer les meilleures parts.

J'ai définitivement renoncé à savoir lequel des quatre constants était mon père quand l'un d'eux, Piek, a essayé de me violer un soir que je me promenais seule sur l'un des chemins qui coupaient les champs de manne. J'ai réussi à lui échapper parce qu'il avait abusé de l'alcool de manne et qu'il est tombé tout seul en essayant de baisser son pantalon. Avant de me mettre à courir, je l'ai vu s'affaler de tout son long sur la terre, j'ai aperçu son sexe à l'air, aussi rougeaud et rugueux que son visage, et je n'ai pas gardé une très bonne image des hommes.

Je me suis consacrée au potager, au verger et aux massifs floraux pendant une dizaine d'années. Les légumes ne demandaient pas un travail trop compliqué : il n'en existait à l'époque que six variétés principales, quatre qui poussent tout au long de la saison sèche et nécessitent un arrosage constant, une, l'« amayette », qu'on plante juste avant l'amaya de glace et qu'on ramasse juste après, et la dernière, la « tardive », qui, comme son nom l'indique, se récolte au moment des pluies froides qui précèdent les averses de cristaux de glace. Les bulles de pollen nous apportaient parfois des variétés sauvages, des tubercules ou des bulbes jaunes, blancs ou verts qui proliféraient sur nos carrés, mais nous n'en conservions pas les graines, soit que leur goût fût amer ou insipide, soit que leur consistance farineuse les rendît impropres à la cuisine. Les arbres fruitiers n'exigeaient que peu d'entretien, sauf à la période des bulles de pollen pendant laquelle ils pouvaient être frappés par une maladie stérilisante connue sous le nom de « sécherinette ».

J'ai toujours aimé, en revanche, m'occuper des fleurs, de l'onis en particulier, qui donne toute sa saveur aux pâtisseries, des cluettes dont nous recueillions les feuilles et le pistil pour en extraire l'essence pousse-l'amour, des pourpreines dont la profonde couleur rouge et le velouté des pétales en font la fleur préférée des femmes, et de bien d'autres encore, le nouveau monde en offre une diversité infinie.

C'est ainsi que, peu à peu, je me suis spécialisée dans les essences florales puis, de fil en aiguille, dans les pouvoirs et vertus des différentes plantes domestiques ou sauvages qui poussent dans la grande région de Cent-Sources. Je me suis appuyée sur mes propres expérimentations et sur les rudiments empiriques d'anciennes qui préparaient régulièrement des potions ou des philtres destinés à toutes sortes de gens, mathelles, permanentes, constants, volages et même djemales. Tous les prétextes étaient bons pour consulter les « fleureuses », comme on les appelait, perturbations du sommeil, perte d'appétit, règles douloureuses, rhumatismes, allergies au pollen, etc., mais le sujet qui revenait le plus souvent était la séduction, l'envoûtement. Les fleureuses n'étaient pas des belladores, des guérisseuses, même si elles soulageaient de certains maux, mais des entremetteuses, des liens occultes, des pousse-l'amour comme les cluettes.

Je dis « elles » où je devrais dire « nous », car j'ai rapidement intégré cette petite confrérie secrète au sein de laquelle j'ai pu approfondir mes connaissances. Je disposais dorénavant de cobayes, je recevais, toujours la nuit, des hommes et des femmes en demande d'amour, je leur préparais des philtres à base d'essence de cluette que je mélangeais avec d'autres parfums et dans laquelle j'ajoutais un peu de leur sang, puis je leur remettais une petite fiole et leur recommandais d'en verser quelques gouttes dans la boisson ou dans la nourriture de l'être qu'ils convoitaient. Ils me payaient, lorsqu'ils étaient satisfaits de mes services, de draps, de vêtements, de chaussures ou encore de poteries, mais ma récompense principale, pour ne pas dire la seule, était l'accomplissement de leurs désirs. Quand je les rencontrais sur les chemins de Cent-Sources ou lors de la fête de Grande Délivrance, le petit signe ou le regard de satisfaction qu'ils m'adressaient me

*dédommageait au centuple de mes nuits sans som-
meil.*

*Ma réputation a rapidement franchi les limites du
domaine de Vodehal. On venait parfois de très loin
pour me soumettre une difficulté. J'en retirais une
telle fierté que la tête me tournait et que le cercle des
envieuses s'agrandissait dans mon ombre.*

*Cependant, moi qui me vouais avec une telle éner-
gie au bonheur des autres, je n'avais plus le temps
de me consacrer au mien. Je ne parvenais pas à me
débarrasser de l'image à la fois obsédante et pathé-
tique de Piek, et les hommes continuaient de
m'effrayer. Je crois bien que je serais restée vierge
toute ma vie si les autres fleureuses, ces anciennes
qui m'avaient accueillie à bras ouverts quelques
années plus tôt, ne s'étaient pas liguées pour me
faire chasser du domaine de Vodehal et du territoire
de Cent-Sources. J'ignorais alors que ma vie allait
basculer, qu'elle se lierait avec celle d'un homme
rendu fou par la frustration et la violence. D'un
homme qui allait transformer le nouveau monde en
un fleuve de larmes et de sang.*

Les mémoires de Gmezer.

LA LUMIÈRE qui baignait l'immense salle souterraine
ne provenait pas de solarines, encore moins de Jael,
elle semblait émaner directement du matériau lisse
qui habillait le sol, les parois et le plafond. Un ron-
ronnement se déclenchait à intervalles réguliers, des
courants d'air circulaient, puissants, frais, exactement comme si le vent avait continué de souffler à
ces profondeurs. Ils ne parvenaient pas à chasser
toutefois l'odeur suffocante de yonk qui imprégnait

les lieux et qui s'était intensifiée au fur et à mesure qu'Orchéron et ses compagnons ventresecs s'étaient avancés dans le passage.

Ils n'avaient pas croisé d'autres yonks que celui qu'Orchéron avait vu surgir de la bouche obscure quelques jours plus tôt. Un mâle à la robe brune et à la toison noire, isolé du reste du troupeau. Visiblement surpris par la présence d'un homme si près de la sortie du tunnel, il avait pris peur, mugi, frappé des sabots, montré les extrémités effilées de ses cornes. Orchéron était resté parfaitement immobile, refoulant la tentation de se saisir de son couteau, estimant que le moindre geste n'aurait réussi qu'à exciter l'agressivité du grand herbivore. Il avait observé la paroi rocheuse sur sa gauche et avisé une série d'aspérités qui s'échelonnaient jusqu'à un surplomb situé à une hauteur de trois hommes. Il s'en était approché avec une extrême lenteur tandis que le yonk continuait de renâcler, puis, après avoir mentalement préparé son escalade, il avait grimpé aussi vite que le lui permettait la pierre rendue glissante par la pluie.

Le yonk avait chargé. À l'issue d'une course lourde, rageuse, il avait percuté la paroi de plein fouet et soulevé une gerbe d'éclats et de roche pulvérisée. Il avait encore donné une série de coups de corne puissants et frénétiques avant de renoncer et de s'éloigner au petit trot dans le passage.

Étonné par la hargne du grand herbivore, frigorifié par la pluie, Orchéron avait attendu un long moment avant de descendre de son refuge et de remonter sur le plateau. Il avait repéré au milieu du troupeau son agresseur qui, sans doute rassuré par la proximité de ses congénères, broutait tranquillement les dernières feuilles d'arbuste sans prêter attention aux enfants du clan ventresec qui jouaient quelques pas plus loin.

Orchéron avait parlé de sa découverte aux errants. Ils avaient décidé, à l'issue de palabres animés, que six d'entre eux l'accompagneraient dans l'exploration du passage souterrain d'où venaient les yonks. Sur les six, quatre, dont Ezlinn, s'étaient portés volontaires et Arjam avait désigné les deux autres. Ils avaient également résolu de passer l'amaya de glace au bord des grandes eaux et demandé à Orchéron de repousser l'expédition à trois jours, le temps qu'ils préparent des abris et mettent des vivres de côté. Ils avaient donc monté une dizaine de constructions de forme hémisphérique avec des branches d'arbuste pour armature et des herbes liées en bottes pour toiture. Ils avaient ensuite dépecé les deux bêtes qui étaient venues mourir tout près, entreposé les quartiers de viande dans des cavités rocheuses, commencé à tanner les peaux, à assouplir les tendons, à tailler les cornes et les os.

La vitesse à laquelle ils avaient transformé ce bout de terre désolé en un lieu de vie avait ébahi Orchéron. Ils utilisaient les ressources de leur environnement de façon beaucoup plus rationnelle, beaucoup moins abusive que les mathelles. Il avait continué de dormir dans sa petite cavité rocheuse, mais Ezlinn n'était jamais venue le rejoindre et, même si son orgueil lui avait interdit de le montrer, il en avait éprouvé du dépit.

Des umbres, très nombreux, une trentaine au moins, avaient fait leur apparition au-dessus des grandes eaux le matin du troisième jour. Les errants n'avaient pas eu ces réactions de panique qui caractérisaient les permanents des domaines, ils avaient simplement cessé toute activité, levé la tête et contemplé, avec une forme d'adoration dans les yeux, les taches noires jusqu'à ce qu'elles s'éclipsent comme des songes.

Orchéron et ses six accompagnateurs, Ezlinn et cinq hommes, s'étaient mis en route au milieu du quatrième jour. Les premières manifestations de peur étaient survenues chez les ventresecs lorsqu'ils avaient quitté la plate-forme battue par les embruns pour s'engager dans le passage entre la paroi et le mur de rochers. Leurs traits s'étaient tendus, ils avaient lancé des regards craintifs autour d'eux, tiré leurs couteaux de leurs poches, l'un d'eux, un homme d'une soixantaine d'années, avait suggéré de faire demi-tour, et il avait fallu une intervention énergique d'Ezlinn, pourtant elle-même peu rassurée, pour les ramener à la raison. Le chemin du bord des grandes eaux avait tout du chemin oriental de la prophétie, et jamais un errant n'avait défié d'aussi près la malédiction de l'Agauer. D'ailleurs, si le clan n'avait délégué que six éclaireurs, c'est parce qu'il n'avait pas voulu se lancer tout entier dans une entreprise aussi hasardeuse, aussi dangereuse, qu'il avait avant tout songé à assurer sa pérennité.

La peur s'était encore accentuée quand ils s'étaient aperçus que le chemin descendait en pente douce et donnait sur un tunnel dont la bouche sombre semblait s'ouvrir sur le vide. Orchéron avait cru qu'ils allaient battre en retraite, mais Ezlinn lui avait emboîté le pas après un court moment d'hésitation et les autres avaient fini par la suivre.

Éclairés par des torches d'herbe et de branchages confectionnées la veille, ils n'avaient rien remarqué d'extraordinaire dans la première partie du tunnel, hormis le fait qu'on n'y trouvait pas une seule bouse de yonk, qu'il paraissait aussi propre qu'une maison de mathelle nettoyée tous les jours de fond en comble. Puis les parois s'étaient habillées d'une matière grise, lisse, froide au toucher, qui ne paraissait pas naturelle.

C'est d'elle qu'avait émané cette lumière douce qui les avait incités à se débarrasser des torches et de leur fumée irritante pour les yeux et la gorge. Des flaques miroitantes, peu profondes, semblaient indiquer que de l'eau s'écoulait dans ce tunnel : ou bien la pluie ou les vagues des grandes eaux s'infiltraient par des fissures, ou bien des êtres vivants s'étaient débrouillés pour l'amener jusqu'ici. Étant donné l'herméticité du matériau qui recouvrait les parois, le sol et la voûte, cette deuxième hypothèse, la plus folle au premier abord, paraissait paradoxalement la plus plausible.

La galerie s'était progressivement élargie pour donner sur une immense salle souterraine, plus grande qu'un domaine, au centre de laquelle s'élevait une construction en forme de dôme, réalisée à première vue dans le même matériau gris et lisse.

« Une porte. »

Ezlinn désignait l'embrasure arrondie qui s'ouvrait en bas de la construction. La sensation de présence était presque palpable, d'autant plus inquiétante qu'elle ne s'appuyait sur aucun repère visuel ou sonore. Ils n'entendaient pas d'autre bruit que le chuchotement lointain des vagues des grandes eaux. Les errants n'attendaient qu'un ordre, un geste d'Orchéron ou d'Ezlinn pour filer à toutes jambes d'un endroit qui correspondait assez fidèlement à l'idée qu'ils se faisaient de la malédiction de l'Agauer.

« Les yonks sortiraient donc de là ? dit Ezlinn d'une voix mal assurée.

— Qui sont leurs géniteurs ? souffla Orchéron. M'étonnerait fort que les femelles reviennent mettre bas ici.

— Le seul moyen de le savoir, c'est de visiter ce bâtiment. »

Orchéron lança un regard de biais à Ezlinn. La frayeur exorbitait les yeux de la ventresec et donnait à son teint la blancheur des cristaux de glace, mais elle était déterminée à combattre le mal par le mal, à affronter sa terreur en face. Il raffermit sa propre résolution vacillante et fixa jusqu'au vertige l'entrée de la construction.

Ils s'avancèrent avec prudence dans un vaste couloir baigné d'une lumière ambrée. Des courants d'air frais soufflés par d'invisibles bouches régénéraient l'atmosphère à intervalles réguliers. Des senteurs indéfinissables traversaient l'odeur omniprésente de yonk. Orchéron essaya d'ouvrir les portes en partie transparentes qui donnaient dans les pièces bordant le couloir, mais, bien que munies de poignées, elles refusèrent de s'ouvrir. Il avait replié et rangé son couteau dans la poche de son pantalon, comprenant que ce genre d'ustensile serait dérisoire, voire inutile, dans les circonstances. Ezlinn l'avait imité, mais les cinq autres errants marchaient ramassés sur eux-mêmes, la lame à hauteur du visage, prêts à frapper à la moindre alerte.

Le couloir débouchait sur une petite pièce circulaire où se dressait une cloche transparente d'un rayon approximatif de six pas. Ils passèrent en file sous une sorte de portique aux montants incrustés de lumières vives qui s'allumèrent l'une après l'autre comme les flambeaux des processions de la nuit de Grande Délivrance. Ils restèrent un instant immobiles, pétrifiés par l'inquiétude, les yeux rivés sur les lumières jusqu'à ce qu'elles s'éteignent. Les pieds nus des errants et les semelles d'Orchéron claquaient sur le sol aussi lisse que les cloisons et le plafond.

« On dirait des... »

Ezlinn prit une profonde inspiration pour apaiser les battements de son cœur.

« Des fœtus », reprit-elle dans un souffle.

On distinguait à l'intérieur de la cloche transparente un récipient empli d'un liquide épais, jaunâtre, dans lequel flottaient des formes à première vue indistinctes. Cependant, lorsque le regard insistait, il discernait des globes sombres de chaque côté d'une sphère ainsi que des excroissances qui pouvaient figurer une tête, des yeux et des membres.

« Qu'est-ce que tu veux dire ? » demanda Orchéron.

Karille la djemale lui avait appris ce qu'était un fœtus, un bébé qui se formait dans le ventre de sa mère, mais il n'en avait jamais vu, ni de loin ni de près.

« Il m'est arrivé d'aider des femmes qui venaient de subir une fausse couche, répondit Ezlinn. Et de me charger des fœtus morts. J'en ai observé plusieurs avant de les enterrer, à différents stades de leur développement. Ceux-là ne sont pas des fœtus humains, mais, pour l'instant, ils y ressemblent un peu.

— Des yonks », lança Orchéron.

Ezlinn hocha la tête d'un air effaré.

« Cet endroit est un gigantesque... ventre à yonks. »

Bien qu'à peine perceptible, le grésillement qui s'éleva au-dessus de leurs têtes les fit tressaillir. Deux niches se découpèrent au plafond, deux tubes articulés semblables à des bras, pourvus en leur extrémité de filaments brillants et souples, en tombèrent, traversèrent le matériau pourtant résistant de la cloche avec la même facilité qu'ils se seraient enfoncés dans de l'eau et plongèrent dans le récipient. Les errants baissèrent leurs couteaux et, la fascination l'emportant sur la terreur, revinrent se coller à la paroi de la cloche.

« Ça ressemble à une canalisation d'arrosage, dit Orchéron.

— Il faut que les mères se nourrissent pour que leur enfant se développe, approuva Ezlinn. Ces tubes alimentent sans doute le liquide amniotique. »

Orchéron plaqua la main contre le matériau transparent et appuya pendant un moment sans obtenir d'autre résultat qu'une large auréole de sueur sur la surface lisse.

« Comment ils ont pu passer à travers ?

— La vraie question, c'est : qui a conçu tout ça ? s'exclama Ezlinn en désignant la pièce d'un ample mouvement du bras.

— Peut-être que nous le saurons si nous attendons...

— Ça m'étonnerait. On dirait que le système fonctionne de façon automatique, comme les saisons sur les plaines, comme les mécanismes naturels du nouveau monde. Deux troupeaux sont apparus en l'espace de quelques jours sur le plateau, sans doute une seule et unique portée arrivée à terme. Et maintenant des embryons se développent sous cette cloche, comme si une nouvelle portée s'apprêtait à prendre la relève. Pas besoin de rut pour perpétuer l'espèce, pas besoin de gestation ni de mise bas...

— Voilà pourquoi les yonks ne peuvent pas se reproduire en captivité, coupa Orchéron.

— Les naissances sont aussi très rares à l'état sauvage. Et elles donnent la plupart du temps des individus faibles, mal formés, incapables de suivre les migrations des troupeaux. Nous découvrons parfois leurs cadavres, mais nous ne les mangeons pas : on dit que leur viande apporte la maladie, la folie. Nous nous sommes toujours interrogés sur le mode de reproduction des yonks, nous n'avons... nous n'avions jamais trouvé de réponse satisfaisante. »

Ils passèrent dans une autre salle par une ouverture basse découpée dans une cloison et découvrirent, sous de larges lampes chauffantes en forme de cônes, des litières garnies d'une matière molle et sans doute auto-absorbante, des mangeoires pour l'instant vides mais surmontées de petites trappes et de becs verseurs. Plus loin encore, une vaste salle évoquait les étables des mathelles qui avaient adopté le système de stabulation libre, un espace sans boxes ni couloirs parsemé de litières, d'abreuvoirs et de mangeoires où se devinaient des restes de nourriture. Débouchant sur le tunnel par l'intermédiaire d'une porte plus large que haute, elle était en apparence le dernier sas entre le « ventre nourricier » et l'extérieur, entre les profondeurs du nouveau monde et ses espaces infinis, entre la lumière douce des lampes et la clarté éblouissante de Jael.

Il leur suffit d'observer attentivement les différentes pièces qui communiquaient entre elles pour reconstituer les étapes de la fabrication des yonks : les bras articulés baignaient les embryons dans le liquide amniotique des cuves isolées sous les cloches transparentes, retiraient les fœtus lorsqu'ils devenaient trop volumineux, les déposaient dans les litières placées sous les cônes lumineux, où ils continuaient de s'alimenter par l'intermédiaire des becs verseurs, puis, lorsqu'ils se sentaient suffisamment forts, les yonkins « naissaient », se levaient, sortaient du cocon des couveuses et passaient dans la dernière salle où ils achevaient leur développement avant de s'aventurer dans le tunnel, de gagner le bord des grandes eaux et d'entamer leur migration vers les lointaines plaines du Triangle. L'intelligence qui avait conçu ce système avait tout prévu, y compris les puissants jets d'eau qui jaillissaient du sol ou des orifices des cloisons pour pulvériser les déjections – et qui se déclenchèrent à plusieurs reprises sur le passage des intrus –, y compris la nourriture qui se renouvelait sans cesse, depuis les solutions alimentant le liquide amniotique jusqu'au fourrage nécessaire aux individus presque parvenus à maturité.

« Tout ça ne nous dit pas d'où viennent les embryons que les bras placent dans les cuves, soupira Ezlinn. Normalement, la fécondation ne va pas sans un mâle et une femelle. Ni non plus d'où vient leur nourriture. Ils ne surgissent tout de même pas du néant.

— On dirait une légende de l'*Estérion*, dit Orchéron. Celle des lakchas qui firent jaillir la manne du néant... »

Ils étaient sortis de la dernière salle et s'étaient retrouvés de l'autre côté de la construction. Ils gardèrent le silence pendant quelques instants, abasourdis par leur découverte. Les ventresecs commençaient à se détendre. Ils n'avaient pas encore remisé leurs couteaux, mais leurs regards avaient perdu de leur acuité et leurs gestes de leur fébrilité. Les lieux étaient consacrés à la naissance, à la perpétuation de la vie et, même si leur mystère pouvait s'apparenter à une intervention surnaturelle, ils paraissaient incompatibles avec la malédiction, avec la mort.

« À propos de lakchas, je me demande s'ils savent d'où vient leur gibier, reprit Orchéron.

— Évidemment qu'ils le savent ! s'écria Ezlinn. Ce sont des chasseurs, des hommes habitués à remonter les pistes.

— Ils n'en parlent jamais.

— Je suppose qu'ils ont de mauvaises raisons pour ça. »

Le tunnel reprenait sa course au fond de la grande salle extérieure. Sa bouche éclairée brillait au pied de la paroi luisante.

« Peut-être qu'une partie des yonks s'en vont par là, suggéra Ezlinn.

« — Il faudrait que le passage traverse le fond des grandes eaux sur toute sa largeur et donne sur l'autre continent, objecta Orchéron. Et je ne vois pas les yonks franchir des lieues et des lieues là-dedans. Mais nous, nous pouvons peut-être le faire. »

Joignant le geste à la parole, il se dirigea d'un pas décidé vers l'entrée du tunnel. Les ventresecs le suivirent après s'être concertés pendant quelques instants à voix basse. Ils avaient hâte de remonter à la surface, de voir le ciel au-dessus de leurs têtes, de respirer l'air vif, de courir dans les herbes, mais le clan les avait chargés d'explorer les profondeurs du bord des grandes eaux et ils lui devaient, ainsi qu'à l'ensemble des errants, d'aller jusqu'au bout de ce passage et de prendre la décision qui s'imposerait. L'inquiétude revenait les tenailler après le court répit offert par la visite de la construction. Ils marchaient à nouveau dans une galerie étroite, oppressante, enrobée de cette étrange matière luisante, dans une direction qui était peut-être celle de l'orient, du cœur de la malédiction. L'odeur de yonk s'estompait, les bruits de leurs pas, leurs souffles précipités et les froissements de leurs vêtements résonnaient avec une force effrayante dans le silence épais, hostile.

Ils progressèrent un long moment dans une atmosphère de plus en plus lugubre, de plus en plus glaciale. De petits nuages de buée s'échappaient de leurs bouches, les frissons s'amplifiaient, le froid transperçait leurs vêtements.

Orchéron avait croisé les bras sur son torse nu, mais il ne parvenait pas à se réchauffer. Le froid déclenchait en lui des réminiscences, des sensations et des images confuses. Cela n'avait rien à voir avec les rafales cinglantes des vents de l'Agauer ni avec aucun autre souvenir attaché à l'hivernage, mais avec la souffrance, avec la violence liée à la souffrance. Ce froid-ci ne se contentait pas de lui mordre la peau, il s'infiltrait dans sa chair comme un venin inoculé par tous ses pores, pour se nicher dans le réseau de ses nerfs. Les pincements de souffrance qui montaient de son corps se transformeraient peu à peu en une spirale qui emporterait tout sur son passage. Il glissa la main dans la poche de son pantalon et serra le manche de son couteau.

Ce froid, il s'en souvenait maintenant, c'était celui qui descendait sur la colline de l'Ellab, c'était le froid des umbres.

« Nous sommes arrivés au bout », chuchota Ezlinn.

Orchéron fit encore quelques pas titubants avant de se rendre compte que les ventresecs s'étaient arrêtés.

Le tunnel s'interrompait une trentaine de pas plus loin. Sa lumière, de plus en plus ténue, semblait se désagréger sur un obstacle dense. Orchéron s'appuya contre la paroi lisse et s'efforça de dominer sa souffrance, de rester debout, de garder sa lucidité. Il observa le mur opaque qui obturait le passage : il n'était pas constitué de roche ni d'une quelconque matière dure, mais de ténèbres tellement pures et condensées qu'elles interdisaient à la lumière de les pénétrer. Elles n'avaient rien en commun avec l'obscurité des nuits ou des profondeurs, elles relevaient d'une autre nature, d'une autre cohérence, tout comme le froid qui émanait d'elles et qui n'avait aucun équivalent sur le nouveau monde.

Ils n'étaient pas arrivés au bout du tunnel comme l'avait annoncé Ezlinn, mais devant une porte.

« Il ne nous reste plus qu'à faire demi-tour », murmura la ventresec.

Sa proposition, si elle soulagea visiblement ses cinq compagnons, exacerba la violence latente d'Orchéron. Il se contint pour ne pas tirer son couteau et se ruer sur le groupe des errants.

« Retournez si vous voulez, moi je continue. »

Ezlinn lui décocha un regard courroucé, presque haineux.

« Continuer où ?

— Le tunnel n'est pas fermé. »

Ezlinn se rapprocha de lui et le fixa d'un air à la fois impérieux et implorant. Les cinq errants se déployèrent derrière elle. Orchéron entendit les claquements caractéristiques de leurs lames de corne et déplia la sienne à l'intérieur de sa poche.

« Tu ne comprends donc pas que nous sommes sur le sentier de l'orient ? cria Ezlinn. Que, si tu franchis cette porte, la malédiction s'abattra sur tous les ventresecs des plaines ?

— Je ne suis pas errant, tu me l'as rappelé l'autre jour. Votre malédiction ne me concerne pas.

— Tu as partagé notre existence. Même pour quelques jours, nous ne prendrons aucun risque.

— C'est pour ça que vous m'avez retrouvé et que vous m'avez suivi, hein ? Pas pour explorer de nouveaux territoires, comme tu le prétendais, pas pour apprendre quelque chose de moi, mais pour m'empêcher de poursuivre ma route au cas où... »

Elle l'interrompit d'un geste impatient.

« Reviens parmi nous. Tu ne peux pas jouer avec des forces que tu ne contrôles pas.

— Mon avenir n'est pas avec vous mais de l'autre côté de cette porte ! » gronda Orchéron.

La souffrance le dévorait à présent, il tremblait de tous ses membres, il ne maîtrisait plus ses gestes.

« Tu ne nous laisses pas le choix. »

Ils se resserraient autour de lui, ils le coinçaient contre la paroi, ils le cernaient de tous côtés.

« Laissez-moi passer, je ne vous veux aucun mal », gémit-il.

Les errants ne s'écartèrent pas, pas même Ezlinn.

« Je te le demande une dernière fois, murmura-t-elle. Reviens avec nous. »

Il secoua la tête, poussa un rugissement, la saisit par l'avant-bras et la projeta de toutes ses forces sur les autres ventresecs. Puis, fou de douleur et de colère, il dégagea son couteau de sa poche, se précipita sur l'errant situé le plus à sa droite, esquiva son attaque d'un mouvement du buste et se glissa sous son bras pour lui planter sa lame dans le ventre. Le choc lui engourdit le poignet et faillit lui faire lâcher son manche. Il repoussa de l'épaule le corps vacillant de son adversaire et fonça dans l'espace dégagé. Un ventresec, déséquilibré par le choc avec Ezlinn, bondit sur ses jambes et tenta de s'interposer. Ses coups de couteau sifflèrent dans le vide.

« Arrêtez-le ! »

Ils se lancèrent à la poursuite d'Orchéron, mais il avait pris une courte avance et, malgré la souffrance qui l'affaiblissait, il courut vers la porte des ténèbres sans marquer un instant d'hésitation. Il eut l'impression saisissante de s'envoler de la colline de l'Ellab et de s'élever vers un umbre. Il entendit encore le cri d'Ezlinn avant d'être happé par un froid intense qui le métamorphosa en un bloc de glace.

CHAPITRE XX

GRAND-MARAN

Mes amies,

Veuillez me pardonner si mes larmes mouillent l'un ou l'autre de mes rouleaux, mais je ne puis m'empêcher de pleurer en écrivant ces lignes. Que la divine Ellula nous vienne en aide. J'en appelle aussi à Qval Djema, au grand Ab, à Lœllo, au frère Artien, à tous les héros de l'Estérion. Sans leur intercession, nous risquons de ne pas revoir la saison sèche, et nos enfants seront exposés comme des misérables sur la colline de l'Ellab.

Six domaines alliés ont été attaqués ces jours derniers, et ce, bien que nous soyons entrés dans l'amaya de glace. Les couilles-à-masques ont donc décidé de défier les cieux pour mieux nous surprendre et nous anéantir. Ils ont, semble-t-il, tiré les leçons tactiques des dernières batailles et décidé de concentrer leurs forces sur un seul domaine à la fois. Ils se sont abattus par centaines sur le mathelle de Sigille juste au sortir d'une averse de cristaux de glace et ont massacré sans pitié tous les permanents – hormis Sigille et ses plus jeunes enfants, qu'ils gardent, je suppose, pour leur faire subir les pires atrocités avant de les exposer aux umbres. Puis, le lendemain, ils ont déferlé en pleine nuit sur le domaine d'Halane, où, malgré une résistance acharnée de la part de la

346

troupe renforcée par les enfants et une poignée de volages, ils ont investi la maison principale et, fous de colère, ont exécuté tous les permanents, y compris les nourrissons, avant de mettre le feu aux bâtiments. Les jours suivants, quatre autres attaques ont été portées, à chaque fois contre les domaines appartenant à notre organisation, ce qui tendrait à prouver que certains des nôtres nous trahissent. Quand je vous suppliais de vous méfier de la trêve, je ne croyais pas si bien dire. Je ne pensais pas que ces... monstres prendraient le risque d'être hachés menu par les cristaux de glace, mais il faut croire que leur haine se montre plus forte que leur peur ou leur circonspection, ou bien qu'ils utilisent des passages abrités, souterrains, connus d'eux seuls. Nous avons recueilli trois rescapés de ces massacres et nous tenons ces informations de leur bouche. Peut-être d'autres survivants se sont-ils dispersés dans vos domaines, peut-être êtes-vous déjà informées de ces tragédies ?

Si tel n'est pas le cas, je vous recommande la plus grande prudence.

Un réflexe compréhensible voudrait que nous nous réfugiions dans les parties les plus malaisées d'accès, les plus faciles à défendre de nos bâtiments, que nous clouions des planches ou des poutres en travers des ouvertures.

N'en faites rien, je vous en conjure !

Les couilles-à-masques n'auraient plus qu'à vous assiéger, à vous enfumer au besoin pour vous obliger à sortir. Comme ils trouveront de toute façon le moyen de pénétrer dans les domaines, il me paraît préférable au contraire de laisser le plus grand nombre possible de passages ouverts : ils pourraient revêtir la plus grande importance en cas de retraite précipitée. Halane et ses permanents se sont barricadés dans leur maison et, de ce fait, condamnés à tomber tôt ou tard sous les armes de leurs agresseurs. Il nous faut garder coûte que coûte la possibilité de nous réfugier dans les plaines. Même si l'amaya s'annonce rude, même si nous risquons d'être surprises par les averses de cristaux, songeons à augmenter sans cesse nos probabilités de survie. Qu'est-ce qui est préférable pour nos enfants ? Un avenir incertain ou un présent sans espoir ?

Je me demande d'ailleurs si nous ne devrions pas abandonner tout de suite nos mathelles et nous rendre dans les plaines sans attendre l'attaque des couilles-à-masques. Les ventresecs parviennent à survivre sur les étendues sauvages du Triangle pendant les deux ou trois mois d'hivernage, pourquoi n'y réussirions-nous pas ? Cette solution n'offrirait que des avantages : en premier, nous couperions à toute attaque surprise et nous éviterions de nouveaux massacres, un intérêt qui se suffit à lui-même, vous ne croyez pas ? En deuxième, nous pourrions nous rassembler dans un même lieu, dans l'une de ces nombreuses cavités dont les plaines sont truffées – ou, pourquoi pas ? à l'intérieur du conventuel de Chaudeterre, probablement déserté par les protecteurs des sentiers après leur sordide « victoire » –, regrouper nos provisions, notre eau, nos forces. En troisième, nous aurions l'opportunité de réfléchir toutes ensemble à la meilleure manière d'éradiquer du nouveau monde le fléau des frères de Maran.

Je me suis déjà préparée à l'exode, tenant compte en cela des visions de ma fille Zephra. J'ai demandé à mes permanents d'établir des réserves de manne, de viande et de fruits secs. D'ajouter également des toits résistants aux chariots et aux attelages afin que nous disposions de refuges en cas d'averse de cristaux. Ce n'est pas de gaieté de cœur, vous vous en doutez, que j'abandonnerai mon mathelle, l'œuvre de ma vie, le bout de nouveau monde arrosé de ma sueur et de mon sang. Mais mon départ est peut-être aussi la meilleure façon de le protéger, de lui épargner la colère des couilles-à-masques. Certaines d'entre vous ne manqueront pas de me reprocher cette fuite, moi l'initiatrice du regroupement face aux protecteurs des sentiers, moi qui ai porté la responsabilité de la résistance sur mes modestes épaules. Je vous assure, chères amies, que cette fuite ne relève pas de la lâcheté – il me semble avoir déjà prouvé que je n'appartenais pas à l'engeance détestable des couardes – mais de la stratégie. La fureur des couilles-à-masques tombera comme un vent de la saison sèche à l'intérieur d'un domaine vidé de ses habitants et de ses ressources. Ils s'y installeront peut-être pour s'y reposer, et après ? Qu'ils utilisent nos lits, nos tables et nos baignoires si le cœur leur en dit, qu'ils profitent de notre toit, de notre feu et de notre eau, ils finiront par s'en aller, par chercher un autre endroit où évacuer leur fureur.

Faites en sorte que ce ne soit pas votre mathelle, mes amies.

Je me donne encore six jours avant de décider. Six jours qui vous laissent largement le temps de me répondre, de préparer au besoin votre propre exode. J'envisage de me diriger vers le nord, de monter d'abord au conventuel de Chaudeterre (mon incorrigible optimisme m'incite à penser que j'y trouverai peut-être des survivantes), de m'y installer si les conditions le permettent, ou de pousser encore un peu plus vers le nord si les couilles-à-masques ont réduit les bâtiments en cendres, de trouver une grotte avec une source chaude et une autre potable, d'y passer l'amaya au chaud, délivrée provisoirement de la menace de nos fanatiques adversaires.

Les visions de Zephra sont un peu plus précises pour ce qui concerne les batailles dans les trames plus obscures. Elle voit une ancienne djemale *(aurais-je raison de croire que des sœurs ont survécu à l'agression ?) et un homme aux ascendances douloureuses, liées d'une manière ou d'une autre à la fondation des protecteurs des sentiers. Notre chère Halane ne pourra jamais nous entretenir de ses recherches dans l'histoire de nos ennemis, et je verse des larmes intarissables, car je pleure une amie sincère, véritable, mais il semble que les visions de Zephra aillent désormais dans le sens d'une plongée dans le passé. Puissent-elles découvrir de nouveaux éléments qui nous permettraient de mettre fin à cette absurde barbarie.*

Les choses évoluant très vite désormais, ne tardez pas à me répondre, au moins celles qui seraient partantes pour l'exode, pour une nouvelle et, j'espère, exaltante aventure.

Je vous embrasse du fond du cœur.

Merilliam, mathelle du... passé ?

« Qu'est-ce qu'on attend ? » demanda Ankrel. Après avoir parcouru une interminable bande de terre cernée par des eaux échevelées, ils étaient arrivés à Jael couchant sur une grève de sable blanc.

Ils avaient chevauché pratiquement sans prendre de repos durant cinq jours et cinq nuits, changeant régulièrement de monture, ne s'arrêtant que pour s'alimenter et détendre leurs muscles fourbus. Deux averses de cristaux les avaient obligés à s'abriter pendant plusieurs heures sous des promontoires rocheux. Une couverture tirée sur lui, Ankrel s'était assoupi malgré les tintements et les crépitements de la glace qui s'écrasait sur la pierre. Malgré la tempête qui soufflait à l'intérieur de son crâne.

Ils avaient franchi la chaîne de l'Agauer par une gorge profonde qui traversait tout le massif et dans laquelle les sabots des yonks soulevaient un vacarme assourdissant. Ankrel était resté presque tout le temps la tête en l'air, les yeux levés sur les pentes vertigineuses et blanches. Les vibrations avaient déclenché de fréquentes chutes de glace, mais aucune d'elles n'avait bouché le défilé ni blessé les cavaliers ou leurs montures.

« L'heure de grand-Maran, répondit Jozeo.

— Tu veux dire qu'on... va traverser en pleine nuit ? »

Jozeo enroula des mèches de ses cheveux autour de son index, un tic enfantin qui contrastait avec la virilité affirmée de son visage.

« Nous avons encore quelques heures pour nous reposer.

— Quel rapport entre grand-Maran et la traversée ? » insista Ankrel.

Jozeo soupira puis sourit, comprenant qu'il ne s'en tirerait pas à si bon compte. Il était fatigué comme les autres, il avait besoin de calme, de silence, mais la curiosité d'Ankrel reviendrait le harceler tant qu'elle ne serait pas satisfaite.

« Les satellites ont une influence sur les grandes eaux. Et en particulier Maran, le plus grand des trois, quand il est en phase pleine.

— Comment quelque chose qui est dans le ciel peut-il avoir une influence sur les eaux ?

— Le cercle ultime dit que c'est un signe de la puissance infinie de l'enfant-dieu. Mais nous pourrons bientôt en juger par nous-mêmes. Tu devrais te reposer en attendant. »

De repos, Ankrel n'en prenait guère depuis leur départ de la grotte des plaines du Triangle, sauf quand la fatigue lui engourdissait le corps et lui fermait les yeux. Il ne ressentait plus aucune douleur à la jambe, comme si elle n'avait jamais été brisée, comme si ses os n'avaient jamais formé cet angle bizarre, effrayant, qu'il avait aperçu après sa chute. Ses fesses et ses cuisses commençaient à s'habituer à la selle et ne se couvraient plus de ces rougeurs et de ces cloques qui l'avaient empêché de s'asseoir les premiers jours de chevauchée. Ce n'était donc pas son corps qui le tourmentait, mais l'image de la ventresec et de son nourrisson qui hantait ses pensées, qui l'empêchait de dormir.

Jamais il n'avait distingué tant d'espoir et de supplication que dans les yeux de cette femme lorsqu'il était entré dans la grotte, jamais il n'avait vu tant de désespoir, d'horreur et de colère lorsqu'il avait plongé son poignard dans le cou de l'enfant. Il avait pris conscience, après coup, qu'il avait voulu surpasser en cruauté Jozeo, son modèle, qu'il avait d'abord tué le nourrisson pour se prouver qu'il pouvait défier la détresse de la mère. Elle avait alors lâché son enfant, s'était jetée sur lui comme une furie, tous ongles dehors, et il avait dû esquiver ses coups de griffe pour la frapper au visage, ensuite à la gorge et enfin, dans un dernier accès de rage, à la poitrine. Elle s'était affaissée à ses pieds dans un soupir presque mélodieux, il avait filé de la grotte comme un voleur, comme un lâche.

Le regard de la ventresec s'était fiché à l'intérieur de lui, et il n'avait plus la possibilité désormais de l'éteindre ou de l'éviter. Elle le contemplait avec obstination où qu'il allât, quoi qu'il fît, qu'il chevauchât son yonk, qu'il bût une rasade à sa gourde, qu'il s'éloignât des autres, qu'il s'allongeât sous une couverture pour se protéger du froid.

Jozeo lui tendit un morceau de viande séchée.

« Mange, c'est une foutue cavalcade qui nous attend cette nuit. »

Ankrel refusa l'offrande d'un geste de la main.

« Quelque chose te tracasse, petit frère, reprit Jozeo. Ça se voit à tes yeux, à ta mine. La ventresec, pas vrai ? »

Les larmes vinrent aux yeux d'Ankrel qui s'absorba dans la contemplation des grandes eaux ensanglantées par les rayons de Jael couchant. Les flocons d'écume arrachés par le vent aux vagues déferlantes s'embrasaient comme des gerbes de brandons, des oiseaux piaillards traçaient leurs arabesques multicolores sur le fond incandescent du ciel. Le regard de la ventresec empêchait Ankrel d'apprécier à sa juste valeur la splendeur d'un paysage à la fois tonifiant et apaisant.

« Tous ceux que j'ai tués me contemplent, dit Jozeo. C'est gênant au début, on finit par s'y habituer. »

Ankrel fixa le lakcha avec étonnement.

« Comment sais-tu que...

— Nous nous ressemblons sur pas mal de points, coupa Jozeo. Sur celui-ci aussi.

— Ils te regardent tous ? Aucun ne t'a oublié ? »

Jozeo secoua lentement la tête en mâchant son morceau de viande.

« Personne ne t'a jamais affirmé que le sentier du protecteur était le plus facile de tous, dit-il après un court silence. Tu souffres parce que tu n'as pas confiance en Maran.

— Ma foutue jambe était en bouillie, la ventresec l'a réparée, je l'ai récompensée en les poignardant, elle et son gosse. Elle aurait pu nous transmettre ses connaissances. »

Jozeo lança un petit bout de viande à un oiseau qui s'était posé sur le sable quelques pas plus loin. Son bec jaune le happa avec une telle vivacité qu'il ne laissa aucune chance à ses congénères rôdant autour de lui de le lui subtiliser.

« Ses connaissances, hein ? Maran les a placées

sur ta route pour te guérir. Il les envoie toujours au moment voulu à ceux qui le servent avec détermination et loyauté. En dehors de ces moments, les connaissances ne servent qu'à engendrer et à entretenir des pouvoirs. Tu as bien fait de la tuer, petit frère : tu as aboli le pouvoir qu'elle avait pris sur toi.

— Il n'y a pas d'autre façon de remercier ceux qui vous rendent service ? Est-ce que je dois te tuer parce que tu m'as donné des conseils pendant mes années de formation de lakcha de chasse ?

— Cette ventresec était une étrangère, Ankrel, une parasite, une ennemie, et nous sommes tous les deux des fils de Maran, des frères, ça fait une sacrée différence. L'épargner aurait été un aveu de faiblesse. Maintenant, si tu n'y vois pas d'inconvénient, je vais m'allonger et dormir un peu. Laisse-la te regarder. Vivre en toi. Par toi, grâce à toi, elle aura peut-être un jour la chance de recevoir la bénédiction de Maran. »

Ankrel attendit que son aîné se fût allongé sur le sable et eût tiré une couverture de peau sur lui pour revenir à la charge.

« L'homme que nous poursuivons, comment a-t-il traversé les grandes eaux ?

— Il a sûrement trouvé l'autre passage, dit Jozeo en réprimant un bâillement. Un passage qui nous tuerait aussi sûrement que les umbres si nous essayions de le prendre. »

Il se tourna sur le côté, posa la tête sur une deuxième couverture roulée en boule et plongea aussitôt dans un sommeil qu'Ankrel n'osa pas interrompre. Les autres lakchas s'étaient également couchés sur le sable blanc et moelleux. Ils n'avaient pas eu le courage d'allumer un feu, qu'ils auraient pourtant pu alimenter avec les plantes rejetées par les grandes eaux et séchées par Jael, ils s'étaient contentés de grignoter des morceaux de viande froide, les yeux rivés sur cette immensité ondulante qui paraissait impossible à franchir. Ils avaient attaché leurs montures aux grands rochers qui se dressaient à intervalles réguliers le long de la plage et qui, à en croire les plantes brunes agglutinées sur leurs flancs grenus, étaient de temps en temps submergés par les vagues. Les yonks tendaient désespérément le cou pour se disputer les rares touffes d'herbe et les plaques de mousse rosâtre. Bien qu'ils n'eussent pratiquement rien bu depuis les montagnes de l'Agauer, ils avaient dédaigné le contenu saumâtre des flaques.

Ankrel traversa la plage et s'approcha des grandes eaux orientales. Des oiseaux le survolèrent, dans l'espoir sans doute de recevoir des miettes de nourriture, puis s'éloignèrent en poussant des piaillements de dépit. Fasciné par le mouvement et le grondement perpétuels des lames, il ne songea à battre en retraite que lorsqu'il eut de l'eau jusqu'à mi-botte. Jael s'affaissait à l'horizon dans un déploiement de teintes vives et de reflets chatoyants. Comment Maran, le troisième satellite, l'œil terne de la nuit, pouvait-il exercer une telle influence sur cette formidable masse liquide qui semblait animée d'une vie propre, gouvernée par une puissance infinie ? Si vraiment il advenait le miracle prédit par Jozeo, alors la souveraineté de l'enfant-dieu de l'arche ne ferait plus aucun doute, alors Ankrel deviendrait son serviteur le plus féroce, le plus fidèle, alors le regard désespéré de la ventresec cesserait de le harceler. Il se rendit près d'un grand rocher, l'escalada, s'assit sur son échine rugueuse et leva les yeux sur le ciel.

Mung, le premier satellite, le plus petit, se déployait timidement entre les lueurs des premières étoiles. La voix lointaine de sa mère résonna dans l'esprit d'Ankrel. La comptine enfantine qu'elle lui fredonnait pour l'endormir : « Mung est le bébé de la nuit, Aphya sa grande sœur, Maran le grand frère, le protecteur de nos rêves. »

Les larmes qu'il avait contenues quelques instants plus tôt devant Jozeo roulèrent sur ses joues, brûlantes, apaisantes.

Maran s'était à peine levé que les grandes eaux avaient commencé à refluer, à dévoiler des bandes de sable qui prolongeaient l'étroite presqu'île par laquelle ils étaient arrivés. Des centaines d'oiseaux s'abattaient en piaillant sur des formes grouillantes et scintillantes. Juchés sur les yonks, les lakchas attendaient le signal de Jozeo.

Ankrel tirait régulièrement sur les rênes pour contenir la nervosité de sa monture, une femelle à la robe et à la toison brun clair. Jamais Maran ne lui était apparu aussi gros, aussi plein, aussi lumineux. Strié de taches blanches, le disque argenté du troisième satellite semblait régner sans partage sur la nuit, ternissant la lumière diffuse des lointaines étoiles et la clarté laiteuse d'Aphya, plus haute et entièrement ronde elle aussi.

Jozeo, qui se tenait à l'avant du petit groupe, debout près de son yonk, se retourna vers Ankrel, le sourire aux lèvres.

« Regarde de quoi est capable l'enfant-dieu de l'arche, petit frère ! »

Le spectacle de ces grandes eaux qui continuaient de se retirer avec un calme qui ne leur ressemblait pas exerçait la même fascination sur tous les chasseurs. Le passage qu'elles dégageaient peu à peu atteignait désormais une largeur d'une centaine de pas et s'enfonçait à perte de vue dans la nuit. Les oiseaux piquaient sans relâche sur les formes grouillantes, et Ankrel s'expliquait maintenant l'excitation des volatiles qui n'avaient cessé de piailler et de se démener jusqu'au lever de Maran : ils avaient guetté avec impatience la manne vivante offerte par le retrait des grandes eaux. Il ne discernait pas encore les détails des petites créatures surprises par ce soudain assèchement, il voyait seulement qu'elles s'efforçaient d'échapper à leurs prédateurs volants avec une lenteur qui traduisait leur maladresse sur la terre ferme.

Jozeo enfourcha sa monture et, d'un geste machinal, essaya de discipliner sa chevelure chahutée par le vent. L'air était vif, chargé d'une forte odeur de saumure.

« Maran nous ouvre le passage, fit-il d'une voix forte pour dominer les ululements des rafales. Nous avons jusqu'aux premières lueurs de l'aube pour atteindre l'autre continent. Nous avons le temps, à condition de chevaucher sans trêve. Ne vous arrêtez surtout pas lorsque les eaux remonteront. Continuez de fouetter vos montures. Si elles donnent des signes de fatigue, sautez sur un yonk de réserve. Si l'un d'entre nous tombe, les autres ne l'attendront pas. Si l'un d'entre nous s'enlise, les autres ne l'aideront pas. Est-ce que c'est bien compris ? »

Les lakchas acquiescèrent d'un grognement ou d'un mouvement de tête. La tension soudaine qui s'empara de ses compagnons fit frissonner Ankrel. C'était à une forme d'initiation que les conviait Jozeo, à une épreuve à la fois exaltante et impitoyable sous l'œil gigantesque et brillant de Maran. Ils allaient s'engager sur un chemin qui n'autoriserait pas la moindre erreur, avec pour tout viatique leur foi en l'enfant-dieu de l'arche, leur frère et leur père céleste. Bien qu'il ne portât ni le masque d'écorce ni la robe de craine, Ankrel fut envahi d'une fièvre identique à celle qu'il avait ressentie lors de son intromission chez les protecteurs des sentiers.

« Débarrassez-vous des vivres et des couvertures, reprit Jozeo. Nous trouverons de quoi manger et nous réchauffer de l'autre côté. »

Les lakchas s'exécutèrent sans marquer la moindre hésitation. Jozeo n'avait jamais franchi les grandes eaux, mais ses yeux brillants et ses traits sereins lui donnaient l'allure d'un fils béni de Maran, d'un homme qui tenait ses certitudes d'une conversation secrète avec le régisseur du monde des ténèbres.

Ils attendirent encore que les terres découvertes absorbent les flaques, puis, sur un signal de Jozeo, ils s'élancèrent au grand galop sur le large chemin qui fendait les grandes eaux.

Les proies des oiseaux étaient des créatures rampantes recouvertes d'une peau écailleuse et munies de deux petites pattes avec lesquelles elles avançaient en se balançant d'un côté sur l'autre. De la longueur et de l'épaisseur d'un doigt, elles effectuaient de temps à autre un bond qui les projetait sur une distance de deux pas mais qui ne leur permettait pas d'échapper aux becs précis et voraces de leurs prédateurs ailés.

La tête penchée sur l'encolure de sa monture, Ankrel les voyait grouiller autour de lui et sauter au dernier moment pour esquiver les sabots. Les deux ou trois premières lieues franchies, il avait labouré les flancs de la yonkine à coups de talon pour se caler dans le sillage de Jozeo, se figurant qu'il augmenterait ses chances en se plaçant dans l'ombre du fils préféré de Maran. Les neuf autres lakchas avançaient quasiment de front derrière eux. Ils n'avaient pas eu besoin de lier à leurs selles les rênes des yonks sans cavalier ; ces derniers, régis par les réflexes ancestraux d'appartenance au troupeau, réglaient d'eux-mêmes leur allure sur celle du groupe. La terre mêlée de sable et imprégnée d'humidité absorbait le grondement de leur chevauchée.

Bien que la lumière argentine de Maran brillât avec générosité, Ankrel ne distinguait plus les grandes eaux de chaque côté du passage, comme si elles s'étaient évanouies dans les ténèbres. L'air, de plus en plus froid, transperçait le cuir de ses vêtements et générait un contraste saisissant avec la chaleur qui montait de ses cuisses, de ses fesses et de ses reins. Les nuées d'oiseaux s'éclaircissaient maintenant, mais pas les créatures rampantes, parfois tellement compactes qu'elles formaient un véritable tapis et que les yonks en écrasaient un grand nombre dans un chuintement hideux.

Ils parcoururent sans encombre une distance qu'Ankrel évalua à une vingtaine de lieues, puis les yonks, soumis à rude épreuve depuis plusieurs jours, donnèrent les premiers signes de fatigue. L'un deux décrocha du groupe avec une telle soudaineté qu'il ne laissa pas le temps à son cavalier, Frail, de sauter sur une monture de rechange. Alerté par ses cris, Ankrel lança un regard par-dessus son épaule et le vit décroître rapidement dans leur sillage puis se fondre dans la nuit. Il accrocha son regard à la silhouette de Jozeo, qui ne s'était pas retourné, pour repousser la tentation de voler au secours de leur compagnon attardé. Maran avait reçu son premier sacrifice, il en exigerait certainement d'autres avant la fin de la traversée.

Le roulement de la cavalcade ne parvenait pas à briser le silence de la nuit désormais écrasant. À la terre relativement ferme succédait un fond vaseux, instable, d'où les sabots arrachaient de grandes gerbes de boue. On n'y distinguait plus de créatures rampantes mais des formes sombres volumineuses, parcourues d'ondulations répétées et brutales.

Les membres postérieurs du yonk de Jozeo se dérobèrent tout à coup, l'entraînèrent dans un long travers à l'issue duquel il se coucha sur le flanc. Vidé de la selle, Jozeo roula dans la boue sur une distance de dix pas. La monture d'Ankrel fit un écart sur le côté, à la fois pour sortir du terrain glissant et pour esquiver l'obstacle de son congénère couché, puis, affolée, continua sa course sans tenir compte de la pression soutenue de son cavalier sur les rênes. La blessure du mors la contraignit à obtempérer et à s'arrêter un peu plus loin. Les neuf autres lakchas et les montures sans cavalier dépassèrent Ankrel et s'éloignèrent rapidement dans la nuit.

« Fous le camp ! hurla Jozeo. Tu as entendu les ordres ! »

Arc-bouté sur ses jambes, il tirait sur les rênes de son yonk pour l'obliger à se relever. Il paraissait inconcevable à Ankrel de poursuivre l'expédition sans Jozeo, pas seulement parce qu'il l'admirait, mais parce que sans lui les autres seraient comme des enfants perdus dans un monde hostile. Il se dirigea au petit trot vers le lakcha.

« Ne t'occupe pas de moi, Ankrel ! Tu es en train de perdre toutes tes chances ! »

La respiration sifflante du yonk de Jozeo indiquait qu'il ne repartirait pas. Tout autour de lui, des formes sombres s'agitaient de plus en plus frénétiquement dans le fond de vase. La lumière de Maran qui se tenait juste au-dessus d'eux, dilaté, énorme, se reflétait par intermittence sur leurs enveloppes noires et lisses.

« Monte derrière moi », dit Ankrel.

Jozeo lui lança un regard où la colère le disputait à l'étonnement.

« Nous n'aurons aucune chance, à deux sur le même...

— Monte. Nous ne saurons pas quoi faire si tu n'es pas avec nous.

— Tu me prends pour un de ces foutus crétins de chasseurs sans cervelle ! gronda Jozeo. J'ai transmis mes instructions aux autres au cas où il m'arriverait quelque chose. Fiche le camp, petit frère. Maran a choisi ses...

— Les instructions ne font pas les hommes, coupa Ankrel. Je ne bougerai pas tant que tu ne seras pas monté avec moi. Nous vivrons ou nous mourrons ensemble. »

Jozeo lâcha les rênes de son yonk avec un sourire à la fois ironique et amer, et s'avança vers Ankrel.

« T'es un foutu cabochard, mais je te préviens que... »

Une série de gargouillements suivis d'un mugissement de terreur et de douleur couvrirent la fin de sa phrase. Les formes sombres pullulaient autour du yonk couché, qui tenta de se redresser dans un ultime effort mais qui, comme subitement happé par un gouffre, s'enfonça tout entier dans la vase. Après quelques instants de remous furieux, les formes sombres disparurent à leur tour et la boue recouvra sa surface lisse.

« Les gloutons des grandes eaux, fit Jozeo d'une voix sourde. Le cercle ultime m'en avait parlé.

— Partons » souffla Ankrel.

Il leva les yeux sur Maran. Seule l'intercession de l'enfant-dieu de l'arche pouvait maintenant les sauver de la mort à laquelle ils semblaient promis.

Par chance, la femelle qui avait échu à Ankrel au moment du départ était plus résistante et opiniâtre que la plupart de ses congénères. Il la laissa s'habituer à son nouveau fardeau et galoper à son rythme avant de la solliciter franchement. Elle accéléra l'allure, la tête baissée, les cornes en avant, les naseaux près du sol, comme pour compenser le surcroît de poids à l'arrière.

Ils traversèrent une nouvelle zone de terre ferme parsemée de flaques peu profondes où les petites créatures rampantes firent leur réapparition, plus clairsemées et légèrement plus grosses qu'auparavant. La nuit absorba peu à peu la lumière décroissante de Maran. Ils progressaient dans un silence presque total, à peine troublé par le crépitement des sabots de la yonkine. Le passage se jetait dans une obscurité opaque traversée par un vent glacial, saturée d'une odeur de plus en plus saline.

Le dos et la nuque irradiés par la chaleur de Jozeo, Ankrel ne sentait plus le froid ni la fatigue. Tout entier concentré sur l'allure de sa monture, attentif aux moindres signes qui auraient pu trahir un début de fatigue, il avait l'impression que cette chevauchée dans le cœur nocturne du nouveau monde le réconciliait avec lui-même, le délivrait de ses tourments, du regard de la ventresec, de l'influence de Jozeo. Ils n'avaient pas encore rattrapé les autres, il ignorait s'il leur restait la moindre chance de franchir le passage avant le retour des grandes eaux, mais cela n'avait pas vraiment d'importance, il jouissait du rythme régulier et lancinant de la yonkine, des coups de fouet du vent sur son visage et son torse. La mort l'attendait peut-être dans les ténèbres de plus en plus épaisses qui barraient l'horizon, il ne la craignait pas, il acceptait de se dissoudre dans la tranquillité magnifique de la nuit, de s'effacer du jour, de la fureur et de la douleur du nouveau monde.

Ils dépassèrent un yonk agonisant sur un lit de boue et, un peu plus loin, son cavalier qui, la jambe brisée, rampait désespérément en direction d'une terre qu'il n'atteindrait jamais. Un bras abandonné par les grandes eaux, large d'une cinquantaine de pas, de la profondeur d'un homme, se présenta plus loin devant eux. La yonkine franchit l'eau glacée au prix d'un violent effort qui la vida de ses forces. Elle resta ensuite un long moment sans pouvoir adopter une autre allure que le petit trot.

« Force-la ! cria Jozeo. Ou elle va se laisser gagner par la paresse ! »

Ankrel ne répondit pas mais ne tint pas compte de la suggestion de son aîné. C'était la première fois qu'il était en désaccord avec lui, comme si le fait de s'être porté à son secours, et donc de l'avoir ravalé au rang d'humain ordinaire, avait effacé son admiration et aboli le pouvoir qu'il détenait sur lui.

Ankrel décida de privilégier au contraire la douceur. Quand la yonkine eut retrouvé un peu d'allant, il ne lui donna pas de coups de talon ni ne la frappa du plat de la main, il lui murmura simplement des mots d'encouragement, les lèvres tout près de son oreille, le nez enfoui dans sa toison.

L'eau commença à monter presque aussitôt que la lumière de Maran se fut éteinte derrière eux. Elle surgissait des replis de la nuit sans un bruit, comme si elle suintait directement d'une terre de plus en plus humide. Le chemin s'effaçait à une vitesse effarante, des flaques profondes le barraient déjà sur toute sa largeur.

Les lueurs cauchemardesques de l'aube soulignaient l'horizon. Ankrel scruta les ténèbres mais ne discerna aucun relief, aucune terre, il aperçut seulement les taches fuyantes de yonks qui galopaient sur les grandes eaux en soulevant des gerbes écumantes.

CHAPITRE XXI

Murs

J'évoquais ce complot ourdi par les fleureuses afin d'obtenir mon expulsion du domaine de Vodehal et du secteur de Cent-Sources. Elles n'ont pas pris le risque de m'attaquer de front et de provoquer la colère de ceux qui se montraient enchantés de mes services, elles ont fait en sorte de me déconsidérer aux yeux de tous. Par quel moyen ? oh ! c'est très simple, il leur a suffi de choisir une mathelle influente et d'ajouter un philtre de leur invention à la potion que je lui avais préparée.

La mathelle en question, une femme âgée de plus de cent ans et déjà mère de neuf enfants, s'était mise en tête de retenir près d'elle un jeune volage dont elle s'était entichée. Et c'est moi qu'elle avait consultée, sur les recommandations de l'une de ses amies à qui mes interventions avaient particulièrement réussi. Seulement, le poison foudroyant versé par les autres fleureuses dans ma préparation a occis le beau volage en quelques instants. On m'a donc accusée de sa mort, et, comme je n'ai pas réussi à prouver la responsabilité de mes très chères consœurs dans ce décès, l'assemblée des mathelles m'a condamnée à l'exil avec une belle unanimité. Et une belle hypocrisie : bon nombre d'entre elles, de fidèles clientes pourtant, ont feint de ne pas me connaître. Elles uti-

lisent presque toutes les philtres d'amour mais elles ne tiennent pas à ce que les autres le sachent.

Quatre hommes sont venus me chercher dans ma chambre le lendemain matin pour me conduire au nord de Cent-Sources, à l'entrée des plaines sauvages du Triangle. Je me suis longtemps demandé pourquoi ils ne m'avaient pas violée malgré les regards salaces qu'ils n'avaient cessé de me jeter tout au long du trajet. La réponse a fini par se dessiner d'elle-même : ils avaient eu peur de moi, peur de mes charmes ; je ne parle pas de ceux, naturels et discutables, que la nature m'a donnés, mais du pouvoir qu'ils me prêtaient. Il suffit que vous ayez quelques connaissances pour impressionner les esprits faibles, c'est une règle que j'ai vérifiée à maintes reprises. Il en va ainsi des séculières djemales, dont le savoir inspire la crainte et le respect, et de tous ceux dont les aptitudes particulières les rendent à la fois indispensables et redoutés.

Pourtant, je vous assure, je n'étais qu'une femme désemparée, désespérée, lorsque mon escorte m'a abandonnée dans les plaines du Triangle. Je n'avais pas de vivres ni d'eau, ni de vêtements de rechange ni de couverture, et encore moins de ces accessoires à la fois superflus et indispensables qu'on trouve dans les chambres de toutes les femmes. La saison sèche touchait à sa fin, les vents déjà froids annonçaient les averses de cristaux, et je n'avais aucune autre protection à opposer aux éléments que ma robe et mes dessous de laine végétale. J'ai marché en direction du nord sans savoir où me portaient mes pas, sursautant au moindre bruit, pleurant toutes les larmes de mon corps. J'ai passé ma première nuit allongée sur l'herbe, trop anxieuse, affamée et assoiffée pour m'endormir malgré mon épuisement. J'éprouvais pour les fleureuses et les mathelles une haine brûlante à la mesure de ma détresse, j'échafaudais mille projets pour me venger d'elles. Je crois que si je suis restée en vie cette nuit-là, si je ne me suis pas ouverte les veines avec mon petit canif de corne, je le dois à cette rage incendiaire qui m'a consumée jusqu'à l'aube.

J'ai erré dans les plaines pendant plusieurs jours, peut-être même plusieurs semaines. Je suçais les herbes imprégnées de rosée pour étancher ma soif, je mangeais les pétales et le pistil des fleurs que je reconnaissais pour apaiser une faim de plus en plus dévorante. J'ai perdu peu à peu la notion du temps, j'ai vu le ciel se couvrir de nuages menaçants, qui, par chance, n'ont pas libéré tout de suite leurs averses de cristaux.

Mon errance m'a conduite un beau matin sur le bord de la rivière Abondance. Les rayons de Jael ne réussissaient pas à réchauffer l'air froid, mais j'ai tout de même décidé de prendre un bain et je me suis dévêtue. Celui qui n'en a jamais été privé pendant un long temps ne peut pas savoir quel bien-être procure l'eau, même glacée ! J'avais l'impression de revivre, et je retardais jusqu'à l'inexorable le moment de sortir, de laver mes vêtements maculés de terre, imprégnés de ma sueur, de mes peurs, de ma rage et du sang de mes règles. Je crois me souvenir que j'ai chanté à tue-tête malgré ma solitude et ma faim, ou peut-être à cause de ma solitude et de ma faim. En outre, la rivière me raccrochait aux mathelles, à Cent-Sources : il me suffisait d'en suivre le cours en direction du sud pour me rapprocher des domaines et exercer ma vengeance. Je ne savais pas encore quelle forme exacte elle revêtirait, mais j'utiliserais sans aucun doute mes connaissances des fleurs et des plantes, peut-être en empoisonnant les eaux, la rivière et les sources, ou encore en provoquant des fièvres malignes chez les enfants qui s'aventureraient sur les chemins déserts. Je ne suis pas de ces femmes qui pardonnent facilement, et la rancune se ligue facilement avec d'autres rancunes pour former, comme les fils d'une étoffe, une trame de plus en plus dense, de plus en plus étouffante.

Alors que je sortais enfin de l'eau pour aller chercher mes vêtements, je l'ai aperçu. Je n'ai vu d'abord que ses yeux sombres dans son visage enfantin encadré d'une épaisse chevelure brune. Ils m'ont tellement subjuguée que je n'ai même pas songé à leur soustraire mon corps, que je suis restée nue, impudique et figée dans l'eau jusqu'aux genoux. Pour la première fois depuis une vingtaine d'années, je pouvais contempler un homme sans songer à Piek, à sa trogne rougeaude et au bout de chair ridicule dépassant du fouillis de ses vêtements. J'ai beau explorer ma mémoire de fond en comble, je ne me rappelle pas les premières paroles que nous avons échangées. Ni même si nous en avons échangé. Je me souviens seulement que son regard me brûlait délicieusement, que je n'avais qu'une envie, c'était de prolonger ce contact, de m'offrir sans retenue à cette caresse visuelle à la fois si intense et si douce. Il émanait de lui une tristesse bouleversante, presque palpable, qui semblait le recouvrir comme une ombre. Il portait des objets que je n'ai pas identifiés sur le moment. J'ai cru qu'il s'était muni de couvertures ou de manteaux de laine végétale pour se protéger des grands froids de l'amaya de glace.

Il m'a souri tout à coup, et je me suis sentie soulevée de l'eau. Puis il s'est rapidement dévêtu et il est entré à son tour dans la rivière. Nous nous sommes baignés tous les deux sans dire un mot et, que je sois transformée en pierre si je mens, sans nous toucher ni nous frôler. Il avait suffi que nous nous regardions quelques instants pour que s'instaure entre nous ce respect mutuel et infini qui est la marque des grands déçus de la vie. Pourtant, son corps *élancé et sa peau dorée m'avaient déjà réconciliée avec les hommes et redonné l'envie de devenir une femme. Ma haine contre les fleureuses et les mathel-les n'était pas tombée – elle ne l'est pas encore tout à fait, un aveu terrifiant pour une vieillarde de mon espèce –, mais mon exil avait abouti à un résultat totalement inattendu : j'allais enfin pouvoir me consacrer à mes désirs après avoir passé plus de dix ans à exaucer ceux des autres.*

Les mémoires de Gmezer.

ORCHÉRON demeura un long moment sans pouvoir bouger dans une obscurité totale, aux prises avec une souffrance aussi cruelle, aussi implacable que celle qui le terrassait pendant ses crises. Il n'avait aucune idée de l'endroit où il se trouvait, il avait repris connaissance après une brève sensation de déplacement et de dispersion dans le vide. Son corps glacé semblait se reconstituer petit à petit, ainsi que ses pensées, ses souvenirs.

Curieusement, sa mémoire lui revenait dans l'ordre chronologique. Il revivait d'abord des scènes de sa première enfance avec sa mère Lilea, des sensations éprouvées à l'âge de deux ou trois ans, tellement lointaines qu'elles paraissaient surgir d'un autre monde, d'une autre vie. Un visage auréolé de cheveux blancs bouclés et sillonné de rides peu prononcées le fixait avec attention. Il appartenait à un homme, même si un grand nombre de femmes auraient pu lui envier sa finesse. Ses yeux pâles étaient à la fois d'une pureté cristalline et d'une tristesse infinie, comme un ciel radieux de saison sèche assombri par un voile imperceptible. De temps à autre il se tournait vers Lilea et lui murmurait quelques mots. Ils ne se ressemblaient pas vraiment, et pourtant il sautait aux yeux qu'ils étaient du même sang, de la même lignée. Orchéron ressentait avec l'acuité de Lobzal l'atmosphère de mystère, de clandestinité et d'angoisse qui entourait leur rencontre. Le friselis des herbes, la caresse de la brise nocturne et le scintillement des étoiles indiquaient qu'ils s'étaient donné rendez-vous en pleine nuit et à l'écart du mathelle de Jasa.

Puis la mémoire d'Orchéron le surprenait quelques mois plus tard en train de jouer non loin de sa mère dans la cuisine du mathelle. Un constant de Jasa entrait, visiblement excité, annonçait que les protecteurs des sentiers avaient éteint une nouvelle lignée maudite et que, au train où allaient les choses, il ne resterait bientôt plus une seule de « ces satanées engeances » sur le nouveau monde. Une femme posait une question et le constant lançait une série de noms que Lobzal ne connaissait pas. Alarmé par la pâleur subite de sa mère Lilea, il se précipitait dans ses jupes et lui entourait les jambes de ses bras pour l'empêcher de s'effondrer. Elle lui empoignait les cheveux et les tirait de façon convulsive, douloureuse, mais, de même qu'elle contenait ses larmes et ses tremblements, il ne criait pas, il devinait que le moment aurait été mal choisi d'attirer l'attention sur eux.

Il n'avait jamais établi la relation entre la réaction de sa mère et l'homme aux cheveux blancs et aux yeux clairs, mais aujourd'hui, dans ce creuset de souffrance et de ténèbres où s'aiguisaient les souvenirs, le tableau lui apparaissait dans son intégralité : c'était la mort du père de Lilea que le constant de Jasa était venu annoncer avec une telle brutalité, une telle impudeur.

La mort par conséquent de son grand-père. Lilea avait pris des risques insensés pour lui montrer son petit-fils, le dernier de la lignée : personne ne devait savoir qu'elle s'était perpétuée.

Orchéron s'accoutumait à l'obscurité, entrevoyait des lignes, des reliefs. La douleur diminuait peu à peu, et il pouvait désormais se représenter les contours de son corps. Allongé sur une surface ni ferme ni molle qui était sans doute de la terre, il se trouvait au centre d'une cavité qui évoquait un sous-sol ou une cave plutôt qu'une grotte naturelle : assez basse sur les côtés, elle prenait de la hauteur au centre de sa voûte en forme de cône renversé. Il y régnait un froid identique à celui qu'ils avaient éprouvé, les ventresecs et lui, dans le tunnel du bord des grandes eaux. Il fouilla la pénombre du regard mais ne discerna pas de corps autour de lui. Les errants n'avaient pas osé le poursuivre de l'autre côté de la porte. Une intuition lui murmura que leur organisme n'aurait pas supporté ce... saut dans le temps, que leur prophétie, en entretenant cette terreur de la malédiction, les protégeait de la curiosité.

Saut dans le temps...

Sans doute la seule définition satisfaisante de l'expérience qu'il venait de vivre. La même, en plus condensée, en plus consciente, que les trous de mémoire qui avaient jalonné son existence. Il n'avait pas l'impression pourtant d'avoir égaré une partie de ses souvenirs, seulement d'avoir subi une brusque accélération, d'avoir été projeté par un souffle d'une puissance infinie. Comme si, en franchissant l'ouverture du bout du tunnel, il avait aboli les distances et mis le pied dans une nouvelle réalité. Mais pourquoi avait-il la capacité de traverser ce passage alors que les autres, les errants et probablement la plupart des habitants du nouveau monde, ne le pouvaient pas ?

Il essaya de se lever mais son corps ne lui obéit pas, englué dans sa propre inertie. Un rayon de lumière ténu se coulait par l'étroite ouverture du centre de la voûte et plaquait un vernis laiteux sur le pan incurvé d'un mur de soutènement. Il parvint à tourner la tête et à distinguer, quelques pas derrière lui, une bouche arrondie et tendue d'une obscurité opaque impénétrable. Il avait la certitude quasi biologique d'avoir parcouru une distance gigantesque, et pourtant il lui semblait se retrouver simplement de l'autre côté de la porte qu'il avait passée quelques instants – heures, jours – plus tôt.

Le visage plein de Mael lui effleura l'esprit et, pour la première fois depuis qu'ils s'étaient séparés dans le grenier du silo, il souffrit du manque de sa sœur, il fut étreint par une envie bouleversante de la rejoindre par-delà les gouffres qui continuaient de se creuser entre eux. Il lui devait ses seuls vrais moments de joie dans une existence rythmée par les travaux du mathelle et la fréquence de ses crises. Ni l'affection d'Orchale, ni l'amitié de quelques permanents, ni les menus plaisirs glanés dans l'atelier de poterie n'avaient réussi aussi bien qu'elle à le distraire de cette mélancolie omniprésente, sous-jacente, qui l'imprégnait comme l'eau d'une source froide, amère, intarissable. Maintenant que Mael n'était plus, qui d'autre pourrait apporter un peu de clarté, un peu de chaleur dans sa grisaille perpétuelle ? Son désir confus pour Ezlinn la ventresec n'avait été qu'une tentative absurde, vouée à l'échec, de ranimer les instants de trêve, de grâce, qu'il avait vécus dans le rayonnement de sa sœur.

Le jour se levait lorsqu'il put enfin se mettre debout. Un flot éblouissant s'engouffrait par l'ouverture du centre de la voûte et révélait la forme parfaitement circulaire de la pièce enterrée. Il dévoilait également des reliefs qui longeaient en partie les murs et qui ressemblaient à des bancs. La taille et la disposition parfaite des pierres, ajustées sans la moindre trace de mortier, indiquaient un savoir-faire différent de celui des mathelles mais tout aussi évolué, peut-être même davantage. Seules les herbes folles et les plaques verdâtres de moisissure qui recouvraient la terre par endroits trahissaient une certaine négligence, voire un abandon pur et simple. Le froid intense émanait de la bouche dont l'obscurité restait totalement imperméable à la lumière du jour.

Orchéron ne remarqua pas d'autre issue que la trappe du milieu de la voûte, perchée à une hauteur équivalente à quatre hommes. Il découvrit dans une touffe d'herbe les débris rougeâtres de ce qui avait probablement été une échelle. Le matériau, qu'il ne connaissait pas, avait à peu près la même consistance au toucher que l'habillage gris du tunnel du bord des grandes eaux. Son aspect lisse, premier, apparaissait par endroits sous la substance rougeâtre et colorante qui évoquait ces maladies de peau provoquées par les allergies au pollen.

Son mauvais état rendait en tout cas l'échelle inutilisable. De même, ni les murs ni la voûte ne présentaient d'aspérités, de chevrons ou de ces pièces de renforcement qu'utilisaient les maçons des domaines, et ils étaient de ce fait impossibles à escalader. Il tardait pourtant à Orchéron de se réchauffer aux rayons de Jael. Il chercha fébrilement un moyen de sortir de cette cave, ne trouva pas d'autre solution que de desceller les pierres du mur de soutènement à l'aide de son couteau de corne, puis de les assembler au milieu et de grimper sur le tas une fois qu'il serait suffisamment haut pour lui permettre d'agripper les bords de la trappe. Il se mit à la tâche, conscient qu'elle lui prendrait une grande partie de la journée.

La construction reposant entièrement sur l'agencement des pierres entre elles, la première s'avéra la plus difficile à desceller. L'ouvrage des bâtiments des domaines, lié par de la terre et de la paille broyée, paraissait grossier en comparaison de cette maçonnerie sèche où pas un espace n'était vide, où chaque élément semblait occuper sa juste place. Il avait fallu une patience et une opiniâtreté de tous les instants à ceux qui l'avaient édifiée, et Orchéron avait l'impression détestable de saccager un chef-d'œuvre, de rayer de quelques coups de couteau des années et des années d'un travail magistral. Si la majeure partie des pierres utilisées étaient opaques et de couleur jaune, quelques-unes, translucides et sillonnées de veines brunes, ressemblaient aux rochers du bord des grandes eaux.

La lumière peina rapidement à transpercer une poussière dense irrespirable. Orchéron avait beau se démener comme un démon, l'amas s'élevait avec une lenteur exaspérante, d'autant qu'il lui fallait prévoir une base suffisamment large pour lui assurer un minimum de stabilité. Des ruisseaux d'une terre sèche et rougeâtre s'écoulaient de la brèche du mur de soutènement et s'écrasaient en flaques épaisses sur le sol.

Orchéron continua pendant un bon moment, puis, harcelé par la fatigue, la soif et la faim, éprouva le besoin de s'arrêter lorsque le tas lui arriva à peu près à hauteur de la taille. Assis sur le banc circulaire, en nage malgré le froid intense, il reprit son souffle en contemplant l'œil circulaire et aveuglant de l'ouverture. La poussière, plus épaisse qu'une averse de cristaux, lui irritait les yeux, les narines et la gorge.

Le flot de lumière qui tombait dans la salle vacilla tout à coup, un peu comme les rayons de Jael obscurcis par des frondaisons agitées par le vent, puis il se tarit pendant quelques instants, comme si quelqu'un venait de poser un couvercle sur l'ouverture. Orchéron se releva, inquiet, les jambes fléchies, le couteau levé à hauteur de son visage. Derrière lui, une pierre en équilibre dégringola en provoquant un éboulement. Tout un pan du mur de soutènement s'effondra dans un fracas d'orage et souleva une nouvelle nuée rougeâtre.

Au travers de ses cils collés par la sueur et la terre, il lui sembla déceler un mouvement bref, comme une reptation de furve, un déplacement qui trahissait en tout cas la présence d'un être vivant au-dessus de lui. La lumière, qui s'écoulait à nouveau, n'atteignait plus le sol, incapable de transpercer les volutes figées de poussière. Il appela, sa voix résonna un long moment dans le silence, mais nul ne lui répondit. Toussant, crachant, il se remit au travail, montant d'abord son amas avec les pierres de l'éboulement. Il ne pouvait pas se contenter de les jeter les unes sur les autres, il devait les agencer, les étayer, les caler de telle manière qu'elles ne s'effondrent pas à la moindre poussée, au moindre déséquilibre. Prévoir en outre d'autres monceaux un peu moins hauts qui lui serviraient de marches pour compléter et gravir le tas principal. Les circonstances le conviaient à faire preuve d'une part infime de cette patience qui avait guidé les maîtres bâtisseurs de cette salle souterraine. Conscient qu'il perdrait du temps à vouloir en gagner trop rapidement, il s'appliqua à chercher le meilleur emplacement pour chaque pierre.

L'ombre vint boucher la trappe à plusieurs reprises. Orchéron ne discerna rien d'autre que des mouvements aussi fugitifs et silencieux que le passage d'un nuage noir dans un ciel clair, cria deux fois puis, en l'absence de réponse, finit par ne plus y prêter attention. Son ouvrage lui arrivait maintenant à la tête et nécessitait un surcroît de précautions. Obligé de monter les pierres une à une, il se sentait gagné par une sensation pernicieuse de découragement. Il était parvenu à un stade où l'entreprise paraissait totalement inutile, sans début ni fin, figée dans sa propre absurdité, trop avancée pour renier le travail accompli, pas assez pour en apercevoir l'issue. Il s'accrocha cependant, descella sans relâche les pierres du mur, découvrit des bandes de plus en plus larges d'une terre de la même couleur que la lèpre des barreaux de l'ancienne échelle.

Alors que la lumière du dehors commençait à perdre de son éclat, il estima le monticule assez haut. Il aurait donné n'importe quoi pour boire quelques gouttes d'eau et respirer un air débarrassé de cette suffocante odeur de poussière. Il gravit d'abord les marches grossières qui montaient jusqu'au milieu de l'amas, puis, avec une lenteur crispante, les yeux brûlés par la sueur, il se jucha tout en haut en choisissant ses appuis avec soin, s'immobilisant, le cœur affolé, lorsque des craquements sourds s'élevaient sous ses pieds ou ses mains. Une fois au sommet, il resta accroupi un long moment afin de reprendre son souffle, puis se déplia avec une délicatesse d'éclipte. L'ouvrage oscilla et gronda d'une façon inquiétante lorsqu'il parvint à se mettre debout. Sa hâte à regagner l'air libre l'avait rendu un peu trop optimiste : ses mains ne parvenaient même pas à frôler le bord inférieur de la trappe, il lui manquait une distance d'environ un coude. Le ciel mauve, les reliefs translucides et les reflets qu'il entrevoyait là-haut restaient pour le moment inaccessibles.

Son juron s'étrangla dans sa gorge. L'amoncellement tout entier était pris de tremblements dont l'amplitude s'accentuait. Tout en s'évertuant à garder l'équilibre, il leva à nouveau les yeux sur la trappe, juste assez large pour le passage d'un homme. Peut-être pouvait-il en attraper le bord supérieur en sautant. Risqué : s'il se ratait, une chute d'une hauteur de quatre hommes l'attendait, largement de quoi se rompre les os. D'un autre côté, la chute semblait inéluctable, et il ne se voyait pas tout recommencer depuis le début. L'affaissement soudain de l'amas résolut son dilemme. Il eut le réflexe de se projeter vers le haut quand les pierres se dérobèrent sous ses pieds et de lancer les bras dans le cercle éblouissant de la trappe. Ses mains atteignirent l'arête supérieure, anguleuse, mais ne rencontrèrent aucune saillie où s'agripper. Au moment où, épouvanté, il allait sombrer dans la brume poussiéreuse qui submergeait la salle souterraine, une lanière s'enroula autour de son poignet et le maintint en suspension dans les airs.

Il eut une première réaction d'effroi, gigota pendant quelques instants avant de prendre conscience de la stupidité de sa réaction. Quelles que fussent la nature et l'intention de l'être qui l'avait agrippé, il ne fallait pas lui donner l'envie de le relâcher et de l'envoyer s'écraser sur les pierres jonchant le sol de la cave. Il cessa de remuer et, toujours suspendu par un bras, leva les yeux vers l'ouverture. Comme elle était en grande partie obstruée, il ne distingua pas grand-chose, tout au plus une forme allongée et claire qui évoquait une corde de paille de manne ou le tentacule d'une grande éclipte de la rivière Abondance.

La lumière l'aveugla tout à coup et, de manière quasi simultanée, il fut tiré vers le haut. Une de ses épaules heurta durement le bord de la trappe, son pantalon se déchira au niveau du genou, il se cogna encore la cheville avant d'être traîné sur une surface dure jonchée de cailloux. La première sensation qui le frappa, outre les multiples piqûres qui lui criblaient le torse, ce fut la fraîcheur de l'air, une morsure aussi virulente que l'amaya de glace. Puis il entrevit d'innombrables reflets tout autour de lui, comme s'il évoluait à l'intérieur d'une pierre transparente aux multiples facettes.

Il eut besoin d'un peu de temps pour reprendre ses esprits, pour s'apercevoir qu'on avait relâché son bras et que, quelques pas plus loin, on le regardait avec curiosité, sinon avec avidité.

CHAPITRE XXII

CÔNES

Frères du cercle ultime,

Nous nous sommes rendus maîtres des domaines qui s'étaient ligués contre nous sous l'impulsion d'une poignée de mathelles. Vos conseils étaient judicieux : comme elles ne s'attendaient pas à être attaquées pendant l'amaya de glace, les reines rebelles n'ont jamais eu le temps de rassembler leurs troupes, et leurs domaines sont tombés l'un après l'autre.

Nous avons toujours réussi à déjouer les averses de cristaux de glace. Les batailles nous ont coûté des pertes, parfois assez importantes, mais nous savons que Maran réservera une bonne place à nos frères immolés à sa cause. Emportés par l'ardeur des combats, lassés de la résistance adverse, aveuglés par une sainte colère, nous n'avons pas toujours laissé de survivants derrière nous, pas même les mathelles ou leur descendance directe comme vous nous l'aviez ordonné. La responsabilité nous en incombe, à nous les chefs de cercle qui n'avons pas su contenir la rage de nos frères. Pour notre défense, nous dirons que le sang a le même pouvoir enivrant que l'alcool de manne et qu'il est bien difficile à des hommes de réfréner leur ivresse lorsqu'ils commencent à en respirer l'odeur. De même, nos frères n'ont pas toujours songé à marquer les femmes et les jeunes filles de l'amour divin de Maran avant de les tuer, mais, encore une fois, je ne crois pas qu'on puisse les en blâmer dans la mesure où ils ont déployé une bravoure et une volonté sans faille.

Nous comptons malgré tout onze mathelles prisonnières, ainsi que leur descendance directe. Nous les avons enfermées dans des pièces du domaine situé au nord de Cent-Sources qui porte le nom de Présent (à en croire les premiers interrogatoires, ce nom ridicule s'explique par le fait qu'une ancienne djemale en est la fondatrice). Nous attendons vos instructions pour ce qui concerne les captives.

Nous avons trouvé une dizaine de domaines dont ce Présent entièrement vidés de leurs occupants, de leur cheptel de yonks et de leurs réserves alimentaires. Nous nous sommes d'abord félicités de ces conquêtes faciles, nous avons pris nos aises, nous nous sommes reposés, réchauffés, restaurés, puis nous nous sommes interrogés sur le sens de ces disparitions : qu'est-ce qui a bien pu pousser ces reines à abandonner leurs territoires, elles qui s'étaient battues avec une férocité insoupçonnable pour les conserver ? Elles s'étaient terrées comme des furves dans leurs bâtiments dès les premiers signes de l'amaya de glace, elles ont dû prendre le risque d'affronter les chutes de cristaux et de voir leurs enfants, leurs constants et leurs permanents réduits en charpie.

Quelques-uns d'entre nous ont donc suivi les traces profondes des chariots, visibles même sous l'épaisse couche de glace qui recouvre les chemins. Elles nous ont conduits en direction du nord, vers les plaines du Triangle où elles finissent par s'effacer dans les innombrables flaques laissées par la fonte des premiers cristaux.

Ainsi donc ces mathelles ont capitulé et choisi l'exil après nous avoir combattus pendant des années.

Une de leurs destinations possibles me paraît être le conventuel de Chaudeterre. La mathelle du Présent, Merilliam, est une ancienne confermée comme je vous le disais un peu plus haut, et les autres la considèrent comme leur inspiratrice, comme l'âme de leur résistance. Elle a donc pu les exhorter à se réfugier à l'intérieur des bâtiments de Chaudeterre, intacts et désormais déserts. Nous avons commencé à interroger les prisonnières à ce sujet et, si les réponses restent pour l'instant évasives, il ne fait aucun doute que nous ne tarderons pas à recueillir des renseignements plus précis : les mères sont capables d'endurer de grandes douleurs pour elles-mêmes, mais elles se révèlent d'une faiblesse insigne dès qu'elles aperçoivent une égratignure, une goutte de sang ou l'ombre d'une menace sur leur chère progéniture.

Quoi qu'il en soit, je vous suggère, frères du cercle ultime, d'expédier sans tarder une phalange au conventuel de Chaudeterre. Au cas où notre hypothèse s'avérerait juste, elle pourrait achever la tâche que nous avons commencée ici et mettre fin une bonne fois pour toutes à la rébellion des mathelles, à l'idée même de rébellion. Elle pourrait également incendier et raser le conventuel, car, tant qu'ils continuent de se dresser au milieu des plaines, ces bâtiments symbolisent Qval Djema et ses enseignements, et risquent un jour ou l'autre de battre le rappel des anciennes idées. Maran accepterait-il de descendre parmi nous si nous laissions ces vestiges de l'ancien monde comme autant d'insultes à sa gloire ? L'heure est proche de son avènement, apprêtons-nous à le recevoir avec tout le respect qui lui est dû.

Nous attendons donc vos instructions. Selon un frère qui sait lire le ciel mieux que personne (et qui nous a été d'une formidable utilité ces derniers temps), vous pourrez expédier votre messager sans *crainte entre la nuit prochaine et celle du premier croissant inversé de Mung, ce qui vous laissera un répit de quatre jours et quatre nuits (ce conseil vaut également dans le cas où vous décideriez d'expédier une phalange à Chaudeterre). Les nuages seront lourds, menaçants, mais ne délivreront pas leurs cristaux. S'il galope bon train, votre messager devrait atteindre le mathelle du Présent (et la phalange le conventuel) avant le retour des averses.*

Gloire à Maran, l'enfant-dieu de l'arche.

Hyatz, responsable du grand cercle du Nord.

C'est ici que nous nous quittons.
Où sommes-nous ?
À quelques lieues de l'endroit où tu envisages de te rendre.
Je ne sais toujours pas ce que je dois... ce que je viens y faire.
Laisse-toi guider par le présent. L'ordre invisible se modifie sans cesse. Aucune réponse n'est fournie à l'avance.
Je n'ai pas de vêtements, pas de vivres ni d'eau...
Le présent non plus, et pourtant il ne cesse jamais d'être.
Alma s'accroupit sur le bord du bassin et contempla la forme grise incertaine du Qval. Elle aurait été incapable de fournir la moindre estimation de la distance parcourue dans les eaux souterraines du nouveau monde. Elle se souvenait seulement qu'elle avait traversé une quantité invraisemblable de nappes brûlantes, tièdes ou glacées. Elle avait eu la sensation d'évoluer dans les veines d'un immense corps, d'être une part à la fois minuscule et essen-

tielle d'un organisme aux dimensions de la planète. Elle avait croisé des créatures silencieuses et paisibles au fond de failles si noires et profondes qu'elles ressemblaient à des nuits liquéfiées ou à des puits d'encre de nagrale. Elle ne les avait pas vues, elle avait ressenti leur présence, leur densité, leur vigilance, l'importance de leur rôle, obscur mais indispensable, dans les mécanismes profonds du nouveau monde. Elle n'avait jamais réellement su si elle avait voyagé à l'intérieur du Qval ou seulement en sa compagnie. Parfois il lui avait semblé être recouverte tout entière d'une enveloppe protectrice, parfois flotter dans une sorte de tunnel ondulant et foré par un mouvement permanent. Elle n'avait en tout cas jamais souffert des écarts de température, pourtant énormes par endroits, ni du manque d'oxygène malgré les immersions qui pouvaient se prolonger plusieurs heures.

Elle avait émergé à plusieurs reprises dans des grottes sombres ou éclairées par des solarines géantes.

Il faut que tu reprennes des forces, avait suggéré le Qval.

Je ne me sens pas fatiguée.

Tu n'es pas encore habituée aux eaux profondes. Elles engendrent une ivresse qui peut conduire à la folie.

Alma avait ressenti une infime pointe de tristesse dans la pensée-parole de Qval Djema.

Qu'est-ce qui se passe si on devient fou ?

On meurt dans le meilleur des cas, on survit et on souffre dans le pire.

Tu... vous connaissez quelqu'un à qui c'est arrivé ?

Tutoiement, vouvoiement, ça n'a vraiment aucune espèce d'importance.

Vous... tu n'as pas répondu à ma question.

Je connais quelqu'un, en effet, que l'ivresse des eaux profondes a rendu fou.

382

Alma n'avait pas insisté, persuadée que Qval Djema s'en tiendrait à cette réponse.

Une lumière pourpre se déversait par une large ouverture, inondait la grotte tapissée d'une roche opaque et située tout près de la surface, ce qui confirmait la sensation vertigineuse de remontée qu'Alma avait éprouvée durant la dernière partie du trajet. Frissonnante, les bras croisés sur la poitrine, elle n'avait plus très envie de quitter Qval Djema ni la chaleur bienfaisante des sources bouillantes.

Le froid ne peut pas davantage t'affecter que l'eau bouillante quand tu restes ouverte au présent.

Alma sourit. Les incursions du Qval dans ses pensées l'avaient effrayée lors de leur première rencontre, elles allaient désormais lui manquer.

Et le manque pas davantage que le froid ou l'eau bouillante...

Mais je t'aime, Djema.

Je t'aime aussi, Alma. L'amour est un débordement, pas un vide. En aucun cas il ne peut créer le manque, la tristesse.

J'ai perçu de la tristesse quand tu as parlé de cette personne atteinte par la folie des eaux profondes...

Le visage de Djema apparut à l'intérieur du Qval. Il reflétait en cet instant une joie si pure, si intense qu'Alma en fut bouleversée, qu'elle plongea spontanément la main dans l'eau chaude pour l'effleurer. À sa grande surprise, elle qui s'était toujours imaginé le Qval comme une entité immatérielle, intangible, elle rencontra une surface dense, d'une douceur infinie, qui s'offrait sans réticence à la caresse de ses doigts et de sa paume.

Elle eut la certitude que ce contact prolongé ne lui procurait pas seulement du bien-être à elle-même, mais également à Djema.

Tes mains sont aussi douces que l'étaient celles de ma mère Ellula.

Tu as donc des souvenirs ? Je croyais que l'éternel présent abolissait le passé ?

Il ne l'abolit pas, il évite d'en être affecté, d'en souffrir. Le souvenir de ma mère Ellula et de mon père Abzalon m'est très cher, mais je ne souffre pas de leur absence.

Moi, il m'arrive encore – souvent – d'être affectée par mes souvenirs.

Alma perçut le rire silencieux de Djema.

L'impatience des jeunes filles... Le présent trouvera bien le moyen de te faire déborder d'amour.

J'aurais voulu apprendre tant de choses de toi... Que tu me racontes la vie dans l'*Estérion*, dans l'espace... Je rêve d'un grand voyage moi aussi.

Les voyages auxquels nous convie le présent ne sont pas souvent ceux que l'on croit. Combien d'habitants du nouveau monde connaîtront l'expérience que tu as vécue dans les eaux profondes ?

Alma eut l'impression que le visage de Djema se déformait, se dérobait sous sa main, puis qu'il lui recouvrait le poignet, l'avant-bras, l'épaule, la poitrine, comme s'il se dilatait pour l'accueillir tout entière. Elle se sentit enveloppée d'une présence attentive, impalpable, comparable à la vapeur chaude bienfaisante qui montait du bassin d'eau bouillante.

Elle perdit les notions de centre, de limites, d'espace.

Elle courait dans des couloirs au plafond bas, elle se faufilait par des ouvertures étroites, elle traversait de grandes salles sombres et habillées d'une matière qu'elle ne connaissait pas, elle filait devant des hommes et des femmes qui discutaient sur le seuil de leur porte, elle croisait des enfants qui jouaient sur des places octogonales, elle se faufilait entre des chariots chargés de plateaux-repas qui avançaient sans aucune assistance, elle apercevait un curieux petit homme vêtu d'une robe noire, au crâne rasé et à l'allure sautillante, elle franchissait une ouverture circulaire, elle pénétrait dans une salle profonde d'où montaient des volutes blanches, elle passait dans un autre labyrinthe de couloirs et de places où les hommes se couvraient la tête de larges chapeaux et les femmes d'étranges coiffes coniques, elle glissait dans une succession de tunnels qui montaient et descendaient comme les toboggans de bois du mathelle de sa mère, elle plongeait dans l'eau bouillante de la cuve en compagnie de garçons et de filles, elle entendait des cris et des rires qui se désagrégeaient dans le silence...

Un silence plus profond encore que celui des eaux souterraines du nouveau monde.

Le silence du vide.

Elle se tenait entre un géant au visage et au crâne cabossés, au regard d'une douceur étrange, douloureuse, et une femme dont la beauté, déjà extraordinaire, se doublait d'une bonté qui donnait une grâce indescriptible à ses gestes, à ses expressions, à ses sourires.

Elle comprit que Djema lui avait ouvert sa mémoire, qu'elle avait déambulé à l'intérieur de l'*Estérion*, qu'elle s'était assise, à la place de leur fille, entre le grand Ab et la divine Ellula, et elle en éprouva un tel vertige que les images se brouillèrent, s'estompèrent, qu'elle fut brutalement ramenée en arrière, qu'elle se retrouva allongée, interdite, haletante, sur le bord du bassin bouillant.

Eh bien, comment t'ont paru tes ancêtres, Alma ? suggéra le Qval après un long silence.

S'ils sont mes ancêtres, alors tu l'es aussi ! Comment peux-tu être si sûre que je suis de votre lignée ?

Tu portes une part de leur patrimoine génétique, et aussi de celui de Lœllo, comme beaucoup d'habitants du nouveau monde, le présent me l'indique.

Pourquoi en ce cas n'avons-nous pas votre force ?
Pourquoi avons-nous brisé votre rêve ?

Les rêves sont faits pour être brisés. Nous, nous n'avions pas d'autre projet que de vivre l'instant. Et mon père Abzalon l'avait bien compris, qui refusa de donner un nom au nouveau monde. Nous parlions d'amour tout à l'heure, c'est la seule force qui a guidé mes parents. Et c'est la seule force qui vous manque. Aimez, peu importe comment, peu importe qui.

Alma se releva et, encore étourdie, fit quelques mouvements pour rétablir sa circulation sanguine. Sa peau ne présentait plus une seule rougeur et ses cheveux, pour autant qu'elle pût en juger, avait recouvré leur épaisseur, leur volume. Elle commençait à prendre ses aises dans ce corps qu'elle avait parfois rejeté avec une haine féroce.

J'ai eu la vision d'une femme et de son enfant l'autre jour. Est-ce que je la verrai ?

Elle n'est plus. Ni son fils. Mais, si tu l'as vue, c'est que tu as certainement quelque chose à faire avec elle ou avec lui, ou avec leurs descendants.

Est-ce que... je te reverrai ?

Tu sais que je ne peux pas répondre à cette question, Alma. Si je te revois un jour, j'en serai heureuse, si je ne te revois plus jamais, j'en serai heureuse aussi.

Alma hocha la tête, se détourna avec brusquerie pour cacher ses larmes et fila à toutes jambes vers la sortie de la grotte. Elle ne se retourna pas, mais elle entendit s'élever derrière elle un chant qui emplissait toute la grotte et dont l'ineffable beauté lui ravit l'âme.

Jael se couchait au moment où elle arriva en vue de ce qui lui parut être un ensemble de bâtiments. Le paysage ne ressemblait en rien aux plaines du

Triangle ni aux collines de Chaudeterre. La végétation, ici, se réduisait à quelques arbustes aux feuilles piquantes d'une couleur brun-vert. Ils poussaient chichement sur une terre avare, sèche, rouge, craquelée, où d'anciennes rigoles avaient creusé des lits tortueux.

Alma avait d'abord traversé un immense cirque avant de gravir l'une des murailles rocheuses déchiquetées qui le ceinturaient. Certaines pierres étaient, comme celles des grottes, translucides et gorgées de la lumière de Jael qu'elles restitueraient à la tombée de la nuit. Elles brillaient déjà d'une clarté ténue dans le jour assombri.

Accueillie par un froid vif au sortir de la grotte, Alma avait fini par se concentrer sur sa marche et oublier les conditions extérieures. Oublier également sa tristesse tenace, la douleur sourde à son pied gauche et la sensation de vulnérabilité entretenue par sa nudité. Elle n'avait pas détecté de présence humaine ou animale dans les environs, seulement des déplacements fugitifs – des impressions de déplacements – qui évoquaient les vols d'umbres. Elle n'avait pas eu ces réactions incontrôlables de panique qui l'avaient poussée, enfant, lorsque retentissait la sonnerie des guetteurs, à se jeter sous un lit ou sous une table comme si une misérable épaisseur de bois ou de laine végétale avait le pouvoir d'arrêter les prédateurs volants. En dehors de sa nostalgie sous-jacente, qui n'avait pas seulement pour objet Qval Djema mais également sa mère, Zmera, et ses sœurs du conventuel, elle était baignée de cette sérénité profonde qu'elle avait recherchée en vain dans les murs de Chaudeterre. Elle n'avait plus de comptes à rendre à personne, ni à son passé ni à son avenir, elle ne craignait plus d'exister pour elle-même, de s'engager sur ce sentier personnel inconnu qu'ouvraient chacun de ses pas, chacune de ses décisions.

Les rayons rasants de Jael se reflétaient dans les constructions élancées qui se dressaient dans le lointain. Même si elles se présentaient sous un angle différent, c'étaient bien elles qu'Alma avait entrevues dans sa vision. Elle se demanda si elle ne devait pas attendre la nuit pour s'y aventurer. Elle serait arrivée nue dans un domaine de Cent-Sources, elle aurait pu être chassée à coups de pierres, voire frappée jusqu'au sang sur l'ordre de la mathelle. Elle ne tenait pas à offenser les êtres qui occupaient – si occupants il y avait – ces bâtiments aux sommets effilés, très différents des maisons, des silos et des granges du continent du Triangle. Elle ne discernait cependant aucun mouvement, aucun signe d'activité, rien d'autre que ces miroitements qui composaient une mosaïque scintillante. Elle résolut de continuer sa marche et de se dissimuler à la première alerte. Elle évoluait à présent au milieu d'un plateau jonché de pics rocheux aux formes torturées, un environnement où les cachettes ne manquaient pas. Les reflets bleus ou mauves sur les facettes des roches diaphanes et les touches vertes ou jaunes des arbustes piquetaient le rouge et l'ocre, les teintes dominantes.

Elle arriva au bord d'une gorge étroite et profonde dont elle n'apercevait l'extrémité ni d'un côté ni de l'autre. Elle s'installa en porte-du-présent, inspira profondément et chassa ses pensées parasites. Elle acquit rapidement la certitude que cette faille n'était pas celle de sa vision et qu'elle devait poursuivre sa route. Ralentie par son pied gonflé douloureux, obligée parfois de contourner les amas de rochers qui bouchaient le passage, elle longea la faille sur une distance d'environ deux lieues, à la recherche d'un passage.

Le disque pourpre et gigantesque de Jael – jamais elle ne l'avait vu aussi gros – tombait derrière des crêtes lointaines et obscures d'où jaillissait de temps à autre un éclat incandescent. Au moment où, fatiguée, découragée, elle s'apprêtait à rebrousser chemin pour explorer la direction opposée, elle avisa l'échine arrondie d'une arche naturelle qui enjambait la faille.

La franchir ne s'avéra pas une entreprise aisée : non seulement elle n'était pas large ni vraiment plate, mais sa surface martelée depuis des siècles par les rayons de Jael et les rafales de vent se révélait lisse, fuyante. Alma s'y risqua à quatre pattes, s'immobilisant comme un nanzier effrayé dès qu'elle détectait le moindre déséquilibre, la moindre amorce de glissade. Elle apercevait en contrebas la nappe noire des ténèbres qui montait avec l'avènement de la nuit et n'allait pas tarder à déborder.

Elle se sentit tellement ridicule, à quatre pattes sur ce bout de rocher, les fesses en l'air, qu'elle finit par se moquer d'elle-même. Le trajet dans les eaux profondes du nouveau monde s'était effectué dans des conditions autrement confortables. Elle prenait la mesure, tout à coup, du formidable privilège qui lui était échu. Elle avait partagé l'intimité de Qval Djema pendant plusieurs jours, elle avait communiqué avec elle, elle était entrée dans sa mémoire, elle avait entrevu ses parents, elle avait voyagé avec elle, en elle. Là où l'ordre des djemales décrivait son inspiratrice comme une déesse hautaine et sèche, Alma avait rencontré un être accessible, généreux, joyeux, une magnifique illustration de la fusion entre l'humain et le Qval. Elle n'envisageait pas cependant de réaliser elle-même cette fusion, non parce qu'elle redoutait de sacrifier sa nature humaine, mais parce que, selon les paroles mêmes de Djema, leurs voies n'étaient pas identiques.

Elle reprit sa progression sur le sommet de l'arche, toujours prudente mais légère, lavée de ses peurs. Elle ne sursauta même pas quand un vol d'umbres surgit de la gorge. Un froid intense la recouvrit, beaucoup moins tolérable que la fraîcheur piquante déposée par le crépuscule. Des formes sombres et silencieuses fusèrent de chaque côté de l'arche, comme crachées par l'obscurité. Elle discerna, avec une netteté saisissante, les appendices souples et pratiquement transparents qui ondulaient de chaque côté de leur corps allongé. Les plus petits, de la taille d'un enfant, jaillissaient de la faille avec une vivacité d'étincelle, les plus grands, de la taille de quatre ou cinq hommes, en émergeaient avec une lenteur majestueuse, la pointe triangulaire braquée vers le ciel comme une lance. Ils donnaient l'impression d'être constitués d'obscurité pure, en dehors de leurs appendices latéraux, moins denses, et surtout de leur queue, courte, mobile, gris clair, striée, comme recouverte d'une peau écailleuse. Ils ne produisaient pas un bruit, pas même un léger froissement ni un souffle.

Ils se rassemblèrent au-dessus de la faille sans prêter attention à Alma – ils étaient supposés s'intéresser aux êtres humains lorsqu'ils se jetaient sur eux pour les dévorer. Leur formation, forte d'une vingtaine d'unités, semblait étendre une nuit précoce sur le plateau.

Ils s'évanouirent avec une soudaineté qui laissa la jeune femme un long moment sans réaction. Elle contempla le ciel sillonné de traits enflammés, se demanda si elle n'avait pas rêvé puis réprima une série de tremblements avant d'achever sa traversée de l'arche.

Si les bâtiments flamboyaient avec une telle intensité, c'était que leurs constructeurs les avaient érigés avec des blocs de roche translucide.

Une drôle d'idée : les bâtiments des domaines présentaient au contraire le moins possible de transparence et d'ouvertures pour garder la fraîcheur pendant la saison sèche et la chaleur durant l'amaya de glace. De même leur forme générale, une sorte de cône large sur sa base et très fin, voire pointu, en sa partie la plus élevée, ne révélait pas non plus un esprit très pratique. Ils étaient ou avaient été habités pourtant : Alma distinguait une ouverture centrale et triangulaire au pied de chacun d'eux. Elle en dénombrait une centaine à première vue, trois fois plus hauts que les jaules, rassemblés sur un espace à peine plus grand qu'un mathelle de Cent-Sources. Une volonté géométrique quasi obsessionnelle avait gouverné leur agencement. Alma n'avait pas besoin de mesurer avec ses pas pour se rendre compte qu'ils étaient séparés par des espaces rigoureusement égaux, couverts par endroits d'arbustes ou de touffes d'herbe.

L'impression d'ordre, de symétrie, se renforça encore lorsqu'elle pénétra à l'intérieur de cette forêt de constructions dont les façades obliques réfléchissaient la lumière agonisante du jour comme une batterie de pierres-miroirs. Elle gardait une main sur le bas-ventre et un avant-bras sur la poitrine au cas où quelqu'un viendrait à la surprendre. Les lieux paraissaient déserts, et sans doute depuis bien longtemps à en juger par la végétation qui avait poussé dans les allées, mais elle captait une présence, la trace d'une vie non loin d'elle.

Elle atteignit une vaste place circulaire qui ne contrariait pas l'organisation de l'ensemble mais en était probablement le point de départ, le noyau. D'ailleurs, quand elle fut arrivée au centre, près d'une sculpture aux trois quarts démolie qui avait été une fontaine, elle avait exactement la même vue de quelque côté qu'elle se tournât, les mêmes alignements, les mêmes perspectives, les mêmes façades inclinées et brillantes, les mêmes béances sombres des portes. Seule différait l'intensité de la lumière selon la position des constructions par rapport à Jael. Elle ne distinguait, derrière les murs de roche translucide, que trois lignes sombres et horizontales qui étaient sans doute la vue en coupe des étages.

Elle examina la sculpture. Taillée dans une pierre opaque, d'une hauteur de trois hommes, elle représentait un corps de femme dont il ne restait que la moitié de la poitrine, les hanches et les jambes. Sa blancheur originelle apparaissait par endroits sous le vernis verdâtre qui la revêtait et qui se faisait plus épais entre les cuisses. L'eau s'était sans doute écoulée de sa vulve aux lèvres renflées hypertrophiées. Le fond du petit bassin, circulaire lui aussi, était tapissé d'une mousse jaune, rêche, parsemée de minuscules boules noires.

Alma s'assit sur le muret intact du bassin et regarda la nuit s'emparer des constructions. Seules les arêtes réfléchissaient désormais la clarté diffuse des étoiles et de Mung, le premier satellite. Elle se laissa une nouvelle fois subjuguer par la beauté, l'équilibre, l'aspect apaisant, contemplatif de l'ensemble. Une civilisation plus avancée que celle du Triangle s'était développée sur ce continent, puis avait disparu brutalement, abandonnant derrière elle des habitations d'une telle qualité qu'elles avaient traversé le temps sans dommage. Aucun bruit ne troublait le silence, et pourtant Alma ressentait la présence avec une acuité décuplée par le déploiement des ténèbres.

Le froid de plus en plus vif qui descendait sur les lieux la poussa à se relever et à marcher pour se réchauffer. Elle n'avait jamais éprouvé le besoin de manger dans les eaux profondes du nouveau monde, il en allait différemment sur la terre ferme : un creux à son estomac et la sécheresse de sa gorge lui rappelaient qu'elle mourait de faim et de soif. Son pied gauche avait pratiquement doublé de volume et avait pris une hideuse couleur violacée. Qval Djema lui avait dit qu'elle garderait toute sa vie les séquelles de sa première tentative d'immersion dans l'eau bouillante.

C'est pourtant le passé ! avait-elle protesté.

Nous avons tous et toutes des douleurs présentes qui nous viennent du passé, nous devons apprendre à vivre en leur compagnie.

Même... toi ?

Au nom de quoi en serais-je dispensée ?

Au nom de l'éternel présent.

L'éternel présent nous envoie aussi bien la souffrance que la félicité. C'est notre relation aux événements qui requiert de la vigilance et non les événements eux-mêmes. La douleur à ton pied n'a en elle-même aucune valeur, aucune signification, aucune justification. C'est ta relation avec la douleur qui te permet ou non de franchir la porte du présent.

Les pas d'Alma la dirigèrent vers l'ouverture d'une construction. Elle y serait à l'abri du vent qui se levait et s'annonçait de plus en plus mordant. Des obliques scintillantes, fulgurantes, sabraient la nuit noire.

Large à sa base de cinq ou six pas – cinq ou six pas d'un homme ordinaire, sept ou huit pour elle –, l'entrée semblait reprendre la forme globale du bâtiment et en respecter scrupuleusement les proportions. Alma la franchit et pénétra dans un vaste espace circulaire et nu en terre battue. La température y était supportable, voire très agréable, et la visibilité étonnante, inattendue. Les blocs de roche libéraient une lumière à peine perceptible qui rendait l'obscurité parfaitement déchiffrable. Elle avait l'impression d'avoir soudain hérité, comme certains permanents des mathelles qu'on appelait les « voxions », le don de voir en pleine nuit.

Elle ne remarqua pas d'escalier ni aucun autre moyen d'accéder à l'étage supérieur dont le plancher, translucide lui aussi, se perchait une dizaine de pas au-dessus d'elle. Elle découvrit une ouverture ronde de la largeur d'un homme dont l'œil sombre s'ouvrait à la verticale au-dessus d'un socle cylindrique situé au centre exact du rez-de-chaussée. Elle s'en approcha, s'accroupit et l'examina un petit moment avant d'oser le toucher : son matériau gris était aussi dur que la roche mais beaucoup plus lisse, comme du bois poli et enduit d'un vernis végétal. Elle se demanda à quoi il pouvait bien servir, puis eut l'idée de passer le bras par-dessus, de couper l'invisible verticale qui se tendait jusqu'à l'ouverture de l'étage supérieur.

Son bras s'éleva tout seul, aspiré, happé par un courant invisible et puissant qui la tira tout entière vers le haut, qui l'obligea à se déplier, à se relever. Saisie, elle se jeta en arrière pour échapper à cette extraordinaire attraction. Elle perdit l'équilibre, tomba lourdement sur le dos et, le souffle coupé, demeura dans cette position. Sa longue marche l'avait épuisée, ses jambes fourbues imploraient le repos, ses paupières lourdes se fermaient, elle franchissait déjà la frontière entre les pensées et les rêves.

Une inquiétude. Un bruit. Une sensation de déplacement.

Elle rouvrit brusquement les yeux.

Une silhouette se tenait devant elle. Ni humaine ni animale, les deux à la fois. Elle poussa un cri et eut le réflexe, stupide en la circonstance, de se recroqueviller sur elle-même, autant par pudeur que par peur.

CHAPITRE XXIII

RENCONTRES

Il m'a conduite dans son refuge, un gouffre souterrain où grondaient des geysers d'eau bouillante et
où régnait une horrible odeur de pourriture. J'ai eu
l'impression de m'être fourvoyée dans l'antre des
démons de l'amaya, j'ai failli aussitôt prendre mes
jambes à mon cou, mais il m'a rassurée d'un sourire,
prise par la main et entraînée dans une petite salle
éclairée par des solarines. Le bruit s'y faisait moins
assourdissant et l'odeur plus soutenable.

« Ma demeure », a-t-il murmuré en montrant une
grossière table de bois, un banc de pierre et un lit
d'herbe sèche installé dans la niche d'une paroi.

Sa « demeure », qui allait devenir la mienne pendant tant d'années...

Il m'a d'abord offert à manger, du pain amer de
manne sauvage et des fruits farineux qui m'ont rassasiée. Puis il m'a demandé ce que je fabriquais sur
les plaines inhabitées du Triangle, et je lui ai raconté
mon histoire, depuis la mort de ma mère jusqu'à
mon exil, sans omettre aucun détail. D'aucuns pourraient s'étonner de la facilité avec laquelle je me suis
confiée à un inconnu. À ceux-là je dirai que j'éprouvais le besoin pressant de me purger par le verbe des
rancœurs, des fatigues et des peurs accumulées. Il
m'a d'ailleurs écoutée sans m'interrompre, m'encou-

rageant même du regard lorsque je marquais une pause, et c'est, je crois, cette attention bienveillante qui m'a définitivement conquise. J'avais passé une bonne partie de ma vie à subir les humeurs et les désirs des autres, mais, en dehors de ma mère, personne ne m'avait consacré un peu de son temps, personne ne m'avait regardée comme un être humain, personne n'avait partagé mes souffrances ou mes espoirs.

À la fin de mon récit, il m'a serrée contre lui, sans chercher à m'embrasser ou à me caresser. C'était une étreinte fraternelle entre deux enfants du malheur, entre deux maudits, entre deux exilés. Puis il a tendu une couverture sur sa couche et m'a conseillé de prendre un peu de repos, une proposition que j'ai accueillie avec joie. J'ai dû dormir deux ou trois jours d'affilée. Je me réveillais de temps à autre, j'entrevoyais comme dans un rêve son visage au-dessus de moi qui me fixait, qui me souriait, et je me rendormais en me disant que je ne connaissais rien de lui, pas même son nom.

Il avait disparu lorsque, le sommeil ne voulant plus de moi, j'ai fini par repousser la couverture et me lever. Il avait posé à mon intention des fruits et des morceaux de viande froide dans une coupe de terre grossièrement façonnée, ainsi qu'une gourde contenant une eau fraîche parfumée à l'essence d'onis sauvage, délicieuse. Je n'ai rien eu d'autre à faire pendant plusieurs jours – les solarines s'allument et s'éteignent en même temps que Jael et donc rythment les jours et les nuits aussi bien qu'en plein air – que de me familiariser avec mon nouvel univers.

Je me suis habituée à l'odeur de soufre plus rapidement qu'à la vapeur omniprésente, par moments suffocante, et aux grondements, tellement puissants qu'ils font trembler les parois et les voûtes. J'ai exploré une bonne vingtaine de salles plus ou moins

grandes, qui toutes abritent des geysers ou des fume-
rolles. J'y ai trouvé quelques retenues d'une eau bien
trop chaude pour qu'on puisse la boire ou s'y bai-
gner. Il m'a semblé entrevoir des formes sombres
dans les bassins les plus grands, les plus profonds,
mais, passé un petit moment de frayeur, j'ai pensé
que j'avais été victime d'illusions d'optique.

Un soir que je revenais d'une de ces explorations,
je l'ai trouvé assis à la table, affairé à ravauder un
vêtement avec une fibre végétale brun foncé que je
ne connaissais pas.

« Une plante sauvage qui donne une fibre un peu
rêche mais très résistante », m'a-t-il expliqué.

Je l'ai remercié de ses bontés et lui ai demandé
son nom. Il ne m'a pas répondu, il m'a fixée d'un air
grave, s'est levé, s'est approché de moi et m'a
embrassée. Son baiser ne m'a pas paru passionné
– j'avais déjà été embrassée par quelques garçons
entreprenants et avides de sensations au mathelle
de Vodehal – ni même sensuel, mais plutôt hésitant,
interrogateur, inquiet. J'ai compris qu'il avait besoin
de se réconcilier avec l'idée de la femme comme
j'avais eu besoin de me réconcilier avec l'image de
l'homme, et je l'ai laissé me picorer, me butiner avec
une maladresse et une timidité qui m'ont à la fois
amusée et émue aux larmes. Il ne s'est rien passé
d'autre entre nous ce soir-là, que je sois changée en
pierre si je mens.

Et puis le temps a passé et nous avons appris à
nous connaître. Oh, il ne m'a pas raconté son histoire
de but en blanc, la douleur était tellement forte
qu'elle lui étranglait la gorge, mais il s'est épanché
par bribes qui semblaient au premier abord incohé-
rentes, qui finissaient ensuite par s'assembler
comme les fragments d'une cruche brisée.

La cause de ses malheurs était une femme. Une
femme qu'il avait aimée passionnément depuis l'ins-

tant où il l'avait rencontrée, enfant, dans une allée du mathelle de Sgen. Une femme dont la beauté éclipsait l'éclat de Jael lui-même. Une femme qu'il avait épiée tandis qu'elle se baignait dans les sources claires. Une femme pour laquelle il avait tanné, en dehors de ses heures de travail, des dizaines et des dizaines de chutes de peaux afin de lui fournir des rouleaux doux et souples.

« Elle ne m'aimait pas. Elle ne m'a jamais aimée. »

Je voyais le désespoir dans ses yeux lorsqu'il prononçait ces mots.

« Moi qui me serais transformé en tapis de laine végétale pour avoir le plaisir d'être foulé par ses pieds nus, qui me serais changé en eau pour baigner son corps, en vent pour souffler dans sa chevelure, en poussière pour s'agglutiner à sa sueur, elle ne m'accordait que des regards de mépris. Elle acceptait mes peaux, bien sûr, car elle en avait le plus grand besoin pour ses chères écritures, mais elle me les prenait comme on prend les offrandes d'un inférieur, d'une servante, comme on prend la viande d'un yonk, les légumes d'un jardin ou les fruits d'un arbre. Pour elle je n'étais que Lézel le tanneur, un permanent du mathelle de sa mère, le deuxième fils d'une lavandière effacée, insignifiante. Elle n'avait d'yeux que pour son frère Elleo. On ne la voyait jamais avec un autre garçon, et je me disais que c'était un signe encourageant, qu'elle s'apercevrait de mon existence quand elle aurait enfin tranché les liens de l'enfance.

— Comment s'appelait-elle ? » ai-je demandé.

J'étais jalouse déjà de cette belle abhorrée, je savais que son souvenir serait plus difficile à évincer qu'une rivale de chair et d'os. Je n'avais pas l'intention de recourir à mes amies végétales, j'avais la prétention de croire que je saurais chasser l'absente du cœur de Lézel par la seule vertu de mes charmes naturels, qu'il m'accepterait et m'aimerait pour moi-même. J'ai su plus tard que je m'étais bercée d'illusions, mais, pour ma défense, c'était la première fois que je tombais réellement amoureuse, la première fois que j'avais envie de bâtir un monde avec un homme.

« Lahiva. »

La douceur avec laquelle il avait prononcé son nom aurait dû m'avertir que la tâche serait insurmontable, mais je n'en ai pas tenu compte, aveuglée par mon orgueil, par mon enthousiasme de femme éprise. Je lui ai demandé si elle était la cause de son exil dans les plaines sauvages du Triangle.

« Un jour, n'y tenant plus, je me suis jeté sur elle, mais je n'ai pas pu aller au bout de mes intentions. Je n'avais pas d'intentions précises d'ailleurs, c'était juste un geste stupide, désespéré. J'ai décidé de partir, incapable désormais de supporter son mépris. Mon cœur était empli d'une haine farouche, non seulement envers elle mais envers les mathelles, envers les djemales, envers toutes les femmes du nouveau monde, même envers ma mère. Je me suis engagé comme apprenti dans une expédition de chasse qui m'a emmené jusqu'aux rives des grandes eaux. Là, j'ai assisté à un spectacle extraordinaire, j'ai vu les grandes eaux s'ouvrir au moment de Maran plein et dégager une large bande de terre ferme. Des lakchas connaissaient ce passage et étaient déjà allés sur l'autre continent. Ils m'ont raconté, avec de grands éclats de rire, qu'ils avaient gagné la rive opposée pour chasser un tout autre gibier que le yonk et que, maintenant, les lieux étaient déserts, condamnés. Et tellement secs qu'on ne pouvait même plus en tirer un foutu brin d'herbe. Ils n'ont jamais voulu me dire de quel gibier il s'agissait. Je le sais maintenant, et je pense que les choses auraient pu être différentes pour nous tous si les lakchas n'avaient pas été les premiers à traverser les grandes eaux. »

Il s'est arrêté pour me dévisager avec une tristesse qui m'a fait frissonner de la tête aux pieds.

« Est-ce que tu hais toujours les femmes ? » ai-je demandé.

Il a acquiescé d'un mouvement de tête.

« Je suis une femme. Pourquoi m'as-tu recueillie ?

— Je ne sais pas. Sans doute parce que j'avais besoin de parler à quelqu'un à visage découvert. Sans doute parce que tu es, toi aussi, une exilée. »

J'ai alors résolu de prendre l'initiative, persuadée qu'il ne demandait pas mieux que d'être détrompé. J'ignorais que non seulement je ne le changerais pas, mais que je subirais moi-même une transformation radicale, une métamorphose qui m'effraie encore quand j'y pense. Il me faudrait du temps avant de m'apercevoir qu'il s'était engagé depuis très longtemps, depuis trop longtemps, sur son sentier de violence.

Le cœur battant, je me suis dévêtue, approchée, j'ai saisi sa main et l'ai posée sur mon sein. Une telle chaleur s'en dégageait que j'ai eu l'impression d'être brûlée vive.

Les mémoires de Gmezer.

Orchéron s'était attendu à rencontrer une fillette, or il faisait face à une femme. Petite, d'où sa confusion, et sans doute un peu plus jeune que lui, mais bel et bien formée comme une femme.

Il y avait de l'effroi dans ses grands yeux noirs, et aussi de la gêne et de la curiosité. Sa réaction de pudeur était rassurante : elle relevait du comportement humain, elle était, sinon du même peuple, au moins de la même espèce que lui. Il n'aurait pas su dire s'il la trouvait jolie, mais ses traits émaciés, adoucis par la blondeur de sa chevelure, n'étaient pas dépourvus d'un charme intrigant.

Il se rappela tout à coup que son sauveteur était toujours enroulé sur ses épaules et prit conscience que lui, en revanche, ne devait plus tout à fait ressembler à un être humain.

La créature lui avait sauté dessus après l'avoir tiré hors de la cave. Il avait cru qu'elle l'avait sauvé pour le dévorer et il avait commencé à se débattre, mais elle lui avait seulement léché le visage, les épaules et le torse, comme pour nettoyer ses égratignures. Une fois passé le sursaut de dégoût, il n'avait pas réagi, parce qu'il se sentait trop exténué pour s'y opposer et surtout parce que ces caresses humides et chaudes le délassaient, le régénéraient. La créature avait de grands yeux noirs et hypnotiques, une tête ronde, deux oreilles tombantes, un corps habillé d'un poil ras rougeâtre, plus clair sur le devant, à l'incomparabledouceur, deux membres antérieurs courts, presque des moignons, des membres postérieurs plus longs, le plus souvent repliés, une queue blanche de la longueur d'un bras et terminée par une lanière préhensile. C'est cette dernière qui s'était enroulée autour du poignet d'Orchéron pour l'empêcher de tomber dans la cave. Lorsqu'elle se tenait debout, la créature lui arrivait à peu près à l'épaule, mais elle était d'une telle souplesse, d'une telle élasticité qu'elle semblait changer de forme à chacun de ses mouvements. Envoûté par les effleurements de sa langue, il avait fini par s'assoupir malgré la dureté du sol. Lorsqu'il s'était réveillé, Jael venait de se coucher et la nuit s'installait déjà dans les creux.

Il avait cherché la créature des yeux puis, ne la voyant pas, s'était relevé pour observer les environs. D'un côté s'étendait une gigantesque faille dont il devinait le bord opposé dans les brumes qui coiffaient l'horizon, de l'autre apparaissaient les toits scintillants, pointus et ordonnés de constructions au-dessus d'une première ligne de rochers découpés. Il s'était immédiatement souvenu des paroles de sa mère Orchale, il avait pensé à la légende du deuxième peuple, de l'*Agauer*, et il s'était mis en route, poussé par l'espoir de rencontrer des êtres vivants, de futurs alliés peut-être, des hommes qui aideraient les mathelles à vaincre la menace des protecteurs des sentiers sur les territoires du Triangle. Si vraiment il trouvait là-bas une solution pour arrêter le saccage du nouveau monde, alors son périple aurait servi à quelque chose, alors la mort de Mael n'aurait pas été vaine.

Au moment où il s'engageait dans la forêt d'aiguilles rocheuses qui se dressait entre la grande faille et les toits des constructions, il s'était rendu compte qu'il ressentait une agréable chaleur malgré le vent froid. Une fourrure à la fois épaisse et légère lui recouvrait le torse, les épaules et le haut des bras. S'il n'y avait pas prêté attention jusqu'alors, c'était qu'il avait l'impression de la porter depuis toujours, qu'elle était presque devenue une seconde peau. Puis il avait établi la relation entre la couleur rougeâtre de cet étrange vêtement et la disparition de son sauveteur, et il s'était aperçu que la créature, utilisant sa formidable souplesse, s'était enroulée autour de lui pendant son sommeil.

Son premier réflexe avait été de vouloir s'en débarrasser. Il avait tiré sur un bout de la fourrure pour la décoller de sa peau. La créature n'avait pas opposé de résistance active, elle s'était seulement étalée un peu plus, comme une masse liquide, regagnant d'un côté l'espace qu'elle perdait de l'autre. Elle aurait sans doute fini par céder après avoir épuisé ses capacités d'extensibilité, mais, frigorifié par les effleurements glacés de la bise, Orchéron avait changé d'avis. Le froid n'était pas la seule raison de son revirement : la créature le maintenait dans un cocon chaud et doux qu'il n'avait pas envie de quitter. D'elle émanait une odeur entêtante aux effets enivrants, euphorisants.

La nuit était tombée quand, après avoir franchi un plateau jonché de rochers translucides, il avait atteint les premières constructions. Il en avait visité plusieurs et, à sa grande déception, avait constaté qu'elles étaient vides et que leurs occupants les avaient désertées depuis bien longtemps. Leur forme, leur agencement symétrique, leur état de conservation, l'étrangeté qui se dégageait de l'ensemble lui avaient donné à penser qu'elles n'avait pas été conçues par des êtres humains. Puis des images l'avaient traversé, fugitives, incohérentes, comme des bribes d'un passé qui ne lui appartenaient pas. Une vie intense, tumultueuse, s'était écoulée entre ces façades obliques, des cris, des rires et des chants avaient retenti, le bonheur avait régné jusqu'aux jours sombres, jusqu'au déferlement des forces de destruction.

Il était arrivé sur une place circulaire et avait aperçu une silhouette claire – bien humaine à première vue – qui se dirigeait vers la porte d'une construction.

« Qui es-tu et qu'est-ce que tu fais là ? »

La jeune femme, toujours recroquevillée sur elle-même, ne répondit pas. Orchéron se dit qu'il lui apparaissait probablement comme un épouvantail à nanzier avec une créature sur le dos, ses cheveux sales et sa barbe mal taillée.

« Est-ce que tu comprends et tu parles ma langue ? demanda-t-il d'une voix un peu moins bourrue.

— Je pourrais vous poser les mêmes questions, répondit-elle entre ses lèvres crispées. Qui êtes-vous et qu'est-ce que vous faites là ? Et je sais déjà que vous parlez ma langue. »

Il fut partagé entre deux sentiments, la joie de pouvoir communiquer avec elle et le dépit engendré par la sécheresse de son ton.

« Je suis Orchéron fili Orchale et je viens des plaines du continent du Triangle, dit-il, hésitant.

— Comment êtes-vous arrivé jusqu'ici ? »

Il voulut s'asseoir sur le socle cylindrique mais il se sentit aspiré vers le haut avant même d'avoir pu poser les fesses sur le rebord. La créature eut une réaction de peur qui l'entraîna à se rouler en boule et à découvrir une partie du torse et du dos de son hôte.

« Eh, qu'est-ce que... »

Orchéron se recula d'un bond et considéra le socle d'un œil perplexe. L'image d'un corps s'élevant dans les airs lui effleura l'esprit. La créature recouvrit peu à peu les zones qu'elle venait tout juste de dégager

« J'ai failli être emporté, souffla-t-il.

— Ça m'a fait la même chose, dit la jeune femme. Vous... vous portez quoi sur le dos ? »

Orchéron écarta les bras et leva les mains.

« Cette... créature m'a sorti d'une salle souterraine, puis elle s'est enroulée autour de moi.

— Vous devriez vous en débarrasser. J'ai l'impression qu'elle se nourrit de vous. »

La suggestion de la jeune femme engendra une brève impulsion de colère chez Orchéron. Que pouvait-elle savoir de la relation qui s'était établie entre la créature et lui ? Qu'est-ce qui lui permettait de donner ce genre de conseil ?

« Je ne vois pas pourquoi je m'en débarrasserais. Elle m'a sauvé la vie, elle m'a protégé du froid... »

Ils gardèrent le silence pendant quelques instants. Il évita de poser le regard sur elle de peur qu'elle ne se méprenne sur ses intentions.

« Vous n'avez pas répondu à ma question, reprit-elle. Comment êtes-vous arrivé jusqu'ici.

— Tu... vous n'avez toujours pas répondu à la mienne : qui êtes-vous et qu'est-ce que vous faites là... »

... toute nue, si jeune, si vulnérable ? se retint-il d'ajouter.

« Je suis Alma filia Zmera, je viens aussi du Triangle. De Chaudeterre plus précisément.

— Ah, vous êtes une djemale. »

Il s'expliquait maintenant le petit ton supérieur qu'elle se croyait obligée d'adopter. Les djemales, les tenantes du savoir, et cela valait aussi pour Karille, la séculière du mathelle d'Orchale, avaient tendance à prendre les permanents des mathelles pour des esprits simples, voire complètement obtus.

« Il ne reste plus rien du conventuel. Les protecteurs des sentiers ont massacré toutes mes sœurs.

— Vous vous en êtes sortie, on dirait...

— Brillante déduction ! »

Orchéron étouffa une nouvelle flambée de colère Elle avait décidément l'art et la manière de le faire sortir de ses gonds. Elle demeurait recroquevillée sur la terre battue, couchée sur le côté, les jambes repliées sur la poitrine, les bras croisés sur les genoux. Il réfréna tant bien que mal son envie de lui crier qu'elle pouvait se détendre, qu'elle ne supportait pas la comparaison avec le souvenir de Mael, qu'elle n'éveillait rien en lui qui risquât de la mettre en danger.

« Je voulais dire : comment vous vous en êtes sortie ?

— Vous n'allez pas me croire.

— Dites toujours.

— J'ai suivi le chemin de l'eau bouillante. »

Il lui lança un regard intrigué. Elle l'épiait elle-même du coin de l'œil sous ses mèches blondes.

« Vous voulez dire que vous avez... plongé dans une des sources d'eau bouillante de Chaudeterre ?

— Vous savez donc qu'il existe des sources chaudes sous le conventuel ?

— Karille, la djemale du mathelle de ma mère, nous a appris quelques trucs. Peut-être que vous la connaissez ?

— Je ne suis pas restée assez longtemps au conventuel pour connaître toutes les séculières. Je n'étais pas encore djemale mais une simple novice. Et, pour répondre à votre question, j'ai effectivement échappé aux protecteurs des sentiers en plongeant dans une source chaude.

— Et vous n'êtes pas... Enfin, comment se fait-il que vous n'ayez pas été ébouillantée ? »

Gagnée par les crampes, Alma changea de position mais s'arrangea pour ne rien dévoiler d'elle à son vis-à-vis. Pas facile de se contorsionner en gardant les bras et les mains collés sur la poitrine et le bas-ventre. Elle ne savait pas ce qui l'irritait le plus chez lui, le contraste entre son visage à peine sorti de l'adolescence et son corps massif, sa chevelure aux mèches noires, bouclées et collées par la crasse, les touffes éparses et mal taillées de sa barbe, l'air ahuri qu'il se croyait obligé de prendre pour soutenir la conversation ou encore l'aspect répugnant de sa veste vivante. Qval Djema n'avait pas précisé que le rejet était une des relations possibles au présent.

« Grâce au Qval », répondit-elle à contrecœur.

Il hocha la tête d'un air grave, comme s'il ne mettait pas en doute une affirmation que la plupart des habitants du nouveau monde, y compris les djemales, auraient pourtant considérée comme une pure et simple affabulation.

« Et c'est le Qval qui vous a conduite jusqu'ici ? »

Elle acquiesça d'un clignement de paupières.

« Vous... vous me croyez ? «

Il haussa les épaules, un mouvement qui dérangea visiblement sa veste vivante, parcourue d'ondulations comme une rivière frissonnant sous une risée. Alma crut entrevoir un œil rond et noir dans un repli de fourrure au-dessus de l'épaule de son vis-à-vis.

« Ben, les grandes eaux sont infranchissables et je ne vois pas de quelle façon vous auriez pu passer sur le deuxième continent.

— Vous êtes bien passé, vous ! »

Elle essaya de détendre sa jambe et son bras du dessous, engourdis, fourmillants, mais elle ne réussit qu'à accroître l'inconfort de sa position. Elle aurait donné cher pour se lever, pour étirer ses membres, pour soulager la douleur à son pied gauche.

« Ce coup-là, c'est vous qui n'allez pas le croire, dit-il avec un sourire qui, de manière fugitive, fit émerger la rondeur de l'enfance dans son visage creusé par les privations.

— Il faut que je bouge. Retournez-vous.

— Ça ne me gêne pas, vous savez. J'ai déjà vu...

— Retournez-vous ! »

Elle remarqua la crispation de ses lèvres, le voile qui assombrissait ses yeux clairs, et, pendant quelques instants, elle crut qu'il allait se ruer sur elle. Mais il finit par pivoter sur lui-même et s'immobiliser face à la porte. Elle observa la créature qui lui habillait le dos, discerna dans le pelage rougeâtre les reliefs des membres postérieurs et l'appendice allongé et presque blanc de ce qui était sans doute une queue. Elle se releva, fit quelques pas et une série d'étirements. Le sang afflua brutalement dans sa jambe et son bras engourdis, son pied gauche l'élança avec la même intensité que lors de son premier contact avec l'eau bouillante de la grotte de Djema. Elle se mordit les lèvres pour ne pas hurler. Qu'elles lui paraissaient loin déjà, les heures passées dans la lumière de Qval Djema !

« Ça va durer longtemps ? » maugréa-t-il.

Elle soupira et ne put s'empêcher de lui adresser un geste d'exaspération dans son dos. La langue tirée, les doigts frappant le front à plusieurs reprises, le geste traditionnel et puéril des novices à l'intention des instructrices ou des sœurs particulièrement revêches.

« Nous ne sommes pas obligés de nous regarder pour nous parler. Et puis, si vous n'êtes pas content, allez dans une autre bâtisse !

— On ne va tout de même pas se tourner le dos sans arrêt !

— Rien ne nous oblige non plus à rester *sans arrêt* ensemble. »

Elle sut, au moment même où elle prononçait ces paroles, qu'elle devait accepter le compagnon que lui envoyait le présent, qu'ils avaient un bout de sentier à parcourir ensemble. Après, mais seulement après, ils pourraient se séparer, s'engager dans des directions opposées.

« Peut-être qu'on peut trouver des vêtements ou des couvertures dans ces bâtiments, avança-t-il.

— Pas ici, en tout cas.

— Nous ne sommes pas allés voir à l'étage.

— Comment... »

Elle eut tout juste le temps de se replier sur elle-même, de resserrer les bras et les coudes sur sa poitrine et son ventre. Il s'était retourné sans lui en demander la permission. Il ne lui adressa pas un regard, il se dirigea tout droit sur le socle dont il enjamba le bord et s'éleva presque aussitôt dans les airs avec une étonnante légèreté, comme une bulle de pollen au-dessus des herbes jaunes. Sidérée, elle le vit monter jusqu'au niveau supérieur et disparaître par l'ouverture circulaire.

Elle comprit pourquoi il n'y avait pas d'escalier à l'intérieur des constructions : leurs habitants utilisaient le même système que... comment s'appelait-il, déjà ?... Orchéron – elle avait très bien retenu son nom, elle feignait seulement de l'avoir oublié, coquetterie... – pour monter dans les étages, un système qui continuait de fonctionner des années voire des siècles après leur disparition. Elle fut légèrement humiliée de ne pas en avoir deviné le principe avant lui. Elle avait découvert et observé le socle en premier, mais sa stupide réaction de peur puis la fatigue s'étaient liguées pour l'empêcher de réfléchir. Bien qu'elle brûlât d'envie de le rejoindre, d'éprouver à son tour cette sensation de légèreté qu'elle pressentait grisante, son orgueil et sa pudeur lui interdirent de bouger. Elle refusa d'appliquer ce conseil de Qval Djema lui recommandant l'autodérision pour débloquer les situations figées. Elle n'avait pas envie d'ajouter le ridicule à la vexation. Puis elle se demanda si le système prévu pour la montée était également valable pour la descente.

Elle tenait enfin un prétexte : l'occasion se présenterait peut-être de prendre une petite revanche dans les niveaux supérieurs.

Orchéron explorait sans conviction le premier étage, un espace circulaire, tout comme le rez-de-chaussée, mais moins large et plus haut. Les roches translucides diffusaient la même clarté à peine perceptible et qui, pourtant, offrait une visibilité parfaite. Des tables, des sièges et des caisses jonchaient le plancher, fabriqués dans la même matière grise et lisse que l'échelle de la cave, que les parois du tunnel du bord des grandes eaux et le « ventre » à yonks.

Il s'était installé à l'intérieur du socle après une série de visions qui lui avaient montré des hommes et des femmes se déplaçant de cette façon d'un étage à l'autre des constructions. L'idée n'était donc pas venue de lui, mais il l'avait exploitée sans vergogne pour montrer à la petite djemale qu'il n'était pas aussi stupide qu'elle semblait le croire. Il avait également profité de l'opportunité pour mettre un peu de distance entre elle et lui. Alma – il avait retenu son nom sans aucune difficulté, comme une évidence – avait peut-être rencontré le Qval légendaire de l'*Estérion*, mais elle n'avait pas appris comment se comporter avec ses semblables. Il s'était cru obligé de lui prouver quelque chose, comme s'il avait des comptes à lui rendre, et cette constatation, plus encore que l'agressivité de son interlocutrice, le rongeait de dépit.

Ne trouvant pas ce qu'il cherchait, il entreprit de visiter les autres étages. Il se plaça au-dessus de l'ouverture centrale, elle-même à la verticale de l'accès au niveau supérieur. Bien qu'il n'y eût que le vide sous ses pieds, il ne risquait pas de tomber : l'invisible courant, plus puissant que la gravité, le happa immédiatement et le tira vers le haut. L'ascension lui procura une sensation de légèreté et de liberté presque enivrante. Une fois franchi le plan horizontal du deuxième étage, il lui suffit de donner une petite impulsion vers l'avant pour sortir du cylindre d'ascension et se poser en douceur sur les pierres translucides du plancher.

Autour d'un vaste palier, l'espace était hérissé de cloisons également translucides qui le séparaient en plusieurs pièces, des chambres sans doute. Il découvrit des meubles renversés, fracassés, des objets éparpillés sur le plancher dont il ignorait l'utilité.

Il trouva enfin des étoffes dans un coffre de pierre, près des vestiges d'une petite statue au milieu d'un bassin aux bords surélevés. Il en déplia plusieurs, étonné de leur souplesse, de leur douceur et de leur état de conservation. Elles ne sentaient pas le renfermé, contrairement à la laine végétale qu'il suffisait d'abandonner trois jours dans un coin pour qu'elle s'imprègne à jamais de l'odeur de poussière. La petite djemale – Alma... – pourrait enfin se rhabiller, se détendre, abandonner ces postures ridicules qui finalement ne cachaient pas grand-chose de sa précieuse anatomie et ne réussissaient qu'à la rendre un peu plus...

« C'est ça que vous cherchiez ? »

Il tressaillit. Elle se tenait derrière lui, déjà vêtue d'un pan de tissu clair noué sur sa poitrine et tombant sur ses mollets. Elle paraissait un peu plus grande maintenant qu'elle n'essayait plus de se plier dans tous les sens. Ses cheveux dénoués roulaient en ruisseaux clairs et joyeux sur ses épaules.

« Comment... Enfin, comment... bredouilla-t-il.

— Par le même chemin que vous ! Il m'a suffi de vous observer. En revanche, il m'a fallu deux étages pour apprendre à sortir du puits d'apesanteur.

— Du puits d'a...pesanteur ?

— Votre instructrice ne vous a donc jamais parlé de la gravité ? »

Orchéron secoua la tête.

« Vous ne m'avez toujours pas dit comment vous étiez arrivé sur ce continent », reprit-elle.

Il passa le dos de sa main sur ses lèvres sèches. Il se rendait compte tout à coup qu'il n'avait rien bu ni mangé de la journée. Il n'avait pas trouvé de point d'eau entre la pièce souterraine et les constructions en forme de cônes. Il se sentait las, irrité, comme au sortir d'une crise, et l'attitude de la petite djemale n'arrangeait pas les choses.

« J'ai... euh, sauté dans le temps.

— Je suppose que je dois vous croire comme vous m'avez crue. Nous aurons peut-être l'occasion d'échanger nos expériences, moi avec le Qval, vous avec le temps. »

Elle eut un sourire en coin qui ne le réjouit pas.

« Au fait, est-ce que vous avez songé qu'il vous faudrait un jour... sauter d'ici ? »

L'idée ne l'en avait même pas effleuré. Les images, si elles lui avaient enseigné la montée, ne lui avaient pas donné le mode d'emploi de la descente.

« Je vous laisse du temps pour y réfléchir, ajouta-t-elle avec une lueur triomphale dans les yeux. Je viendrai vous chercher demain matin si vous n'avez pas trouvé. Bonne nuit. »

Ayant dit cela, elle s'éclipsa comme une furve derrière une cloison. Abasourdi, il n'eut pas la présence d'esprit de la suivre.

CHAPITRE XXIV

ARCHES

À Hyatz, responsable du grand cercle du Nord.

Frère,

Le cercle ultime tient d'abord à vous féliciter pour votre victoire totale sur la coalition des mathelles. Maran vous regarde comme l'un de ses fils bénis, lui qui voit dans le cœur de chacun. Gardez bien précieusement vos prisonnières et leur progéniture. Nous avons à les interroger puis à les marquer du sceau de l'enfant-dieu de l'arche avant de les emmener sur la colline de l'Ellab. Nous organiserons à l'occasion une grande cérémonie avec l'ensemble de nos frères rassemblés, en espérant que Maran nous fera l'immense honneur de descendre parmi nous, d'étendre la gloire de son règne sur le nouveau monde.

Nous avons suivi vos suggestions pour ce qui concerne le conventuel de Chaudeterre. L'exode de ces dix mathelles nous offre l'opportunité de raser ces bâtiments, un projet que nous nous étions promis de réaliser un jour ou l'autre. Nous avons donc expédié une phalange de trois cents frères dont l'un des objectifs est de nous ramener les mathelles vivantes, et au moins cette ancienne djemale, Merilliam, l'âme de leur rébellion. Quand nous la tiendrons, nous lui ferons payer au centuple la mort des nôtres, et nous

413

garantissons qu'elle nous suppliera de l'exposer aux umbres.

Certains nous font le reproche de lui avoir donné notre agrément pour la fondation de son mathelle : « On ne peut pas accorder sa confiance à une ancienne conferrée, disent-ils, vous saviez qu'elle était dangereuse... »

Bien sûr que nous le savions, et c'est justement cette « qualité » qui nous intéressait. La foi de nos frères, qui risquait de se déliter dans la routine émolliente des domaines, dans les chambres des femmes, réclamait d'être trempée dans la guerre, dans la douleur et le sang. L'adversité rassemble les hommes de la même manière que nos ancêtres furent rassemblés dans l'arche des origines. Nous avons créé une arche de souffrance, de solidarité, et notre foi est maintenant établie sur des bases solides qui la propulseront à travers les siècles.

Nous nous sommes donc servis de cette ancienne djemale pour radicaliser le conflit et faire apparaître au grand jour une opposition qui n'était que souterraine, diffuse. La plupart des domaines étant déjà passés sous notre contrôle, nous n'avions pas le réel besoin de ces batailles pour imposer notre ordre, du moins pas sur le plan de la stratégie pure, mais elles nous étaient nécessaires pour renforcer la ferveur de nos frères. Cette ancienne djemale, Merilliam, une femme d'orgueil et de pouvoir, a joué son rôle à la perfection. Nous l'y avons encouragée en glissant dans son entourage certains de nos éléments, chargés de souffler sur les feux de sa révolte. Ceux-là se sont débrouillés pour massacrer quelques-uns de ses proches les plus chers en laissant croire que l'ennemi était responsable de ces crimes. Nous faisions d'une pierre deux coups : d'une part nous instaurions un état de guerre souhaitable pour les raisons que nous vous exposions précédemment, d'autre part nous permettions aux reines les moins soumises de se rassembler, de se désigner, de nous offrir l'opportunité de les éliminer.

Nous sommes tout près du but ultime, frère Hyatz. Nous allons bientôt officialiser l'avènement des protecteurs des sentiers et donner au nouveau monde le nom béni de Maran. L'enfant-dieu quittera ainsi la clandestinité de la nuit pour affirmer sa puissance aux yeux de tous. Le troisième satellite nocturne recevra quant à lui le nom d'Emmegis, en souvenir du premier disciple. Nous nous heurterons sans doute à des foyers de résistance épars, nous les exploiterons pour faire de nouveaux exemples, pour instiller l'amour de Maran dans le cœur de chacun. Nous garderons la même organisation, mais les domaines seront affiliés à une autorité centrale qui décidera des justes répartitions. Nous respecterons les mères, les indispensables maillons de notre perpétuité, pour peu qu'elles se soumettent aux nouvelles règles, qu'elles marchent sur les sentiers que nous leur tracerons.

Par ailleurs, il ne reste plus qu'un seul représentant des lignées maudites. Nous avons expédié l'élite de nos frères sur ses traces. Nous espérons par la même occasion régler le problème des umbres, un problème probablement beaucoup plus ardu que celui posé par les reines des domaines. Si nous réussissions à le résoudre, nul doute que le règne de Maran débuterait par une marche triomphale de ses fils, de ses frères, de ses serviteurs.

Vous vous demandez sans doute pourquoi nous vous mettons ainsi dans nos confidences, frère Hyatz. Nous n'avons pas pour habitude, vous le savez, de nous répandre dans nos paroles ni dans nos actes – nous vous convions d'ailleurs à détruire ce message par le feu aussitôt que vous l'aurez lu. La réponse en est simple : nous avons grandement *apprécié votre attitude durant la guerre contre les mathelles et nous vous avons choisi pour remplacer un de nos frères décédés, il y a de cela trois mois, d'une allergie aux pollens. Nous vous prions par conséquent de nous rejoindre le plus tôt possible au lieu que vous connaissez. Votre expert en lecture du ciel vous indiquera certainement le moyen de passer entre les averses de cristaux. Nous avons d'ores et déjà nommé votre remplaçant à la tête du cercle du Nord. Un frère que nous estimons méritant. Il a reçu sa missive en même temps que la vôtre.*

Nous vous attendons, frère Hyatz. Recevez nos salutations sincères.

Gloire à Maran, l'enfant-dieu de l'arche.

Le cercle ultime.

Jozeo s'approcha de la yonkine, le poignard à la main. Les larmes aux yeux, la gorge nouée, Ankrel s'agrippa à une saillie rocheuse pour ne pas s'interposer entre le lakcha et l'animal. Au second plan, les vaguelettes des grandes eaux, d'un calme étonnant, léchaient la grève de terre rougeâtre et les récifs à demi immergés. Les trois chasseurs rescapés, Mazrel, Stoll et Gehil, assistaient à la scène sans qu'une émotion n'altère leurs traits. Les cinq autres yonks broutaient avec avidité les feuilles et les ramilles de buissons desséchés.

D'une main Jozeo caressa le mufle de la yonkine et, de l'autre, leva son poignard.

« Tu aurais pu en choisir une autre ! » s'écria Ankrel, incapable de se contenir plus longtemps.

Jozeo abaissa son bras et lui décocha un regard mi-complice, mi-courroucé.

« Elle nous a sauvé la vie ! poursuivit Ankrel.

— La ventresec a sauvé ta jambe, et tu as su la remercier.

— Cette yonkine n'a rien à voir avec nos stupides histoires d'hommes ! Il n'y a pas d'enjeu entre elle et nous. »

Jozeo entortilla machinalement une de ses mèches autour de son index et, la tête penchée, observa un petit moment les ondulations apaisées des grandes eaux.

Une journée et une nuit avaient été nécessaires aux six yonks et aux cinq hommes survivants pour se remettre de la traversée. Contrairement à ce qu'ils avaient espéré, ils n'avaient trouvé ni eau potable ni nourriture sur le deuxième continent, et, après quelques heures de vaines recherches, ils avaient décidé d'abattre un de leurs yonks.

« Tu ne comprends rien, petit frère, murmura Jozeo avec douceur. Il s'agit seulement de prévenir les tentations de faiblesse comme on extirpe les mauvaises herbes.

— Quelles tentations ? Elle s'est arrachée des eaux montantes avec deux cavaliers sur le dos, elle s'est montrée deux fois plus courageuse et résistante que les autres yonks ! »

Elle en avait même rattrapé certains alors que l'eau lui montait au poitrail, elle avait parcouru la dernière lieue à la nage, luttant contre la froidure de l'eau et les courants contraires, elle avait attendu que ses cavaliers sautent à terre pour se coucher sur le flanc et goûter enfin le repos.

« On ne tue pas les meilleurs éléments, reprit Ankrel. Ou alors cette expédition n'aurait aucun sens.

— Les meilleurs ne sont sûrement pas ceux qui entretiennent leur sensiblerie, rétorqua Jozeo. Nous devons trancher sans pitié nos attaches émotionnelles parasitaires ou elles finissent par nous étouffer. Pourquoi veux-tu épargner cette yonkine, petit frère ? Parce qu'elle t'a sauvé la vie ou parce que tu t'apitoies sur toi-même ? »

Ankrel ne répondit pas, le lakcha avait touché juste. Ses élans, ses remords, ses peurs, ses doutes étaient les fruits empoisonnés de ces émotions qui se recréaient sans cesse en changeant d'objet : elles l'avaient lié à sa mère, à Jozeo son modèle, à la fille qu'il avait violée dans la grange délabrée, à la ventresec qui avait guéri sa jambe, à la yonkine qui l'avait sauvé des eaux... Un protecteur des sentiers n'avait pas de comptes à rendre aux autres humains. Seule la toute-puissance de Maran le soutenait sur son sentier de solitude et de dépouillement, cette même puissance qui avait écarté les grandes eaux devant quelques-uns de ses fils. Et lui, Ankrel, faisait partie des privilégiés qui avaient vu s'accomplir le prodige, qui s'étaient lancés dans une chevauchée intrépide sous l'œil attentif de l'enfant-dieu. Pourquoi donc se laissait-il emberlificoter à la moindre occasion par ses émotions ? Il s'était engagé dans un sentier dont il refusait les servitudes, il gardait un pied dans le passé, comme s'il se ménageait une possibilité de revenir en arrière, comme s'il admettait l'idée qu'il pouvait s'être... trompé.

Pourtant, il en était conscient, il ne pouvait pas revenir en arrière et, s'il s'était trompé, il n'avait pas d'autre choix que d'aller jusqu'au bout de son erreur.

Il tira son couteau de sa gaine et s'avança vers la yonkine. Les jambes fléchies, le bras tendu, le poignard à hauteur de la poitrine, Jozeo se méprit sur les intentions de son cadet, se tint prêt à combattre, puis il comprit que le mouvement d'Ankrel ne le concernait pas, sourit, se détendit et se recula de deux pas.

Ankrel posa la main sur le chanfrein de la yonkine et se tourna vers Jozeo.

« Je suis venu à ton secours pendant la traversée, murmura-t-il. Est-ce que tu me tueras pour ça ?

— Nous sommes frères. On n'a jamais vu les membres d'un même corps se battre entre eux. Presse-toi, nous avons faim. »

Ankrel ne discerna pas d'expression particulière dans les yeux noirs et fendus de la yonkine, seulement le feu tranquille de la vie. Il la frappa à la jugulaire d'un mouvement circulaire et rapide. Elle n'eut pas de réaction de révolte lorsque la lame de corne s'enfonça dans son cou. Comme si elle avait toujours su que ces hommes qu'elle avait sauvés des eaux finiraient par l'exécuter. Elle resta sur ses quatre pattes aussi longtemps qu'elle le put, sans remuer, sans mugir, puis, après qu'une grande quantité de sang eut souillé sa robe claire, elle s'affaissa avec une douceur bouleversante sur la grève rouge.

Ils allumèrent un feu avec les pierres-à-frotter que Mazrel, le premier du groupe à avoir atteint le deuxième continent, avait réussi à préserver de l'humidité pendant la traversée. La mèche s'enflamma au bout de trois tentatives, les branches des buissons et les plantes séchées rejetées par les grandes eaux s'embrasèrent dans une brusque envolée de fumée noire.

Jael atteignait son zénith lorsqu'ils eurent fini de dépecer la yonkine. L'odeur du sang avait attiré des oiseaux, différents de ceux du Triangle, blanc et noir pour la plupart, parfois gris, plus grands et plus agressifs. Les chasseurs leur avaient lancé des pierres pour les éloigner puis, voyant que les volatiles revenaient sans cesse à la charge, ils avaient transporté les quartiers de viande dans un large abri au milieu des rochers.

Ils mangèrent dans un silence maussade, mollement bercé par les vagues. Les gourdes étant vides, ils devraient rapidement trouver de l'eau pour affronter les rigueurs d'un continent aride, aux dires de Jozeo. Avant que la yonkine fût complètement vidée de son sang, ils en avait recueilli les dernières gouttes dans le creux de leurs mains pour le boire, hormis Ankrel, qui n'aimait pas le goût du sang, et en particulier le goût de *ce* sang.

Ils confectionnèrent, avec des branches entrelacées et liées entre elles par des plantes séchées, plusieurs carniers qu'ils tapissèrent d'herbes et qu'ils remplirent des quartiers de viande, une tâche qui leur prit une bonne partie de l'après-midi. Ils décidèrent d'attendre le lendemain matin avant de se mettre en route. Ils ranimèrent le feu en lui jetant des brassées de branches, dînèrent rapidement, attachèrent les yonks dans l'abri et s'installèrent pour la nuit. Avec l'obscurité se déposa une humidité froide, pénétrante, qui éteignit les dernières braises et les empêcha de s'endormir. Ankrel, allongé sur le sol dur, guettait l'apparition de Maran dans le ciel fourmillant d'étoiles.

« Est-ce que nous savons au moins où nous allons ? demanda-t-il.

— En direction de Jael levant, vers l'intérieur des terres, répondit Jozeo, assis un peu plus loin sur un rocher, affairé à se nettoyer les ongles avec la pointe de son poignard. Jusqu'au bord de la grande faille.

— Qu'est-ce qu'on est censés trouver là-bas ?

— Deux choses, trois si tout va bien : la cité de l'*Agauer*, le nid des umbres et le dernier maillon des lignées maudites.

— L'*Agauer* ? Je croyais que c'était une légende...

— Les légendes reposent souvent sur un fond de vérité.

— Qu'est-ce que tu veux dire ?

— Pas maintenant, petit frère. Tu as envie de dormir et je n'ai pas envie de parler. »

Ankrel garda les yeux fixés sur le pan de ciel découpé par l'ouverture de l'abri. Il plongea dans un sommeil agité et poisseux au moment où le disque légèrement tronqué d'Aphya déposait un voile blême sur le miroir brisé des grandes eaux.

Ils partirent le lendemain à la première heure après avoir chargé les carniers sur les yonks. Il leur fallut encore batailler contre les oiseaux, de plus en plus entreprenants, jusqu'à ce qu'ils aient parcouru une dizaine de lieues vers l'intérieur des terres. À partir de là, ils s'enfoncèrent dans un paysage désertique où il n'y avait d'autre trace de végétation que des buissons rampants d'une hideuse couleur brune. Le vent s'y faisait plus froid que la brise humide du bord des grandes eaux, mais plus sec, plus supportable. Il soulevait en revanche des tourbillons d'une poussière rouge qui s'infiltrait dans les yeux, dans les narines, dans les gorges, et qui les contraignit rapidement à se couvrir le visage d'un pan de leur vêtement. Des odeurs minérales supplantèrent les relents salins du littoral. Ils traversaient une étendue totalement dépourvue de reliefs, hormis de gigantesques aiguilles translucides qui se dressaient de temps à autre comme les colonnes étincelantes d'un temple à la voûte mauve et infinie.

Ils ne détectèrent aucune présence animale dans les environs, un constat loin d'être rassurant : l'absence de vie allait de pair avec la sécheresse.

Ankrel chevauchait un mâle à la robe sombre qui requérait une attention de tous les instants. Les tourbillons de poussière soulevés par les rafales l'effrayaient, l'entraînaient dans de brusques écarts qui, si son cavalier ne les corrigeait pas tout de suite, pouvaient le précipiter contre ses congénères ou le rendre incontrôlable. Le bout de tissu prélevé sur sa tunique et noué sur le bas de son visage n'empêchait pas la poussière de s'infiltrer dans ses yeux. Il pleurait presque en continu pour expulser les particules qui lui irritaient le dessous des paupières. Mais ses larmes évacuaient aussi la détresse immense qu'il ressentait depuis son réveil et qu'il ne parvenait pas à chasser malgré ses incessantes exhortations intérieures, malgré ses résolutions de la veille, malgré le parfum de miracle dégagé par le retrait des grandes eaux. Il n'était même pas encore entré dans l'âge d'homme que son avenir se confondait avec les chemins balisés par les protecteurs des sentiers. Il avait seulement voulu intégrer les cercles de chasse des lakchas, jouir d'une vie aventureuse sur les plaines du Triangle, rentrer entre chaque expédition à Cent-Sources pour embrasser sa mère et serrer contre lui le corps d'une femme. Ces désirs simples faisaient-ils aussi partie des attaches émotionnelles dont parlait Jozeo ? Devait-il s'oublier lui-même pour devenir un membre anonyme et fiable du grand corps de Maran ? La gloire de l'enfant-dieu valait-elle le sacrifice qu'il exigeait de lui ?

« Là-bas ! cria Jozeo. Les quatre doigts ! »

Il désignait un groupe de quatre aiguilles fines, étincelantes et dressées sur le même socle qui, de loin, évoquaient effectivement les doigts d'une main.

« D'après le cercle ultime, il y a de l'eau là-bas ! »

Ankrel était tellement assoiffé qu'il n'avait même plus de salive à avaler. Il fixa les quatre doigts et estima la distance à une dizaine de lieues. Les tornades de poussière rouge traversaient l'étendue plane comme des danseurs fantomatiques. Se pouvait-il qu'il y eût vraiment de l'eau dans une telle désolation ?

Non seulement il y en avait, mais elle était d'une pureté et d'une fraîcheur incomparables. Ils n'y auraient jamais accédé si le cercle ultime n'avait pas donné des informations précises à Jozeo : aucune végétation ne trahissait la présence d'eau dans les parages et la grosse pierre plate qui recouvrait le puits se confondait avec les rochers parsemés autour du socle des quatre doigts. Les cinq hommes eurent beau conjuguer leurs efforts, ils ne réussirent pas à la soulever. Ils aboutèrent donc plusieurs rênes, accrochèrent une extrémité de la corde ainsi obtenue à une aspérité de la pierre plate, l'autre à la selle d'un yonk, et ils aiguillonnèrent l'animal jusqu'à ce que le puits fût en partie dégagé. Les hommes et les bêtes purent enfin se désaltérer, et certains, dont Ankrel, plongèrent entièrement la tête dans l'eau qui arrivait pratiquement au niveau du sol.

« Je ne sais pas si les bêtes vont tenir bien long-temps, lâcha Mazrel en remplissant une gourde. Elles n'ont rien à manger dans le coin. Et nous, on n'a même plus la possibilité de faire du feu.

— Elles tiendront bien deux jours, fit Jozeo. Et nous, nous mangerons de la viande crue.

— C'est que... on n'est pas des bêtes sauvages, nous autres. »

Jozeo se redressa et lança un regard venimeux à Mazrel.

« Non, nous sommes les fils de Maran. Et pour lui nous serions prêts à manger de la merde au besoin !

— Toi peut-être. Mais pas moi. Ni les autres. Pas vrai, vous autres ? »

Mazrel sollicita du regard Stoll et Gehil, mais là où il s'était attendu à trouver un appui solide, il ne rencontra que des mines fuyantes, des gestes évasifs, des volontés défaillantes. Ankrel vit qu'ils s'étaient tous les trois concertés avant de prendre Jozeo à partie et que Mazrel, qui avait endossé le rôle de porte-parole, se retrouvait tout à coup isolé, en danger. L'air froid s'était chargé de tension autour du puits, les quatre doigts semblaient maintenant lancer des éclairs.

La hauteur des aiguilles translucides avait surpris Ankrel : fines au point d'en paraître fragiles, sillonnées de veines bleues ou brunes, elles culminaient probablement à plus de trois cents pas.

« Qu'est-ce que tu as l'intention de faire, Mazrel ? Retourner sur le Triangle ? » demanda Jozeo d'une voix calme.

La défaillance de ses complices n'arrêta pas Mazrel, qui accorda un bref coup d'œil à Ankrel avant de répondre.

« C'est un peu ça l'idée. S'il prenait l'envie aux umbres de se promener dans le coin, on ne trouverait pas un seul foutu refuge !

— D'après le cercle ultime, ils ne survolent jamais cet axe.

— Il suffirait d'une fois... »

Jozeo vint se poster en face de Mazrel de l'autre côté du puits. Jamais Ankrel ne lui avait vu ce visage sombre, fermé, ce regard aigu, plus tranchant que la lame de son poignard. Ses cheveux teintés d'écarlate par la poussière tombaient sur ses épaules comme des cascades de sang.

« Nos frères sont venus sur ce continent à plusieurs reprises. Est-ce que tu en doutes ? Comment aurais-je su pour le puits ?

— Ils sont venus, là-dessus aucun doute, mais combien en sont repartis ? Combien ont revu leur famille ? »

Jozeo eut un rictus qui lui retroussa la lèvre supérieure et dévoila ses dents longues, blanches, parfaites, des dents taillées pour déchirer de la viande crue, songea Ankrel.

424

« Ah, c'est donc ça, quelques attaches émotionnelles à couper ! Le cercle ultime se serait-il trompé sur ton compte, Mazrel ?

— Peut-être, mais il ne s'est pas trompé sur le tien : t'es bien le plus foutu salopard que j'ai jamais rencontré dans ma fichue vie ! »

Des frissons parcoururent la nuque et le dos d'Ankrel, et les gouttes d'eau fraîche qui se faufilaient par l'échancrure de sa tunique n'en étaient pas les seules responsables.

« De quoi est-ce que tu accuses le cercle ultime ? gronda Jozeo. D'incompétence ou d'indignité ?

— Un peu des deux. J'ai tellement avalé de saloperies, depuis que j'ai pris le masque et la craine, que je n'arrive même plus à me vomir. Mais cette fois ma coupe déborde. Croire qu'on peut chasser les umbres comme des yonks, c'est de la foutaise ! Débrouillez-vous sans moi, tout ça ne me concerne plus.

— Où as-tu l'intention d'aller ?

— Je n'ai plus ma place sur le Triangle, ni dans les domaines ni chez les ventresecs, je vais donc m'installer au bord des grandes eaux, de ce côté-ci. J'ai besoin de solitude. Je ne pourrai jamais réparer les horreurs que j'ai commises, le sang sur mes mains ne séchera pas, mais au moins je respecterai le silence des morts.

— Maran ne... »

Mazrel jeta rageusement sa gourde aux pieds de Jozeo. Elle s'éventra dans un bruit mat et répandit tout son contenu sur le sol.

« Maran ? Je pisse et je chie sur son nom ! Un dieu véritable n'exige pas de pareilles abominations de ses adorateurs ! »

Les deux hommes tirèrent en même temps leur poignard de leur gaine et s'observèrent de chaque côté du puits. Les deux autres chasseurs ne réagirent pas, et Ankrel maudit leur lâcheté. Lui-même restait indécis, écartelé entre des sentiments contradictoires. Une part de lui le poussait à voler au secours de Mazrel, une autre à prendre le parti de Jozeo. Épouser la cause de Mazrel, vers qui penchaient spontanément son cœur, ses sentiments, revenait à abjurer sa foi, à dénuer de sens le viol de la fille dans la grange, le meurtre de la ventresec et de son nourrisson, l'exécution de la yonkine.

Jozeo bondit au-dessus du puits, à l'horizontale, le même genre de saut que celui qui le propulsait sur les yonk sauvages lancés en pleine course mais d'autant plus remarquable qu'effectué sans élan. Mazrel eut un mouvement de recul, pas assez rapide toutefois pour empêcher la lame de son adversaire de lui entailler la base du cou. Dès lors, Ankrel n'eut plus aucun doute sur l'issue du combat. Il vit rouler les deux hommes sur la terre rouge, une nuée de poussière se lever entre les rochers, il entendit une série de chocs sourds, un râle étouffé, un gargouillis, un grognement de victoire.

Jozeo se releva au bout de quelques instants, en sueur, essoufflé, épousseta ses vêtements, fixa tour à tour Stoll et Gehil d'un air interrogateur, puis s'agenouilla tranquillement sur le bord du puits pour laver sa lame et ses mains maculées du sang de son ancien frère. Ankrel observa les deux autres lakchas, aussi immobiles que les pierres du socle des quatre doigts, aussi blêmes que le visage de Mazrel déjà blanchi par la mort. À ces deux-là était passé, et pour un bon bout de temps, le goût de la contestation.

Au crépuscule, ils aperçurent dans le lointain une forme opaque et scintillante qui évoquait une colline isolée mais qui semblait flotter au-dessus du sol. Ils avaient pratiquement chevauché sans interruption depuis les quatre doigts, franchissant des étendues pelées dont les aiguilles translucides n'arrivaient plus à briser la monotonie. Ils s'étaient réfugiés dans un silence qui arrangeait bien les uns et les autres, Stoll et Gehil parce qu'ils n'étaient pas spécialement fiers de leur attitude, Jozeo parce qu'il avait dû éliminer un de ses hommes les plus expérimentés, Ankrel parce qu'il ne parvenait pas à remettre un minimum de calme et d'ordre dans son esprit. Leurs pensées s'étaient délitées dans le roulement des sabots, les sifflements du vent, le souffle pesant des yonks.

Ce n'était pas une colline mais une sorte de grand cône encadré de deux renflements symétriques, posé sur trois pieds arqués, percé de nombreuses ouvertures circulaires comme d'autant d'orbites sombres. Ankrel estima sa hauteur entre cent et cent vingt pas, et sa base à presque cent cinquante pas. Hormis les renflements latéraux légèrement arrondis, ses flancs obliques ne présentaient pas une seule aspérité. Leur matériau évoquait un bois raboté à la perfection et enduit d'un vernis végétal. Ankrel n'avait jamais vu de surface aussi lisse, aussi brillante, exception faite peut-être du miroir figé de la rivière Abondance pendant la canicule de la saison sèche.

Les cavaliers réduisirent instinctivement l'allure. Dressé au milieu d'un paysage désolé, vêtu de pourpre par la lumière rasante de Jael, le cône avait maintenant quelque chose d'intimidant, d'effrayant, comme son mystère s'épaississait au fur et à mesure qu'ils s'en rapprochaient. Gagnés eux-mêmes par la nervosité, les yonks renâclaient et poussaient des mugissements sourds. Leurs robes détrempées s'enrobaient d'une vapeur fine, teintée de rouge elle aussi.

Les quatre hommes mirent pied à terre, attachèrent leurs montures et celle de Mazrel aux grosses pierres qui jonchaient la terre sèche, se désaltérèrent puis abreuvèrent leurs bêtes en leur glissant le goulot de leurs gourdes entre les lèvres.

« Il n'y a pas à en avoir peur, dit Jozeo en désignant le cône. Le cercle ultime m'en a parlé. Il ne s'agit que d'une arche vide. Elle ne présente aucun danger.

— Une... arche ? s'étonna Ankrel.

— Nos ancêtres sont arrivés par un vaisseau similaire, quoique sans doute plus grand.

— Tu veux dire que...

— L'*Agauer*, coupa Jozeo. Nous nous trouvons devant le vaisseau du deuxième peuple. »

Ankrel leva les yeux sur le cône qui, soudain, prenait une tout autre dimension dans le crépuscule du deuxième continent. Si Jozeo disait vrai, cette étrange colline aux pentes lisses avait décollé de la planète des origines et vogué dans le vide infini de l'espace, au milieu des étoiles, avant d'atterrir un jour sur le nouveau monde.

Orlailla, une djemale séculière du mathelle de Velaria, une vieille femme aux bajoues tremblantes et à l'haleine pestilentielle, affirmait qu'une distance d'une douzaine d'années-lumière séparait la planète des origines et le nouveau monde. Ankrel avait toujours eu les pires difficultés à se remémorer les rudiments de savoir inculqués par Orlailla, mais ce chiffre, douze années-lumière, était resté gravé dans sa mémoire. Il n'avait aucune idée de ce que représentait une année-lumière, mais le vertige que provoquaient en lui ces deux mots accolés suffisait à traduire l'énormité du trajet parcouru par les passagers de l'*Estérion*.

« Pourquoi le cercle ultime n'a-t-il jamais révélé que le deuxième peuple avait atterri sur le nouveau monde ? demanda-t-il.

— Il avait intérêt, nous avions intérêt, à ce que cette histoire reste une légende, répondit Jozeo.

— Qui ça, nous ?

— Les lakchas de chasse.

— Quel rapport entre le cercle ultime et les lakchas de chasse ?

— Le même qu'il y a entre des membres d'une grande famille. Les frères de Maran et les lakchas appartiennent le plus souvent, presque toujours, aux mêmes cercles. »

L'affirmation ne surprenait pas Ankrel : c'était presque naturellement qu'il était passé du cercle de chasse d'Eshvar à celui des protecteurs des sentiers, comme s'il allait de soi que les lakchas fussent un jour ou l'autre appelés à revêtir le masque et la craine. Il ne comprenait pas, en revanche, quel but avait poursuivi le cercle ultime en empêchant la rencontre entre les deux peuples issus du même monde.

« Je suppose que le cercle ultime avait de bonnes raisons de ne pas révéler la présence du deuxième peuple, mais ne me demande pas lesquelles », ajouta Jozeo comme s'il avait épousé le cours de ses pensées.

Ankrel leva les yeux sur l'arche tout en flattant distraitement le chanfrein de son yonk.

« Le deuxième peuple... qu'est-ce qu'il est devenu ? »

Jozeo haussa les épaules, s'avança vers l'un des pieds du vaisseau et posa la main sur le matériau gris et lisse.

« Le cercle ultime nous conseille de passer la nuit à l'intérieur de l'*Agauer*, dit-il d'une voix forte. Il se peut qu'il y ait des créatures hostiles dans les parages. Nous atteindrons la cité de lumière demain avant le zénith. »

Allongé sur l'une des confortables couchettes d'une grande pièce, Ankrel ne trouvait pas le sommeil. Ils s'étaient introduits dans l'arche par un passage dissimulé dans l'un des trois pieds. Jozeo avait déclenché l'ouverture du sas en pressant à plusieurs reprises une minuscule demi-sphère dissimulée sous un cache pratiquement invisible.

« Du métal, avait précisé le lakcha. Nous pourrions en fabriquer beaucoup sur le nouveau monde, mais nous n'en avons pas vraiment l'utilité pour l'instant ; nos matériaux, le bois, la pierre, la terre et la corne, nous suffisent. »

Ils avaient tiré les yonks récalcitrants par l'ouverture, les avaient laissés dans le pied de l'arche, assez large pour les contenir tous les cinq, puis, après avoir refermé la porte, ils avaient emprunté un escalier tournant qui débouchait sur une salle vide avant de repartir vers les niveaux supérieurs.

Quelque chose les avait retenus d'explorer le vaisseau de fond en comble, l'impression dérangeante de violer un sanctuaire du passé, de s'être fourvoyés dans une tombe. Le métal semblait à jamais marqué, meurtri par les espoirs, les peurs, les joies et les colères des hommes et des femmes qui avaient franchi douze années-lumière et défié l'immensité cosmique.

Les quatre hommes s'étaient installés dans la première salle équipée de couchettes qu'ils avaient trouvée. Parfaitement étanche, l'arche restait imperméable aux tourbillons de poussière qui crissaient sur ses flancs. De même, bien qu'inhabitée probablement depuis des années, voire des siècles, son atmosphère demeurait pure, saine, comme épargnée par les moisissures. Ils avaient mangé des morceaux de viande crue dont le goût rance avait déclenché chez Ankrel un début de nausée.

La lumière de Mung et d'Aphya s'invitait en catimini par les petites ouvertures circulaires tendues d'une matière dure, réfléchissante et froide pour laquelle Jozeo ne disposait pas de nom. Avant de se coucher, Ankrel s'était observé dans l'un de ces miroirs et avait reçu un choc : « Nous ne sommes pas des bêtes sauvages », avait protesté Mazrel, et, pourtant, c'était l'impression qu'il avait ressentie en contemplant son reflet : avec son embryon de barbe, ses cheveux emmêlés, ses traits hâves, ses yeux hagards, il ressemblait davantage à une bête sauvage qu'à un homme.

Il lui semblait avoir parcouru lui aussi des années-lumière depuis son départ du mathelle de Velaria.

Des années-lumière à l'intérieur de lui-même...

Les yeux de la ventresec et son enfant s'étaient allumés comme des étoiles dans la nuit de son esprit. Il se tourna vers Jozeo, allongé sur la couchette d'à côté, faillit lui demander si Mazrel le regardait du fond de l'âme comme tous ceux qu'il avait tués de sa main. Il y renonça, il avait assez à faire avec ses propres démons.

CHAPITRE XXV

SOIFS

Lézel voulait que je le prenne tel qu'il était et non tel que je voulais qu'il fût. Il refusait de se donner à moi tant que je ne m'y serais pas engagée. Je me doutais que ses exigences cachaient un ou plusieurs terribles secrets, mais j'étais prête à tout pour aimer cet homme et me faire aimer de lui, et je lui ai promis de ne jamais le juger sur ses actes. Je me demande, près de cent vingt ans plus tard, s'il ne se servait pas de moi comme d'un simple alibi, s'il n'avait pas besoin de se faire accepter par une femme pour justifier l'horreur de son existence, pour racheter l'homme dans le monstre.

Il a consenti alors à ce que je lui fasse l'amour. Il n'a pris aucune initiative, c'est moi qui ai dû l'embrasser, le caresser, le dévêtir. Comme je n'avais jamais connu d'homme, je ne savais pas quoi faire de son sexe dont l'apparence et l'inertie m'ont d'abord déconcertée, puis j'ai compris que je devais l'apprivoiser, le cajoler, je l'ai pris dans mes mains, je l'ai vu grandir, grossir, se durcir, devenir cette lame orgueilleuse et noueuse qui allait me blesser douloureusement les premières fois, délicieusement par la suite.

Je me suis installée à califourchon sur lui, j'ai glissé son sexe dressé entre mes nymphes, je me suis empalée sur lui jusqu'à ce qu'il me fasse femme, ou plutôt que je me fasse femme en me servant de lui. Sa maîtrise n'étant pas supérieure à la mienne, j'ai présumé que c'était aussi sa première fois. Ou plutôt sa deuxième comme j'allais l'apprendre par la suite. Je n'ai pas ressenti l'extase ce jour-là ni les suivants, mais, après la douleur initiale, d'imperceptibles frissons m'ont parcourue, prémices de lendemains voluptueux. Lézel a quant à lui expulsé sa jouissance avec une puissance qui m'a stupéfiée. Il a soufflé comme un yonk assoiffé, émis un long gémissement et m'a inondée dans un tel déferlement que j'ai eu la sensation d'être une rivière en crue.

Il s'est endormi presque aussitôt comme un enfant, la tête renversée, la bouche ouverte, et je suis restée un long moment décontenancée, assise sur lui, son sexe recroquevillé en moi, me demandant comment il convenait d'agir en pareilles circonstances.

Je ne savais pas alors que sa fatigue n'était pas imputable à l'acte lui-même mais aux nombreuses nuits sans sommeil que lui valaient ses activités. Je me suis sentie spoliée, et j'ai fini par m'allonger à ses côtés, encore débordante, toute collante. J'ai mis du temps à m'endormir, pressentant sans doute que je venais de m'engager sur un sentier sans issue.

Il est resté plusieurs jours en ma compagnie. Nous nous sommes mutuellement explorés et nous avons accompli de rapides progrès, surtout lui, à vrai dire, qui se retenait chaque fois un peu plus longtemps et me rapprochait de cette cime vertigineuse d'où je finirais par basculer. Il lui arrivait cependant de pleurer juste après sa jouissance, comme si la douleur l'emportait sur le plaisir. Je n'osais lui demander les raisons de ce chagrin car il me semblait les connaître, elles ne me plaisaient guère et je n'avais pas envie de les entendre de sa bouche : la belle absente,

Lahiva, refusait de s'en aller de son cœur. Parfois il murmurait : « Que dois-je faire pour qu'elle sorte de moi ? Que faut-il faire pour arrêter tout ça ? » Et je me sentais mortifiée, misérable ; malgré mes efforts, malgré ma passion de plus en plus brûlante, je ne parvenais pas à le désenchanter de ses amours perdues.

J'ai décidé à ce moment-là de trahir le serment que je m'étais tenu. Puisqu'il ne réussissait pas à briser l'envoûtement et que cet envoûtement le rendait malheureux, il me revenait d'agir à sa place. Ce motif cachait en réalité une raison un peu moins avouable : mon orgueil de femme m'interdisait de le partager, même avec un souvenir, je voulais le voir se consumer d'amour pour moi seule, recueillir à mon seul usage l'adoration dans ses yeux. J'ai attendu qu'il parte pour quelques jours, comme cela lui arrivait régulièrement, et j'ai résolu de sortir dans les plaines, mais une violente averse de cristaux m'a retenue à l'intérieur du gouffre.

Nous avons passé tout l'amaya de glace dans ces conditions : il s'éclipsait pendant quelques jours sans explication, il revenait un beau matin sans prévenir, je faisais l'amour avec lui, il se servait de moi pour faire l'amour avec son absente, nous mangions, nous dormions, il repartait, j'essayais de sortir du gouffre, les averses de cristaux m'en empêchaient, je trompais mon impatience en me baignant dans les sources, en explorant les salles, en échafaudant mille projets de revanche contre les fleureuses et les mathelles, il réapparaissait, l'air grave, fatigué, nous reprenions notre ronde amoureuse, qui désormais comblait pleinement mes appétits sensuels.

Curieusement, je me suis pas demandé sur le moment comment il se débrouillait pour passer entre ces averses persistantes qui, moi, me maintenaient prisonnière du gouffre. Il utilisait des passages souterrains connus de lui seul et dont il ne souhaitait pas encore me parler. À la belle saison, il allait par les plaines d'herbe jaune, un itinéraire nettement plus agréable que les intestins sombres et malodorants du Triangle. Il suivait le cours d'Abondance dont il connaissait chaque méandre, chaque crique. C'est comme ça qu'il m'a trouvée un beau matin, en revenant de Cent-Sources.

Les beaux jours, puisqu'on en parle, sont enfin arrivés, les cristaux ont fondu, les herbes se sont déployées, les premières bulles de pollen se sont envolées et promenées au gré des vents pour féconder les plaines. Les fleurs se sont vite épanouies sous les rayons déjà chauds de Jael. J'ai pu quitter mon abri et me mettre en quête de mes alliées.

Quel plaisir d'évoluer dans l'air tiède et embaumé de ce début de saison sèche ! Je me suis dévêtue, je me suis roulée, nue, sur les pentes des collines, je me suis exposée à la lumière bienfaisante de Jael, je me suis enivrée des parfums des bulles de pollen, j'ai ri aux éclats, j'ai joui, littéralement joui, des caresses du vent et des herbes. Puis, refroidie par les sensations de déplacements autour de moi qui indiquaient probablement le passage de furves, j'ai entamé ma cueillette. Je n'ai rencontré aucune difficulté à trouver les fleurs et les plantes dont j'avais besoin.

J'ai ramené ma moisson dans le gouffre et préparé mon philtre d'amour. Il n'y manquait plus que quelques gouttes de mon sang pour le parachever. Je l'ai versé dans une coupe creuse que j'ai recouverte d'un pan de tissu et cachée dans une petite salle, et j'ai attendu le retour de Lézel.

Lorsqu'il est revenu, il avait l'air désespéré. Pâle, les traits tirés, les yeux éteints. Je me suis assise à ses côtés et je l'ai serré contre moi. J'ai eu le sentiment d'étreindre un enfant. Alors il m'a confié entre *deux sanglots qu'il avait été trompé par un fou et qu'il avait prévu, la prochaine fois, de mettre fin à cette absurdité.*

Quel fou ? Quelle absurdité ?

« Lahiva, Lahiva... » ont été les deux seuls mots qu'il a réussi à prononcer.

J'ai d'abord cru qu'il soliloquait, puis j'en ai déduit qu'il se décrivait lui-même en parlant du fou et que l'absurdité évoquait ses amours contrariées. Ulcérée mais mielleuse, je lui ai proposé de boire un breuvage de ma composition qui lui redonnerait énergie et joie de vivre. À ma grande surprise, il a accepté sans aucune difficulté. Je suis allée chercher le philtre dans la petite salle, je me suis percé le doigt avec une pierre pointue, j'ai ajouté quelques gouttes de mon sang et je lui ai apporté la coupe, bâillonnant la voix intérieure qui me hurlait que j'étais en train de tromper sa confiance et, par la même occasion, de me leurrer moi-même. Il a pris la coupe et m'a fixée un long moment avant de la porter à ses lèvres. J'ai vu alors qu'il savait, mais qu'il acceptait mon sortilège dans l'espoir d'oublier ses démons. Les alliées n'ont pas ce pouvoir, elles créent seulement des liens occultes entre deux personnes, et moi qui leur avais confié mon sang, elles m'ont piégée autant que Lézel. Il a bu tout le contenu d'une traite et s'est endormi quelques instants plus tard.

Lorsqu'il s'est réveillé, il m'a contemplée avec une telle ferveur que mon cœur s'est mis à tambouriner dans ma poitrine. Je lui ai fait signe de s'approcher, il s'est exécuté docilement, m'a embrassée avec fougue puis m'a caressée avec dans les yeux un amour, une adoration tels que n'oserait jamais en rêver une jeune fille. Lorsque nous avons joui l'un de l'autre ce matin-là, il n'y avait plus d'absente entre nos corps, entre nos âmes. Une fois nos sens rassasiés, je lui ai

436

demandé pourquoi il s'absentait aussi souvent du gouffre.

Chacun de mes soupirs étant dorénavant pour lui un ordre, il m'a raconté son histoire, toute son histoire. Et j'ai alors compris que mes projets de revanche n'étaient rien en comparaison de la formidable machine de destruction qu'il avait mise en place.

Les mémoires de Gmezer.

Orchéron pensait qu'il allait devenir fou. Cela faisait maintenant deux jours et trois nuits qu'il était prisonnier du dernier étage de la construction. Il n'avait pas trouvé le moyen de descendre, et la petite djemale n'était pas revenue le chercher, contrairement à ce qu'elle lui avait promis. Elle avait certes voulu lui donner une leçon – et prendre une revanche sur lui qui, stupidement, lui avait laissé croire qu'il avait déchiffré tout seul le mystère des puits de gravité –, mais elle n'aurait sûrement pas prolongé le jeu pendant deux jours et deux nuits supplémentaires. À moins d'être totalement inconsciente, ce dont elle ne donnait pas l'impression.

Il avait d'abord essayé de descendre par où il était arrivé, mais il n'avait réussi qu'à monter au troisième et dernier étage de la construction, un niveau d'un seul tenant, vide, dont l'utilité lui échappait. Il en avait observé chaque recoin, chaque dalle, chaque bloc, sans rien découvrir qui pût de près ou de loin ressembler à une sortie, un passage. Il avait alors alterné les périodes de découragement et les crises de colère, parfois si véhémentes qu'il se cognait la tête contre les murs. Ses accès de violence avaient effrayé la créature qui s'était détachée de lui à plusieurs reprises, s'était éloignée d'une démarche dandinante quelques pas plus loin pour le fixer de ses grands yeux noirs et insondables. Il en avait éprouvé une telle sensation de déchirement, de froid, d'abandon, qu'il s'était allongé sur le plancher, vidé de ses forces, jusqu'à ce qu'elle revienne le lécher et s'enrouler autour de son torse. Il avait compris qu'elle ressentait le besoin de lui nettoyer la peau avant de se coller à lui comme un vêtement.

Il s'était efforcé de recouvrer son calme, avait tenté de sauter à pieds joints dans l'orifice central en espérant que l'élan lui conférerait le supplément de poids nécessaire pour vaincre l'apesanteur, mais à chaque fois il s'était inexorablement envolé et était retombé en douceur sur le plancher après une élévation d'une hauteur équivalente à deux hommes.

Il avait adopté une autre méthode : il avait agrippé le bord de l'ouverture, était parvenu à y glisser les jambes en luttant pied à pied contre le courant ascendant, à passer tout le corps, mais, dès qu'il avait lâché, il avait été inexorablement happé et projeté vers le haut. À la tombée de la nuit suivante, il avait admis que le puits d'apesanteur était seulement prévu pour la montée, qu'il existait un autre système pour la descente, qu'il devait se triturer les méninges pour trouver la solution. La petite djemale – Alma – avait beau le prendre pour un demeuré, il n'était pas – il ne se croyait pas – plus idiot qu'elle. Taraudé par la faim et la soif, il avait fini par s'endormir en espérant qu'elle était moins mauvaise qu'elle n'en avait l'air, qu'elle réapparaîtrait le lendemain matin avec cet agaçant petit sourire de triomphe qui ne parvenait qu'à accentuer son air pincé. Étrange tout de même que cette fille, qui prétendait avoir rencontré le Qval des légendes de l'*Estérion*, fît preuve d'une telle agressivité, d'un tel dédain.

Le lendemain, après une nuit agitée, il avait pensé qu'il était certainement arrivé quelque chose à Alma et, elle avait beau se montrer plus désagréable que les pires pestes du mathelle de sa mère, il avait éprouvé un douloureux pincement d'inquiétude. Pas seulement parce qu'il avait besoin d'elle, mais parce qu'en sa présence il brûlait d'un peu de ce feu vital qui l'avait embrasé avec Mael. Il ne s'agissait pas d'attirance, encore moins de désir, mais d'un frottement fécond, comme la friction à la fois horripilante et étincelante de deux pierres abrasives.

Il avait à nouveau examiné une à une les dalles du parquet, un à un les blocs de roche translucides des murs, mais il n'avait déniché aucun indice de la sortie de l'étage. De même, il n'avait reçu aucune de ces visions fugaces et instructives qui l'avaient effleuré le premier soir où il était entré dans la construction. Il avait à nouveau perdu son sang-froid et était entré dans une rage incontrôlable semblable à celles qui caractérisaient le début de ses crises. La créature s'était aussitôt séparée et éloignée de lui, mais il ne s'était pas apaisé pour autant, il avait poussé une série de hurlements, tiré son couteau, déplié la lame et donné des coups devant lui, comme s'il pourchassait d'invisibles adversaires. Il avait fini par s'effondrer, aussi faible qu'un nouveau-né, terrassé par une souffrance indicible. La créature était revenue le lécher et s'enrouler autour de son torse en se faufilant comme de l'eau entre le plancher et son dos. Il en avait ressenti un soulagement immédiat et pris conscience que, contrairement aux belladores de Cent-Sources, elle avait la capacité de régénérer ses blessures profondes.

Jael n'avait pas encore paru dans un ciel pâle, mais la lumière de l'aube emplissait déjà le troisième niveau et révélait l'angle du cône. Orchéron avait l'impression d'être enfermé dans une gigantesque flèche à la pointe étincelante.

Il tourna en rond jusqu'à ce que le disque de l'astre du jour, déformé par les roches translucides, apparaisse au-dessus de la ligne d'horizon. Sa gorge et sa bouche sèches, douloureuses, réclamaient de l'eau. La créature avait un grand pouvoir apaisant, mais pas la vertu de le désaltérer ni de le nourrir. Une journée de plus dans ces conditions, et il n'aurait sans doute plus le courage de se révolter, sa vie s'arrêterait au dernier niveau de ce cône dont les bâtisseurs n'avaient certainement pas prévu qu'il se transformerait un jour en prison ou en tombeau.

Il observa les rayons rasants de Jael qui s'engouffraient à travers la roche translucide. Déviés par les bloc incurvés plus ou moins opaques, plus ou moins veinés, ils partaient dans tous les sens à l'intérieur de l'étage, s'échouaient sur le plancher ou sur les murs opposés en figures chatoyantes et complexes. Il remarqua, au ras du plancher, un bloc qui ne semblait pas produire le même effet de diffraction. La lumière le pénétrait comme si elle ne rencontrait aucun obstacle et poursuivait sa route en ligne droite jusqu'à ce qu'elle s'échoue sur le pan opposé. Il s'en approcha et s'accroupit pour mieux observer le phénomène. Le bloc était d'une transparence presque parfaite, n'eussent été les lignes sombres et régulières qui le traversaient de part en part comme des veines parfaitement ordonnées. Il voulut y poser la main, faillit pousser une exclamation de surprise quand elle s'enfonça sans résistance, encore plus facilement que s'il l'avait plongée dans de l'eau. Il l'en retira, fiévreux, le cœur battant, se demandant s'il n'était pas la proie d'un délire, puis il réitéra son geste, insista, passa tout le bras, une partie de l'épaule et sut qu'il avait enfin trouvé la sortie.

Il s'introduisit au rez-de-chaussée de la construction, chercha des yeux la petite djemale, remonta au premier puis au deuxième étage. Il ne la trouva nulle part. Il ne lui fallut que quelques instants, cette fois-ci, pour repérer la sortie. Quand on en avait découvert le principe, le système était d'une évidence aveuglante (autre évidence aveuglante : Alma était plus douée que lui pour remarquer ce genre d'évidence) : plus claires, plus lumineuses, taillées dans une matière probablement artificielle, les issues se voyaient comme le nez au milieu de la figure. Il suffisait de les traverser et de dévaler le mur oblique du cône jusqu'au sol. Cependant, de même qu'on ne pouvait pas descendre des étages par les puits d'apesanteur, on ne pouvait pas entrer par les blocs de sortie dont la face extérieure était aussi compacte, aussi imperméable que leurs homologues de roche naturelle.

Orchéron avait eu peur de perdre l'équilibre lorsqu'il s'était retrouvé perché tout en haut du cône, mais il n'avait pas glissé, il avait marché avec la même facilité que s'il avait parcouru un plan horizontal. Les connaissances des anciens habitants de ces constructions l'avaient émerveillé. Les descendants de l'*Estérion* auraient pu apprendre énormément d'eux si le destin avait voulu les mettre en relation. Puis, presque aussitôt, la certitude s'était imposée en lui que le contact avait déjà été établi, mais que certains s'étaient ingéniés à trancher les liens de peur de perdre leurs privilèges. Et, à nouveau, des images de destruction, de massacre, avaient déferlé en lui comme des yonks lancés au grand galop.

Il se rendit sur la place centrale et hurla le nom d'Alma à plusieurs reprises. Sa voix se prolongea dans le silence comme au fond d'une gorge. Il n'obtint pour tout résultat qu'une recrudescence de sa soif, un gonflement de sa langue qu'il peinait de plus en plus à remuer à l'intérieur de son palais. Il visita plusieurs constructions, sans aucun résultat, puis finit par se résigner à l'idée que, déçue, elle avait quitté les lieux et s'en était retournée avec le Qval dans les sources bouillantes. Il ne songeait même pas à mettre en doute son périple avec la créature légendaire dans les eaux profondes du nouveau monde, il s'en voulait seulement de s'être montré si susceptible, d'avoir à ce point manqué de patience et de perspicacité. Quoi de plus normal pour une jeune fille esseulée sur un monde désert que d'être effrayée par l'apparition d'un homme inconnu, sale, mal rasé, à demi recouvert d'une créature vivante ?

À moins encore que les umbres ne l'eussent enlevée. Peu probable : une femme protégée par le Qval n'avait sans doute rien à craindre des prédateurs volants. Non, non, elle était partie, et en même temps qu'elle l'espoir s'était envolé de ranimer son feu intérieur. Il revint au centre de la place et, découragé, s'assit sur le bord du bassin de la fontaine. La créature ondula doucement dans son dos et sur ses épaules avant de revenir en place. À nouveau, des images jaillirent en flot, qui lui montrèrent des hommes, des femmes et des enfants autour de cette fontaine. L'eau s'écoulait abondamment du sexe et de la bouche d'un corps généreux de femme sculpté dans une pierre blanche, s'acheminait vers les constructions par des canalisations transparentes dont il restait des vestiges entre les buissons et les plaques de mousse.

Les anciens habitants avaient sans doute tiré l'eau d'une nappe phréatique, une nappe qui n'était peut-être pas encore épuisée.

À laquelle on pouvait peut-être accéder.

442

Dans un état second, Orchéron se releva, enjamba le muret, s'approcha de la statue, qui avait dû atteindre, entière, une hauteur de quatre hommes, tourna autour du socle, un cube dont les arêtes mesuraient l'équivalent de trois grands pas. Il découvrit sur la face du cube orientée à l'est une ouverture carrée et béante dont le volet, aussi gangrené par la lèpre rougeâtre que les barreaux de l'échelle dans la cave, gisait dans la mousse jaune parsemée de boules noires.

Il y glissa d'abord la tête, le torse, puis passa tout entier à l'intérieur du socle, dans une semi-pénombre imprégnée d'une âcre odeur de moisissure. La lumière du jour éclairait en partie une végétation proliférante, désordonnée, et révélait, dans un coin, une trappe dégagée de laquelle partaient les marches étroites et tournantes d'un escalier. Des ronces et des herbes arrachées gisaient en petit tas sur un côté.

Le cœur battant, aiguillonné par un regain d'espoir, il s'engagea dans l'escalier. Ce passage, il en avait la conviction, le ramenait vers la petite djemale. Quelqu'un l'avait emprunté peu de temps avant lui, or, comme il n'avait rencontré qu'elle dans ces vestiges, qui d'autre aurait pu ouvrir le volet du socle et dégager la trappe ?

Les marches tournaient autour d'un axe qui s'enfonçait à l'intérieur d'un puits cylindrique d'une largeur de deux pas, tapissé du même matériau gris et lisse que le tunnel du littoral du Triangle – un matériau employé de part et d'autre des grandes eaux, ce qui renforçait l'hypothèse d'un contact entre les deux peuples. À intervalles réguliers brillaient des solarines enchâssées dans la paroi. Orchéron se pencha par-dessus la rambarde pour regarder vers le bas du puits : la perspective fuyante des éclats lumineux semblait se prolonger sans fin et se perdre dans les profondeurs du sol.

Il continua de descendre en s'efforçant de garder les yeux levés pour éviter de se laisser gagner par le découragement. L'air s'imprégnait d'humidité, l'odeur de moisissure se faisait de plus en plus nette, de plus en plus âpre, les claquements de ses semelles sur les marches résonnaient avec force dans le silence sépulcral.

Il n'avait pas d'autre but désormais que d'étancher sa soif et de retrouver Alma. Sa mère Orchale l'avait envoyé à la rencontre du deuxième peuple, mais, si ces vestiges étaient les traces du passage des descendants de l'*Agauer* sur le nouveau monde, il ne trouverait ici aucune solution au problème posé par les protecteurs des sentiers. La seule chose qu'il lui restait à faire, c'était se réconcilier avec lui-même, apprendre à maîtriser ses crises, ses sauts dans le temps, et pour cela l'aide de la petite djemale lui était indispensable.

Des tremblements violents répétés agitèrent la créature sans doute apeurée par cette plongée de plus en plus profonde dans les entrailles du sol. Elle se décolla à plusieurs reprises de la peau d'Orchéron. Il crut qu'elle allait se détacher de lui et repartir à toutes pattes vers le haut, mais elle revint à chaque fois se plaquer contre lui et revêtir les parties de son torse que ses convulsions avaient dénudées.

Il perçut des images de créatures vivantes enfermées dans des cocons transparents, d'yeux noirs grands ouverts, exorbités par la terreur, de cris inaudibles, de formes mouvantes et imprécises dans les ténèbres.

L'eau n'était pas loin maintenant, l'air était saturé d'humidité, il percevait des clapotis lointains. L'escalier s'échappa du puits pour s'ouvrir sur le vide et franchir en douceur la hauteur d'une trentaine de pas qui le séparait du sol. Il donnait dans une immense cavité naturelle qu'éclairaient avec parcimonie de petites solarines serties dans les parois, dans les piliers ou dans les stalactites. Orchéron remarqua immédiatement les miroitements de la nappe d'eau qui occupait la plus grande partie du gouffre et franchissait les ouvertures en forme d'arches pour s'étendre dans les salles annexes. Il parcourut en courant la surface plate et rocheuse entre le bas de l'escalier et le bord de la nappe.

La créature se détacha de lui, sauta au sol et se mit à bondir elle aussi, mais dans la direction opposée. La soif d'Orchéron était tellement dévorante qu'il ne prêta pas attention à sa réaction ni à la sensation déchirante de froid et de manque. Il s'allongea devant la nappe, plongea le visage dans l'eau et s'abreuva à longues gorgées.

Il eut la sensation d'un mouvement dans son dos. Il ne s'en inquiéta pas, trop affairé à se désaltérer, croyant que la créature était revenue sur ses pas, puis il entendit une succession de crissements insistants qui l'entraînèrent à se relever et à se retourner.

Une ombre émergeait dans un recoin d'obscurité et s'avançait dans sa direction. Indistincte pour le moment, mais menaçante sans aucun doute. Il aperçut au-dessus d'elle, suspendue à une stalactite, l'un de ces cocons transparents qu'il avait entrevus dans ses visions et qui renfermait un corps.

Pas le corps rougeâtre d'une créature, mais celui d'une femme blonde et revêtue d'un tissu blanc.

Le corps d'Alma.

CHAPITRE XXVI

Sauts

Voici donc l'histoire de Lézel. Je me suis efforcée de la retranscrire le plus fidèlement possible, en espérant que ma mémoire ne m'a pas trahie. Je lui ai demandé de me la raconter à plusieurs reprises avant sa mort, et je dois reconnaître qu'elle ne s'est jamais modifiée dans sa bouche, qu'elle était par conséquent l'expression d'une sincérité jamais démentie. Mon philtre d'amour, et donc son désir de m'être agréable, ont certes exercé une forte influence sur sa loyauté, mais je crois qu'il éprouvait surtout le besoin pressant de se libérer avant de se présenter sur le chemin des chanes.

En revanche, je ne puis affirmer qu'il n'était pas déjà sous l'emprise de la folie quand tous ces événements se sont produits. Peut-être a-t-il cru réellement que les choses s'étaient passées ainsi, peut-être n'est-ce que pure imagination, peut-être s'est-il enfermé dans ce genre de fables pour accepter son existence. Je ne puis en juger, même après toutes ces années, mais ce dont je suis sûre c'est qu'il a fait preuve jusqu'à la fin d'une grande cohérence, qu'il ne s'est jamais contredit.

Il me semble encore entendre le son de sa voix, et c'est naturellement que j'ai eu envie de rapporter son récit à la première personne. Il m'est arrivé de l'inter-

rompre pendant qu'il parlait et d'exiger qu'il se consacre entièrement à mon plaisir avant de continuer, surtout lors des passages qui concernaient Lahiva, la belle, la maudite, l'haïssable Lahiva. Une façon de marquer mon territoire, d'affirmer ma supériorité sur l'absente. Un comportement que la plupart jugeront puéril, stupide, mais que comprendront sans doute les femmes amoureuses, prêtes à tout, à tuer s'il le faut, pour s'attacher l'être aimé.

Le récit de Lézel, donc.

« Au retour de ma première expédition de chasse, j'ai décidé de sortir du cercle des lakchas et de rester sur les plaines. Je savais que, si je rentrais au domaine de Sgen, je ne pourrais faire autrement que tuer Elleo, me jeter sur Lahiva et la contraindre à m'aimer. Je pensais que le temps m'aiderait à l'oublier, mais la solitude et l'absence ont débouché sur un résultat diamétralement opposé : Lahiva a grandi à l'intérieur de moi, a occupé mes jours et mes nuits, ne m'a plus laissé un seul instant de répit. J'ai erré sur les plaines jusqu'aux premières averses de cristaux, me nourrissant de fruits sauvages et des restes de viande qu'abandonnaient parfois les clans ventresecs sur les pierres chaudes de leurs foyers. Puis j'ai découvert l'existence de ce gouffre, non loin de la rivière Abondance, non loin d'autres grottes où les fruits poussaient à profusion, non loin de champs intérieurs de manne sauvage qui, fécondée par les bulles de pollen, mûrissait deux fois l'an à la lumière des solarines. Un endroit idéal pour quelqu'un qui, comme moi, désirait se retirer du monde. J'avais un toit, de l'eau, de la nourriture et le souvenir de Lahiva pour compagne. J'avais vraiment l'intention de laisser s'égrener les années dans une solitude austère, le plus souvent désespérante mais où, de temps en temps, brillait un rayon de lumière, se suspendait un *instant de grâce malheureusement trop vite englouti par le flot du temps...*

» Et puis il est arrivé par le chemin de l'eau bouillante.

» J'ai d'abord aperçu, sur le bord d'un bassin, une masse sombre environnée de vapeur que j'ai prise pour un furve ou une autre créature inconnue du nouveau monde. Je m'en suis approché, le couteau à la main, le cœur empli de méfiance. À première vue, il me semblait avoir affaire à un animal surgi des abysses. De forme grise, allongée, difficile à cerner, il ne bougeait pas, et j'ai pensé qu'il était venu s'échouer dans cette grotte pour y mourir. Puis il a remué et j'ai vu un visage humain se former à l'intérieur de lui. Un visage d'homme en proie à une telle souffrance apparente que, du coup, la mienne m'a paru tolérable.

» Il ne m'a pas parlé, du moins je n'ai pas entendu le son de sa voix, mais des pensées ont résonné à l'intérieur de moi, qui, je n'ai eu aucun doute à ce sujet, provenaient de lui.

» — Je t'attendais, murmurait-il. J'attendais l'homme à qui transmettre mon héritage.

» Je me suis demandé de quel héritage il voulait parler, et il m'a répondu, comme s'il lisait dans mon esprit aussi facilement que sur un rouleau de peau déplié :

» — Tu ne connais pas cette vieille histoire que me racontait ma mère ? a-t-il poursuivi. L'histoire de ce jardin merveilleux où le premier homme et la première femme vivaient en paix jusqu'à ce que la femme prête une oreille attentive aux propositions de la créature du mal ? C'est une vieille histoire kropte...

» C'est ainsi que j'ai fait la connaissance de Maran, l'enfant-dieu de l'arche des origines. »

Les mémoires de Gmezer.

ORCHÉRON dégagea fébrilement son couteau de corne et observa l'ombre qui continuait d'avancer dans sa direction avec une lenteur qu'il devinait trompeuse. Il rencontrait toujours des difficultés à en cerner les contours, il ne distinguait ni face, ni yeux, ni gueule, ni mandibules, ni bec, ni membres inférieurs, ni membres supérieurs, rien d'autre que le déplacement pesant d'une masse sombre, vaguement sphérique, d'où émanaient des courants glacés. Il essuya d'un revers de main les gouttelettes de sueur qui, malgré la fraîcheur, lui perlaient sur le front. Son regard revenait régulièrement heurter le cocon transparent qui renfermait Alma. Il en distinguait d'autres plus loin qui, pendus à la voûte de la cavité, contenaient tous des formes indistinctes, rougeâtres pour la plupart.

Il recula instinctivement et entra dans l'eau jusqu'aux chevilles. Le froid le pénétrait de plus en plus, commençait à engourdir son système nerveux, à paralyser ses muscles, à l'anesthésier. Sa volonté le désertait, le manche de son arme glissait entre ses doigts gourds, il admettait déjà sa capitulation, sa défaite.

Il avait éprouvé le même genre de froid devant les umbres, devant la porte du tunnel du bord des grandes eaux orientales, comme si les prédateurs volants, l'issue du tunnel et cette masse sombre étaient faits de la même matière, ou plutôt de la même absence de matière. Sa manie d'emprisonner ses proies dans des cocons transparents dénotait chez cette dernière une prédominance de l'instinct animal. Elle se constituait des réserves pour prévenir une éventuelle pénurie, comme les nanziers sauvages qui amassaient dans leurs nids d'énormes quantités de manne sauvage avant l'amaya de glace.

Les yeux d'Orchéron se levèrent à nouveau sur le cocon d'Alma. Il décela un éclat derrière la matière transparente et sentit le feu de son regard sur son visage. Un feu qui ranima sa combativité défaillante, qui aiguillonna son instinct de survie. Il se secoua pour chasser son engourdissement et resserra les doigts sur le manche de son couteau. Il distinguait maintenant à l'intérieur de la masse sombre des reliefs légèrement plus clairs, les creux et les bosses d'une face. D'elle s'échappait un filament blanchâtre qui s'allongeait, qui se dirigeait vers lui à la manière d'une flamme propagée par le vent. C'était probablement avec cette matière extensible qu'elle tissait ses cocons. Il ne fallait à aucun prix qu'elle le touche, ou il n'aurait plus aucune chance de lui échapper. Il se déplaça de trois pas sur sa gauche. Le filament, tout en continuant de s'étirer, changea immédiatement de direction et s'avança à nouveau vers lui. Il avisa des reliefs rocheux un peu plus loin, soulignés par la lumière d'une solarine, fit à nouveau deux pas vers la gauche en décomposant ses mouvements puis s'élança vers les rochers qu'il gravit en quelques foulées.

Il se retourna et se rendit compte avec effroi que la trace blanche avait à nouveau modifié sa trajectoire et accéléré l'allure. Il bondit de rocher en rocher vers l'intérieur du gouffre, se retrouva un peu plus loin coincé entre la paroi et la nappe phréatique. Au moment où il se disait qu'il ne lui restait pas d'autre choix que de plonger dans l'eau, il vit un nouveau filament se scinder du premier, pénétrer dans la nappe, onduler sous la surface frissonnante et lui couper toute possibilité de fuite.

Pris de panique, haletant, il chercha une issue. La masse sombre s'adaptait à ses réactions et aux éléments avec une vitesse et une efficacité sidérantes. Les fils blancs rampaient vers lui comme des créatures autonomes et douées d'intelligence.

450

Se soustraire ne serait-ce qu'un bref instant à l'attention de l'être des profondeurs...

La solution, la seule solution, c'était... un saut dans le temps.

Un moyen...

Il devait exister un moyen de provoquer le phénomène. Ses souvenirs s'étaient escamotés, mais sa mémoire organique en avait conservé le mode d'emploi. À sa gauche, l'extrémité du filament était sortie de l'eau et avait entamé son escalade des rochers ; l'autre, à sa droite, se promenait déjà à quelques pouces de son pied. Des cordes nerveuses, noueuses, s'étaient tendues entre son plexus solaire et les extrémités de ses membres.

Que s'était-il passé à chaque saut ? Une impression d'être dépecé vivant par des lames glacées.

Un peu comme au début de ses crises...

Chaque fois qu'il en avait eu réellement besoin, le déplacement dans le temps s'était effectué à son insu. Et la souffrance, bien réelle, tout aussi intolérable, s'était réfugiée dans son inconscient d'où elle s'évacuait périodiquement sous la forme de crises.

Le filament s'enroulait autour de son pied droit. Son contact visqueux et glacé le fit frémir de dégoût. Il fut en même temps happé par cette spirale de violence qui, d'habitude, le poussait à jeter tout ce qui lui tombait sous la main ou à frapper tout ce qui passait à portée de ses poings. Il ne chercha pas à résister cette fois-ci, il se laissa emporter, si loin, si profond en lui-même qu'il eut la sensation de se disperser dans son vide intérieur.

Il se tenait au pied de l'escalier. La masse sombre avait disparu, de même d'ailleurs que le cocon d'Alma. Il apercevait les autres enveloppes transparentes et suspendues sous la voûte, leur contenu sinistre en partie révélé par les rayons diffus des solarines. Il ressentait encore le vertige du saut, des frémissements impalpables dans le réseau de ses nerfs. Il se demanda s'il n'avait pas été entraîné trop loin dans le temps, si le monstre des profondeurs n'avait pas dévoré la petite djemale, puis il entendit les claquements de pas sur les marches de l'escalier, encore lointains mais qui se rapprochaient de la cavité. Par prudence, il se recula tout en jetant d'incessants regards autour de lui. Sans doute avait-il la capacité d'effectuer un autre saut en cas de nécessité, mais son organisme le supporterait mal, en garderait des séquelles. Il avait besoin de récupérer comme d'un autre voyage, plus que d'un autre voyage.

Les bruits de pas se rapprochèrent. Il colla la lame du couteau derrière sa cuisse. Il ne put retenir une exclamation de surprise lorsqu'il vit déboucher la petite djemale sur les marches tournantes qui s'échappaient du puits de descente pour se jeter dans le gouffre. Vêtue de la pièce d'étoffe blanche dont elle s'était drapée au deuxième étage de la construction.

Elle finit de dévaler l'escalier sans avoir remarqué sa présence. Elle ne parvint pas non plus à dissimuler sa surprise quand il émergea de la pénombre, s'avança vers elle et lui coupa l'accès à la nappe.

« Vous avez réussi à trouver la sortie plus vite que je le pensais », dit-elle avec une petite moue de dépit. Sa voix tremblait de frayeur contenue. « Et vous êtes parvenu aux même conclusions que moi pour ce qui concerne la nappe phréatique. Moi qui pensais aller vous surprendre au troisième étage en vous apportant de l'eau... »

Elle lui montra d'un air déconfit le récipient en matière grise qu'elle portait. Il lui lança un regard stupéfait.

452

« Quand... quand nous sommes-nous séparés pour la dernière fois ? »

Elle leva sur lui des yeux perplexes et les laissa traîner quelques instants sur son torse.

« Je vous préfère sans votre fourrure vivante.

— Répondez à ma question. Quand ?

— Hier soir, il me semble. J'ai passé une nuit bizarre. J'ai l'impression d'être déjà venue ici. J'ai rêvé qu'un monstre m'agressait et m'emprisonnait dans une sorte de cocon...

— De ce genre-là ? » demanda-t-il en désignant les formes transparentes suspendues à la voûte.

Elle les observa, blêmit, acquiesça d'un hochement de tête.

« J'ai rêvé aussi que je vous voyais vous battre contre le monstre, que je vous encourageais du regard, que vous disparaissiez tout à coup... »

Des frissons agitèrent ses cheveux blonds qui tombaient en désordre sur ses épaules nues. Elle semblait avoir oublié de revêtir l'armure d'arrogance dont elle s'était protégée quelques jours plus tôt.

« Ce n'était pas un rêve ordinaire, reprit-elle d'une voix sourde, comme si elle s'adressait à elle-même. Plutôt l'impression d'avoir gardé les souvenirs précis d'un événement qui n'a pas eu lieu. »

Un voile se déchira dans l'esprit d'Orchéron. Son saut ne s'était pas effectué en direction du futur, comme les premières fois, mais dans le passé, deux jours plus tôt, juste avant l'arrivée d'Alma dans le gouffre.

Des perspectives vertigineuses s'ouvrirent devant lui. Il songea instantanément à Mael, à la possibilité de revenir au domaine d'Orchale la nuit de l'intrusion des couilles-à-masques, de réécrire l'histoire, de partir en exil en compagnie de sa sœur adoptive. Mais il sut au même moment que le temps décidait pour lui, qu'il ne pouvait pas lui imposer sa volonté, qu'il se mettrait en danger, et avec lui tous les habitants du nouveau monde, s'il tentait de reconstruire un passé douloureux. Il n'avait pas le droit d'impliquer les autres dans le réajustement de ses désirs insatisfaits. Il ne devait pas se tourner vers ses morts, vers ses manques, mais vers les vivants qui cheminaient sur son sentier, qui croisaient son présent.

Alma voulut s'approcher de l'eau ; il la saisit par le poignet et la retint près de lui.

« Les cocons ne sont pas un rêve, dit-il. Ni le monstre. Nous devons remonter.

— Mais il n'y a pas d'eau là-haut. Et lâchez-moi, vous me faites mal.

— Je m'occupe de l'eau. Remontez sur les marches et attendez-moi là. »

Il lui prit le récipient des mains, courut jusqu'à la nappe, fouilla la pénombre du regard, n'y décela aucun mouvement, s'accroupit, plongea le récipient dans l'eau, se redressa, vit les ténèbres se mettre en mouvement au fond de la grotte, regagna l'escalier en quelques foulées, perdit un peu d'eau au passage, gravit les premières marches à la volée, bouscula Alma pétrifiée, comme déjà gagnée par le froid du monstre des profondeurs.

« Bougez-vous ! cria-t-il. Nous ne sommes plus dans un rêve ! »

« Comment avez-vous trouvé ? Pour sortir de l'étage ? »

Alma avait bu avec une telle précipitation que l'eau avait dégouliné de ses lèvres et semé des auréoles sur le tissu qui la drapait. Orchéron, couvert de sueur au sortir de l'escalier, constata qu'elle ne transpirait pas.

« Vous êtes une sèche ? demanda-t-il.

— Sèche, fumée, peu importe... Répondez plutôt à ma question. »

Ils s'étaient assis sur le muret de la fontaine pour récupérer de l'interminable montée. L'aube encore pâle soufflait une bise cinglante, et Orchéron regrettait la disparition de son vêtement vivant. Les façades obliques des constructions se réfléchissaient les unes dans les autres et formaient des figures d'une incroyable complexité mais toujours symétriques.

« J'ai triché. Je... euh, vous ai... observée. Et vous, qu'est-ce qui vous a mis sur la voie ?

— Je n'ai pas beaucoup plus de mérite que vous. Je n'en avais aucune idée lorsque j'ai décidé de vous rejoindre. J'ai raté le premier étage, puis, en arrivant au second, j'ai commencé à paniquer, je me suis agitée, je me suis retrouvée, je ne sais pas comment, dans une chambre, j'ai vu un petit animal effrayé traverser le mur comme de l'eau et j'ai compris que j'avais trouvé la sortie. Ensuite j'ai fouillé le niveau à la recherche d'un vêtement, j'ai trouvé ce tissu blanc et vous êtes arrivé. »

Elle plongea à nouveau les mains dans le récipient et recueillit de l'eau dans le creux de ses paumes.

« J'ai regretté de vous avoir lancé ce stupide défi, poursuivit-elle après avoir bu et s'être essuyé les lèvres d'un revers de main. Le hasard m'avait offert la solution, je n'avais pas à en tirer profit. Je me suis réveillée avant l'aube et j'ai décidé de chercher de l'eau. Je voulais vous en offrir à votre réveil pour me faire pardonner. J'ai trouvé ce récipient à l'étage et je me suis mise en quête. »

Ses paroles consolèrent Orchéron des deux jours et des deux nuits interminables, cauchemardesques, passés à l'intérieur de la construction. Sans l'aide du hasard, elle aurait probablement mis autant de temps que lui à résoudre l'énigme posée par leur prison translucide. Elle se leva et fit quelques pas sur la terre rouge. C'est alors seulement qu'il remarqua qu'elle boitait, que son pied gauche, violacé, était presque deux fois plus volumineux que le droit. Elle en souffrait, comme le montrait la crispation de ses traits, mais aucune plainte ne franchissait ses lèvres.

« À mon tour de vous avouer quelque chose, dit-il. J'ai eu des visions lorsque je vous ai suivie à l'intérieur du bâtiment. Elles m'ont montré à quoi servait le socle, ce que vous appelez le puits d'apesanteur. Je... je n'aurais jamais deviné sans ça. »

Elle le dévisagea avec un large sourire. Il commençait à s'habituer à elle, mieux, à entrevoir une grâce réelle, attachante, sous le piquant des apparences.

« On dirait que nous nous sommes comportés comme deux idiots ! s'exclama-t-elle. On n'a pas idée, aussi, de se présenter à une inconnue recouvert d'une bête vivante !

— On n'a pas idée non plus de se présenter à un inconnu aussi nue qu'au jour de sa naissance ! »

Ils éclatèrent de rire. Elle revint s'asseoir à ses côtés et, sans qu'il l'en eût priée, lui raconta son histoire, toute son histoire, y compris sa première expérience ratée dans l'eau bouillante et les séquelles qu'elle en gardait, la rencontre avec Gaella la folle, l'irruption des couilles-à-masques, son errance dans les souterrains de Chaudeterre, le martyre de ses sœurs et, selon toute probabilité, de sa mère, sa fuite par le bassin d'eau bouillante, sa rencontre avec le Qval, la vision qui l'avait amenée sur ce continent, dans ces ruines.

Il prit le relais après qu'elle en eut terminé et qu'elle se fut désaltérée. Il parla de sa première enfance, de sa mère Lilea, de l'irruption des protecteurs des sentiers, de leur exposition sur la colline de l'Ellab, de son premier trou de mémoire qui correspondait sans doute à un saut dans le temps, de son adoption par Aïron et Orchale, la mathelle d'un domaine excentré, de ses crises, de ses... – il hésita un instant avant d'évoquer Mael – amours avec sa sœur adoptive, de la nouvelle intrusion des couilles-à-masques dans son existence, de son exil, de son retour, de la mort d'Œrdwen, de sa dernière entrevue avec Orchale.

« Je ne crois pas que vous deviez compter sur les descendants de l'*Agauer* pour vous aider à vaincre les protecteurs des sentiers, coupa-t-elle lorsqu'il eut abordé le sujet. Non pas parce qu'ils se montreraient insensibles à vos... à nos difficultés, ni parce qu'ils ne sont que des créatures de légende, mais parce qu'ils ont disparu, que nous nous trouvons dans les ruines de leur cité, c'est du moins ce que je crois. »

Il lui dit qu'il était arrivé aux mêmes conclusions et reprit le fil de son récit : il avait voulu sauver Mael des umbres, mais, incapable de supporter le viol dont elle avait été victime, elle lui avait échappé et s'était elle-même offerte aux prédateurs volants, il s'était retrouvé cerné par une nuée de protecteurs des sentiers au pied de la colline de l'Ellab, il avait effectué un nouveau saut dans le temps qui l'avait expédié quelques jours plus tard sur les plaines du Triangle, il y avait rencontré un clan ventresec, les furves l'avaient sauvé d'une agression des lakchas de chasse, les ventresecs l'avaient abandonné parce qu'il avait refusé les avances d'une femme du clan...

Il marqua un temps de pause, saisi par le besoin pressant de dégager une ligne cohérente dans une histoire qui, en accéléré, lui paraissait singulièrement décousue, voire abracadabrante, un peu comme s'il essayait de tisser une toile entière avec des bouts de fils épars.

« Pour quel motif les protecteurs des sentiers vous ont-ils condamnés, votre mère et vous, à être exposés sur la colline de l'Ellab ? demanda Alma.

— Ma mère m'a dit qu'ils nous considéraient comme les derniers descendants d'une lignée maudite. Et je n'ai pas la moindre idée de ce que ça peut signifier. »

Jael s'était levé, mais ses rayons, s'ils avaient enflammé les cônes, n'avaient pas réchauffé l'atmosphère.

« C'est également un... saut dans le temps qui vous a expédié sur ce continent ?

— Oui, mais différent des autres. »

Il lui retraça brièvement les épisodes qui l'avaient amené à la découverte du souterrain et du ventre à yonks sur le bord des grandes eaux.

Alma désigna le récipient :

« Les matériaux utilisés ici et là-bas sont identiques ?

— Identiques, c'est difficile à dire. Ils se ressemblent en tout cas.

— Ce seraient donc les descendants de l'*Agauer* qui auraient installé ce... ventre à yonks ? La légende dit que le peuple magicien offrira le bonheur éternel aux fils et filles de l'*Estérion*. Je ne vois pas le rapport entre le bonheur éternel et les yonks. Dans quel but auraient-ils offert ce présent aux habitants du Triangle ? Si on peut regarder ça comme un cadeau : les djemales spécialistes des équilibres naturels jugent les yonks plus nocifs qu'utiles. Non seulement ils détruisent la flore sauvage, mais ils ont engendré le système des lakchas et les conflits avec les ventres-secs. »

Orchéron relata ensuite le revirement d'attitude des errants, persuadés que la malédiction de leur prophétie allait se déclencher par sa faute, son franchissement de la porte ténébreuse, son réveil de l'autre côté du couloir du temps, dans une cave profonde et ceinte d'un mur maçonné avec un savoir-faire inconnu sur le Triangle, puis l'intervention de la créature, son arrivée au milieu des constructions en forme de cônes et, enfin, leur rencontre. Il passa sous silence les deux derniers jours, en principe effacés par son saut dans le temps.

La notion d'effacement le ramena sur la colline de l'Ellab : les umbres, lorsqu'ils fondaient sur leurs proies, ne donnaient pas l'impression de les enlever ou de les dévorer, mais de les effacer.

« On ne peut pas vraiment dire que vous ayez eu une vie banale ! s'écria Alma avec un sourire. Voyager sur le temps... »

Il l'interrompit d'un geste du bras.

« Voyager avec le Qval dans les eaux profondes du nouveau monde n'est pas banal non plus.

— Les deux laissent des traces apparemment : vous vos crises, et moi un pied qui enfle dès que je fais plus de cinq pas. Nous devons... non, le devoir n'est pas une notion compatible avec le présent... Allons jusqu'au bout maintenant.

— Au bout de quoi ?

— De vous, de moi, de nous deux... Je ne sais pas. »

La place était désormais cernée de sommets flamboyants, de façades rutilantes, d'un véritable incendie pétrifié par l'œil éclatant de Jael. Aucun autre bruit que les murmures du vent et le friselis des buissons ne troublait la paix du jour. Les lieux baignaient dans une grâce et dans un équilibre qui apportaient une sérénité immédiate totale au cœur et à l'esprit. Orchéron se demanda comment d'autres hommes avaient pu un jour avoir l'audace ou l'inconscience de briser un tel enchantement.

Alma lui jeta un regard soupçonneux.

« Vos sauts dans le temps... ils ne s'effectuent pas dans les deux sens ? Dans le futur mais aussi dans le passé ?

— Ça peut arriver, répondit-il après une hésitation.

— Est-ce que c'est arrivé ? Je veux dire : est-ce que j'ai réellement été prisonnière de ce monstre, est-ce que vous êtes réellement venu à mon secours, est-ce que vous lui avez réellement échappé en disparaissant, en sautant dans le temps ? »

Elle interpréta son silence embarrassé comme un aveu et devint plus pâle que son vêtement.

« Combien... combien de temps suis-je restée à l'intérieur de ce cocon ?

— Quelle importance, puisque ce passé s'est effacé...

— Ne racontez pas n'importe quoi. C'est la nature du passé que de s'effacer. Combien de temps ?

— Deux jours et deux nuits...

— Où étiez-vous pendant tout ce temps ? »

Il baisa les yeux sur la terre rouge et s'entendit répondre d'une voix misérable :

« Je cherchais la sortie du troisième étage... »

La créature au pelage rouge revint peu de temps après que Jael eut atteint le zénith. Orchéron remarqua d'abord sa silhouette furtive entre les constructions. Après avoir hésité, feint de repartir, tourné sur elle-même, elle finit par se montrer et traverser la place en direction des vestiges de la fontaine en jetant des regards inquiets autour d'elle.

Beaucoup plus tôt, Alma avait retroussé le pan d'étoffe sur ses cuisses, s'était accroupie face à l'est et était demeurée dans cette position sans bouger, aussi figée que la statue mutilée de la fontaine. Tout le poids de son corps reposait pratiquement sur ses seuls orteils, un équilibre pourtant difficile à tenir avec son pied enflé douloureux. Comme elle gardait les yeux fermés, il avait pu l'observer à loisir et lui avait finalement trouvé de la beauté. Oh, elle n'atteindrait jamais à la rondeur sensuelle de Mael, à cet aspect de fruit plein, mûr, qui invite à la gourmandise, à l'ivresse, mais ses traits détendus se paraient d'une finesse remarquable sous ses mèches claires. Sa petite taille et la blancheur diaphane de sa peau auraient pu laisser d'elle une impression de fragilité, d'évanescence, mais elle n'était ni chétive ni maladive, au contraire même, elle paraissait beaucoup plus grande, dense et robuste que la plupart des autres femmes. Il aimait en particulier la forme accentuée de ses pommettes qui lui creusaient les joues et donnaient une grâce presque irréelle à son visage.

La créature se dirigea vers Orchéron et, affalée sur ses membres postérieurs, s'immobilisa à quelques pas avant d'entamer de nouvelles manœuvres d'approche. Elle changeait de forme à chacun de ses déplacements et, sans son pelage ras et rougeâtre, sans les reliefs bien visibles de son museau écrasé, de ses oreilles, de ses yeux ronds et noirs, on aurait pu la prendre pour une masse liquide en mouvement. Comme il ne bougeait pas, à la fois amusé et agacé par ses atermoiements, elle se décida enfin à le renifler puis, après avoir tergiversé encore à deux ou trois reprises, à lui lécher le torse. Autant leur première prise de contact au sortir de la cave s'était effectuée de façon spontanée, autant la deuxième tenait du rituel compliqué. Peut-être le saut dans le temps et ses conséquences avaient-ils perturbé la créature comme ils avaient perturbé Alma ? Lorsqu'elle s'enroula autour de son torse à la suite de contorsions aussi savantes qu'inutiles, il ressentit une chaleur et un bien-être immédiats, comme si elle avait étalé un baume apaisant à l'intérieur de lui.

Des images affluèrent en flot désordonné dans son esprit. C'était donc d'elle, de la créature, que lui venaient ces visions. Elle lui restituait des scènes, des sensations qu'elle avait captées et emmagasinées des années voire des siècles plus tôt. Elle avait partagé la vie des hommes et des femmes qui avaient vécu dans ces cônes. Les images montraient des séquences de la vie qui s'était autrefois déployée sur cette place, autour de cette fontaine, des enfants bruns et rieurs qui s'aspergeaient d'eau, des couples qui s'embrassaient, des jeunes filles qui accomplissaient des rites, des garçons qui se livraient une partie acharnée d'un jeu de balle. Il ressentait la nostalgie poignante de la créature, chassée d'un paradis par l'irruption de cavaliers armés d'arcs, de haches, de masses d'armes, qui déferlaient entre les constructions dans un fracas d'orage. La peur soudaine figeait les regards et les traits, les premiers hurlements déchiraient le silence. L'hésitation du peuple de l'*Agauer* lui avait été fatale : il lui avait fallu du temps pour réagir, pour comprendre qu'on attaquait sa cité.

« Ah, vous vous êtes rhabillé ! »

La voix d'Alma tira Orchéron de ses visions. Toujours accroupie, elle le fixait d'un air vaguement réprobateur.

« Vous devriez changer de couturier, continuat-elle avec une moue. Votre... "double-poil" n'est pas ce qui se fait de plus seyant en matière de vêtements.

— Mon double-poil, comme vous dites, me réchauffe et m'apaise, répliqua-t-il avec une pointe d'irritation. Vous devriez essayer. »

Elle se leva, resserra l'étoffe sur sa poitrine, en rabattit les pans sur ses jambes.

« Merci. J'ai l'habitude de choisir mes vêtements et non que mes vêtements me choisissent.

— Elle a vécu avec les gens d'ici, elle me transmet ses souvenirs, elle me raconte la vie d'avant.

— Nous en parlerons plus tard. Demandez-lui si elle ne sait pas où nous pourrions trouver de quoi manger. Nous avons besoin de prendre des forces. Un long chemin nous attend.

« — Quel chemin ?

— Vous n'avez pas aperçu une faille de ce côté-ci ? »

Elle tendait le bras en direction de l'ouest.

« Si, et elle est tellement large qu'on a du mal à en apercevoir l'autre bord.

— Nous allons descendre au fond. »

Il se leva à son tour et s'avança vers elle. Il la dominait de presque deux têtes. Il eut envie de la prendre dans ses bras, mais il n'osa pas ; elle se disait révulsée par « Double-Poil » et il craignit d'essuyer un refus.

« Vous ne me demandez pas pourquoi ? »

Il n'en avait pas besoin, il plaçait en elle toute sa confiance, elle s'installait dans ses manques, elle comblait ses creux, ils formaient dorénavant une entité à deux corps, à deux têtes.

Le regard d'Alma se brouilla.

« J'ai repensé à votre histoire... »

Sa voix elle-même avait perdu de son acidité habituelle, elle était devenue rauque, oppressée. Elle parlait aussi pour dissiper son trouble.

« Vous êtes le seul, à ma connaissance, à être revenu en vie de la colline de l'Ellab. Vos deux premiers sauts dans le temps, les plus longs, se sont effectués juste après le passage des umbres. Quand vous vous déplacez vers le futur, dans le sens de la flèche, vous accélérez le temps des autres, mais ils ne s'en rendent pas compte parce que, comme je vous le disais hier, c'est la nature du passé que de s'effacer.

— Et dans le passé ?

— Vous créez des embranchements. Des passés parallèles dont on garde les souvenirs. Comme des rêves. Ces phénomènes ont sans doute un rapport avec la fameuse notion de lignée maudite chère aux protecteurs des sentiers, ne me demandez pas lequel. Ce que je sais en revanche, c'est que les umbres jaillissent de cette grande faille et des failles plus petites qui s'y rapportent, je les ai vus... Vous devez – non, non, pas une obligation, juste une façon de parler – descendre au fond de cette gorge parce que vous êtes le seul à pouvoir les affronter.

— Qu'est-ce que ça changera ?

— Selon Qval Djema, le nouveau monde est un point particulier dans l'univers. Les déséquilibres s'y traduisent par des accélérations brutales du temps.

— Comme... des sauts dans le temps ? »

Elle approuva d'un vigoureux mouvement de tête qui ramena quelques-unes de ses mèches sur son front et ses tempes.

« Qval Djema dit que le temps s'accélérera de façon vertigineuse et effacera purement et simplement les hommes de la création. Pas seulement les habitants du nouveau monde, mais tous les peuples humains dispersés dans les deux galaxies.

— Comment empêcher ça ? »

Alma sourit : elle avait eu la même réaction que lui face à Qval Djema.

« Nous trouverons certainement la réponse au fond de la grande faille. Est-ce que... vous acceptez de descendre ?

— Vous venez avec moi ? »

Elle se dirigea vers le récipient d'eau, presque vide désormais, le leva pour en porter le bord à hauteur de son visage et laissa le filet d'eau s'écouler un petit moment dans sa bouche jusqu'à ce que des rigoles refluent par les commissures de ses lèvres.

« Évidemment, dit-elle après avoir repris son souffle. Je m'en voudrais de laisser seul quelqu'un qui a mis plus de deux jours à trouver la sortie d'une construction transparente !

— Je vous apprendrai, en échange, comment boire sans en répandre les trois quarts sur votre vêtement ! »

Elle eut un rire joyeux, un rire enfantin. Les feux de Jael embrasaient les flèches et les arêtes fuyantes des constructions. De rares nuages clairs s'étiraient paresseusement dans le mauve délavé du ciel.

« Votre pied ne risque pas de vous... »

Elle lui rentra sa question dans la gorge d'un regard meurtrier avant de reposer le récipient sur le bord du bassin.

« Laissez mon pied tranquille, s'il vous plaît. Allons-y. Nous trouverons peut-être de quoi manger sur le chemin de la faille. »

Et, sans attendre sa réponse, elle s'élança en direction de l'ouest d'une allure volontaire dans laquelle il ne discerna pas la moindre trace de boitillement.

CHAPITRE XXVII

PISTES

À tous les responsables des cercles :
Veuillez lire ce message à l'ensemble de vos hommes.

Frères, fils bien-aimés de Maran,
L'heure de gloire de l'enfant-dieu de l'arche va bientôt sonner. Vous allez, nous allons recueillir les bénéfices d'une longue patience, d'une foi et d'un labeur de tous les instants. L'Emmegis, notre fondateur, l'homme qui recueillit les enseignements de Maran, vous contemple avec bonheur, avec fierté, là où il se trouve, au pied du trône de son père divin.
Les dernières mathelles rebelles ont enfin été capturées dans les bâtiments de Chaudeterre où elles s'étaient imprudemment réfugiées. Elles ignoraient que nous connaissions parfaitement les sous-sols du conventuel, et il a suffi à nos frères de les cueillir une à une dans les galeries souterraines. Nous tenons désormais Merilliam, l'ancienne djemale qui a prêché la révolte et levé des troupes contre nous. Ses enfants et elle nous seront amenés dans quelques jours à l'endroit que vous savez. Quand nous aurons fini de l'interroger, vous serez tous invités à l'inonder de l'amour de Maran, à la marquer de votre sceau. Nous disons bien : tous. Elle plus que les autres a

besoin de ressentir l'ardeur des serviteurs et fils de l'enfant-dieu.

Puis nous l'exposerons avec sa descendance et ses anciennes complices sur la colline de l'Ellab. Ce sera l'occasion de nous rassembler, frères, et de célébrer l'avènement du nom de Maran. Notre prière alors, nous l'espérons, sera si forte qu'il l'entendra et descendra parmi nous. Nous espérons que notre grand frère l'Emmegis l'accompagnera, ainsi que l'ensemble de nos anciens frères disparus. Nous espérons que se constituera l'immense, la magnifique fraternité des protecteurs des sentiers depuis son inspirateur, l'enfant-dieu de l'Estérion, jusqu'au dernier de ses adeptes.

Le monde purifié recevra son nouveau nom. Les lignées maudites se seront éteintes, nous pourrons à nouveau croître et prospérer sans risquer la malédiction, l'extinction. Nous maintiendrons l'organisation des domaines, qui seront dorénavant contrôlés par des cercles locaux eux-mêmes reliés au cercle ultime. C'en est fini du chaos qui a régné pendant ces huit siècles et qui a failli nous emporter dans son tumulte. Nous aspirons à l'ordre. Nous gérerons le nouveau monde avec la rigueur qui a tant fait défaut aux mathelles, nous rendrons leur pureté d'origine aux sentiers, nous renouerons avec les lois fondamentales de l'Estérion.

Les domaines sont appelés à s'étendre, à conquérir peu à peu les plaines du Triangle puis, dans un lointain avenir, les autres continents. Cette expansion n'ira pas sans soulever des difficultés. Comme les yonks ne se reproduisent pas en captivité, nous devrons nous soucier des intérêts des lakchas de chasse et réserver des territoires aux grands troupeaux. Nous devrons répartir le plus justement possible les réserves d'eau. Nous devrons également enrayer la prolifération des ventresecs, car ils pourraient un jour devenir aussi nombreux, voire plus nombreux, que les permanents des mathelles. Ils ont choisi un sentier que nous ne reconnaissons pas, qu'ils en supportent les conséquences ! Nous ne ferons preuve à leur égard d'aucune mansuétude. Et puis nous devrons trouver une solution au problème des umbres, ces créatures énigmatiques et cruelles qui font planer une menace constante au-dessus de nos têtes.

Nous nous engageons à mettre tout en œuvre avec l'aide de Maran pour transformer notre monde, notre nouveau Maran, en un havre de paix et de prospérité. Nous n'attendrons pas dans ce but une quelconque aide extérieure, nous n'avons pas besoin des légendes de l'Agauer, nous n'avons pas besoin de la prétendue magie d'un peuple inexistant, nous puiserons dans l'enfant-dieu la force de réaliser les rêves de nos ancêtres. Nous sommes assez mûrs désormais pour prendre notre destin en main, pour récolter la manne que nous avons semée, pour faire réellement nôtre la planète qui nous est échue.

Nous garderons le masque et la craine en souvenir des temps de clandestinité. Ils resteront à jamais les symboles de notre foi, de notre humilité, de notre détermination, de notre union. Quant à celles et ceux qui persisteront à s'opposer à l'avènement des jours nouveaux, ils seront arrachés de notre terre comme de mauvaises herbes. Sans pitié.

L'heure est venue, frères, de nous avancer dans la lumière du jour après de longs temps d'obscurité.

Le nom de Maran résonnera à travers les siècles.

Qu'il soit béni.

Le cercle ultime.

ANKREL avait l'impression tenace d'avoir déjà vu les constructions en forme de cônes qui se dressaient, étincelantes, dans le lointain. De même, il lui avait semblé accomplir une succession de gestes déjà effectués lorsqu'ils s'étaient levés et que, après un repas de viande crue, ils étaient descendus dans le pied de l'arche pour préparer les yonks. Il gardait le sentiment d'être revenu en arrière et de remonter vers ses souvenirs, comme s'il évoluait à l'intérieur d'une boucle de temps. Il ne s'en était pas ouvert aux autres, mais il avait vu, à leurs mines chiffonnées, à leurs regards préoccupés, qu'ils expérimentaient le même phénomène.

Partis à l'aube, ils étaient arrivés en vue de la cité de l'*Agauer* peu avant le zénith. Les constructions ressemblaient étrangement à l'arche en moins volumineux, comme si les passagers s'étaient empressés de reproduire les perspectives qui les avaient accompagnés tout au long de leur voyage à travers l'espace.

Les yonks soufflaient bruyamment et peinaient de plus en plus à maintenir l'allure. Ils ne tarderaient pas à s'effondrer s'ils ne trouvaient pas rapidement à boire et à manger, et cela valait aussi pour leurs cavaliers : les gourdes étaient quasiment vides et la viande de la yonkine abattue avait un goût répugnant de charogne.

Jozeo avait promis qu'ils trouveraient de l'eau dans la cité abandonnée, mais, malgré la précision habituelle de ses renseignements, Ankrel ne pouvait s'empêcher d'en douter. Le doute était devenu son compagnon favori depuis qu'il s'était engagé dans cette expédition. Ses certitudes s'évanouissaient et se reformaient au gré des circonstances, au gré de ses enthousiasmes, au gré de ses répulsions. Entre l'écartement des grandes eaux orientales, la preuve la plus éclatante de la souveraineté de Maran, et la mort de Mazrel, l'expression la plus navrante de son adoration, il passait sans cesse d'un côté à l'autre d'une frontière qui séparait la foi du scepticisme.

Mazrel avait-il reçu le châtiment qu'il méritait ? Avait-il eu raison de hurler qu'un dieu véritable n'exigeait pas de telles abominations de ses adorateurs ? Abominations, le viol public d'une fille dans une grange, le meurtre d'une ventresec et de son nourrisson ? Ou actes d'allégeance à un enfant-dieu assez puissant pour commander aux grandes eaux ?

Les yonks entrèrent au pas dans la cité fondée par les descendants de l'*Agauer*. Une fois encore, Ankrel ressentit l'impression déroutante de s'être déjà promené entre ces façades obliques et brillantes, d'avoir parcouru ces allées de terre rouge parsemées d'herbes et de buissons desséchés, de s'être dirigé vers cette place au centre de laquelle se dressait une statue de femme mutilée qui avait sans doute été une fontaine. Ces vestiges ne provoquaient en lui aucun étonnement bien que les constructions, leur état de conversation et leur agencement fussent des plus surprenants pour un visiteur accoutumé aux formes pesantes et pratiques des bâtiments des domaines.

Ils mirent pied à terre et laissèrent les yonks se disperser sur la place à la recherche de touffes d'herbe.

« Il y a un escalier à l'intérieur de la statue, dit Jozeo. Il donne sur une nappe d'eau. Stoll, Gehil, allez remplir les gourdes. Je reste ici avec Ankrel pour surveiller les yonks. »

Les deux lakchas n'avaient visiblement pas envie de s'acquitter de ce genre de corvée à l'issue d'une chevauchée éreintante, mais, après s'être consultés du regard, ils prirent les gourdes, enjambèrent le muret et se faufilèrent dans l'ouverture découpée sur une face du socle de la statue.

« Le cercle ultime semble vraiment bien connaître le coin, lança Ankrel, les yeux rivés sur un yonk qui avait plongé le mufle dans un buisson.

— Certains lakchas y ont vécu pendant quelque temps, dit Jozeo.

— Avec les descendants de l'*Agauer* ?

— *Après* les descendants de l'*Agauer*... »

Ankrel laissa errer son regard sur les constructions et fut saisi, cette fois, par leur équilibre, par leur harmonie.

« Si je comprends bien, dit-il d'une voix sourde, ce sont les lakchas de chasse qui ont fait disparaître le deuxième peuple. »

Jozeo s'assit sur le muret, tira son poignard de sa gaine et se livra à l'une de ses manies favorites : se nettoyer les ongles.

« Tu comprends bien, Ankrel.

— Mais pour quelle raison ?

— Il me semble t'avoir déjà dit que je l'ignorais. C'est de l'histoire ancienne, oubliée.

— Ces gens, ils auraient pu... nous aurions pu... Enfin, nous avions certainement des choses à apprendre d'eux. »

Jozeo suspendit ses gestes pendant quelques instants et fixa Ankrel, le manche du poignard posé sur sa cuisse, la lame dressée contre son ventre.

« Ils auraient pu aussi se montrer dangereux. Vouloir nous éliminer. Le Triangle est beaucoup plus généreux que ce continent. Peut-être qu'il suscitait leur envie.

— Je ne sais pas pourquoi, mais je ne crois pas que ces hommes aient eu un jour la volonté de nous éliminer.

— Les impressions sont parfois trompeuses, petit frère. »

Ankrel grimaça : il détestait à présent ce « petit frère » dont son aîné se croyait obligé de ponctuer

471

chacune de ses phrases. Le sentier de Maran était peut-être glorieux, mais il renvoyait chacun à sa solitude, à ses abîmes, en aucun cas à des sentiments fraternels. C'était une famille usurpée, fondée sur la foi, liée par le sang, qui divisait ses enfants au lieu de les rassembler.

« Tu m'as dit l'autre jour qu'on n'a jamais vu les membres d'un même corps se battre entre eux. C'est pourtant bien ce qui a failli se passer entre toi et moi avant l'abattage de la yonkine, c'est bien ce qui s'est passé entre Mazrel et toi.

— Mazrel a renié le nom de Maran. Il ne faisait plus partie de ses fils, il n'était plus un membre de son corps. Et si nous avions dû nous battre, je ne t'aurais jamais tué.

— Comment comptes-tu chasser les umbres si nous ne trouvons pas l'homme que nous recherchons ? »

À nouveau, Jozeo se nettoya les ongles avec la pointe de sa lame.

« Nous essaierons de boucher la porte par laquelle ils sortent. De les emmurer dans leur nid.

— S'ils nous en laissent le temps...

— Tu as donc déjà oublié mes leçons, petit frère ? Entre le chemin des lakchas et le chemin des chanes...

— Il n'y a que l'espace d'une décision », marmonna Ankrel.

Jozeo eut un sourire qui lui retroussa la lèvre supérieure et donna un charme étrange, sauvage, à son visage émacié. La bise pourtant rageuse ne parvenait pas à soulever ses mèches brunes collées par la poussière et la transpiration.

« Nous n'aurons sans doute que très peu de temps pour prendre une décision, dit-il. Comme devant un yonk lancé en pleine course. Fasse Maran ce que ce soit la bonne.

472

— J'aurais... »

Ankrel s'interrompit pour étouffer l'émotion qui lui étranglait la voix et lui agaçait les yeux.

« Tu aurais quoi ?

— Voulu connaître une femme ailleurs que dans une grange en ruine et au milieu d'un cercle de protecteurs. Connaître une femme dans l'intimité de sa chambre.

— Qu'est-ce qui t'en empêcherait ? Tu plais beaucoup, Ankrel. Les femmes se bousculeront pour t'attirer dans leur lit !

— Possible, mais je ne crois pas que nous reviendrons un jour à Cent-Sources. »

Jozeo ne trouva rien à répondre, il se contenta de hocher la tête d'un air grave comme s'il avait toujours su que sa vie, que leurs vies s'arrêteraient un jour sur ce continent désert.

« Va donc voir ce qu'ils fabriquent, petit frère. »

Stoll et Gehil n'étaient toujours pas remontés alors que Jael avait entamé depuis un bon moment sa plongée vers l'ouest. Ankrel faillit demander à Jozeo pourquoi il n'y allait pas lui-même, puis il se ravisa, pas fâché dans le fond de bouger, de mettre fin à une attente qui devenait pesante. Les yonks, qui s'étaient égaillés dans les allées de la cité, se réfléchissaient parfois à l'infini sur les façades inclinées et teintées d'ocre par les rayons de Jael.

Ankrel s'engouffra sous le socle de la statue et s'élança dans l'escalier qui, éclairé à intervalles réguliers par des solarines enchâssées dans le métal, plongeait en spirale autour d'un axe. Il dévala d'abord les marches quatre à quatre, puis, rapidement rattrapé par sa fatigue, deux à deux et, enfin, quand un point de côté lui cisailla le bas du ventre, une à une.

Il atteignit le gouffre à l'issue d'une descente interminable, oppressante – et Jozeo, parfaitement informé par le cercle ultime, le savait sans doute, qui chargeait ses frères d'une corvée exténuante tandis qu'il se reposait tranquillement à la surface.

« Stoll ! Gehil ! »

La voix d'Ankrel se répercuta sur les parois et les voûtes et se prolongea en échos décroissants dans les autres salles. Avant même d'avoir franchi les dernières marches et sauté sur le sol, il aperçut les quatre gourdes qui gisaient au bord de la nappe.

« Stoll ! Gehil ! »

Il s'avança vers la grande réserve d'eau dont les solarines éparses révélaient la surface noire et frissonnante. La température glaciale qui régnait dans la cavité l'étonna : le mathelle de Velaria jouxtait un ensemble de grottes où l'avaient souvent expédié ses jeux d'enfant, et jamais, même à la fin de l'amaya de glace où l'air restait frais, il n'avait rencontré un froid aussi intense dans le ventre des profondeurs.

Il se pencha pour ramasser les gourdes. Elles étaient à moitié pleines, preuve que les deux hommes avaient commencé à les remplir mais que quelque chose, ou quelqu'un, les avait empêchés de finir. Tenaillé par une soudaine inquiétude, il se releva, tira son poignard et scruta les zones de ténèbres. Plus loin, les marches de l'escalier jaillissaient comme des racines du bas de leur cage et se déployaient en spirales grises et amples sur toute la hauteur du gouffre.

« Stoll ! Gehil ! »

Ankrel renonça à explorer les autre salles. Stoll et Gehil auraient entendu sa voix et lui auraient répondu s'ils en avaient eu la possibilité. Il ne servait à rien de rester plus longtemps dans ce gouffre. La pénombre paraissait abriter une menace imperceptible, sournoise. Il décida néanmoins d'achever le remplissage des gourdes : ils risquaient d'en avoir le plus grand besoin, le deuxième continent était avare en eau. Il remisa son poignard, s'accroupit à nouveau, plongea deux gourdes dans la nappe et garda la tête tournée vers l'arrière pendant qu'elles gonflaient dans un gargouillement prolongé. La densité du silence le suffoquait, il se raisonnait pour ne pas prendre ses jambes à son cou.

Deux taches claires attirèrent son attention au-dessus de lui. Il affina son observation tout en rebouchant les deux gourdes, distingua des sortes de grands sacs suspendus à la roche et faits d'une matière transparente. Il faillit pousser un hurlement d'horreur lorsque, ses yeux s'accoutumant à la pénombre, il reconnut le visage de Stoll dans l'un et celui de Gehil dans l'autre. Leurs yeux grands ouverts brillaient comme des étoiles tragiques dans la nuit de la voûte.

Ils étaient vivants, conscients, mais incapables de se libérer, condamnés à agoniser pendant des heures, pendant des jours à l'intérieur de leurs prisons transparentes. Des cris, des supplications s'échappaient sans doute de leurs bouches béantes, mais Ankrel ne les entendait pas. La voûte était entièrement hérissée de ces sacs, comme une cave de conservation bourrée de quartiers de viande suspendus. Épouvanté, il chercha fébrilement un moyen de secourir les deux lakchas. Peut-être pourrait-il se rapprocher en grimpant sur les rochers et en se suspendant aux stalactites ? Non, ces dernières étaient un peu trop espacées, et certaines, très fines, risquaient de s'effriter sous son poids. Jeter son poignard pour provoquer une déchirure dans la matière qui les retenait prisonniers ? Elle était probablement d'une solidité à toute épreuve, ne serait-ce que pour les maintenir suspendus, et son poignard risquait de retomber dans l'eau et de ne servir qu'une seule fois.

Il devait se rendre à l'évidence : il n'y avait aucune solution. Leur calvaire était inscrit quelque part dans le passé comme une fatalité. La mort dans l'âme, il passa les bandoulières des deux premières gourdes sur ses épaules et entreprit de remplir les deux autres. Puis la sensation de danger se fit si forte, si oppressante qu'il les lâcha, se déplia comme un ressort et se précipita vers l'escalier. À l'instant où il s'engouffrait sur les premières marches, il entrevit le fil blanc et rampant qui s'était déployé entre le fond de la grotte et le bord de la nappe et qui, surpris par sa réaction, se dirigeait à son tour vers l'escalier avec un petit temps de retard.

Le temps de sa décision.

Le temps infime qui séparait le chemin des lakchas du chemin des chanes. Il gravit les marches quatre à quatre sans se retourner jusqu'à ce qu'à bout de forces, à bout de nerfs, il s'effondre de tout son long au travers de l'escalier.

« J'en avais entendu parler, c'est vrai, mais j'avais complètement oublié leur existence. » Jozeo avait bu une généreuse rasade au goulot de la gourde avant de lever un regard indéchiffrable sur Ankrel, tremblant de colère en face de lui. « Est-ce que tu insinues, petit frère, que j'ai eu peur d'aller là-dedans ?

— Pourquoi avoir envoyé Stoll et Gehil ? cria Ankrel avec véhémence. Et puis moi ensuite ? Tu ne pouvais pas y aller toi-même ? »

Un rictus étira les lèvres sèches de Jozeo.

« Au cas où tu ne l'aurais pas compris, les cercles des frères de Maran sont basés sur la notion de hiérarchie. Et ce n'est sûrement pas au responsable hiérarchique de se charger des corvées. Si nous ne respectons pas ces principes, notre fraternité se désagrégera aux premières tempêtes. Tu crois vraiment que j'aurais volontairement sacrifié deux hommes alors que nous avons le plus grand besoin d'eux ? »

Sa voix s'était envolée dans les aigus à la fin de sa réplique, signe chez lui d'une nervosité excessive, d'une perte de contrôle.

« Tu as bien sacrifié Mazrel, rétorqua Ankrel.

— Lui était le membre pourri qui risquait de gangrener tous les autres. »

Jozeo n'était pas resté inactif pendant l'absence de son cadet. Il avait rassemblé les cinq yonks et les avait attachés aux gargouilles qui saillaient à l'intérieur du muret de la fontaine. L'état des bêtes alarma Ankrel. Leurs yeux habituellement brillants se tendaient d'un voile terne, leurs côtes se découpaient sur leur robe sale, leur toison s'en allait par plaques entières alors qu'elles entraient tout juste dans la période où elle était censée s'étendre et s'épaissir.

Il aurait fallu effectuer une vingtaine d'allers et retours dans le gouffre pour étancher leur soif, et Ankrel ne se sentait pas le courage de croiser le regard des deux lakchas suspendus à la voûte.

« Quel genre de créature peut faire preuve d'une telle cruauté, d'une telle monstruosité ? murmura-t-il d'une voix geignarde.

— Un monstre, justement, dit Jozeo. Mais gardons-nous de le juger avec nos critères. Ce qui te parait monstrueux ne l'est pas pour lui. Il agit selon son instinct, il ignore les notions de bien ou de mal.

— Parce que nous les connaissons, nous ? »

Jozeo se rassit sur le muret et s'immergea pendant quelques instants dans ses pensées, la tête penchée, les yeux dans le vague.

« Le premier disciple nous les a rappelées, finit-il par répondre d'une voix absente.

— Il ne pouvait pas se tromper ?

— Il les tenait directement de Maran.

— Et Maran, il... il ne peut pas non plus se tromper ? »

Ankrel s'était attendu à ce que cette question déclenche la colère de Jozeo, il fut surpris de voir s'épanouir un sourire radieux, presque enfantin, sur le visage hâlé du lakcha.

« Lui ? C'est l'enfant-dieu qui fit jaillir la manne du néant ! Qui triompha du Qval ! Comment pourrait-il se tromper ? »

Ils décidèrent d'allumer un feu et de cuire des morceaux de viande avant de repartir en direction de la grande gorge au fond de laquelle, selon Jozeo, s'ouvrait la porte des umbres.

« Nous devrons laisser les yonks en haut. La descente est trop difficile pour eux. »

Ils rassemblèrent les herbes et les branches de buisson à l'intérieur du bassin de l'ancienne fontaine. Il n'oublièrent pas d'y rajouter la végétation qui avait proliféré sous le socle de la statue et couvrirent le tout de mousse pour modérer l'ardeur des flammes. Ils puisèrent quelques morceaux de viande dans les carniers qu'ils résolurent d'abandonner tant l'odeur qu'ils répandaient était repoussante, puis ils allumèrent le feu à l'aide des pierres-à-frotter que Jozeo avait pensé à récupérer dans la poche de Mazrel – la preuve qu'il n'avait jamais perdu son sang-froid lors de leur affrontement.

Ankrel vida la moitié de sa gourde pour faire passer le goût de charogne à peine atténué par la cuisson.

« Tu as connu beaucoup de femmes ? demanda-t-il en ajoutant des branches sur le feu.

— Quelques-unes, répondit Jozeo. On dirait que les femmes te travaillent ces temps-ci !

— Je veux simplement savoir si je rate vraiment quelque chose.

478

— Elles ne sont pas tout dans la vie.

— Est-ce que tu les as... aimées ? »

Jozeo piqua un carré de viande sur la pointe d'une branche humidifiée qu'il tendit au-dessus des braises.

« Aimées ? Certaines plus que d'autres sans doute. Sûrement pas assez pour que je devienne constant. J'apprécie de prendre du plaisir dans leurs bras, mais je me suis toujours méfié d'elles. Je suis un volage dans l'âme.

— Je m'aperçois que je ne sais pratiquement rien de toi. »

Ankrel remarqua la légère crispation des traits de son interlocuteur.

« Tu en sais suffisamment. Mon passé n'intéresse personne. Je l'ai oublié le jour où j'ai pris le masque et la craine.

— Rejeter son passé, c'est comme renier une partie de sa vie.

— Disons alors que j'ai renié une partie de ma vie.

— Je suppose que tu ne me répondras pas si je te demande pourquoi ?

— La réponse est contenue dans ta question, petit frère. »

Ils partirent juste avant le crépuscule en espérant atteindre le bord de la grande gorge avant la tombée de la nuit. Les gorgées d'eau qu'Ankrel ingurgitait régulièrement ne réussissaient pas à chasser le goût nauséeux abandonné par leur repas dans sa bouche.

Il traversèrent au galop une première étendue plane jonchée de rochers, large d'environ dix lieues, puis ils mirent pied à terre pour franchir au pas une forêt d'aiguilles serrées, les unes translucides, les autres opaques et vêtues de teintes qui allaient du rouge franc au blanc pur en passant par toutes les nuances du rose, du brun et du jaune. Des bourrasques virulentes, froides, soulevaient des tourbillons de poussière qui filaient entre les socles des aiguilles avec la discrétion de spectres. Des sifflements prolongés formaient un chœur lugubre à l'inquiétante beauté.

Un yonk se coucha au pied d'un promontoire et refusa de se relever malgré les injonctions et les coups de pied des deux hommes. Ils se résignèrent à l'abandonner. Jael avait déserté le ciel qu'il éclaboussait encore de son voile de traîne, la nuit s'agrippait déjà aux rochers et débordait des creux.

Ils ne remontèrent pas tout de suite sur les yonks au sortir de la forêt d'aiguilles rocheuses. Jozeo ne s'intéressait pas à la faille dont on apercevait l'immense gueule ténébreuse dans le lointain, il fouillait les environs du regard comme s'il cherchait un élément précis.

« Là ! »

Il désignait une ouverture circulaire d'une largeur d'un pas, creusée directement dans le sol rocheux et entourée d'un petit rebord de pierre.

« L'entrée du passage.

— Quel passage ? demanda Ankrel.

— Celui dont nous avons parlé. Celui qui nous tuerait si nous essayions de l'emprunter. Celui qu'a sans doute pris l'homme que nous recherchons. »

Ankrel s'accroupit près de Jozeo sans relâcher la bride de son yonk.

« Notre homme est passé, petit frère. Tu vois ces taches claires dans le fond de la pièce souterraine ? Ce sont des pierres éparpillées. Vu la profondeur de cette cave, il les a sans doute empilées pour pouvoir atteindre la sortie, et le tas a fini par s'écrouler.

— C'est peut-être le mur qui s'est éboulé, objecta Ankrel.

— Les murs montés par les descendants de l'*Agauer* ne s'éboulent jamais. Tu as constaté comme moi que leur cité n'a pas bougé d'un pouce depuis qu'ils nous ont quittés. Et leur arche est plantée dans ce désert pour l'éternité. Je te dis qu'il est passé par là.

— Qu'aurions-nous fait de lui si nous avions réussi à le capturer en bas de la colline de l'Ellab ?

— Nous l'aurions emmené par le passage de grand-Maran. Il a gagné du temps sur nous, mais nous sommes au bout de la piste. Au bout de la piste, petit frère. »

Et Ankrel ressentait l'exaltation soudaine de Jozeo, ce frémissement du corps et de l'âme qui caractérisait les vrais chasseurs prêts à fondre sur leur proie.

CHAPITRE XXVIII

GORGE

« Maran est venu me rendre visite à plusieurs reprises dans le gouffre. Parfois il s'éclipsait pendant de longues semaines, puis il réapparaissait sur le bord du bassin. Son visage était de plus en plus flou à l'intérieur de son enveloppe grise, et j'avais l'impression que c'était sa façon à lui de dépérir. De même, je rencontrais des difficultés grandissantes à percevoir ses pensées. Il tentait de communiquer pourtant, je l'entendais me dire qu'il souhaitait retrouver sa nature d'homme, que seule la ferveur de ses fils pourrait le délivrer du Qval. Parfois ses propos me semblaient incohérents et parfois extrêmement clairs, mais en réalité mon degré de compréhension n'était sans doute que le reflet de ma concentration et, longtemps après sa disparition, j'ai regretté de ne pas avoir fait preuve de davantage de volonté, de vigilance.

» Il me parlait aussi de Qval Djema, son épouse : "C'est elle, me disait-il, elle, la femme de l'histoire kropte, elle qui a prêté l'oreille à la créature du mal..." Je croyais de temps à autre ressentir un amour immense dans ses pensées, comme si, malgré la souffrance qu'elle lui avait infligée, il ne pouvait ou ne souhaitait pas se dissocier de son épouse. Et j'ai loué sa grandeur d'âme, j'ai eu l'envie profonde et sincère de devenir l'humble servant de ce héros de l'Estérion qui, par amour pour Djema, avait sacrifié sa nature d'homme. Sans doute son histoire me rappelait-elle la mienne, sans doute avais-je moi aussi, toutes proportions gardées, sacrifié ma nature d'homme sur l'autel de Lahiva. Il évoquait ces jours heureux où il marchait dans les coursives de l'arche. Il était le fils d'une ventresec kropte à qui les patriarches avaient crevé les yeux et d'Eshan Peskeur, le jeune Kropte que l'indifférence d'Ellula entraîna à se jeter dans le vide spatial.

» — Toujours la même histoire, Lézel. Certaines lignées semblent maudites. On a crevé les yeux de ma mère parce qu'Ellula l'avait entraînée dans la désertion des ventresecs et des épouses kroptes, Eshan a violé ma mère et s'est tué parce qu'Ellula lui préféra Abzalon...

» Est-ce qu'il voulait dire que les descendant d'Ellula, donc ses propres descendants, étaient maudits ?

» — Ellula a violé l'ordre kropte et, même si ses intentions étaient pures, elle a provoqué des souffrances. Si les hommes ne sont pas vigilants, le nouveau monde risque de sombrer comme l'ancien. Certaines lois sont intangibles.

» — Quelles lois ?

» — Les lois fondatrices de l'univers. Celles qui permettent aux espèces de croître, de grandir en force et en sagesse.

» Il ne m'a pas donné d'autres précisions ce jour-là ni les jours suivants. Je me suis interrogé sur les raisons de son attitude, puis j'ai compris que je devais entamer mon travail de disciple et réfléchir au sens de ses pensées. Il y avait des lignées maudites sur le nouveau monde, des lignées issues d'amours contrariées, malheureuses, encore génératrices de faiblesse. Nous devions les éliminer au plus vite ou nous serions condamnés à la disparition à plus ou moins longue échéance. J'ai passé en revue toutes les familles de ma connaissance, j'ai recensé les enfants qui présentaient des problèmes de croissance ou de retard mental. Pour chacun de ceux-là couraient des rumeurs méprisantes ou simplement déplaisantes. On disait d'eux à mots couverts qu'ils étaient nés d'unions contre nature. Je me suis souvenu des paroles à double sens des anciennes du domaine de Sgen : "Celui-là est en même temps son fils et son frère..." Ou son père et son frère, ou sa sœur et sa mère, ou sa fille et sa nièce...

» J'ai demandé à Maran s'il avait voulu parler des relations incestueuses. Il m'a répondu indirectement :

» — Une jeune femme s'est réfugiée depuis quelque temps dans une grotte proche de celle-ci. Elle s'est enfuie du domaine de sa mère afin d'accoucher loin des regards indiscrets. Le père de son enfant est aussi son frère. Mais je crois qu'elle vient du même domaine que toi : son nom est Lahiva.

» J'ai failli hurler et me précipiter la tête la première sur un rocher lorsqu'il a prononcé ce nom.

» Lahiva ? Enceinte d'Elleo ?

» — Qval Djema veille sur elle. Elle concourt à la ruine de notre espèce en la protégeant. Djema et moi sommes prisonniers d'êtres qui n'appartiennent pas à notre espèce, qui se servent de nous, qui poursuivent un projet connu d'eux seuls. Si un jour les autres hommes et toi parveniez à effacer les lignées maudites, alors l'ordre régnerait à nouveau, alors les hommes recouvreraient leur liberté, alors je serais délivré, je reprendrais mon apparence humaine et je reviendrais vivre parmi vous, parmi les miens. Comme au temps où j'étais un enfant dans l'arche.

» *Ma colère contre Lahiva et son frère était telle que j'ai saisi mon couteau de corne et me le suis planté dans la main.*

» *— Que ton ressentiment ne se transforme pas en vengeance personnelle, Lézel, mais en acte fondateur, en une détermination et une vigilance de tous les instants. Tu ne dois jamais penser à toi quand tu agis, mais à ton peuple. Et à moi qui t'ai attendu si longtemps près de ce bassin. À moi qui veillerai sur toi et les tiens quoi qu'il arrive. Aie foi en moi, je t'en supplie.*

» *J'ai alors pris conscience que je ne m'étais pas réfugié dans ce gouffre par hasard, que j'y avais été poussé par une succession de signes qui révélaient la puissance de Maran, même prisonnier du Qval.*

» *Son visage s'est métamorphosé en celui d'un enfant en proie à une tristesse bouleversante. J'ai encore perçu des pensées confuses, lointaines, où je ressentais toute la force de ses regrets, toute l'intensité de sa souffrance, puis il a disparu et la forme grise a plongé dans le bassin d'eau bouillante. J'ai su que je ne le reverrais plus, du moins pas sur ce monde, mais qu'il reviendrait quand j'aurais accompli ses volontés et réuni les conditions pour son retour.*

» *J'ai suivi ses conseils. Avant de me mettre à la recherche de Lahiva, j'ai prélevé un bloc d'écorce sur un vieux jaule et façonné, avec la pointe de mon couteau, un masque qui représentait l'enfant-dieu. Puis je me suis confectionné une tunique grossière avec la fibre de cette plante qu'on trouve en abondance sur les plaines et que les errants appellent la craine. Ainsi ma vengeance ne serait pas personnelle mais un acte perpétré au nom de Maran, l'enfant-dieu de l'arche. Le masque était son visage déformé par la douleur, la craine l'enveloppe qui l'emprisonnait.*

485

» Il ne m'a pas été très difficile de trouver la cavité où s'était réfugiée Lahiva : elle communiquait avec mon propre refuge par un ensemble de galeries qui forment un gigantesque labyrinthe dans les entrailles du Triangle et qui s'étendent jusqu'au cœur de Cent-Sources.

» Lahiva m'a paru encore plus belle que dans mes souvenirs. Elle venait d'accoucher, elle irradiait d'un amour qui donnait à son regard une douceur que je ne lui soupçonnais pas. Il me fut intolérable, en la découvrant aussi resplendissante, qu'elle eût appartenu à son frère, qu'elle eût accueilli son frère en elle. Je l'aimais encore plus qu'avant mon départ, mais j'ai repoussé énergiquement la tentation de l'épargner. Ce fils qu'elle regardait avec dévotion, avec adoration, était le premier maillon d'une lignée maudite, le fruit pourri d'une faute inexpiable qui, si elle se perpétuait, contaminerait l'ensemble des hommes et les chasserait du nouveau monde. Il n'y avait personne d'autre qu'elle et son enfant dans la cavité. J'ai revêtu la tunique de craine, j'ai plaqué le masque d'écorce sur mon visage, j'ai tiré mon couteau, puis je me suis avancé vers elle comme un furve. »

Les mémoires de Gmezer.

Un vol d'umbres se détacha de l'obscurité qui rôdait encore au fond de la gorge et s'envola avec lenteur dans le ciel incertain du petit matin. Malgré la protection de Double-Poil, Orchéron ressentit l'onde de froid qui se propageait dans leur sillage. La clarté du jour naissant chassait la lumière des énormes solarines qui brillaient parmi les roches translucides habillant les parois.

Ils avaient atteint le bord de la faille la veille au crépuscule et entrepris aussitôt la descente. Ils n'avaient trouvé aucun sentier, pas même des rigoles creusées par les eaux, sur cette pente, raide par endroits, et le franchissement de certains murs lisses presque verticaux requérait de la patience, de l'agilité et de l'énergie. Ils n'avaient pas parcouru une longue distance lorsque la nuit les avait surpris. Les solarines formaient de somptueuses cicatrices de lumière qui soulignaient les reliefs de la gorge, mais elles laissaient des zones de ténèbres que renforçait le jeu des contrastes. Ils avaient donc décidé de s'arrêter et de s'installer dans un renfoncement protégé par un surplomb rocheux. Ils s'étaient allongés à même le sol et avaient essayé de dormir malgré le froid, la faim, la soif et l'inconfort de leur abri.

Alma, moins bien protégée qu'Orchéron, aurait aimé qu'il la prenne dans ses bras, même avec la présence répugnante de Double-Poil, mais son orgueil lui avait interdit de le lui suggérer, et il n'en avait pas pris l'initiative. Elle s'était donc condamnée à passer une nuit pénible, recroquevillée sur elle-même, tourmentée par les élancements de son pied gauche et par l'haleine glaciale qui s'insinuait entre les rochers. Elle avait cru deviner qu'il ne dormait pas non plus, qu'il était maintenu en éveil par le même désir qu'elle, et elle s'était demandé pourquoi, en certaines circonstances, les êtres humains avaient tant de mal à obéir au présent. Elle ne maîtrisait pas les émotions profondes et contradictoires soulevées en elle par Orchéron. Elle s'était désintéressée des hommes puisqu'ils s'étaient désintéressés d'elle, et il la renvoyait devant une énigme qu'elle n'avait jamais cherché à résoudre. Elle oscillait vis-à-vis de lui entre attirance et rejet, mais au fond d'elle elle savait qu'elle avait peur de s'engager sur un chemin où son individualité serait soumise à rude épreuve. Le quatrième sentier, celui de la connaissance, n'était pas dépourvu d'une forme de confort égoïste, elle l'avait vérifié à maintes reprises dans ses relations avec les autres djemales. Ce que lui proposait le présent, ce n'était pas seulement une descente au fond de cette gigantesque gorge, mais une aventure cent fois plus périlleuse, un élan vers un autre être humain, comme Djema et Maran avant leur fusion dans le Qval.

« Bien dormi ? »

Orchéron avait évidemment posé la question qu'il ne fallait pas poser. Elle lui lança un regard navré avant de se lever et d'étirer ses muscles engourdis. Elle sortit de l'abri et contempla la faille. La lumière du jour se fragmentait en une multitude de nuances dans les roches translucides et transformait la paroi opposée, distante de plusieurs lieues, en une dentelle scintillante changeante. Des groupes d'aiguilles plus ou moins larges, plus ou moins hautes émergeaient du fond insondable et s'éparpillaient comme des archipels flamboyants au-dessus de flots sombres.

« C'est beau, hein ? »

Elle haussa les épaules. La voix grave d'Orchéron l'avait tirée de sa contemplation. Il n'avait pas seulement l'art et la manière d'énoncer les banalités, il avait un certain don pour briser les enchantements.

Évidemment que c'était beau ! D'une beauté différente de la cité des descendants de l'*Agauer*, mais d'un équilibre parfait, miraculeux, malgré la profusion de formes et de couleurs.

« Nous ferions mieux de chercher quelque chose à manger », grogna-t-elle.

Il n'avait pas mérité son ressentiment, mais elle le tenait pour responsable de sa mauvaise nuit, tant pis pour l'injustice de la sentence.

« Je ne vois pas ce qu'on pourrait dénicher dans cette faille, objecta Orchéron. Il n'y a pas de végétation et pas d'animaux. C'est beau mais stérile.

— Votre Double-Poil ne vous a pas envoyé de visions ?

— Il vivait avec les habitants de la cité, pas dans cette faille.

— Et lui, il n'est pas comestible ? »

Ce fut au tour d'Orchéron de lui jeter un regard navré.

« Ce n'est pas un yonk ni un autre animal. Il est doué d'une forme d'intelligence. Elle est seulement différente de la nôtre, mieux adaptée à son monde que la nôtre. Comme celle des furves des plaines. »

Alma lui posa la main sur l'avant-bras en un geste d'apaisement.

« Excusez-moi, c'était seulement une réflexion stupide. Je... je ne vous ai pas encore remercié de m'avoir délivrée du cocon dans le gouffre sous la cité.

— Bah, je n'ai pas eu beaucoup de mérite. C'est le temps qui a fait tout le travail.

— Non, pas le temps mais le voyageur dans le temps. Quoi qu'il en soit, je vous remercie. »

Elle se détourna, retroussa son vêtement puis se faufila entre les rochers pour reprendre la descente.

Deux ou trois lieues plus bas, ils trouvèrent une source chaude et des plantes grimpantes qui donnaient de gros fruits similaires à ceux qu'Orchéron avait mangés dans la grotte du Triangle. Dotés d'une coquille dure qu'il fallait fracasser sur les pierres, ils contenaient une chair grise, sucrée, compacte, serrée autour d'un noyau aussi brillant qu'une solarine en pleine nuit. La source quant à elle jaillissait d'un mur translucide, s'écoulait en un large rideau sur une hauteur d'une cinquantaine de pas, tombait entre des amoncellements de pierres d'où elle repartait en filets divergents et fumants. L'eau était buvable malgré sa température élevée et son goût de soufre. De toute façon, ils n'étaient pas en position de faire la fine bouche.

Double-Poil se détacha de son hôte pour plonger son mufle dans une rigole. Orchéron frissonna et prit conscience du froid cinglant qui régnait dans la faille.

Alma brisa la coquille d'un fruit sur une pierre. C'était le cinquième qu'elle ingurgitait et elle ne paraissait toujours pas rassasiée. Orchéron s'étonnait qu'un corps aussi menu pût accepter une telle quantité de nourriture.

« La gorge est profonde et nous traversons plusieurs couches de climats, dit-elle après avoir dévoré la moitié du fruit et dénudé le noyau. Certains niveaux sont stériles et d'autres fertiles.

— Je... je me demande ce qu'on fabrique dans cet endroit, marmonna Orchéron.

— Je me le demande également, mais je fais confiance au présent. Les fils seront reliés un moment ou un autre. Qval Djema dit que nous battons à chaque instant avec le cœur de la création.

— J'entendais comme un chant pendant ma première enfance et j'avais l'impression d'être empli de la rumeur du monde. »

Alma leva sur lui des yeux intrigués, finit son fruit puis se releva et commença à dénouer l'étoffe enroulée autour de sa poitrine.

« Retournez-vous, s'il vous plaît. Je dois me laver. »

Elle avait surtout envie du contact de l'eau de la cascade, à la fois pour se réchauffer et retrouver les sensations qu'elle avait expérimentées en compagnie de Qval Djema.

Orchéron lui tourna le dos avec docilité, les bras croisés pour récupérer un peu de la tiédeur qui s'était enfuie avec la désertion de Double-Poil. Celui-ci ne

490

semblait guère pressé de reprendre sa place d'ailleurs, il continuait de boire, roulé en boule, le mufle plongé dans le ruisseau, et, comme pour Alma avec les fruits, Orchéron se demanda où il pouvait emmagasiner l'invraisemblable quantité d'eau qu'il avait absorbée depuis qu'il s'était détaché de lui.

La lumière vive de Jael, qui s'élevait au-dessus de la gorge telle une énorme bulle de pollen, dispersait les dernières ombres sur les parois mais ne parvenait pas à percer le fleuve de pénombre qui s'écoulait en contrebas. Les teintes et les formes s'étaient encore modifiées, des incandescences jaunes, orangées, rouges avaient supplanté les scintillements blêmes du petit matin.

Orchéron se dit à son tour que l'eau de la source lui ferait le plus grand bien. Il ne s'était pas lavé depuis son bain dans la grotte des plaines en compagnie des ventresecs. Sans jeter un regard à Alma dont il devinait la silhouette sous le rideau ajouré de la cascade, il se débarrassa de ses chaussures, de son pantalon, de son sous-vêtement et s'avança sous la chute. L'eau presque brûlante le revigora, détendit ses muscles, dispersa l'humeur maussade qui le poursuivait depuis son réveil – largement entretenue par l'attitude déroutante de la petite djemale qui s'y entendait comme personne pour souffler le chaud et le froid.

Quand il résolut d'interrompre cette douche régénérante, un bon moment plus tard, il ne vit ni Alma ni Double-Poil, seulement l'étoffe blanche posée sur un rocher. Inquiet, il se lança à leur recherche sans prendre le temps de remettre ses vêtements et ses chaussures. La bise chassa rapidement le bien-être généré par l'eau de la chute.

« C'est nous que vous cherchez ? »

Alma surgit derrière un grand rocher et s'avança vers lui, les cheveux mouillés, un sourire aux lèvres.

La fourrure rougeâtre et frissonnante de Double-Poil l'habillait des épaules jusqu'à mi-cuisse.

« Votre vêtement vivant tente de me faire comprendre pourquoi vous l'appréciez tant, dit-elle avec un sourire. Comment me va-t-il ? »

Mieux qu'à lui sans doute, car, comme elle était menue, Double-Poil avait nettement moins de surface à couvrir.

« Et vous comprenez maintenant ? demanda-t-il d'un ton rogue.

— Les rôles se sont inversés, on dirait : c'est vous qui êtes nu et moi qui suis affublée de Double-Poil. Mais vous aviez raison, c'est plutôt agréable. »

Orchéron songea tout à coup à plaquer ses mains sur son bas-ventre.

« Si vous me le rendiez maintenant ? J'ai froid.

— Je ne suis pas allée à lui, il est venu à moi. Vous disiez tout à l'heure qu'il a une forme d'intelligence. Nous ne le commandons pas. Laissons-le décider. Il a sans doute ses raisons. »

Orchéron passa rageusement son sous-vêtement puis son pantalon, tellement crasseux et puants qu'il avait l'impression d'annihiler d'un seul coup tous les bénéfices de sa douche. Il se résigna à abandonner ses chaussures dont le cuir se déchirait avec la même aisance qu'une feuille séchée de jaule.

Alma lui tendit l'étoffe blanche.

« Essayez de vous couvrir avec ça. »

Il l'accepta avec un grognement, mais, il eut beau l'enrouler de toutes les façons autour de ses épaules et de son torse, il en restait toujours une partie découverte, exposée à la bise.

« Donnez-moi ça, dit Alma en lui prenant d'autorité le tissu des mains. Vous n'êtes vraiment pas doué. Et asseyez-vous, vous êtes trop grand pour moi. »

Il obtempéra et la laissa ajuster l'étoffe, subjugué par la douceur de ses mains. Ni les mains de sa mère

Lilea, ni celles de sa mère Orchale, ni même celles de Mael ne l'avaient envoûté de la sorte. Comme Double-Poil, mieux que Double-Poil, elles apaisaient ses blessures profondes, elles comblaient les vides creusés par les sauts dans le temps. Il aurait bien voulu prolonger le contact, mais, d'une redoutable efficacité dans le maniement des bouts de tissu, elle termina son ouvrage dans un temps qui lui parut dérisoirement court.

« C'est mieux que rien », dit-elle en se reculant pour juger du résultat.

Elle avait réussi à lui couvrir le torse et une partie des épaules en laissant ses bras dégagés, et elle avait pratiqué de petites déchirures pour en nouer solidement les extrémités. La bise ne réussissait pas à transpercer l'étoffe malgré son extrême finesse. Alma avait raison, c'était mieux que rien.

Avec les branches souples des plantes grimpantes, Orchéron confectionna un panier grossier qu'ils remplirent de fruits. Ils burent encore puisqu'ils ne disposaient pas de gourde, puis, tandis que Jael se rapprochait rapidement du zénith, ils se lancèrent à nouveau dans la descente.

« On nous suit là-haut », dit Alma.

Elle s'était arrêtée pour reprendre son souffle et reposer son pied gauche boursouflé, violacé. Orchéron observa la paroi, aperçut les silhouettes encore minuscules qui, deux ou trois lieues au-dessus d'eux, dévalaient souplement les rochers.

« Nous suivre ? haleta-t-il. Comment auraient-ils su que nous étions à l'intérieur de cette gorge ?

— Il doit y avoir une raison logique. Ils ne sont pas derrière nous par hasard.

— Et comment seraient-ils passés sur le deuxième continent ?

— D'abord ils ne viennent pas nécessairement du Triangle. Ensuite, si nous sommes passés tous les deux, il n'y a aucune raison que d'autres n'y parviennent pas.

— Ils auraient suivi le chemin des eaux profondes ou celui du temps ?

— Il leur aurait suffi de traverser les grandes eaux orientales. »

Orchéron eut une moue sceptique.

« Les grandes eaux, je les ai vues, et elles sont tellement agitées que personne ne se risquerait dessus avec un bateau, encore moins à la nage. »

Alma écarta les mèches qui lui encombraient le front et le fixa d'un air farouche.

« Le temps n'est pas réputé facile à franchir, les eaux bouillantes non plus, l'espace non plus, et pourtant tu l'as fait, je l'ai fait, nos ancêtres l'ont fait ! »

Sa détermination et plus encore le brusque passage au tutoiement l'intimidèrent. Il examina à nouveau les silhouettes, coulées sombres et sinueuses entre les reliefs flamboyants.

« Le mieux, pour savoir qui ils sont et ce qu'ils fabriquent dans le coin, c'est encore de les attendre et de le leur demander. »

Il voulut connaître l'avis d'Alma sur sa proposition, mais les yeux de la djemale étaient tournés vers l'intérieur, comme si elle s'était retirée en elle-même. Décontenancé, il puisa un fruit dans le panier tressé qu'il portait sur l'épaule, fracassa la coquille sur une pierre rouge veinée de bleu et coupa la chair grise en dés à l'aide de son couteau.

« Les lakchas ont exterminé les descendants de l'*Agauer*, dit soudain Alma, le regard toujours absent.

— Double-Poil vous... te transmet des visions ? demanda-t-il. Il m'a montré des cavaliers, mais je ne les ai pas vus d'assez près pour...

494

— Ils sont venus par le passage qui s'ouvre dans les grandes eaux quand les trois satellites sont pleins. »

Elle parut reprendre pied dans la réalité et saisit machinalement le morceau de fruit qu'il lui tendait.

« Double-Poil s'est collé à l'un d'eux, un mourant, et l'a lu dans son esprit. Il ne se contente pas de transmettre les visions, il en puise de nouvelles dans l'esprit de ses hôtes. C'est la raison pour laquelle, je pense, il est venu à moi : il avait envie de nouveaux horizons, de nouvelles sensations. C'est un prédateur à sa façon, un prédateur psychique. En échange du contenu de leur cerveau, il propose du bien-être à ses hôtes.

— À quoi lui sert donc cette accumulation de mémoire ?

— Il s'est adapté à son monde, comme tu le disais tout à l'heure. Il lutte à sa manière contre les accélérations temporelles. Les êtres vivants prévoient les pénuries en amassant des réserves de nourriture ou d'eau ; lui, il accumule de la mémoire. Et, si son hôte se montre suffisamment réceptif, il lui envoie les informations disponibles qui correspondent à un besoin précis à un moment précis.

— Il m'a donné l'information pour me servir du puits d'apesanteur, fit observer Orchéron. Pas pour m'indiquer la sortie.

— Je crois deviner que tu t'es un peu... énervé quand tu étais coincé au troisième étage. Double-Poil se rétracte s'il perçoit de la violence. Il est capable au besoin de nous montrer des scènes de violence qui ne le concernent pas, mais, en dehors de ça, il n'a vraiment pas envie de s'encombrer de souvenirs blessants.

— Je ne lui ai pas laissé que de bons souvenirs, on dirait...

— Le pire, c'est celui de la nappe phréatique. Il l'a gardé en mémoire comme les autres, comme si ce passé n'avait jamais été annulé. Tu l'as entraîné dans un antre effrayant : le monstre des profondeurs est son principal, peut-être même son unique prédateur. »

Les silhouettes continuaient de dévaler la pente ruisselante de lumière. Nul besoin d'être grand prophète pour s'apercevoir qu'au train où ils progressaient ils auraient opéré la jonction avant le milieu de l'après-midi.

« On dirait que tu as changé d'avis à propos des vêtements vivants ! » lança Orchéron.

Elle le dévisagea avec une ardeur qui lui brûla le front et les joues.

« L'ouverture au présent nous invite à nous défaire de nos anciens avis et à en adopter de nouveaux. »

Elle tentait visiblement de lui signifier quelque chose, mais, perturbé par la pression de son regard, il choisit de s'engouffrer dans une échappatoire.

« Qu'est-ce qu'on fait pour ces deux-là ?

— Double-Poil nous a livré ses informations disponibles sur eux : les protecteurs des sentiers ont essayé de te capturer au pied de la colline de l'Ellab, il a puisé cette scène dans ta mémoire pour me la montrer. Puis il m'a informé que les lakchas sont autrefois venus sur le deuxième continent afin d'exterminer le peuple de l'*Agauer*. J'en déduis que ces deux-là sont des chasseurs et des protecteurs des sentiers lancés à ta poursuite et qu'ils ont emprunté le même passage que leurs prédécesseurs.

— Ils m'auraient suivi jusque-là pour éteindre ma lignée ?

— Je te l'ai dit l'autre jour, ta lignée a certainement quelque chose à voir avec les umbres. Allons-y.

496

Nous devons à tout prix arriver au fond de la faille avant qu'ils nous rattrapent. »

Ils entamèrent une course de vitesse qui soumit les organismes à rude épreuve, celui d'Alma en particulier, sans cesse obligée de transférer le poids de son corps sur sa jambe droite.

La paroi s'incrustait à présent de murs verticaux d'une hauteur équivalente à cinq ou six hommes. Ils présentaient heureusement des saillies régulières dont on pouvait se servir comme de prises mais qu'il fallait utiliser avec une extrême précaution à cause de leurs bords tranchants. Orchéron ouvrait la voie en s'efforçant de tenir compte de l'envergure d'Alma dans le choix des passages. Quand les aspérités lui paraissaient trop écartées, il l'attendait, en équilibre contre le mur, la main tendue pour l'aider à franchir l'obstacle. Une glissade sur ces façades abruptes aurait entraîné une chute mortelle plusieurs lieues en contrebas. Leurs pieds nus s'écorchaient sur la roche translucide aux arêtes plus effilées que des lames. Exténuée, hors d'haleine, Alma sollicita une pause à plusieurs reprises. Orchéron la lui accorda d'autant plus volontiers que lui-même éprouvait le besoin de souffler. De temps à autre, selon l'inclinaison de la paroi, ils perdaient de vue leurs poursuivants, puis ils les voyaient resurgir entre les rochers, à chaque fois plus proches.

Orchéron avait proposé à Alma de les attendre et de leur préparer un piège ; elle avait objecté qu'il valait mieux éviter l'affrontement avec des hommes probablement aguerris, dangereux, et que la manière la plus sûre de s'en débarrasser était d'arriver avant eux au fond de la gorge. Mais le fond de la gorge paraissait se reculer au fur et à mesure qu'ils s'en rapprochaient, et les deux lakchas continuaient de gagner du terrain.

Bien que Jael fût encore haut, les roches translu-cides se gorgeaient déjà de la pourpre crépusculaire. La faille trempait dans un silence opaque qui buvait avidement les sifflements de la bise, leurs expira-tions, les froissements de leur peau, des tissus et du pelage de Double-Poil sur la roche. Ils avaient l'impression de s'enfoncer dans une immense veine aux bords empourprés, au sang noir, grossie par les filets qui s'écoulaient de leur écorchures.

« Je n'en peux plus, gémit Alma.

— Encore un effort. Ils se rapprochent. »

Ils venaient de franchir une muraille verticale de cent pas de hauteur, de plusieurs lieues de largeur, hérissée de saillies qui rougeoyaient comme des braises au-dessus du vide.

On discernait parfaitement les deux hommes à présent, bruns, sveltes, vêtus de peaux et chaussés de bottes comme tous les lakchas. Ils dévalaient les faces abruptes avec agilité, se laissaient parfois glis-ser le long d'un mur brillant avant de se récupérer d'un petit bond sur une corniche. Ils auraient comblé l'intervalle dans très peu de temps maintenant, sur-tout qu'Alma, effondrée contre une pierre, livide, était allée au bout de ses forces, que sa volonté, son courage, pourtant immenses, ne suffisaient plus à la porter.

Orchéron se débarrassa du panier dont il ne restait plus grand-chose, dégagea son couteau et réfléchit sur l'accueil qu'il convenait de réserver à ses pour-suivants. Ils le traquaient pour le tuer, sans aucun doute, leur allure était celle de prédateurs, d'ombres de la mort.

« Je... je suis désolée, gémit Alma. Sans moi, tu... »

Il lui posa l'index sur les lèvres.

« Sans toi, je ne serais jamais descendu au fond de cette gorge, dit-il avec un sourire.

— Ta sœur adoptive, tu... tu y penses toujours ?

— Elle appartient au passé. Et tu prétends que seul le présent compte, non ? »

La fourrure rougeâtre de Double-Poil fut traversée d'ondulations amples, répétées, comme un champ de manne balayé par le vent. La paix infinie de la faille offrait un contraste violent avec la tension engendrée par la proximité des deux lakchas. Le ciel et la terre s'unissaient tout là-haut dans une symphonie mauve et rouge dont les notes se prolongeaient en filaments diaprés sur les parois.

« Oui, oui, bien sûr, murmura Alma.

— Quoi ?

— Ta lignée. Je sais pourquoi les... »

Elle s'interrompit, les yeux agrandis par l'effroi. À quelques pas d'eux flottait, immense, immobile, silencieux, un umbre qui s'était envolé du fleuve de ténèbres.

CHAPITRE XXIX

TRAQUES

« Lahiva ne s'est pas laissé égorger comme une yonkine domestique. Sitôt qu'elle m'a vu, elle a bondi sur ses jambes et s'est postée entre son enfant et moi, une pierre tranchante à la main. J'ai eu la nette impression qu'elle me reconnaissait malgré la protection de mon masque d'écorce : je voyais dans ses yeux le même mépris que celui dont elle m'avait couvert la dernière fois que nous nous étions rencontrés. Elle lançait d'incessants regards vers le bassin d'eau bouillante comme si elle en espérait de l'aide. Mais Qval Djema, car il ne pouvait s'agir de personne d'autre à en croire les communications de Maran, n'avait pas la possibilité ou ne s'estimait pas le droit d'intervenir dans nos histoires humaines. Nous étions seuls face à face, comme la première femme et le premier homme de l'aube de l'humanité. Son enfant n'avait pas d'existence légitime à mes yeux. Il vagissait à fendre l'âme maintenant, comme s'il avait compris qu'un drame était en train de se jouer dans la grotte.

» — Seuls les lâches se cachent quand ils tuent ! a crié Lahiva. Aie au moins le courage de montrer ton visage.

» — Je ne viens pas te tuer en mon nom, ai-je répondu d'une voix dont le calme m'a étonné. Mais au nom de celui qui souffre d'être emprisonné par le Qval. Et qui m'a demandé d'éteindre les lignées maudites.

» — Alors plante ton couteau dans ton cœur, tout petit tanneur, et ta lignée sera éteinte !

» Ses paroles m'ont embrasé comme des étincelles un tas d'herbes sèches. Je me suis rué sur elle dans l'intention de la renverser, mais elle a esquivé ma charge et m'a frappé à l'épaule avec sa pierre. Je suis tombé et, emporté par mon élan, j'ai roulé jusqu'au pied d'un rocher. Elle ne m'a pas laissé le temps de me relever, elle s'est jetée sur moi en poussant un hurlement et m'a donné des coups furieux, tantôt avec la main, tantôt avec la pierre. Le masque d'écorce m'a empêché d'être touché au visage. Elle était assise à califourchon sur moi, et ce contact prolongé, associé à sa nudité, à sa beauté, a ajouté le feu du désir à celui de ma colère. Je n'avais jamais connu de femme, mais j'étais la proie d'une telle tension, d'une telle ardeur que mon corps a agi à ma place. Pas à mon insu ni contre ma volonté, les séquences étaient inversées, il devançait mes désirs, précédait mes pensées.

» Je me suis d'abord dégagé, puis j'ai giflé Lahiva, avec une telle force que j'ai craint un moment de lui avoir brisé les vertèbres. Elle a lâché la pierre et s'est affaissée sur le dos. J'ai retroussé ma tunique de craine, baissé mon pantalon, puis je lui ai écarté les jambes et je l'ai prise avec une violence proportionnelle à ma rage, à ma frustration. J'ai joui en elle à plusieurs reprises, insatiable, comme investi de la puissance de Maran. Ses gémissements, ses protestations me vengeaient de toutes ces années d'indifférence et de mépris. Elle recevait maintenant le châtiment de Lézel, le tout petit tanneur, le serviteur de l'enfant-dieu de l'arche. Je l'absolvais de la faute commise avec son frère, du moins c'est l'impression que j'en retirais, je n'agissais pas en mon nom mais en celui de Maran, je lui donnais le baiser de Maran, le pardon de Maran. Elle a essayé à plusieurs reprises de me désarçonner, mais elle n'était qu'une femme vaincue vidée de ses forces. Que pouvait-elle contre la volonté d'un enfant-dieu ?

» Quand mon désir a été consumé, le moment est venu d'éteindre sa lignée. J'ai repoussé une nouvelle fois la tentation de l'épargner. Sa beauté grandie par la défaite me bouleversait. Elle jetait des regards à la fois éperdus et résignés à son fils dont les vagissements continus me vrillaient les nerfs. J'ai pleuré davantage qu'elle quand je lui ai posé la lame de mon couteau sur le cou. Elle a prononcé deux noms, celui d'Elleo et un autre que je ne connaissais pas mais qui était sans doute celui de son enfant. Je lui ai tranché la gorge avec toute la douceur dont j'étais capable, et, mêlant mes larmes à son sang, je me suis effondré sur elle tandis que la vie la désertait.

» Longtemps après, je me suis souvenu que je devais achever ma tâche. Je me suis relevé, j'ai contemplé le corps inerte de Lahiva, aussi superbe dans la mort qu'elle avait été magnifique dans la vie, puis, toujours en sanglots, je me suis arraché à contrecœur à ma contemplation et approché de son fils dans l'intention d'éteindre la lignée.

» Je n'ai pas pu le tuer, j'en étais incapable physiquement, comme si une volonté supérieure retenait mon bras. Il se dégageait de ce petit être une force étrange. J'ai insisté, levé mon couteau à maintes reprises, mais jamais il ne s'est abattu sur lui. J'ai pensé que Qval Djema le protégeait, le possédait, de la même façon que j'étais investi de la ferveur de Maran. J'ai alors pris la décision de l'exposer aux umbres sur la colline de l'Ellab : le sortilège de Qval Djema agissait sur les humains, mais il n'aurait aucun effet sur les prédateurs volants du nouveau monde, du moins était-ce ma conviction. J'ai jeté le corps de Lahiva dans le bassin d'eau bouillante, puis j'ai fourré son nécessaire d'écriture et ses rouleaux de peau dans le sac de laine végétale qu'elle avait emmené avec elle, j'ai pris l'enfant et gagné l'Ellab par le réseau des galeries souterraines.

» Je suis arrivé au sommet de la colline à l'aube. L'enfant de Lahiva s'acharnait à vivre et à hurler bien qu'il ne fût ni alimenté ni désaltéré depuis deux jours. Jamais je n'ai réussi à lui fracasser le crâne contre un rocher : ma volonté et mon corps se paralysaient dès que l'idée me traversait.

» Les hommes chargés des sépultures avaient rassemblé une vingtaine de morts, des anciens principalement, tous nettoyés de leurs intestins et, grâce aux vertus des embaumeurs, dans un parfait état de conservation. J'ai posé l'enfant de Lahiva au milieu des cadavres et, même s'il n'était âgé que de quelques jours, je l'ai lié avec du fil de craine aux branches d'un arbuste. Il était désormais immobile, silencieux, comme résigné, et j'ai revu les traits de sa mère dans son visage apaisé. Puis j'ai aperçu les taches noires des umbres à l'horizon et je me suis empressé de regagner l'entrée du réseau souterrain.

» Je suis retourné dans mon gouffre, je me suis effondré sur ma couche d'herbe sèche sans retirer mon masque d'écorce et je me suis recroquevillé autour du souvenir de Lahiva. Ce n'est qu'au bout de trois ou quatre jours que j'ai eu l'idée de prendre connaissance de ses écrits, une manière de prolonger notre relation à travers le temps. Il y avait bien longtemps que je ne m'étais pas exercé à la lecture, et il m'a fallu des heures pour apprendre à déchiffrer son écriture très serrée, comme tendue par la volonté de ne gaspiller aucune parcelle des rouleaux de peau – dont certains que j'avais tannés, je les reconnaissais.

» Je suis évidemment tombé sur les passages qui me concernaient. Si les écrits restent, comme on le prétend, c'est une image de mépris voire d'horreur que je laisserai à travers les siècles. Elle n'a pas éprouvé la moindre pensée amicale à mon égard, pas même un élan de compassion. Le rejet que je lui inspirais n'avait d'équivalent que son amour absolu pour son frère Elleo. Ses mots m'ont dépeint comme le plus misérable des hommes, comme un moins que rien dont elle redoutait par-dessus tout la souillure.

» Humilié, fou de colère, j'ai regretté de ne pas l'avoir gardée en vie plus longtemps. J'avais perdu l'occasion de prendre une revanche plus lente et suave, d'observer l'effroi dans ses yeux pendant que je l'infectais, pendant que je profanais le sanctuaire dévolu à son frère. J'ai renoncé à lancer les rouleaux dans l'eau bouillante comme le corps de leur propriétaire : je pourrais relire ces passages si je fléchissais dans ma détermination, ils entretiendraient le feu de mon courroux, ils exalteraient ma foi dans l'enfant-dieu de l'arche. Car le désir s'affirmait en moi d'exaucer les vœux de Maran, de remettre de l'ordre sur le nouveau monde jusqu'à ce qu'il puisse recouvrer sa condition humaine et revenir vivre parmi ses frères comme au temps où il marchait, libre et heureux, dans les couloirs de l'arche.

» J'ai également mis la main sur le journal du moncle Artien, soigneusement rangé dans le nécessaire d'écriture de Lahiva. J'ai tourné ces feuilles faites d'une matière très fine et bruissante, et j'ai cherché avec avidité les passages qui évoquaient la vie de Maran. Ils sont peu nombreux, le moncle s'étant surtout intéressé à Abzalon, Ellula, Lœllo et Djema.

» Je n'ai pas pris le temps de tout lire et j'ai sans doute eu tort, mais j'en ai dégagé l'impression que

504

Maran avait été sacrifié et son rôle minimisé, lui qui avait couru tous les risques pour fournir leur nourriture aux deks et leur sauver la vie. Il me fallait réparer cette injustice, redonner à l'enfant-dieu la place qui lui revenait, la place qu'il méritait. J'ai eu l'idée de m'adresser aux cercles des lakchas de chasse. Ils fournissaient la viande, la peau et la corne aux permanents des mathelles, ils évoluaient déjà sur le sentier défriché par Maran et les enfants nourriciers de l'arche, ils souffraient du mépris que leur témoignaient les reines des domaines, ils rêvaient de fonder leur monde sur un ordre nouveau, il seraient sans aucun doute les plus attentifs à mes arguments, les plus aptes à entendre la révélation de Maran.

» De fait, lorsque je me suis présenté à l'assemblée des chefs de cercle qui se tient la nuit de l'alignement des trois satellites, il m'ont écouté avec un enthousiasme indescriptible. Revêtu du masque et de la craine, je leur ai parlé de l'enfant-dieu, de ses vœux, du danger qu'il y avait à laisser se propager les lignées maudites, de la malédiction du Qval. Maran me soutenait comme il me l'avait promis avant son départ, les mots sortaient tout seuls de ma bouche et frappaient mes auditeurs en plein cœur comme des flèches trempées dans le feu de son amour. Il nous incombait d'être les gardiens du nouveau monde dans l'ombre du masque et de la craine, de renouer avec les lois intangibles de l'arche et en particulier avec l'ordre kropte dont était issu Maran, de protéger les sentiers, de purifier la population en éliminant les lignées maudites, de lutter contre l'influence des sœurs de Chaudeterre qui vouent un culte exclusif à Qval Djema, de rogner la puissance des mathelles et de redonner leur importance, leur fierté aux frères engagés sur le sentier des lakchas.

» Ils brûlaient de prouver leur foi en Maran. Je leur ai demandé de sculpter des masques d'écorce, de fabriquer des robes de craine puis, parés de leur nouvel uniforme, l'uniforme des protecteurs des sentiers, de signer leur pacte : qu'ils me rapportent la tête d'Elleo, l'un des fils de la reine Sgen, coupable d'avoir eu des relations incestueuses avec sa sœur Lahiva. Je leur ai fixé rendez-vous dans une grande caverne située au nord-est de Cent-Sources, qui s'est ensuite affirmée comme notre lieu de culte. Ils sont revenus trois jours plus tard, le visage dissimulé sous un masque d'écorce, le corps enfoui dans une robe de craine. Les nouveaux soldats de Maran... Tuer ne leur posait aucun problème : ils avaient déjà exterminé les descendants de l'Agauer après avoir découvert d'où venaient les yonks. Ils craignaient de perdre leur suprématie sur les plaines si les deux populations venaient à se rencontrer. Les connaissances technologiques du deuxième peuple, que la légende appelle la magie, auraient considérablement modifié les comportements, et les lakchas avaient préféré conserver les choses en l'état plutôt que de prendre le risque de disparaître.

» J'ignore pourquoi les descendants de l'Agauer ont offert le cadeau des yonks aux habitants du Triangle. Ont-ils craint que nos ancêtres meurent de faim ? Ont-ils voulu nous transmettre un peu de ce patrimoine de l'ancien monde qu'ils avaient emmené avec eux ? Le journal du moncle, lui-même une copie d'être humain, parle de ces machines à fabriquer les clones à partir d'un modèle de base. Et de la difficulté pour les clones de se reproduire : or les yonks ne se reproduisent pas en captivité, et probablement pas non plus en liberté...

» Mes nouveaux disciples ont ouvert un sac de laine végétale et ont fait rouler une tête à mes pieds. J'ai ressenti une joie mauvaise lorsque j'ai reconnu les traits d'Elleo, puis une rage folle, et, d'un coup de pied, j'ai envoyé sa tête se fracasser contre une paroi.

De la famille maudite qu'il avait fondée avec Lahiva il ne restait rien.

» Rien d'autre qu'une jalousie posthume et tenace qui continuait de me ronger.

» Rien d'autre, vraiment ? Je ne savais pas si les umbres avaient enlevé l'enfant de Lahiva. Le temps avait passé si vite, comme s'il avait subi une accélération brutale, comme s'il nous avait brûlé les doigts. La fraternité de Maran comptait déjà plus de trois cents membres. La clandestinité et l'anonymat des masques nous donnaient une force incroyable. Lorsque nous les revêtions, nous nous emplissions de la toute-puissance de notre frère, de notre père, de notre dieu. Nous avions déjà éteint plusieurs lignées maudites dont nous avions exposé les membres sur la colline de l'Ellab. Notre réputation se propageait comme les bulles de pollen dans les domaines de Cent-Sources, on commençait à nous respecter, à nous craindre. Ainsi que je l'avais fait pour Lahiva, mes disciples n'oubliaient pas de marquer les fautives du divin sceau de Maran avant de les offrir aux umbres. Quelques sœurs envoyées imprudemment en reconnaissance par la hiérarchie de Chaudeterre sont tombées entre nos mains et ont subi le châtiment réservé aux adoratrices de Qval Djema.

» Cependant, tandis que notre organisation prospérait et pouvait dorénavant se passer de moi, je ne parvenais pas à oublier Lahiva et à trouver la paix dans mon cœur. J'avais beau lire et relire les passages de ses écrits qui m'humiliaient, mon amour pour elle s'obstinait à croître. Ni sa mort ni la tête de son amant maudit ne m'avaient apporté l'apaisement que j'espérais. Je suppliais Maran d'intercéder, d'effacer son souvenir, mais il restait sourd à mes prières, et je commençais à me demander à quel genre de dieu j'avais eu affaire, qui restait indifférent à la souffrance de son premier serviteur.

» *Et puis tu es entrée dans ma vie, Gmezer...* »

Il terminait toujours sur cette phrase. Le savoir d'une simple fleureuse s'est montré plus efficace que son prétendu dieu. Depuis qu'il a bu mon philtre, il n'est jamais retourné aux assemblées de ses disciples protecteurs des sentiers. J'aurais pu, j'aurais dû lui ordonner de mettre fin à cette barbarie, mais il me semble avoir déjà précisé que j'avais moi-même une revanche à prendre sur les mathelles, et j'ai laissé les disciples de Lézel la perpétrer à ma place, au moins pour un temps. J'aspirais seulement à me consacrer à notre amour, à cet amour faussé par mes alliées.

Mais j'ai sous-estimé le pouvoir de l'absente, ou surestimé le pouvoir des plantes. Repris par ses démons, torturé par ses doutes, Lézel a disparu un beau matin. Je l'ai cherché en vain dans le labyrinthe souterrain, puis j'ai aperçu un fil de sa craine coincé entre deux roches sur le bord d'un bassin et j'en ai déduit qu'il avait rejoint dans l'eau bouillante la femme qu'il avait adorée et assassinée. Dès lors, c'était à mon tour de plonger dans les affres du désespoir, de goûter la douleur inconsolable de l'absence. J'avais abusé de mon don, j'en recevais le juste châtiment. Il ne me restait pour tout souvenir que le masque d'écorce de mon aimé retrouvé par hasard dans une niche dissimulée par un fragment de roche. J'y ai découvert également les deux journaux, celui de Lahiva et celui du moncle Artien.

Combien de fois les ai-je lus durant toutes ces années de solitude ? Des dizaines, des centaines de fois ? C'est sans doute grâce à ces visiteurs du passé que je ne me suis pas à mon tour plongée dans l'eau bouillante et que j'ai décidé, à la fin de ma vie, de rédiger mes propres mémoires.

Si Artien jugeait peu probable que ses écrits fussent portés un jour à la connaissance d'éventuels lecteurs, je ferai en sorte qu'ils soient lus par le plus grand nombre, de même que le journal de Lahiva, de même que mes souvenirs. De ces trois cheminements à la fois si différents et si proches – nous étions tous les trois des parias, le clone Artien, l'incestueuse Lahiva et Gmezer, la bannie de Cent-Sources – j'espère que les habitants du nouveau monde tireront profit (mais j'en doute, l'humanité ne se montre pas pressée de tirer de réels bénéfices de ses expériences désastreuses).

Je suis consciente d'avoir autant de sang sur les mains que Lézel. Je n'ai jamais eu le courage ni même la volonté d'arrêter les protecteurs des sentiers. J'aurais pourtant dû me rendre à leur assemblée et leur crier que le premier disciple de Maran avait éprouvé de sérieux doutes sur la raison de leur dieu et sur la légitimité de leur action. Je m'en suis abstenue. Lâcheté, rancune, négligence ? À l'histoire de décider.

Quelque chose me dit que la lignée de Lahiva ne s'est jamais éteinte, non pas, comme l'affirmait Lézel, parce que Qval Djema la protégeait, mais parce que l'amour les protégeait. Mes doigts tremblent d'avoir trop serré la plume de nanzier. Je suis soulagée d'en avoir terminé. Soulagée pour mes vieux os torturés par la position assise, soulagée d'avoir trouvé la force d'aller au bout de mon entreprise. Demain j'entamerai mon ultime voyage sur ce monde, puis je m'engagerai, enfin sereine, enfin libre, sur le chemin des chanes – ou sur le chemin d'Eshan.

Mémoires de Gmezer.

Double-poil se détacha du corps d'Alma et se faufila comme un éclair rouge dans un étroit passage entre deux rochers. Elle croisa les bras sur sa poitrine et se recroquevilla sur elle-même. Le froid était d'une intensité suffocante, paralysante, comme s'ils évoluaient à l'intérieur d'un bloc de glace. Orchéron lança un coup d'œil par-dessus son épaule : les deux lakchas avaient disparu de la paroi flamboyante. Ils s'étaient sans doute réfugiés dans les rochers à la vue de l'umbre, comme Double-Poil.

Orchéron entreprit de se défaire du pan d'étoffe afin d'en couvrir Alma. Ses doigts gourds, malhabiles, glissèrent sur les nœuds qu'elle avait serrés avec les bouts déchirés. La pâleur de la jeune femme l'alarma davantage que la proximité pourtant inquiétante du prédateur volant au-dessus d'eux. Il ne décelait pas de peur ni de souffrance dans ses yeux, mais de la résignation, de l'indifférence. Il finit par arracher le tissu et l'étaler sur son corps sans se préoccuper des courants glacés qui se coulaient sur son propre torse.

Puis il observa l'umbre, de forme allongée comme tous ceux qu'il avait déjà entrevus mais d'une taille quatre ou cinq fois supérieure, si sombre qu'il ne discernait aucun détail, qu'il avait l'impression de contempler un fragment de nuit absolue ou une gigantesque pointe de ténèbres. Même de près, les contours des deux excroissances latérales restaient flous, comme si elles n'appartenaient pas tout à fait à ce monde. Seule sa queue évasée, recouverte d'un épiderme écailleux et gris, semblait faite de matière dense. Les éclats rougeoyants de la gorge ne le traversaient pas, non plus que la lumière rasante de Jael qui se couchait dans le prolongement de la faille.

Orchéron s'avança à l'extrémité de la corniche, d'où il avait une vue d'ensemble du fleuve de ténèbres. Au froid qui émanait de l'umbre s'ajoutait une force d'attraction qui évoquait les puits de montée des constructions de la cité de l'*Agauer*. Il était de la même substance sans doute, ou de la même absence de substance, que la porte du tunnel du bord des grandes eaux.

Orchéron eut beau déployer sa concentration, il demeura incapable de discerner les moindres lignes, formes ou reliefs. Il se retourna pour voir si Alma s'était un peu ranimée. En même que temps que sa tête pivotait sur son cou, il sentit un mouvement derrière lui, si fulgurant qu'il douta de ses perceptions.

La stupeur lui arracha un cri : Alma avait disparu. À l'emplacement où elle se tenait quelques instants plus tôt, il n'y avait rien d'autre qu'une vague trace grise qui s'évanouissait comme une brume matinale chassée par les rayons de Jael. Peut-être s'était-elle réfugiée dans les rochers pendant qu'il observait l'umbre ? Fou d'inquiétude, il entreprit de fouiller les reliefs environnants, puis il constata que le grand prédateur volant s'était également évanoui et fut obligé d'admettre qu'elle avait été enlevée. Ou plu-tôt... effacée.

Comme Mael, comme sa mère Lilea, comme tou-tes celles et tous ceux que les couilles-à-masques avaient exposés sur la colline de l'Ellab.

Il poussa un hurlement de détresse. Le destin s'acharnait à lui enlever les seules personnes qui avaient réellement compté. Même si elle n'était pas entrée dans sa vie depuis bien longtemps, Alma lui était devenue indispensable, plus encore que Mael. Sa sœur adoptive lui avait offert ses seuls moments de vraie joie au domaine d'Orchale, mais la petite djemale soufflait sur son feu intérieur, lui donnait la force d'aller au-delà de lui-même. Il s'éteindrait sans elle, il redeviendrait l'Orchéron ballotté par les vents comme une bulle de pollen, un errant de l'existence, un être qui n'aurait aucune prise sur les événements, qui n'aurait pas d'autre but que de courir derrière d'insaisissables ombres.

La lumière empourprée du crépuscule se déversait à flots dans la faille. Les roches translucides s'allumaient dans une profusion de scintillements plus ou moins éclatants.

Un bruit retentit derrière lui. Une flambée d'espoir l'embrasa, qui se retira aussitôt en lui abandonnant un goût de cendres dans la gorge. Ce n'était pas Alma mais Double-Poil qui sortait de sa cachette et s'avançait vers lui d'une démarche craintive. La créature hésita encore un long moment avant de le rejoindre sur la corniche et de s'enrouler autour de lui avec sa vivacité, son adresse et son élasticité coutumières.

Double-Poil réchauffa le corps d'Orchéron mais pas son âme. Il transmit à son hôte des images d'un passé qui gisait dans sa mémoire depuis très longtemps. Il était le dernier de son espèce, les siens ayant été capturés par les êtres à la langue blanche qui vivent dans les cavités souterraines et qui parfois, la nuit, montent à la surface pour surprendre leurs proies dans leur sommeil. Avant l'arrivée des humains, ce monde préservait son équilibre et les umbres n'étaient jamais sortis de la porte.

La porte, où est-elle ? demanda intérieurement Orchéron.

Double-Poil lui montra un groupe de créatures au pelage rougeâtre. Elles jouaient non loin d'une bouche sombre agitée de mouvements convulsifs d'où s'échappaient des vagues d'obscurité qui tapissaient peu à peu le fond de la faille.

Est-ce que tu as vu ce qu'il y avait de l'autre côté ?

À cette question Double-Poil n'avait pas d'autre réponse disponible qu'un tremblement de tout son

512

corps et des images de congénères au pelage hérissé qui fuyaient les vagues de ténèbres en sautant de rocher en rocher. Mais, malgré sa terreur, il se proposait d'emmener son hôte tout près de la porte des umbres puisque ce désir était inscrit depuis toujours dans sa mémoire profonde.

Mémoire profonde ?

Une femme nue dans une grotte qui trempe son nouveau-né dans un bassin d'eau bouillante.

De qui tenait-il ces souvenirs ?

Le visage d'Alma.

Quel rapport avec moi ?

Le visage de sa mère Lilea.

Tu veux dire que cette femme et son nouveau-né dans la grotte sont mes ancêtres ?

Le visage de son grand-père penché au-dessus de lui.

Cet homme, mon grand-père, était le nouveau-né de la grotte ?

Pas de réponse, sans doute une corrélation manquante.

Pourquoi ma lignée est-elle maudite ?

Pas de réponse.

Le regard d'Orchéron erra de nouveau sur le fleuve de ténèbres, puis revint se poser à l'endroit où Alma se tenait avant le passage du grand umbre. La vague de colère qui monta en lui reflua presque aussitôt en le laissant suffoqué de chagrin.

Un masque de protecteur des sentiers.

Qu'est-ce que tu veux me...

Orchéron releva la tête. Les deux lakchas dévalaient les façades rutilantes une centaine de pas au-dessus de lui. Il refoula ses larmes et, obéissant à son seul instinct de survie, se lança à son tour dans la descente.

Il recevait des images destinées à lui ouvrir les voies les plus rapides. En théorie : Double-Poil était d'une agilité exceptionnelle, et les passages qui lui semblaient aisés ne l'étaient pas nécessairement pour son hôte. À plusieurs reprises Orchéron dut revenir sur ses pas et choisir un chemin plus long mais plus sûr. Ses poursuivants gagnèrent donc du terrain, au point qu'il entendit bientôt leur souffle et leurs grognements d'encouragement. Il n'avait pas peur de la mort, il l'accueillerait au contraire avec un immense soulagement, mais, avant, il lui fallait aller jusqu'au bout, franchir la porte des umbres.

Depuis sa petite enfance, son destin était lié aux prédateurs volants. Ils lui avaient pris sa mère, puis sa sœur adoptive, et enfin Alma, comme on provoque un adversaire, comme on le saoule de coups jusqu'à ce qu'il riposte. Ils ne l'avaient pas effacé lorsqu'ils en avaient eu la possibilité, parce qu'il bénéficiait d'une protection liée à ses ascendants, mais, Alma l'avait affirmé, ils avaient sans doute déclenché les sauts dans le temps, ces trous de mémoire qui lui avaient laissé des séquelles si douloureuses. Orchéron n'avait aucune idée de ce qu'il découvrirait de l'autre côté de la porte, il se rendait seulement à l'invitation qu'ils lui avaient lancée. Non par esprit de vengeance, mais parce qu'il avait le sentiment de s'engager sur son sentier. Et les deux lakchas lancés à ses trousses ne devaient pas l'en empêcher, ou les vagues noires déborderaient de la faille, se fragmenteraient en armée d'umbres, se répandraient sur les terres et sur les eaux, détruiraient toute forme de vie sur ce monde et sur les mondes occupés par les humains.

Il allait bientôt atteindre la surface du fleuve de ténèbres. Des courants froids s'immisçaient sous la fourrure tremblante de Double-Poil.

« On le tient ! » souffla Jozeo.

Les deux chasseurs n'étaient plus qu'à une vingtaine de pas de leur gibier, vêtu d'une étrange veste rougeâtre qui se déformait ou se rétractait de temps à autre pour dénuder une partie de son torse.

Ankrel reconnaissait parfaitement l'homme que les protecteurs des sentiers avaient cerné au pied de l'Ellab. Large d'épaules, cheveux bruns et bouclés, un corps d'adulte, un visage encore emprisonné dans les rondeurs de l'enfance. Sauf que, maintenant, une barbe aussi clairsemée que la sienne avait recouvert ses joues creusées par les privations comme les buissons s'emparent des failles.

« Enlevée par cette saloperie d'umbre », avait marmonné Jozeo en constatant que la fille avait disparu.

Ils s'étaient demandé d'où sortait cette dernière. Elle n'avait sûrement pas emprunté le même passage qu'Orchéron fili Orchale – Lobzal fili Lilea, tel était son premier et vrai nom selon Jozeo –, elle n'avait sûrement pas traversé les grandes eaux écartées par la puissance de Maran, alors par quel chemin était-elle venue ? Et que fabriquait-elle en compagnie de l'homme qu'ils pourchassaient maintenant depuis plus de deux semaines ? Ils s'étaient promis de l'interroger dès qu'ils auraient opéré la jonction, mais elle n'avait pas eu le réflexe de se cacher quand l'umbre avait jailli du fond obscur de la gorge, et elle avait subi le sort des imprudents ou des individus que la malédiction de leur lignée condamnait à l'exposition en haut de l'Ellab. Ils le regrettaient tous les deux, Jozeo parce qu'il aurait aimé lui donner la bénédiction de Maran, Ankrel parce qu'il aurait voulu connaître les motifs de sa présence au fond de cette gorge.

« Plus vite, ou il va disparaître dans cette saloperie noire ! gronda Jozeo.

— Et alors ? demanda Ankrel.

— Et alors ? Tu ne comprends donc pas que nous sommes dans le lit des umbres ? Que nous ne pourrons pas le suivre ? »

Ils n'avaient pas pris de repos depuis qu'ils avaient abandonné les yonks. La fatigue alourdissait les membres d'Ankrel, lui pesait sur la nuque et les épaules, l'entraînait à commettre des imprudences de plus en plus fréquentes dans les passages difficiles. Mais il y avait de l'exaltation dans cette poursuite au milieu des roches inondées de lumière, dans ce décor écrasant, dangereux, où les gestes les plus simples recouvraient leur importance fondamentale, comme devant une harde de yonks lancés au grand galop.

Enivré par la fièvre de la chasse, Jozeo prenait maintenant des risques inconsidérés, sautait sur les saillies sans prendre le temps d'en vérifier la solidité, bondissait de corniche en surplomb, donnait l'impression de prendre son élan pour plonger dans le flot sombre, se rapprochait de plus en plus de son gibier.

Distancé, hors d'haleine, Ankrel s'arrêta pour observer son aîné. Il crut une première fois qu'il allait s'abattre sur le fuyard, mais celui-ci lui échappa en glissant le long d'un mur étincelant. Le lakcha emprunta le même chemin et se reçut à son tour une dizaine de pas plus bas sur une large plate-forme.

Le torse basculé par-dessus un éperon, Ankrel les vit apparaître et disparaître à tour de rôle pendant un petit moment derrière les rochers. Jozeo faillit parvenir à ses fins à plusieurs reprises, mais l'autre s'arrangea toujours pour garder quelques pas d'avance, se jetant dans des voies à première vue impossibles, comme s'il connaissait parfaitement les lieux.

Le silence, presque palpable, absorbait les jurons de dépit de Jozeo.

« Plus vite, plus vite », murmura Ankrel.

Ses encouragements n'allaient pas au lakcha mais au fuyard. Pour une raison qu'il ne s'expliquait pas, il ne souhaitait pas la capture de l'homme traqué par les protecteurs des sentiers. Jozeo ne le tuerait pas, du moins tant qu'il aurait besoin de lui pour la chasse aux umbres, mais Ankrel trouvait injuste de l'empêcher de s'enfoncer dans le fleuve de ténèbres et de s'engager sur son sentier. Les frères de Maran ne devaient pas s'interposer par crainte de perdre leur mainmise sur les plaines du Triangle, cette même peur qui avait poussé les cercles des lakchas à exterminer les descendants de l'*Agauer* et à interdire la réunion des deux peuples aux mêmes origines.

Ankrel les vit rouler enchevêtrés sur une corniche étroite juste au-dessus du fond obscur de la faille. Il pensa que la cause était entendue, que le fils préféré de Maran avait encore une fois triomphé, mais la veste rougeâtre du fuyard s'agita soudain, se métamorphosa en une créature vivante qui fila se réfugier au milieu des rochers. La surprise engendra chez Jozeo un instant de flottement qu'exploita aussitôt son adversaire pour le renverser, se relever et, d'un bond, disparaître dans le fleuve de ténèbres.

CHAPITRE XXX

TRAMES

Aux responsables des cercles.
Frères,
Les exemples se sont multipliés ces derniers temps de nos frères qui ont abandonné le masque et la craine. Il n'y a là rien de très alarmant pour l'instant : il arrive souvent que les âmes faibles renoncent au moment de toucher les dividendes de leur action, comme si elles avaient peur de ce triomphe qu'elles avaient appelé de leurs vœux, comme si elles craignaient de tout perdre en recevant leur juste part. Cependant, d'autres pourraient prendre exemple sur ces renégats et agrandir la brèche. Il vous revient de juguler ce qui n'est pour l'instant qu'un faible écoulement mais qui risque, si on n'y prend garde, de se transformer en hémorragie. Nous comptons donc sur vous pour prendre les mesures nécessaires. Un bon exemple valant toujours mieux qu'un long discours, nous vous recommandons de réserver un châtiment public, si possible spectaculaire, aux hommes de votre connaissance qui auraient cédé à cette impulsion de sortir de nos rangs. Il faut que nos frères sachent qu'on ne peut pas impunément abandonner le service de Maran. L'enfant-dieu ne descendra parmi nous qu'à la condition de lui présenter un visage uni fervent. Vous devez donc agir envers les

déserteurs comme envers les lignées maudites. Les traquer dans les domaines où ils sont retournés, ou encore dans les plaines où ils sont réfugiés. De votre promptitude, de votre sévérité dépend en grande partie l'intégrité de notre fraternité. Soyez implacables, frères, le moment n'est pas venu de fléchir. Maran saura récompenser ses fils les plus zélés.

Les averses de cristaux qui tombent sans interruption depuis plusieurs jours ont retardé nos projets – et on peut leur imputer sans doute une partie de ces désertions. Les mathelles prisonnières à Chaudeterre nous ont été amenées par les réseaux souterrains, mais nous devrons attendre le retour de la saison sèche pour les exposer sur l'Ellab et organiser la grande cérémonie dont nous parlions dans notre précédente missive. Nous nous contentons pour le moment de les maintenir en détention.

Le regard de l'enfant-dieu est fixé sur vous, frères. Ne le décevez pas. Que le nom de Maran retentisse jusqu'à la fin des temps.

Le cercle ultime.

ORCHÉRON ne voyait rien, mais les images transmises par Double-Poil lui permettaient de s'orienter sans trop de difficulté au fond de la faille. Il marchait dans ce qui lui semblait être l'ancien lit d'une rivière, inégal, jonché de grands rochers noyés de ténèbres.

Sans la diversion de Double-Poil, il n'aurait pas échappé à l'étreinte implacable du lakcha qui l'avait rattrapé. Un homme qui n'avait rien d'un colosse mais qui possédait une force hors du commun et dont la volonté de fer transpirait dans le regard et les gestes. Le chasseur n'avait pas eu l'intention de l'égorger, du moins pas tout de suite, il s'était contenté de lui poser la lame de son grand poignard sur la gorge. Puis Double-Poil s'était rétracté, faufilé entre les deux hommes, éloigné dans les rochers. Il n'avait sans doute pas supporté les pensées affolées de son hôte, qui auraient encombré sa mémoire de souvenirs désagréables. Son initiative avait en tout cas surpris le lakcha qui s'était redressé et avait relâché son étau. Orchéron l'avait aussitôt désarçonné d'un puissant coup de bassin, s'était relevé, avait sauté dans le fleuve de ténèbres, s'était reçu un peu plus bas sur une autre corniche où Double-Poil l'avait rejoint quelques instants plus tard.

La créature avait montré à son hôte un passage vers le fond de la gorge, puis ils avaient parcouru plusieurs lieues dans une obscurité silencieuse et glaciale. Orchéron avait perdu la notion du temps depuis qu'il évoluait dans le cœur de cette nue à fois dense et impalpable. Tantôt il avait l'impression d'errer sans but depuis des jours voire des mois, tantôt de revenir à son point de départ et de recommencer depuis le début. Les informations délivrées par Double-Poil étaient désormais ses seuls points de repère. Sans la mémoire de son parasite, et sans la protection de sa lignée, il aurait été dépecé, morcelé, déchiqueté par ces flux changeants, par ces ondes contradictoires et glaciales qui s'insinuaient au plus profond de lui et qui, comme les insaisissables pinces au début de ses crises, lui cisaillaient les nerfs. Il éprouvait à nouveau cette souffrance indicible qui débouchait habituellement sur une incontrôlable réaction de violence mais qui, au fond de cette faille, exacerbait sa volonté, sa détermination.

La pensée d'Alma l'occupait tout entier. Il n'hésiterait pas à s'engager sur le chemin des chanes, à fouiller les enfers de l'amaya s'il le fallait, mais il la rechercherait où qu'elle fût. Leurs sentiers se rejoignaient dans ce monde ou dans un autre, et, après avoir franchi la porte, après avoir mis un terme à la malédiction de sa vie, il n'aurait pas d'autre but que de la retrouver.

Après que Double-Poil lui eut transmis l'image de la bouche béante et traversée de convulsions, il perçut des vortex d'énergie qui lui faisaient l'effet de courants à la puissance phénoménale. Il s'arrêta, tenta encore d'accoutumer ses yeux à l'obscurité, ne distingua rien d'autre qu'une agitation tumultueuse, un magma de force ténébreuses.

Double-Poil, qui avait surmonté ses terreurs ancestrales pour l'accompagner jusque-là, choisit ce moment pour l'abandonner. Orchéron était désormais seul dans le cœur des ténèbres, seul face à lui-même. Il tenta d'expulser sa peur et sa souffrance d'une longue expiration, puis, après une dernière pensée pour Alma, il s'avança vers la porte des umbres.

Plusieurs points lumineux se détachaient du scintillement infini, reliés entre eux par des fils, brillants eux aussi mais ternis par endroits. L'ensemble évoquait la trame d'une étoffe courbée, déformée, gondolée. Orchéron n'aurait pas su dire s'il la contemplait à l'intérieur ou à l'extérieur de lui. Il ne se percevait plus en tant que corps mais en tant que courant d'énergie, propulsé à une vitesse effarante dans des passages qui débouchaient en différents endroits de la trame. Ces déplacements se superposaient à ses premiers sauts dans le temps, à celui qui l'avait projeté de la colline de l'Ellab jusqu'au bord de la rivière Abondance, à celui qui l'avait expédié du pied de l'Ellab jusqu'aux plaines du Triangle, à celui qui l'avait déposé sur le bord des grandes eaux orientales, à celui qui l'avait emmené sur le deuxième continent. Il fusait dans des couloirs infinis à l'intérieur d'un labyrinthe aux dimensions de l'univers, et dans un déploiement de souffrance absolue. Il empruntait les passages des umbres, des soldats du temps, mais la physiologie humaine n'était pas faite en principe pour supporter de telles distorsions. Les bouches le happaient sans lui laisser le temps de se reconstituer, et il s'étirait comme un interminable fil de douleur qui perdait à chaque fois davantage de son intégrité, de sa lucidité.

L'enveloppe protectrice que lui offraient sa lignée, ses gènes, lui avait suffi pour résister aux umbres sur le nouveau monde, mais elle volait en éclats sous la répétition de ces accélérations foudroyantes. Il avait l'impression d'avoir vieilli de plus de dix mille ans en quelques instants, à moins encore que ces quelques instants n'eussent réellement duré dix mille ans. Il avait perdu toute notion de chronologie, de commencement et de fin, il rencontrait des difficultés grandissantes à rassembler ses pensées éparpillées.

Les scintillements de la trame émettaient des sons qui formaient un chœur à l'ineffable beauté. Il le percevait à chaque fois qu'un courant le rejetait à l'extérieur d'une bouche, puis, à nouveau happé, projeté sur des distances inconcevables, il replongeait dans le cœur de sa souffrance, il redevenait ce fil fragile sur le point de se rompre, de se disperser à jamais dans le labyrinthe. Il se vidait de sa mémoire comme des grains de manne s'échappant d'un sac. Ses petits sauts sur le nouveau monde avaient engendré des blocs compacts de souvenirs qui se désagrégeaient peu à peu. Il avait bel et bien vécu pendant les trois ans qui séparaient son exposition avec sa mère Lilea sur la colline de l'Ellab et le moment où Aïron l'avait recueilli sur le bord d'Abondance. Les umbres avaient détruit ses liens, il s'était relevé, il avait dévalé la pente de la colline, une jeune fille l'avait installé dans une cabane et nourri pendant un an, puis il avait vu s'approcher des hommes et la jeune fille en pleurs, il avait compris qu'ils le recherchaient et il s'était enfui à travers les champs de manne sauvage. Il avait rôdé encore un an dans les parages d'un mathelle, dormant dans une grotte proche, volant des fruits et des pains, buvant la nuit l'eau des fontaines, observant avec envie les enfants qui se promenaient en compagnie de leurs mères dans les allées fleuries. Surpris par un groupe de garçons qui ne l'avaient pas dénoncé, il avait enduré pendant quelques mois leurs sévices cruels avant d'errer à nouveau sur les plaines et de rencontrer Aïron au bord de la rivière. Il s'était d'abord enfui, mais Aïron, que sa stérilité rendait malheureux, l'avait rattrapé et lui avait proposé de devenir son père adoptif. Et puis il y avait eu sa mère Orchale, bonne, généreuse, il y avait eu surtout Mael, espiègle, jolie, avec laquelle il avait noué une complicité immédiate.

Mael... Que devenaient ceux qu'emportaient les umbres ? Avait-elle été comme lui précipitée dans ce labyrinthe ? Ou bien avait-elle seulement subi un vieillissement précipité qui avait transformé son corps en poussière, en néant ?

Qu'était devenue Alma ?

Alma... Il avait envie de tenir son visage dans le creux de ses mains, de plonger dans ses yeux sombres, de l'entendre se moquer de lui.

Alma bénéficiait d'une protection elle aussi, la protection de Qval Djema. Elle avait peut-être résisté aux formidables accélérations des passages, elle était peut-être saine et sauve sur un fil de la trame. Il lui sembla discerner son chant dans le chœur du scintillement, la note autour de laquelle il lui fallait s'enrouler, l'onde qui lui permettrait de recouvrer son intégrité et de s'orienter dans le labyrinthe.

Il se concentra sur le visage d'Alma lors de ses déplacements suivants. Il eut la sensation que sa souffrance diminuait, qu'il retrouvait un peu de sa cohésion, que chacun de ses sauts poursuivait désormais un but, qu'il se rapprochait d'un point précis de la trame.

Il fut projeté, au bout d'un interminable passage, dans la lumière éblouissante d'un monde. Un long temps lui fut nécessaire pour prendre conscience qu'il était à nouveau un esprit emprisonné dans un corps, pour sentir les caresses brûlantes de l'astre du jour sur son torse. La sensation de vertige, si intense qu'elle lui donnait la nausée, s'estompa peu à peu. La souffrance n'avait pas complètement disparu, elle fredonnait dans ses nerfs. Il dut patienter encore avant de rouvrir les yeux. Il entendait des cris perçants semblables à ceux des oiseaux multicolores du bord des grandes eaux orientales. Mais il sut qu'il n'était pas au bord de grandes eaux, l'odeur, l'atmosphère étaient différentes. Il respirait des vapeurs chaudes et légèrement soufrées qui lui rappelaient les sources bouillantes des grottes du Triangle.

Il parvint enfin à entrouvrir les paupières. Il était allongé sur un tapis d'herbe et de fleurs mauves, non loin de rochers noirs et déchiquetés d'où jaillissaient des gerbes d'une écume fumante. Il aperçut les taches mouvantes des oiseaux sur un fond de ciel étincelant. La bouche des umbres béait à quelques pas de lui, traversée de convulsions. Il se demanda si elle était là depuis la nuit des temps ou bien si elle s'était seulement ouverte sur son passage. Elle évoquait un umbre posé sur le sol, hormis la forme, légèrement plus arrondie, et l'absence de queue. Son pourtour en revanche avait la même apparence que les ailes – ou les nageoires – des prédateurs volants, une substance grise, floue, volatile, qui paraissait se fondre dans une autre dimension.

Il se leva, chancela, mit un peu de temps à trouver son équilibre et se dirigea d'un pas maladroit vers les rochers noirs. Les vagues d'une immense étendue d'eau se brisaient sur des récifs tourmentés. D'elles montait une vapeur épaisse que ne parvenaient pas à dissiper les rafales de vent. Il s'approcha du bord et reçut une projection de gouttelettes brûlantes sur le visage, les épaules et la poitrine. Ce n'était pas une source mais toute l'étendue d'eau qui était bouillante. À cet instant, et à cet instant seulement, il prit conscience qu'il avait franchi des distances phénoménales pour échouer sur ce monde, et il en éprouva une ivresse mêlée de peur. Il se demanda pourquoi le labyrinthe l'avait expédié au bord de ces eaux fumantes, puis il se souvint d'Alma, du chemin des sources bouillantes, et il se mit à sa recherche. Tout en explorant les criques profondes cernées par des rochers noirs et couverts par endroits d'une végétation lépreuse, il lui semblait capter le chant de ce monde entre les grondements des vagues et les piaillements des oiseaux. Un chant triste, nostalgique, qui racontait la séparation, l'absence, la déchirure, qui résonnait comme le chagrin d'une mère pour ses enfants disparus.

Il explora bon nombre de criques avant le coucher de l'astre du jour. La fatigue puis le découragement le gagnèrent. Rien ne prouvait qu'Alma avait été projetée sur ce monde. Rien ne prouvait non plus qu'elle eût résisté aux terribles accélérations du labyrinthe. Il s'assit en haut d'un grand rocher et contempla les grandes eaux bouillantes habillées d'un voile vaporeux qui se teintait du sang crépusculaire. Les oiseaux avaient cessé de crier, le murmure des vagues s'échouait dans un silence oppressant. Des gouttes d'écume brûlante lui cinglèrent le front et les joues. Il fut étreint par un sentiment de solitude qui lui emplit les yeux de larmes. Il avait toujours été seul, même en compagnie de Mael, seul avec sa mémoire tronquée, seul avec ses souffrances. La porte entrebâillée par Alma s'était refermée. Elle se tenait peut-être là, la malédiction de sa lignée : son grand-père, sa mère Lilea avaient aussi mené une existence solitaire voire clandestine, comme si la faute des ancêtres se perpétuait à travers les descendants jusqu'à la fin des temps. Peut-être ne devait-il pas laisser les couilles-à-masques éteindre sa lignée mais l'éteindre lui-même ?

La nuit effaça peu à peu les couleurs et les formes, deux satellites brillants se levèrent dans un ciel constellé d'étoiles. Il resta assis sur le rocher jusqu'à l'aube, indifférent à la fraîcheur nocturne, aux projections d'eau bouillante, immergé dans ses pensées, dans ses souvenirs. Le sentiment de révolte des premières heures, la rage qui caractérisait le début de ses crises et ravivait sa souffrance, s'estompa, le tumulte de ses pensées s'apaisa et, progressivement, il se fit en lui un grand silence où le chant de l'univers, ce chant qu'il avait perçu, enfant, mais que le bruit de la vie l'avait empêché d'écouter, s'éleva en lui et résonna avec une clarté inouïe.

« Qu'est-ce qu'on attend ? marmonna Ankrel.
— Lui, répondit Jozeo. Mon instinct me dit qu'il reviendra. »

Le fleuve de ténèbres avait subitement monté après la disparition d'Orchéron, et les deux lakchas avaient dû escalader à toute vitesse la paroi sur une distance de plusieurs centaines de pas. Ils s'étaient réfugiés dans les rochers qui bordaient la cascade d'eau chaude et où poussaient les gros fruits à la coquille épaisse. C'est là qu'ils avaient passé la nuit, l'un dormant à même le sol pendant que l'autre surveillait l'évolution de la nappe sombre maintenant stabilisée.

« Et qu'est-ce tu feras quand il reviendra ? »

Jozeo eut un de ces sourires désarmants de charme qui plaisaient aux femmes des domaines.

« Eh bien, nous nous servirons de lui pour chasser les umbres, puis j'éteindrai... nous éteindrons sa lignée, comme prévu. »

Ankrel brisa la coquille d'un fruit sur une pierre.

« Tu ne m'as pas tout dit sur lui, hein ?

— Tu ne me l'as pas demandé !

— Je te le demande maintenant. »

Jozeo hocha la tête, prit le temps de manger un morceau de fruit avant de répondre, essuya d'un revers de doigts le jus qui lui coulait sur le menton.

« Orchéron fili Orchale, Lobzal fili Lilea. La bonne question, c'est : pourquoi deux noms pour un même homme ? Pourquoi deux mères ? La réponse est qu'il a connu une deuxième vie après avoir survécu à une exposition aux umbres sur la colline de l'Ellab. »

L'air ébahi d'Ankrel le réjouit visiblement.

« Il avait huit ans quand il a été conduit au sommet de l'Ellab en compagnie de sa mère, reprit-il. On a d'abord cru qu'il avait été emporté, comme sa mère, puis on a retrouvé sa trace. Il avait été recueilli par une jeune fille qui l'avait installé dans une cabane. La description qu'elle en a faite à son père, un protecteur des sentiers, lui correspondait trait pour trait. Dès lors, les frères de Maran se sont lancés dans une vaste opération de recherche qui a duré près de vingt ans... »

Jozeo s'interrompit et lança un coup d'œil vers le fond de la faille. La lumière du matin changeait en parures brillantes les reliefs encore emplis de l'opacité de la nuit.

« On dirait que cette saloperie commence à refluer... Ils ne le recherchaient pas pour l'éteindre, pas tout de suite, mais pour essayer de percer le mystère du seul être humain capable de survivre aux umbres. Or le cercle ultime avait fait du problème des umbres sa priorité. Débarrasser le nouveau monde de ce fléau aurait donné toute sa légitimité à notre fraternité.

— Elle n'en a donc pas, de légitimité ? »

Jozeo lança un regard froid à Ankrel.

« Je parle pour les autres, les mathelles, les permanents, les djemales. Nous, nous avons reconnu depuis longtemps la légitimité de Maran. Notre homme avait été recueilli et adopté par Orchale. C'est dans son mathelle qu'on a fini par le retrouver. La suite, tu la connais.

— Pourquoi sa mère et lui avaient-ils été exposés aux umbres ?

— Il est le dernier d'une lignée incestueuse. Lahiva, son aïeule, a engendré un fils avec son propre frère Elleo. Ce fils a lui-même engendré un fils, un seul, qui, très tard dans sa vie, a engendré une fille, Lilea.

— On n'a vraiment pas la moindre idée d'où lui vient cette faculté à résister aux umbres ? »

Jozeo mangea un autre morceau de fruit. Il s'était déshabillé et avancé sous l'eau de la cascade quelques instants après son lever, et le vent pourtant virulent peinait à soulever ses mèches détrempées alourdies.

« Une protection génétique peut-être. Qui ne s'appliquerait qu'aux hommes de la lignée, ou sa mère en aurait bénéficié.

— Qui est-ce qui peut donner ce genre de protection ? Il faudrait avoir la puissance de l'enfant-dieu lorsqu'il écarte les eaux ! »

Ankrel frissonnait à chaque fois qu'il repensait au passage se creusant dans les grandes eaux sous l'œil rond et attentif de Maran.

« Le Qval, murmura Jozeo avec une moue. Qui a intérêt à ce que se propagent les lignées maudites ? Qui a intérêt à affaiblir les hommes ? Qui a intérêt à empêcher le retour de Maran ? »

Ankrel se leva et se rendit sur le bord d'un promontoire. Il contempla pendant quelques instants la gorge rutilante, puis il observa le fleuve de ténèbres et constata que son niveau avait encore baissé.

« Quel rapport entre les umbres et ce passage sous les grandes eaux ? demanda-t-il sans se retourner.

— Le même qu'entre les lakchas et les frères de Maran. Il sont de la même nature, et Orchéron fili Orchale est le seul de notre peuple à pouvoir l'emprunter. J'ai entendu dire que certains descendants de l'*Agauer* le pouvaient également. Quelques-uns de nos frères s'y sont essayés, on ne les a jamais revus.

— Pourquoi le tuer ? Il pourrait nous apprendre à...

— C'est le rejeton d'une lignée maudite. D'une lignée protégée par le Qval, l'ennemi de Maran. Il est préférable pour nous tous que certaines connaissances retournent dans l'oubli.

— Comme les connaissances du peuple de l'*Agauer* ? »

Jozeo s'avança à son tour sur le bord du promontoire rocheux. Il n'avait pas encore enfilé sa tunique et Ankrel admira sa musculature à la fois puissante et déliée. Il aurait pu devenir ce chasseur magnifique, choyé par les femmes et envié par les hommes, si les circonstances n'en avaient pas décidé autrement.

« Tu ne connais pas cette histoire du premier homme et de la première femme ? C'est une histoire qui nous vient de nos ancêtres kroptes... »

Entre ses paupières mi-closes, Orchéron aperçut une silhouette qui sortait des vagues et marchait dans sa direction, ruisselante, enveloppée de la vapeur qui montait des gouttes encore bouillantes.

Le cœur battant, il bondit sur ses jambes et sauta de rocher en rocher jusqu'au sable noir. Les grandes eaux s'étaient retirées en abandonnant des algues brunes et des coquillages sur une grève jonchée de flaques miroitantes.

Alma surgissait des eaux comme la première femme de l'humanité. Elle resplendissait dans la lumière du matin. Les gouttes scintillaient sur sa peau claire rougie par endroits, ses cheveux mouillés dansaient mollement sur ses épaules. Elle avait elle-même accéléré l'allure depuis qu'Orchéron était entré dans son champ de vision.

Ils n'allèrent pas jusqu'au bout de leur élan, ils s'immobilisèrent à deux pas l'un de l'autre et se regardèrent sans dire un mot.

Ce fut Alma qui prit l'initiative de rompre le silence :

« Tu as trouvé le chemin, on dirait. C'était pourtant moins facile que dans la maison des descendants de l'*Agauer*, ajouta-t-elle avec un sourire.

— Je pensais que... J'ai cru que les umbres t'avaient...

— Je suis sous la protection de Qval Djema, comme toi. Ils n'ont pas pu faire autrement que de me recracher dans l'eau bouillante.

— Est-ce que tu sais où nous sommes ? »

Elle hocha la tête et le fixa de ce regard exigeant, intense, qui désormais ne l'intimidait plus.

« Je n'ai pas envie d'en parler maintenant. J'ai envie que tu me prennes dans tes bras. »

Leur étreinte se prolongea jusqu'à ce que les grandes eaux reviennent investir le territoire qu'elles leur avaient abandonné pour quelques heures. Les premières caresses d'eau bouillante tirèrent des glapissement à Orchéron, qui, accompagné par le rire malicieux d'Alma, courut se réfugier sur les rochers noirs en oubliant ses vêtements.

Ils passèrent le reste de la journée sur l'herbe de la lande, si pleins l'un de l'autre, si serrés l'un contre l'autre que Double-Poil lui-même n'aurait pas trouvé de passage entre eux. À la tombée de la nuit, Alma posa la tête sur le ventre d'Orchéron et garda les yeux fixés sur les satellites qui se levaient tous les deux dans le ciel assombri.

« Les deux satellites là-haut sont Vox et Xion, dit-elle d'une voix alanguie. Nous sommes sur Ester, sur la planète d'où viennent nos ancêtres. L'océan bouillant a gardé leur souvenir. Il a recouvert les terres après leur départ et celui des Qvals, puis la planète a recouvré son équilibre, et il est revenu dans son ancien lit. Il pleure maintenant la disparition de ses gardiens, de ses enfants. La création est le jardin des créatures vivantes, elle n'a pas d'autre raison d'être.

— La légende de l'*Estérion* dit que nos ancêtres sont partis parce que leur étoile menaçait d'exploser...

— Est-ce que c'était la réalité ? Ou une simple peur ? C'est la grande question, Orchéron : de la matière ou de l'esprit, qui vient en premier ?

— Nous ne trouverons jamais la réponse.

— Sans doute que non. Mais, s'il nous est possible de franchir les immensités de l'espace, donc le temps, quelle est notre véritable relation avec la création, quelle est l'étendue de notre rôle ? »

Il se pencha sur elle et l'embrassa ; il n'existait pas à sa connaissance de réponse plus sensée. Elle se dégagea en riant et s'allongea sur lui.

« Nous devons... Non, non, aucun devoir... Le présent nous invite à rentrer chez nous, Orchéron.

— Tu ne disais pas que ce que monde, Ester, désirait adopter des enfants ?

— Réglons d'abord les problèmes les plus urgents sur le nouveau monde. Nous reviendrons peut-être un jour sur l'ancien. Qui sait ce que nous réserve le présent ?

— Restons encore un peu. S'il te plaît. Je te demande de m'offrir ce présent. »

Elle obtempéra d'autant plus facilement qu'elle-même mourait d'envie de prolonger la magie de l'instant.

« L'entrée du nid », lâcha Jozeo en désignant la bouche sombre ouverte au milieu du lit.

Les ténèbres avaient continué de décroître et de s'éclaircir en même temps, dévoilant peu à peu le fond de la gorge. Avant d'entamer leur descente, les deux lakchas avaient attendu d'apercevoir l'ancien lit d'une rivière jonché de grands rochers transluci- des. La lumière de Jael avait empli toute la faille et dissipé les dernières aires de pénombre.

Ils avaient alors dévalé la paroi jusqu'en bas, empruntant tour à tour les murailles verticales et les voies moins raides entre les rochers. Les ténèbres avaient abandonné un froid intense comme seul ves- tige de leur règne. Ils avaient suivi l'ancien cours de la rivière en direction de l'est et laissé le disque flam- boyant de Jael derrière eux.

« Eh, eh, il faut toujours se fier à son instinct... »

Les rochers les avaient jusqu'alors empêché de voir l'homme et la femme allongés sur le ventre devant la porte. Nus tous les deux, ils remuaient faiblement mais ils restaient incapables de se relever, comme s'ils avaient abusé de l'alcool de manne. Jozeo tira son poignard et se dirigea vers l'homme, qu'il retourna sur le dos de la pointe de sa botte. Ankrel reconnut leur gibier, Orchéron fili Orchale, ou Lobzal fili Lilea. Il n'avait pas changé physiquement mais il avait perdu son regard d'homme traqué. Dans ses yeux clairs se lisaient une grande sérénité, une immense confiance, bien qu'il ne fût pas en position de se défendre contre ses deux poursuivants. Cet homme-là n'avait pas peur de la mort et moins encore de la vie. Ankrel observa rapidement la fille : petite, menue, des cheveux blonds, une peau claire, un regard à la fois perçant et compatissant, une beauté originale, émouvante. C'était bien la même femme qu'ils avaient aperçue la veille et qui avait été enlevée par l'umbre. Il aurait aimé découvrir l'amour avec quelqu'un comme elle, dans l'obscurité silencieuse et parfumée d'une chambre, dans un long froissement de tendresse.

« Tu nous as facilité la tâche, Orchéron ou Lobzal », s'exclama Jozeo.

Il appuyait chacun de ses mots d'une pression de sa botte sur la poitrine de l'homme à terre.

« Tu nous as débarrassés du nid des umbres. Nous n'avons plus besoin de toi. Nous allons donc éteindre une fois pour toutes ta lignée, la lignée maudite issue de Lahiva et d'Elleo, les deux fautifs qui ont engendré ton grand-père. Et c'est mon jeune frère qui va te délivrer de tes chaînes familiales. Moi, j'ai mieux à faire : je dois donner la bénédiction de Maran à notre charmante amie. »

Il se retourna vers Ankrel, les lèvres étirées en un sourire cruel.

Le jeune lakcha tira à son tour son poignard et s'approcha à pas lents d'Orchéron.

« Si je comprends bien, les frères de Maran vont recueillir les bénéfices d'une action qu'il n'auront pas menée, lâcha Ankrel.

— Le nouveau monde sera à la fois débarrassé des umbres et de sa dernière lignée maudite, gloussa Jozeo. C'est ce qui s'appelle faire d'une pierre deux coups. Une nouvelle preuve de la puissance de Maran. Comme l'écartement des grandes eaux orientales. »

La fille s'agita sur le sol, ouvrit la bouche, mais aucun son ne franchit sa gorge. Orchéron et elle paraissaient écrasés par la gravité du nouveau monde.

« Quel sera le prix de ta récompense, Jozeo ? »

Le lakcha eut un rictus qui plaqua sur son visage une fugitive expression de démence.

« Je serai moi aussi purifié, petit frère.

— De quoi ?

— Peu importe. J'aurai éteint la malédiction en moi.

— Et si les umbres revenaient ? Qui nous apprendrait à les chasser ?

— Maran les en empêchera. Il en a autant le pouvoir que le Qval. Tue ce bâtard maintenant, donnons la bénédiction à la fille puis rentrons à Cent-Sources. »

Ankrel embrassa la gorge d'un long regard. Maintenant que le fleuve de ténèbres s'était asséché, elle brillait comme une monumentale, comme une triomphante cicatrice de lumière. Le nouveau monde recelait des trésors sous ses dehors les plus sombres, tout comme l'âme humaine. Il fallait simplement apprendre à mieux les connaître, à mieux les aimer.

« Qu'est-ce que tu attends, petit frère ? »

Ankrel s'accroupit au-dessus d'Orchéron, leva le bras, l'abattit de toutes ses forces, dévia la course de sa lame au dernier moment et frappa Jozeo juste au-dessus du genou. Le lakcha se jeta en arrière, pas assez vite pour empêcher la lame de lui entailler la cuisse mais suffisamment pour éviter qu'elle ne s'enfonce en profondeur. Il roula sur lui-même en poussant un hurlement et se releva quelques pas plus loin, pâle, les traits tendus, le regard noir.

« Nous y voilà, petit frère ! cracha-t-il. Les émotions, hein ? Je croyais que tu deviendrais ce guerrier indomptable et pur que ma lignée m'interdisait d'être. Que tu deviendrais le fils préféré de Maran. »

Ankrel se redressa à son tour et, sans quitter Jozeo des yeux, se déplaça sur le côté de manière à s'éloigner du couple allongé.

« Pauvre fou, dit-il d'une voix calme. J'ai fait tout ce chemin pour te mettre hors d'état de nuire comme un animal enragé !

— Tu te sens donc de taille à me tuer, petit frère ? Je t'aurai au moins appris la témérité... »

Jozeo ne bougeait pas, mais Ankrel ne relâchait pas sa vigilance : le lakcha avait bondi sans élan sur Mazrel par-dessus le puits des quatre doigts, et, même si la tache de sang continuait de s'épanouir au-dessus du genou sur son pantalon de peau, il pouvait encore se montrer dangereux. Il était devenu son adversaire, la mort de l'un ou de l'autre devait maintenant sanctionner leur étreinte, mais Ankrel continuait de le considérer comme un modèle, comme un reflet accompli de lui-même.

« Je vais t'égorger, petit frère, poursuivit Jozeo. Car c'est tout ce que tu mérites finalement. Être égorgé comme un yonk. Tu es une bête perdue en dehors du troupeau.

— Je préfère encore... »

Jozeo s'était élancé avant d'avoir achevé sa phrase, avec une telle soudaineté qu'Ankrel tarda à réagir. Il reçut les jambes du lakcha de plein fouet sur la poitrine et bascula en arrière. Il posa la main au sol pour amortir sa chute et se redresser, mais Jozeo, plus prompt, se précipita sur lui et lui percuta les côtes de ses deux genoux. Le choc lui coupa le souffle. Il eut cependant le réflexe de ramasser une poignée de terre et de la lancer devant lui. La poussière gifla les yeux de Jozeo juste au moment il s'apprêtait à lui planter sa lame dans le cou. Ankrel agrippa les cheveux de son aîné et tira de toutes ses forces. Jozeo résista un petit moment avant d'être entraîné et de basculer vers l'avant. Ils se séparèrent et se relevèrent à l'issue d'une roulade tumultueuse, haineux, essoufflés, exténués par la violence de l'effort.

« Tu peux... tu peux encore tourner ta colère contre les ennemis de Maran », haleta Jozeo après avoir réprimé une grimace.

Il consacrait une partie de son énergie à lutter contre la douleur à sa jambe, et c'est là, dans cette brèche, qu'Ankrel décida de s'engouffrer.

« Les seuls ennemis de Maran, ce sont ceux qui se prétendent ses frères. »

Il feignit de porter une attaque du côté faible de Jozeo, qui eut un mouvement de recul, puis il pivota sur lui-même, imprima un mouvement circulaire à son bras et frappa le lakcha juste en dessous de la mâchoire. La lame cette fois s'enfonça jusqu'à la garde et la violence du choc le meurtrit de la main jusqu'au coude. Jozeo avait amorcé une riposte qui se perdit dans le vide et l'entraîna dans une succession de pas chancelants. Dans le dernier regard qu'il leva sur lui, Ankrel crut discerner de la surprise et de la gratitude.

Suffoqué par les larmes, le jeune lakcha raconta son histoire à Orchéron et Alma, sans omettre le viol de Mael dans la grange en ruine et le meurtre de la ventresec et de son enfant. Lorsqu'il relata l'épisode du passage des grandes eaux, Alma lui dit qu'il avait pris pour un miracle ce qui n'était qu'un phénomène naturel.

Il leur demanda ce qu'il devait faire pour qu'ils lui accordent leur pardon.

« Tu nous as sauvé la vie, répondit Alma avec un sourire chaleureux. C'est un bon début. Et puis oublie la notion de devoir. Qu'est-ce que te suggère le présent ?

— De retourner sur le Triangle, d'embrasser ma mère, de demander aux protecteurs des sentiers de jeter le masque et la craine.

— Ils t'écouteront ?

— Je trouverai les mots. »

Une flamme nouvelle lui éclairait les yeux. Il réussirait peut-être à oublier les fantômes du passé, à trouver l'apaisement.

« Nous nous reverrons ?

— Si telle est la volonté du présent. »

Il prit congé d'eux et, sans un regard pour le corps de Jozeo, entama l'ascension de la paroi au moment où Jael se drapait dans un jaune orangé annonciateur du crépuscule.

Alma et Orchéron restèrent assis contre le rocher jusqu'à la tombée de la nuit, encore engourdis par leur voyage dans les couloirs du temps. Ils n'avaient pratiquement ressenti aucune souffrance cette fois-ci, seulement un vertige qui s'était associé à la gravité du nouveau monde pour les maintenir cloués au sol.

« Les umbres ont disparu, murmura Orchéron. Est-ce que ça veut dire que le nouveau monde est délivré de la menace du temps ?

— Il appartient à chaque homme de se réconcilier avec le temps, dit Alma. D'apprendre à l'affronter comme tu l'as fait. Si on allait s'installer dans une maison du peuple de l'*Agauer* ? Maintenant qu'on connaît les entrées et les sorties.

— Tu ne devais pas me dire quelque chose au sujet de ma lignée ? »

Elle désigna le corps du chasseur étendu sur la terre craquelée.

« Il t'a tout dit. Quelle importance ? Tu es Orchéron, et j'ai bien l'intention de fonder avec toi la plus belle, la plus longue des lignées. »

Elle éclata de rire, le prit par la main et, nus, joyeux, ils se lancèrent à leur tour dans l'ascension de la paroi.

ÉPILOGUE

C'est donc à moi qu'est échue cette énorme responsabilité. J'en tremble encore au moment de prendre la plume. Je me sens quelque peu... écrasée par mes prédécesseurs, le moncle Artien, Lahiva et Gmezer. Leurs parcours sont certes différents comme ne manque pas de le souligner Gmezer, mais je me dois ici de reconnaître qu'ils possèdent, chacun à leur manière, une personnalité dont je m'estime totalement dépourvue. Cependant, il ne s'agit probablement pas d'un hasard si leurs écrits me sont parvenus. J'y ai vu un signe du destin, une façon inespérée d'échapper à la médiocrité de mon existence.

Comment ces précieux rouleaux et ce matériau que le moncle Artien appelle le papier se sont-ils retrouvés en ma possession ?

La réponse est d'une simplicité terrifiante : je les ai trouvés dans un grenier ! J'ignore comment ils sont arrivés là. Gmezer, comme elle l'écrit elle-même, les a-t-elle confiés à l'une de ses anciennes amies qui, effrayée par leur contenu, s'est empressée de les ranger dans ce grenier ?

Qu'importe dans le fond ! Ils m'ont choisie, moi, Esrel, la troisième fille d'une servante du mathelle de Sliozia, c'est à moi de me montrer digne d'eux. J'ai décidé d'attendre un peu avant de les porter à la connaissance des mathelles. Les choses ont changé ces derniers temps, mais je préfère attendre que les flambées de violence se soient définitivement éteintes dans le secteur de Cent-Sources.

Sous l'impulsion d'un homme du nom d'Ankrel, la plupart des protecteurs des sentiers ont abandonné le masque et la craine. Les mathelles qu'ils retenaient prisonnières ont été délivrées et ont pu regagner leurs domaines saines et sauves. Dont Merilliam, qui est en passe de devenir la grande figure féminine héroïque des plaines. Des batailles opposent encore les partisans d'Ankrel et les frères de Maran, de moins en moins nombreux.

Nous pouvons désormais nous promener sans craindre les umbres, même si nos vieux réflexes nous poussent à garder un œil levé sur le ciel. Cela fait maintenant une année qu'ils n'ont pas reparu. La rumeur court que nous devons cette double délivrance à un homme et une femme qui vivent sur le deuxième continent. On dit d'eux qu'ils sont les descendants de l'Agauer, les magiciens qui apportent la paix et le bonheur, et, si j'en juge par les rires et les chants dans les allées des domaines, je crois que c'est vrai. J'en ignore les raisons, mais j'ai la conviction qu'il existe une relation entre ce couple extraordinaire et mes trois prédécesseurs. Non, ne me demandez pas d'explication, je ne suis pas historienne. Un jour peut-être, je ferai comme ces pèlerins, ventresecs ou permanents, qui se rendent sur le deuxième continent par le passage de Grand-Maran, j'irai rencontrer Orchéron et Alma et recevoir leur bénédiction. En attendant, je me prépare pour la fête de Grande Délivrance qui aura lieu dans trois jours. La vie a repris à Cent-Sources après toutes ces années de terreur, et le moindre hommage qu'on puisse rendre à nos magiciens du deuxième continent, c'est d'en jouir.

Le journal d'Esrel.

TABLE

Retrouvez les auteurs
de la collection J'ai lu série SF sur le site

ActuSF.com

8044

Composition PCA à Rezé
Achevé d'imprimer en France (La Flèche)
par Brodard et Taupin
le 7 août 2006. 36854
Dépôt légal août 2006. ISBN 2-290-34880-5
1ᵉʳ dépôt légal dans la collection : mai 2006

Éditions J'ai lu
87, quai Panhard-et-Levassor, 75013 Paris
Diffusion France et étranger : Flammarion